ROBERT KLEIN

La forme
et l'intelligible

ÉCRITS
SUR LA RENAISSANCE
ET L'ART MODERNE

ARTICLES ET ESSAIS
RÉUNIS ET PRÉSENTÉS
PAR ANDRÉ CHASTEL

GALLIMARD

PRÉSENTATION

Robert Klein était un ami. Nous avons pendant dix ans travaillé ensemble avec une liberté et un entrain extraordinaires. Mais je ne saurais faire son portrait.

Quand quelqu'un de cette qualité a disparu, on peut recueillir lettres et propos, réunir les témoignages, rassembler les textes; on doute invinciblement d'avoir toujours été aussi vigilant et attentif qu'il eût fallu. Toujours vivace, ironique, acéré, Robert Klein a été en fait, jusque dans la mort, aussi secret et dérobé qu'on peut l'être pour sa vie personnelle. Seulement, il possédait une extraordinaire capacité de dégager et d'apporter les vraies questions, en souriant volontiers des autres. C'est ce qui a fait un devoir à quelques personnes de réunir des écrits, où ce don se manifeste avec tant de force qu'ils ne devraient pas être oubliés [1].

Le souvenir ne s'interroge pas comme un visage. Klein était et reste une présence intellectuelle que je ne saurais tenter d'expliciter sans rencontrer le problème qui a tout naturellement fourni le titre de ce recueil : les rapports de la forme et de l'intelligible. Les questions qui nous tiennent à cœur se retournent aisément sur nous. Je ne puis que suggérer son ingenium particulier, en essayant d'inscrire son activité intellectuelle et son humanité également hors du commun dans une sorte de quadrilatère, qui serait sa « maison » idéale, au sens des horoscopes à la mode au XVᵉ et au XVIᵉ siècle, qu'il nous arrivait d'examiner, sinon de fabriquer avec amusement. Jamais perfide, jamais indiscret, proprement incorruptible, généreux en silence, dépourvu de toute affectation à un degré qui ne se rencontre jamais, il traversait la vie, avec des malheurs et des complications sans nombre, dont il ne disait rien. Il faisait parfois penser à ces personnages imperturbables de Borgès qui « suivent une idée »; ils ont pour eux une vie seconde, celle de l'intellect, riche de

1. Il s'agit de Marcel Bataillon, Henri Zerner, Hubert Damisch, Jacques Guillerme, Enrico Castelli, Eugenio Garin, Paul Ricœur.

coïncidences, de surprises et de fidélités non moins surprenantes que l'autre. Seulement, ces ressources d'un esprit apte à se mouvoir à travers à peu près tous les domaines, des sciences mathématiques aux textes les plus anciens, du latin médiéval à Rimbaud ou à Sartre, invitent à disposer un autre repère symbolique, pour mettre l'accent sur la lucidité et la disponibilité constantes qu'illustre si parfaitement Valéry. Je sais bien qu'il eût trouvé le premier trop littéraire et le second trop « mondain »; aussi s'agit-il d'un Valéry qui ne tiendrait pas à la Méditerranée mais à un pays balkanique (d'ailleurs répudié), et qui, si indemne qu'il ait été de toute complaisance et peut-être même de toute inclination au fantastique, connaissait cette difficulté à s'accepter et à entrer dans la connivence des choses, que représente à l'état pur un Kafka. Peut-être y aurait-il dans les formes et dans les écrits de jeunesse de Klein — que nous ne connaissons pas — de quoi mieux justifier cette inscription au troisième angle du cartouche de l'israélite insaisissable, et si étonnamment défendu contre lui-même, qu'était Kafka, celui qui, recherchant et fuyant presque en même temps sa fiancée, écrivait à un ami: « La conclusion est toujours celle-ci: je pourrais vivre et je ne vis pas. »

Nous ne pouvons nous empêcher de prêter à Robert Klein, que le destin a placé aussi dans quelques situations implacables, une tension permanente de cet ordre. Mais, avec lui, aucune plainte, directe ou déguisée, n'était concevable. Une invincible et souvent étincelante propension à l'ironie, était plutôt sa marque pour tous ceux avec qui il a échangé lettres et propos. Une ironie aiguë qui peut aider à fermer le carré avec un dernier repère, emprunté à l'impression si forte et si amère que laisse l'ingéniosité verbale, souvent crépitante et le scepticisme dévastateur des Roumains, ses compatriotes, qui ont avant lui trouvé une attache à Paris, comme, pour ne citer que les plus notoires, Ionesco ou Cioran. Ce repère est moins facile et gratuit qu'il ne peut paraître. Klein, qui — je crois pouvoir le dire — se plaisait beaucoup à Paris, même en logeant dans des chambres minuscules sans meubles, a assumé pleinement sa condition d'apatride. Au début de 1966, il écrivait à un ami: Tu m'attristes en devenant un réfugié comme les autres, et en croyant que seulement dans ta chère Europe orientale ou centrale les gens ont du cœur et les filles du sexe. Ne « rationalise » pas ton mal du pays sous des formes aussi chauvines. Si tu as un excès d'âme slave, tu ne dois pas en vouloir à ceux ou celles qui ont un excès de raison cartésienne (j'emploie ces horribles lieux communs pour montrer dans quelle voie dangereuse tu vas, mon fils). Fin du sermon (*24 février 1966*). C'était, on le voit, *le moins reposant des interlocuteurs. Ce genre d'avertissements lui était naturel. Il redoutait pour autrui et avait apparemment dénoué pour sa part toutes les attaches subreptices (il faut dire : apparemment, car, en fait, il donnait sa bourse au premier réfugié venu, envoyait le peu d'argent qui lui revenait à une tante malade en Israël...). Peut-être tout simplement avait-il acquis la mentalité d'un « juste », à qui le repos de la bonne conscience était spécialement interdit par un sentiment aigu de la comédie inutile. En somme, un homme bien défendu contre l'aliénation sous toutes ses formes.*

Le point d'intersection de toutes ces « lignes de force » n'est sans doute pas aussi évident qu'il le faudrait, mais ces diverses références aident à désigner un mode de vie où la part du fortuit, de l'incertain et du dangereux était naturellement assumée. Elles suggèrent aussi, je pense, une aptitude réflexe devenue presque un goût, une passion, pour la contradiction, pour toute contradiction. Je me demande s'il ne faudrait pas le rapprocher d'une personnalité beaucoup plus active et engagée, mais d'une richesse des moyens intellectuels et de curiosités positives assez comparables, comme Walter Benjamin[1]. Robert Klein serait un W. Benjamin, qui aurait très tôt trouvé en Husserl le stimulant décisif que l'autre a découvert en Marx, et dont les terrains d'application privilégiés auraient été non la littérature ou le cinéma, mais la culture et l'art de la Renaissance, avec, de toute façon, un sens précis de l'actualité intellectuelle. La constellation symbolique au sein de laquelle on peut essayer de placer Klein requiert qu'on insiste sur l'importance fondamentale, le rôle d'ascendant, joué par la « phénoménologie » de Husserl. Je me dois de dire que rien ne l'indiquait dans ses préoccupations concrètes, au moment où certaines tâches qu'il assurait auprès de deux historiens de la Renaissance, Augustin Renaudet et Marcel Bataillon, nous mirent en contact vers 1957.

Pendant longtemps, j'ai dû surtout voir en Robert Klein l'homme des trouvailles ingénieuses et des citations brillantes, et celui que ne rebutait pas, par exemple, la tâche ingrate d'établir l'index des livres d'érudition. Toute difficulté étant un défi, toute singularité un attrait, il se divertissait à démontrer la portée de ce qu'on eût pu croire in-signifiant : les spiritelli dont parle Dante, les laborieuses inventions de « devises ». Il était toujours en avance d'un problème. Il entra de bonne heure dans l'équipe

1. C'est l'occasion de rappeler l'intérêt des essais naguère traduits et publiés par Maurice de Gandillac, éd. Julliard, 1959, et qui ne semblent pas avoir suffisamment retenu l'attention. L'édition italienne publiée sous le titre *Angelus Novus* par R. Solmi, éd. Einaudi, Turin, 1962, a eu plus de succès.

d'Humanisme et Renaissance ; *il y publia des comptes rendus impeccables où il avait, chaque fois, la malice — ou l'ingénuité — de faire dire à l'auteur des choses plus intelligentes qu'on n'en trouve dans l'ouvrage. De bonne heure aussi, le professeur Enrico Castelli, de Rome, prit l'habitude de l'inviter à collaborer aux colloques et aux recueils qu'il organisait. Il participa à maint conciliabule d'amis ; des petits cénacles se formaient naturellement autour de lui. Je le voyais constamment. Nous travaillâmes ensemble à quelques livres*[1]. *Il m'annonçait périodiquement son intention de s'occuper bientôt de tout autre chose et parlait d'une grande Esthétique. Il publia quelques essais ; l'enchaînement de ses études philosophiques frappait moins que leur angle de vue. C'est seulement quand sa mort soudaine m'a amené à réunir ses articles et essais que j'ai aperçu dans cet ensemble un peu épars les fragments d'un « grand Dessein » qui n'avait cessé d'occuper son esprit. Je vais m'efforcer d'en donner une idée, comme il m'apparaît aujourd'hui.*

Klein était de ces esprits qui ne se répètent pas, parce qu'ils se refusent à généraliser « au hasard ». Ce qui l'intéressait, c'était l'essai, où l'on procède d'un coup rapide à un sondage en profondeur dans l'épaisseur de l'histoire, ou, si l'on veut, à une sorte d'extraction chirurgicale. Ce don d'entrer dans un sujet par une observation rare et précise ne pouvait laisser indifférent. Chacun des textes qui suivent montre clairement ce sens de l'« attaque » inédite, et, aussi bien, celui des conclusions impératives. Voilà donc ce philosophe-né entrant dans le domaine des historiens, comme un Spinoza qui chercherait son bien chez le P. Menestrier, théoricien des entrées princières, du théâtre, des emblèmes, ou dans les traités de rhétorique et d'iconologie.

Nous pensions précisément qu'il vaut la peine d'ouvrir les traités de la Renaissance et que, comme l'ont montré E. Garin, P. O. Kristeller, E. Gombrich et quelques autres, on a des chances de trouver dans un mauvais texte la bonne question. Nous échangions volontiers nos petites découvertes faites à travers ces épais recueils au titre souvent étonnant : de expetendis et fugiendis rebus *ou* dell' ingegno dell' uomo. *Mais il était clair que Klein suivait une démarche particulière, qu'on peut éclairer par une sorte d'apologue. Dans un essai moral,* de tranquillitate animi *composé en 1443-1444, Alberti a glissé un bel et assez étrange développement sur la mosaïque ; il y voit un symbole de l'activité intellectuelle dans ses démarches les plus générales comme*

1. Il s'agit de *Léonard de Vinci, Traité de la peinture*, Club des Libraires de France, 1960, et de *L'Europe de la Renaissance : l'Age de l'Humanisme*, Bruxelles et Munich, 1963.

dans la démarche plus précise de l'archéologue et de l'historien du passé. Tout nous arrive à l'état de fragments, provenant de débris de vases, de marbres, d'objets vils ou précieux, assemblés comme à tâtons et au hasard. De cet amas qui s'est tassé et ajusté tant bien que mal sur le sol, il faut par déplacements attentifs d'éléments faire peu à peu surgir une figure, ou mieux : la composition qui rend le tout « intelligible ». L'intuition unifiante qui guide la restitution nécessaire, est constamment stimulée ou infirmée par la « prégnance » ou l'incohérence du résultat. Ce traité, qui emprunte ostensiblement son titre à Sénèque, vise, au demeurant, à orienter l'esprit vers un accord entre l'ordre de la connaissance et celui des exigences personnelles et actuelles, entre la connaissance historique et le bonheur intérieur. Le même « dessin » global, peut valoir, en somme, pour l'intelligence et la volonté. A la limite, on pourrait dire que la leçon de l'histoire est déjà présente dans la question que l'on s'ingénie à lui poser.

L'exemple de Klein donnerait envie de creuser la postérité de cette idée. Mais n'ayant pas eu la formation habituelle de l'historien, il ne traitait pas, en somme, la masse des données et des œuvres comme les résidus épars d'un total à restituer, il se défiait de cette idée trop facile d'un « total » — qui sent son « hégélianisme » — et, plutôt que de rattacher la signification à l'image globale, préférait rechercher les traits et même les symptômes de l'« intentionnalité » ou, si l'on veut, les partis pris instinctifs. Il en allait ainsi pour le classement des sources et plus précisément des travaux historiques, dont les positions sont analysées avec autorité dans le tableau des études sur la Renaissance, tracé à propos de Burckhardt. Il en allait de même pour l'exploration des idées et des œuvres. Mais cela demandait l'élaboration d'une démarche critique spécifique.

A l'intuition — plus ou moins traditionnelle — de la composition à restituer on peut opposer celle de la propagation continue de certains thèmes ou formules, porteurs à la fois de question et de réponse, et communs, en fin d'analyse, aux témoins du passé qui s'en saisissent comme à l'historien chez qui ils retentissent. Au travail de la mosaïque s'oppose la détection d'une réalité qui relève moins de l'image-puzzle que de l'impact d'une douleur ou d'une joie diffusée à travers l'organisme. La fécondité de l'opération se démontre par la multiplicité des points sensibles qui s'éveillent aussitôt. Pour résumer l'esprit de ces remarquables démonstrations d'un mot, il s'agit de la recherche d'une innervation intérieure au massif composite de l'histoire intellectuelle. La règle du jeu, si l'on peut dire, ou plus sérieusement le but poursuivi, est d'attacher l'attention par la découverte des impli-

*cations qui de proche en proche mettent en présence d'une notion
tirée de Sartre, Heidegger ou Husserl ; celle-ci devra apparaître
à la fois comme notre appréhension propre — et donc la plus
sensible — du phénomène et comme l'aboutissement moderne du
thème. Un exemple l'illustrera. Dans une page saisissante de la
Théologie platonicienne, Marsile Ficin donne une interprétation
de l'au-delà, qui peut curieusement convenir aux lecteurs de
Huis clos : l'Enfer, c'est le cauchemar devenu permanent de
l'âme impure, c'est le rêve interminable de la conscience prisonnière de ses terreurs imaginaires, la fermeture sur l'horreur
de l'illusion douloureuse dont elle ne sait plus comment s'échapper[1]. Il y a là le croisement d'une double perspective métaphysique et morale, qui a retenu l'attention de Robert Klein et lui
a fourni le point de départ d'une analyse très caractéristique :
il dissocie ce qui est dit du statut « ontologique » de l'imagination
et de l'idée de châtiment. Il distingue puis relie lentement deux
problèmes. Le second point, centré sur la notion de « peine du
dam », de punition éternelle, importe énormément à Klein qui
n'a cessé de réfléchir sur la notion de responsabilité. Au terme
d'une suite d'analyses presque contraignantes, il établit que cette
notion « insoutenable » ne peut prendre corps que par association
avec l'interprétation « magique » des puissances de l'âme, et très
exactement la théorie de l'« enveloppe pneumatique » et du spiritus
phantasticus, qui explique l'extraordinaire définition du philosophe florentin, mais qui vient du fond des âges : Origène et
Ficin reliaient sans le savoir un résidu des religions primitives
aux prémisses d'une religion rationalisée. Seulement, loin d'être
un point final, la « théologie poétique » de la Renaissance apparaît comme un jalon dans un cheminement continu, qui a seulement commencé à se dénouer de nos jours. Il faudrait pourtant — écrit Klein — reconnaître avec Heidegger que la prise
de conscience est l'acte libre par excellence, ou plutôt le seul
acte qui soit d'un autre ordre que celui des contraintes rationnelles ou naturelles. L'analyse était évidemment stimulée depuis
le début par cette « prise de position » importante. Il n'est pas
sans intérêt de savoir que Klein avait eu autrefois en chantier
une longue étude (restée inachevée) sur la responsabilité.*

*Il avait admirablement compris que l'époque dite de la Renais-
sance est celle où un effort sans pareil a été accompli pour développer jusqu'à ses extrêmes limites les ressources d'une science
sans concept qui travaillerait par l'établissement et l'exploration*

---

1. *Théologie platonicienne,* XVIII, 10, *Opera,* p. 418, *phantasticae rationis
imperium in homine impio ;* voir A. Chastel, *Marsile Ficin et l'art,* éd. Droz,
1954, p. 164.

des signes visuels ou des « images ». Il l'a doublement explicité par des observations sur la mode de l'emblème (ou impresa,) qui lui permet de démontrer en quelque sorte le fonctionnement intellectuel du signe dans toute culture. D'une manière générale, l'ensemble de ses conclusions sur la portée de la notion du spiritus phantasticus dans la philosophie comme dans la littérature, la doctrine d'amour et la théorie de l'art, de Dante à Giordano Bruno, a ajouté une dimension durable à l'interprétation de l'époque et tracé les linéaments d'une anthropologie sans fissure. On oublie difficilement le passage où, dans un autre essai, Klein analyse ses modalités de l'amour selon Dante en fonction des spiritelli du regard, c'est-à-dire de l'émission du pneuma psychique par les yeux. Il a multiplié ainsi les éclairages neufs dont il n'est plus permis à personne d'éluder les conséquences. Elles sont à relier aux études qui avant ou après ces travaux ont abordé le statut de la science dans ses affinités avec la magie[1], l'importance des « mécanismes de fascination » et l'arrière-plan démonologique de mainte attitude spéculative ou pratique, et enfin le développement des doctrines artistiques ; autrefois esquissé par E. Panofsky, il a été renouvelé par Klein grâce à l'exploration des traités laborieux et singuliers de Lomazzo, le théoricien aveugle de Milan[2]. Cet auteur l'avait occupé quelques années.

Armé de son « analytique » à fondement phénoménologique, Klein y avait relevé deux traits d'une certaine importance. Lomazzo, en présentant les grands génies de l'art : Raphaël, Michel-Ange, Léonard... sous la forme de sept gouverneurs, qui sont les sept colonnes du Temple idéal de la peinture, n'usait pas d'un artifice de rhétorique, mais adaptait délibérément à l'art les formules de la magie planétaire — celle de Cornelius Agrippa ; il agissait, en somme, comme un théoricien positiviste du XIXe siècle qui adapterait à la psychologie de l'artiste certains résultats de la biologie ou de la physique. Mais, ce qui est plus profond encore, il y a chez Lomazzo une fusion délibérée de la théorie ainsi conçue, de l'histoire comprimée en sept héros et de la critique. Ce qui revient à y reconnaître une double perspective emmêlée ; l'interférence d'une pensée « diachronique », recueillant un ordre de succession, avec une pensée « synchronique », organisant un système, préfigure

1. Dans cette voie, sur laquelle j'avais eu, de mon côté, l'occasion d'insister, on soulignera la convergence des travaux de F. Yates, de D. Walker, d'E. Garin, de P. Rossi. Ou encore, pour citer un recueil tout récent *Art, Science and History in the Renaissance*, édité par Ch. S. Singleton, Baltimore, 1967, IIe partie.
2. Le « Centro di Studi del Rinascimento » doit prochainement publier l'essai, déjà ancien, de R. Klein, avec une mise au point de Mlle P. Barocchi.

des positions célèbres de la critique d'art, dont l'analyse serait évidemment à poursuivre [1].

La notion de l'art-science, c'est-à-dire d'un savoir enclos dans les structures figurées qui l'administrent, ouvre sur des problèmes peut-être encore plus remarquables. En abordant l'analyse des constructions en perspective avec la minutie du mathématicien, Klein a pu faire des observations qui ont étonné puis convaincu Panofsky lui-même. Après le grand article de 1961 qui fut publié par ses soins, l'auteur de La Perspective : forme symbolique *ne devait plus ménager à Klein son amitié. Comme pour les minces petites citations de Dante ou de Ficin, Klein s'était ingénié à faire surgir comme à plaisir des problèmes de taille et d'ampleur croissantes, et mettait finalement en cause les plus graves fonctions de l'art de l'époque, là où il ne s'agissait apparemment que de résoudre un détail, presque secondaire, comme la construction technique du damier en « perspective ». En accord avec une idée que j'avais cru bonne à retenir — celle de l'indépendance relative des pratiques artisanales, et plus généralement, de la culture des ateliers d'artistes vis-à-vis des grands « traités » humanistes — et qu'il a considérablement consolidée, Klein a analysé les incroyables tâtonnements de la Renaissance dans la mise au point du système perspectif, dont on se hâte toujours trop de faire la « clef » d'une nouvelle « vision du monde ». Il alla même jusqu'à présenter comme, à certains égards, rétrograde la manière dont Alberti a promulgué la* costruzione legittima. *Et le médiocre humaniste P. Gauricus, que nous étudiions alors en commun à l'École pratique des hautes études, lui permettait d'établir comment — là encore, en opposition avec les appréciations superficielles — la perspective est plus liée aux problèmes de composition (istoria) qu'à l'intelligibilité abstraite de l'espace. Celle-ci est illusoire, en raison du nombre des variables, des diverses possibilités de construction et de l'alternative de l'anamorphose à la projection « sphérique » qui, si l'on pousse les termes à leur limite, enferme toute solution possible* [2].

---

1. Les observations de Klein recoupent celles de Michel Foucault, dans *Les Mots et les choses*, éd. Gallimard, 1965, qui, bien entendu, l'intéressait vivement, mais auquel il aurait volontiers opposé les exigences d'une analyse plus patiente, moins arbitraire dans le choix des références et adoptant d'autres articulations générales.

2. Lettre à J. Guillerme qui lui avait signalé un nouvel exemple de décor en trompe l'œil : « Triste d'avoir à te dire que le truc du plafond en perspective avec point de vue excentrique n'est pas propre au château de Cagnes (dont, triste à dire, j'ignorais l'existence); il y en a, dans la douce Italie, où l'artiste ingénieux et prudent a marqué sur le pavement l'endroit où l'on doit se tenir pour contempler son œuvre. J'aurais dû en tirer parti pour appuyer ma brillante thèse que toute perspective non curviligne est au fond une anamorphose; mais la vérité de ma brillante thèse est si éclatante que l'abondance des arguments risquait de la priver de son élégance » (14 septembre 1962).

L'analyse même des conditions de la perspective permet d'établir son caractère « institutionnel » avant toute autre considération historique.

Bien que, pour des raisons diverses que je ne songe pas à élucider maintenant, Robert Klein n'ait pas cru devoir adopter le vocabulaire qui était en train de devenir à la mode avec le succès de la « linguistique structurale », on peut dire qu'il se mouvait naturellement dans le cercle de la sémiologie. Sa vigilance devait s'exercer sur tout ce qui concerne ou prétend expliciter, voire schématiser, la relation du signifiant et du signifié. Un grand nombre de ses indications ont acquis un caractère durable. Dans un but qui, comme le pensait et l'a dit E. Panofsky lui-même, était avant tout d'ordre pédagogique, l'introduction des Studies in Iconology *(1939) avait distingué deux niveaux d'interprétation : primaire (identification à partir des éléments d'expérience : un cheval, une architecture...) et secondaire (identification d'un thème impliquant une référence littéraire ou conceptuelle : ce cheval est Pégase, cette architecture un temple de Vénus), avant le troisième niveau, qui introduit le « symbole culturel » (Pégase sert dans une* impresa *à l'héroïsation de tel poétastre, par exemple). R. Klein n'eut pas de peine à montrer que la distinction est factice, comme Panofsky l'avait d'avance admis ; mais le point de départ de Klein est précisément la déclaration que ce classement est arbitraire. Il souligne le fait que l'interprétation dite primaire et, plus encore, l'autre ne sont possibles en fait que grâce à la projection de notions fournies par la culture du spectateur. Toute perception présuppose les niveaux suivants. Deux précisions se font jour dans l'interstice ainsi ouvert : le niveau élémentaire ou primaire ne peut concerner que des classes d'objets, non des individus ; on ne considère provisoirement que l'aspect générique de certains éléments. Il en est ainsi parce que le « sens » élémentaire est déjà plus ou moins rigoureusement associé à une structure formelle prise dans l'image (ramenée ici aux dimensions d'une* Gestalt*) et assurant la propagation de celle-ci. Ainsi, même à ce stade, l'iconographie suppose un système formel articulé : elle n'en a été dissociée que pour la commodité de l'exposé ou pour celle de la recherche. On ne sera pas dupe de l'opposition.*

En second lieu, dans tous les cas de « métaphore figurative » (comme quand une dame devient Vénus ou Diane, par une variante picturale ou plastique de la « métaphore poétique » dont les linguistes les plus avertis font l'un des moteurs du langage), il y a enrichissement du « signifiant » par l'adoption d'une ressemblance formelle ; et c'est le style, le système formel voulu, *qui devient le véhicule majeur de la signification. Bref, Klein s'est astreint à établir que la démarche iconographique — si intéressant qu'il soit de le définir in se — n'est pas et ne peut pas être pure. Non seulement il convient de « relativiser » tous les degrés de signification qu'on distingue à l'intérieur de l'objet analysé, mais il faut envelopper celui-ci de la présence directe ou indirecte de la réalité formelle ou stylistique. Les deux lignes de référence doivent être accolées dans l'examen réflexif comme dans l'objet. Une fois de plus l'articulation des niveaux suppose une « orientation » intégralement admise, et celle-ci ne se constitue bien que dans une « polarité ».*

La conséquence est considérable. Je la crois même capitale dans l'énoncé que Klein a été amené à en formuler pour la première fois. Le plus intéressant est précisément ce qui échappe à la réduction iconographique — conçue sur le type scolaire et simplificateur ; c'est le « symbolisme non explicite où signe et signifié tendent à se confondre » comme il arrive quand Poussin figure Adonis mort sur le modèle (implicite) d'un Christ mort. Ainsi, la clef iconographique est souvent donnée par le style, la capacité suggestive de celui-ci est un principe de découverte. L'iconographie qui tend à dégager des rapports d'ordre sémantique est un travail de spécialiste, dont on peut jalonner et contrôler les démarches, bref pour lequel on peut et doit définir une méthode ; mais le degré le plus attachant du travail est celui où l'on ne dispose pas de code — mais d'une clef de nature « non définissable », pour laquelle Klein était prêt à proposer, après quelques hésitations, semble-t-il, le terme d'herméneutique.

Le chercheur est donc sans cesse ramené, comme l'amateur, vers le principe qu'il veut éviter. C'est la loi du « cercle épistémologique », bien connu depuis Wittgenstein. Il était temps qu'elle fût interprétée sous la forme la plus extensive pour l'histoire de l'art. On se trouve avec Klein à l'intérieur d'une démarche qui est celle même de toute connaissance en ces domaines : la « compréhension » est un acte personnel, mais le mouvement vers l'intelligibilité de l'objet ne pourrait aboutir qu'en objectivant radicalement celui-ci, ce qui aurait pour résultat d'annuler la « compréhension ». Il faut en prendre son parti. Et finalement le découragement n'est pas possible, quand on sait que ces difficultés surgissent à l'unisson des mouvements fondamentaux de l'esprit.

Dans ces conditions, il est facile d'imaginer les recommandations et les réserves que R. Klein était amené à multiplier à l'égard des interprétations ou explications « psychologiques » de l'art, dont ont traité plusieurs publications notables autour

*de 1960. Il avait rédigé plusieurs développements en vue d'un
article de mise au point que je lui avais demandé sur l'ensemble
de ces problèmes, et qui n'a pas été terminé. En voici quelques
passages :* L'hypothèque initiale à lever pour toute tentative
de fonder la critique et l'histoire de l'art sur la psychologie
de la perception, peut être résumée par le couple Hildebrand-
Wölfflin (en y ajoutant Riegl, pour ne pas être trop grossièrement incomplet). *On sait en effet que l'effort de ces théoriciens avait été de définir des « catégories » de la vision capables
de rendre compte à la fois de l'emprise des* styles *qui les intro-
duisent dans l'expérience et de l'évolution des formes qui se
manifeste dans l'histoire. L'originalité de leurs préoccupations
était de rechercher en même temps* une *explication des styles
par les différents aspects ou modes de la perception, d'où la
possibilité de classements, chaque type risquant toutefois d'être
« éternel » et donc en dehors de l'histoire, et —* un *critère de
valeur qui décide soit du meilleur type (ainsi Hildebrand), soit
de la meilleure réalisation possible à l'intérieur de chaque type,
par le postulat que la qualité est ce qui va au-devant de la perception sous l'aspect considéré (et ici, danger d'oublier l'aspect
de « réalisation »,... le rôle du « médium »).*

*Les théories de l'art se sont imposées pour libérer la réflexion
de l'historien et du critique des attaches presque indéracinables
avec le positivisme du* XIXe *siècle qui se limite à l'examen des
matériaux et des moyens, en accord tacite avec le naturalisme
naïf qui se contente de la relation de l'œuvre d'art avec le modèle
de « nature » supposé. Le passage par le « formalisme » était
nécessaire. Il s'est vite heurté, dès sa phase de succès, à des
difficultés faciles à prévoir, en raison du caractère « supra-
historique » et apodictique des « catégories ». Pour s'en tenir à
la psychologie, R. Klein observe qu'une double poussée tend à
provoquer leur ré-interprétation sur un mode apparemment plus
positif, d'une part à partir des théories de l'Empathie (si l'on
adopte ce terme pour traduire l'Einfühlung) qui met l'accent
sur la fonction « expressive », et d'autre part de la Gestalt (ou
schématisme, toujours sans équivalent direct en français), qui
dégage l'aspect structural. Or, aucune de ces « explications »
psychologiques ne peut se déployer entièrement sans emprunter
quelque chose à l'autre*[1]. *Le problème, une fois de plus, n'est
pas de choisir, mais de dominer les deux « théories » — qui*

1. Ce que résume bien la note suivante (à propos du recours à l'*Einfühlung,*
chez R. Arnheim) : « Morale : le *gestaltisme* ou esthétique des arts visuels
est applicable essentiellement aux formes décoratives et à la beauté formelle « régulière »; s'il s'étend à l'expression, il est pratiquement obligé de
faire des emprunts à l'*Einfühlung.* »

ont d'ailleurs été formulées autour des mêmes dates, et qui
s'avèrent complémentaires. Relevées par le brio du style ou
délavées par la facilité, elles tiennent trop souvent d'arrière-
pensée doctrinale à la critique.

Les tentatives d'élucidation ne manquent pas; elles pro-
gressent peu[1]. Klein n'acceptait guère que des détails de l'ouvrage de R. Arnheim, qui traite abondamment de la perception
« à travers » l'œuvre d'art, mais non de la reconstitution artificielle
du perçu par l'artiste en vue d'un certain effet, objection décisive
à toute explication indifférenciée de cet ordre. Il appréciait en
revanche l'étude fondamentale de E. Gombrich sur « l'art et
l'illusion », dont on lui doit la seule présentation sérieuse publiée
en français. On doit souscrire à l'appréciation favorable qu'il
en donne. Mais en même temps, Klein formule aussi clairement
que possible le desideratum que laisse subsister l'analyse à
base de « constructivisme psychologique » (si l'on peut dire) qui
est celle de Gombrich : il traite avec pénétration de la « reconstitution du perçu » dans et par l'opération de l'art, mais il
ne rend pas compte de l'aptitude singulière de l'œuvre à « activer »
la perception. Le schématisme qui permet de manipuler éléments
et motifs, n'épuise pas la portée du travail accompli.

Parmi les notions d'usage familier que la perspective historique de Klein s'employait à reclasser avec une certaine insistance, il y avait celle de la personnalité artistique, autour de
laquelle toute une école a construit l'histoire de l'art et dont
le sens et le contenu peuvent sembler parfaitement explicites[2].
C'est autour de notions un peu trop prospères comme celle-là,
que s'exerçait le mieux l'analyse réductrice de Klein, en faisant
peu à peu apparaître des arrière-plans dialectiques. On pourrait
définir ici l'orientation de sa réflexion, en disant qu'il ramenait
cette notion de la condition d'axiome à celle de postulat. Il s'en
explique dès le début du remarquable essai sur Giudizio et Gusto,
où on lit la proposition à valeur de théorème : La conscience
de l'individualité artistique est, pour les arts visuels, une
acquisition tardive. Le traitement méthodique de quelques textes
connus et d'un bon nombre d'écrits oubliés, dégage les implications et les conséquences des notions de goût et de bon goût,

1. Pour ce qui suit : R. Arnheim, *Toward a psychology of art. Collected essays*,
Los Angeles, 1966 ; E. H. Gombrich, *Art and Illusion*, Londres, 1960.
2. Je fais allusion à la brillante école italienne, issue de l'*Estetica* de
B. Croce (1900) et des jugements parus dans la revue *La Critica* (groupés
par Croce sous le titre *La critica e la Storia delle Arti figurative*, Bari, 1946),
et, d'autre part, animée par l'enseignement d'Adolfo Venturi. Pour bien
apprécier la nature et la qualité de ses principes, il faut s'adresser à C. L.
Ragghianti, *Commenti di Critica d'arte*... Bari, 1946, etc., ou relire l'article-
manifeste de R. Longhi, « Proposti per una critica d'arte », dans *Paragone*,
n° 1 (1950), trad. française dans l'*Information d'histoire de l'art*, 1960, n° 2.

dont on sait le succès à la Renaissance. Dissociant ce qu'on confond d'ordinaire, Klein établit que dans l'affirmation même du Gusto *comme force subjective se dissimule un élément normatif et inversement le « bon goût », cher aux académiques, ne peut être purement et simplement récusé pour sa vacuité, car il comporte l'appel à une certaine expérience à valider. Il y a dans la notion de « beauté personnelle » (ou ce que Klein formule de cette manière condensée) une contradiction fondamentale. Cet aperçu ne reconduit pas exactement à Kant et aux antinomies de la* Critique *du jugement, mais il dégage le fil invisible qui peut relier les phénomènes proches et lointains, en un raccourci perspectif dont on peut apprécier la vigueur :* L'expressionnisme du XXe siècle, ne croyant plus à une communication qui fût distincte de l'expression, devient logiquement un art du mauvais goût délibéré; plus récemment, l'idée de message étant récusée et remplacée par celle d'invention, le goût semble exclu du grand art. *Tout cela à partir de l'Arétin et de Lomazzo. Le tissu à double trame, longitudinale (ou historique) et sectionnelle (ou systématique) de la pensée, a-t-il jamais été rendu plus pressant?*

Il restait à soumettre à la même « réduction » la notion de style. R. Klein l'esquissa au cours de l'été de 1962, où j'avais cru pouvoir jeter les bases d'une étude sur la méthode en histoire de l'art. Il en résulta un échange de lettres et dans ses critiques un flot de remarques où se trouvent exposées avec une force que je n'ai jamais retrouvée ailleurs, quelques-unes des difficultés majeures de ces recherches [1]. *J'en retiens surtout une page serrée, qui condense l'essentiel des développements auxquels il allait s'attacher sur l'art contemporain :* L'histoire de l'art est-elle à l'unisson de notre chère société industrielle et de l'art informel? Je pense qu'elle ne l'est pas trop. Quelques

---

1. Klein a réagi vivement à certaines propositions : « C'est avec une jubilation intense que j'ai lu *Postulats : le chef-d'œuvre, le style.* Cela flatte indiciblement mon complexe de l'asymptote. Le chef-d'œuvre — et plus généralement sans doute l' « œuvre d'art », comme notion limite et postulat de la méthode — c'est d'abord parfaitement vrai et juste, et puis cela dégonfle le *Verstehen* et ses faux problèmes, et enfin cela permet de séparer le bon grain de l'ivraie dans les analyses et dans les monographies : la définition [*En note :* R. W. K. entend : le rattachement à la notion de *postulat.*] présente les mêmes avantages et plus, dans le cas du style, soit qu'on le rencontre dans l'analyse de l'œuvre, soit qu'on l'isole dans une histoire de l'art « sans noms ». Bien plus, l'antinomie entre l'œuvre et l'histoire des styles disparaît, puisque le style devient un jalon dans l'analyse et l'approche méthodique de l'œuvre et vice versa (« style » étant pris ici dans le sens de création historique, pas dans le sens systématique d'un ensemble de formes de catégories formelles ni dans le sens psychologique d'une certaine « manière de voir » ou « réponse à la perception ») » (lettre du 18 août 1962). On notera le glissement au-delà de la notion de « chef-d'œuvre » et l'amorce de l'analyse réductrice de l'« œuvre d'art ».

conditions sont remplies, notamment : *1⁰* la volonté, depuis
Riegl, de refuser les normes-valeurs, ce qui peut être interprété dans le sens d'un historisme positiviste *(alle Epochen
sind gleichunmittelbar zu Gott)* ou d'un refus de la référence
(il y a tel ou tel *Kunstwollen*, ou conception de l'espace, etc.,
et nous devons les accepter comme des données premières dans
l'ordre de la causalité comme dans celui du jugement). Il
y a aussi : *2⁰* le décloisonnement entre histoire de l'art et
vulgarisation — jusque dans l'organisation des musées et
l'emploi du temps des professeurs : les réactions privilégiées
du connaisseur critique et de l'historien (déjà difficiles à
concilier entre elles quand il s'agissait de les définir par
rapport à ce que l'art « voulait vraiment » ou « était vraiment ») ne se distinguent plus essentiellement des réactions
du bon public des musées et des livres. L'échelle planétaire
et la démocratie du *let him have his chance* et la société industrielle et le reste sont donc bien en rapport avec la disparition
des privilèges du style-norme et du juge autorité : deux conditions nécessaires pour que l'informel puisse se présenter comme
art *(18 août 1962)*[1].

*On en conclura, je pense, que ce radicalisme était et reste
une manière neuve d'acheminer la connaissance de l'art vers
le massif des « sciences humaines » libéré des présuppositions
sociologiques vagues. Telle était, du moins, la direction adoptée,
quand Klein voulut dégager les « conditions d'apparition » de
l'art contemporain. Cette pierre d'achoppement de l'historien de
l'art allait devenir l'un de ses objets de réflexion les plus intenses.
Les galeries et les expositions n'ont pas eu de visiteur plus discret
et plus attentif que celui-ci. Son « détachement » personnel lui
prêtait une réceptivité étonnante qui était encore une forme de
générosité.*

*Ses longues perspectives « idéologiques » — et les raccourcis
qu'elles permettent — lui assuraient un point de vue surplom-
bant les manifestations de ce temps et les vicissitudes de l'homo
aestheticus du XXᵉ siècle. Klein se sentait naturellement solidaire des aventures de l'artiste moderne. Sa première démonstration radicale en ce domaine est le bref et incisif enchaînement
de notes sur la fin de l'image. Aucun autre écrit moderne, à
ma connaissance, n'a dénudé aussi vivement et de façon aussi
stricte la situation actuelle. Il y a eu des déclarations et des
propositions plus fracassantes, des discours plus circonstanciés.
Il n'y a aucune analyse comparable à celle-ci dans son déroulement inflexible, qui déduit une évidence « catastrophique » avec*

1. Le premier point rappelle les grandes thèses d'A. Riegl.

*la calme précision d'un biologiste en lui restituant toute sa fas-
cination. Si la référence à un « modèle » extérieur (la ressemblance) ou intérieur (le sentiment supposé du « créateur ») se
trouve éliminée — comme il est aisé de le constater —, l'œuvre
ne peut plus être « objet d'une appréciation esthétique possible »,
seulement l'indication d'un phénomène, entièrement relatif au
mouvement qui la porte (chez le « créateur »), au regard qui
l'accepte (chez le spectateur) et plus généralement à la place
qu'elle occupe dans un processus ·indéfini. En bref*, le modèle,
l'œuvre, l'image, le travail humain de la fabrication, l'ingéniosité, la beauté, tout cela est mis entre parenthèses. Reste
seule l'intention « art », sans support, sans créateur, sans
amateur, sans but.

*Tout se passe comme si cette décision avait été prise, sans
que personne l'ait proprement voulue, et l'attitude correspondante
adoptée sans avoir été jamais proprement décidée. Il y a, en
fait, là, devant nous, un art lié à une attitude dont on dira
seulement qu'elle est générique et diffuse. J'avais, de mon côté,
essayé de rendre compte des progrès d'une certaine concentration
des peintres sur la seule volonté de peindre, en étudiant ce qui
m'avait semblé être plus qu'un* accident spécifique, un symptôme
révélateur : le tableau dans le tableau [1]. *Klein en avait paru
satisfait. Une certaine manière de coordonner les phénomènes
recoupait à point nommé une certaine manière de les interroger,
qui était la sienne.*

*Ce qui distingue soudain l'art dit moderne de tout l'art anté-
rieur, c'est donc la concentration de l'attention sur l'acte même
de peindre ou de sculpter, c'est-à-dire un déplacement de l'intérêt qui écarte toute « référence » — à l'objet ou à la personnalité — pour insister sur autre chose. Comme si les moyens avaient
brusquement pris plus d'importance que la ou les fins, on considère avant tout l'œuvre comme le* mysterium *fascinant à explorer.
Ce moment singulier n'est pas isolable d'une production; il se
manifeste quand quelque chose se réalise, c'est-à-dire à l'instant
précis où un objet, une forme, est apparu. Il ne s'agit donc pas
de considérer ce qu'il exprime, mais ce qu'il constitue et ce qui
le constitue. Et ce qui compte, c'est ici une certaine relation
de l'homme-au-monde. Nous nous retrouvons en pleine « phénoménologie », la philosophie contemporaine étant seule apte à
rendre compte de l'exaltation de l'art contemporain. On avait déjà*

1. Voir *Stil und Überlieferung in der Kunst des Abendlandes* (*Actes du
XXIᵉ Congrès international d'histoire de l'Art*, Bonn, 1964), Berlin, 1967,
t. I, p. 15-29. — Étude panoramique à compléter par des analyses comme
celle de T. Reff, « The pictures within Degas's Pictures », dans *Metropolitan
Museum Journal*, I (1968), p. 125-166.

saisi cette prétention dans les pages d'ailleurs remarquables où Maurice Merleau-Ponty a consacré la « promotion ontologique » de la peinture moderne, comme quelque chose d'incontestable. La méthode de Klein l'amenait à considérer avec une certaine suspicion le long exposé où Merleau-Ponty identifie peu à peu et fait coïncider subrepticement la « réduction phénoménologique » selon Husserl et l'attitude foncière découverte — ou supposée — chez un artiste comme Cézanne[1]. Il était presque amusant pour lui de retrouver, au terme d'une analyse qui implique dans l'art « la fin de ce qu'avait tenté la Renaissance », le retour à la considération d'un « savoir sans concept » et une résurgence non négligeable du recours doctrinal aux mécanismes de fascination étudiés dans le contexte du XVIe *siècle. Klein se faisait de la « réduction phénoménologique » une idée trop stricte pour la fixer à un niveau, où elle peut coexister avec une activité encore si curieusement empreinte de « pensée magique ». Il lui fallait tenter d'aller plus loin en cherchant à assigner plusieurs étages et une « dynamique » propre, tant à l'art, qui se présente comme « phénoménologie de lui-même », qu'à la critique qui prétend épouser son mouvement.*

La « fin du critère » et l'évanouissement de la critique judicatrice ne sont pas des événements que l'on puisse se contenter de constater : la Renaissance a inventé la notion d'art dont nous vivons encore, quoique de moins en moins bien. L'objet d'art se présente par une illusion peut-être nécessaire ou constitutive, comme porteur de valeurs ou comme valeur incarnée. *Quiconque veut réduire les valeurs à l'acte humain — conditionné — qui le pose, se doit donc de « démystifier l'œuvre d'art ». Le second et le troisième temps sont clairs. Klein a ramassé, selon son habitude, en une série de propositions serrées, les chaînes du raisonnement :* Il est facile, presque trop, de montrer que l'art qui s'engage à satisfaire aux impossibles exigences d'une phénoménologie de lui-même « doit » présenter les caractères de l'informel. Une fois que la « référence » est abandonnée, l'œuvre ne se mesurant plus à autre chose qu'elle-même, il n'y a pas de critique, puisque tout commentaire, même le plus souple et le plus fidèle, installe à côté de la peinture quelque chose à quoi elle se compare. *Ainsi s'éclaire le passage de la notion d'œuvre d'art à celle d'œuvre continue, opus, selon la désignation correcte de bien des peintres, à commencer par Soulages, que Klein regarde avec admiration et plaisir.*

1. Voir « Le doute de Cézanne », dans *Sens et non-sens*, Paris, 1948, et l'étude sur Husserl parue dans *Signes*, Paris, 1960. Citations dans A. Chastel, introduction à Nicolas de Stael, correspondance et catalogue, Paris, 1968.

*Quand il s'avère qu'«il n'y a plus de critique... il n'y a
plus d'effet... il n'y a plus d'œuvre», on est au-delà de la critique, comme on est au-dessus de l'histoire. Tout ne se laisse
pas ramener à cette nudité. R. Klein sait tout aussi bien et
même mieux qu'un autre qu'il n'établit pas là une description
de l'état actuel des choses et encore moins l'annonce d'un développement inéluctable. Il explicite les « présupposés » d'une certaine situation, auxquels les faits se conformeront dans la mesure
où les artistes sont conséquents avec eux-mêmes, et qui se mani-
festera intégralement dans la mesure où les prémisses (si subtiles et délicates à bien peser, on l'a vu) seront communément
admises. C'est au mieux la tension propre à la situation présente qui est exposée. La tâche du critique-philosophe n'est pas
d'en dire plus. Elle est, à un moment précis, où tant d'énergies
sont en cause, de suivre comme les irradiations d'une douleur
à travers le système de nerfs, les articulations finales de l'acte
de conscience que l'on est contraint d'accomplir, parce que l'on
est vivant et éveillé,* hic et nunc.

Klein pouvait encore aller plus loin. Souvent dans les Pensées
de Pascal — et aussi bien les Cahiers *de Valéry — l'accent est
mis sur l'incroyable discontinuité, l'imprévisibilité et le désordre
constant de la pensée jusque dans son effort pour tirer d'elle-même
un ordre et un enchaînement acceptables, auxquels elle finit
bien par parvenir. On connaît les propos célèbres sur le revers
déconcertant et ridicule de cette activité si sérieuse : « L'esprit
de souverain juge du monde n'est pas si indépendant qu'il ne
soit sujet à être troublé par le premier tintamarre qui se fait
autour de lui... Ne vous étonnez pas s'il ne raisonne pas bien
à présent, une mouche bourdonne à ses oreilles... » (éd. Brunschvicg, p. 366), et la sentence la plus scandaleuse et la plus fascinante de toutes pour un certain type d'esprits : « Hasard donne
les pensées et hasard les ôte ; point d'art pour conserver ni pour
acquérir. Pensée échappée, je la voulais écrire ; j'écris, au lieu,
qu'elle m'est échappée... » (ibid., p. 370). Tout l'effort mental
est en effet art ou manœuvre pour raccorder en système ce qui
dans la conscience n'est jamais présent que par tension, surprise,
rappel, retour sans fin. Il n'est pas douteux qu'une intelligence
comme celle de Robert Klein ait été particulièrement attentive
à surprendre ce qui est surgissement et déjà orientation ou « présomption » dans l'activité même de la pensée, et donc particulièrement sensible à cette condition de la conscience imparfaite.
Il y en a mainte trace dans ses lettres, comme il y en avait l'évidence
dans ses propos : l'opération intellectuelle est toujours trop courte
ou trop dirigée ; elle n'est jamais assez pure, assez authentique.*

La recherche des « implications » premières peut être poussée à un degré de finesse, qui devient à la fois devoir et amusement. On découvre sous le jugement ce qui le fonde et a déjà perdu, au moment où on le discerne, son apparence de fondement. Le scepticisme radical et l'idéalisme de la phénoménologie ont ici merveilleusement partie liée. Mais l'originalité de Klein n'était pas de s'appesantir sur le malheur de la conscience. Au contraire. C'est, paradoxalement peut-être, dans les moments d'exaltation, de lucidité ou, si l'on veut, de bonheur, qu'il scrute le plus volontiers sa « gratuité », où l'illusion de profondeur de la pensée « magique » répond à une vive excitation d'un sentiment de communion universelle ; l'effort savoureux de l'artiste — et de celui qui reprend ses voies — procède d'une série d'options, toutes arbitraires en dernière analyse, dont la succession rapide engendre dans un court battement un sentiment d'énergie et de plénitude qui ne s'oublie pas. On trouve, en suivant Klein, dans les phases heureuses de la conscience la confirmation la plus saisissante du fait qu'elle est dans son opération même suspendue dans le vide, dotant de sens par sa seule présence les données qu'elle agglomère et aménage. De bonne heure, puis avec une insistance un peu étrange et peut-être même dans ses derniers mois, inquiétante, il en trouva la confirmation dans le phénomène du rire. Quelques-unes de ses pages les plus brillantes ont été consacrées au thème du jeu et à l'ironie humaniste. Je ne saurais oublier combien il enchaînait volontiers — quand nous rédigions L'Age de l'humanisme — sur le nouveau sens du comique et de l'extension de la bouffonnerie, comme revers inévitable des ambitions de la conscience aspirant à une totalité. L'entraînement du burlesque aspire plus d'éléments et permet une plus riche manipulation d'objets, que les modalités communes de la pensée sérieuse. D'où vient cette fécondité de l'« intentionnalité » comique ? Et comment se trouve-t-elle exaltée par les plus hautes dispositions, les démarches les plus savantes et les plus justes ? L'Éloge de la folie d'Érasme, qu'il avait bien lu et où il avait noté avec un peu trop de soin la phrase où il est dit que la plus grande folie de l'être humain est sans doute de ne pas recourir à la facilité du suicide, pâlissait un peu à ses yeux auprès de l'éblouissant Momus d'Alberti, où tout se passe vraiment à contresens. De curieuses forces, à la fois exaltantes et paralysantes occupent la conscience sollicitée par l'évidence comique : l'ironie est si multiple qu'elle empêche naturellement les conclusions.

Vers 1960, Klein lisait avec délices l'étude de P. Radin, Der göttliche Schelm (Zurich, 1954), où il est question de la « figure mythique du trickster, être divin, gaffeur et burlesque, respon-

sable de la création ou de la civilisation, un peu comme Pro-
méthée ou Adam », puis le recueil de *Maria Ramondt*, Studien
über das Lachen *(Groningen, 1962), où il apparaît que* l'association deuil-rire et l'emploi du rire comme arme contre les
démons et la mort — ou même comme garant de résurrection
— sont extraordinairement répandus dans les croyances de
tous les peuples. Un rite esquimau vise littéralement à « tuer
par le ridicule » les tempêtes de neige. *Dès lors, retrouvant*
certaines des préoccupations de Georges Bataille — dans Le
Coupable *(2e éd., 1961) et* L'Expérience intérieure *(2e éd.,*
1955), puis Ma mère *(1966) — et adoptant un instant son*
vocabulaire, il concluait que dans ces conditions la solitude du
rieur qui nie le monde n'est pas un isolement mais l'autre
face d'une communication vitale avec lui. *Jamais la compo-*
sante « ironique » de la pensée — au sens stimulant de Socrate,
paradoxal du romantisme, libérateur de Valéry, ou dramatisant
de Bataille — n'a été plus expressément mêlée à l'activité d'un
esprit à qui peu de domaines offraient des résistances décisives.
Il n'y a presque aucune lettre de lui qui ne comporte tôt ou
tard un effet de cocasserie délibérée. Cette disposition spontanée,
*et sans nul doute savamment perfectionnée par l'*habitus, *assu-*
rait à ses démarches intellectuelles cette capacité d'avancer légè-
rement, sur les pattes d'oiseau, dont Nietzsche fait le signe de
la vérité qui approche. Elle cesse d'une manière aussi signi-
cative que surprenante dans les deux grandes directions qui,
entre les travaux d'érudition, l'ont longuement sollicité: l'Es-
thétique et l'Éthique. On ne peut qu'être frappé par le parallé-
lisme des deux démarches et par cette volonté de traduire en termes
de conscience pure le registre entier des « valeurs ».

Il s'agit de saisir à travers le rapport éthique de l'être et de
l'avoir, le danger d'aliénation qui se cache derrière la simple
conviction d'avoir une certaine propriété. L'autodéfinition est
le revers inobservé de tous mes actes intentionnels en constituant, lorsqu'il y a lieu, par acquisitions ou plutôt par
appropriations successives, un moi plus ou moins permanent
et toujours plus structuré. *Fort attentif à cette manœuvre inté-*
rieure, Klein semble être arrivé à la conclusion que « la conscience
de soi est toujours construite » et il a développé en un aperçu
rapide, comme d'ordinaire, l'idée que le journal intime en est
la cause et non l'effet. Dans son essai inachevé sur « la respon-
sabilité », il a tenté une démonstration minutieuse de cette règle:
être conscient d'un fait, c'est l'assumer comme faisant partie de
ma situation. Ainsi le vrai cogito *devient:* Je suis un être qui
assume. *Et Klein ajoute:* La formule a même l'avantage de

faire entrer d'emblée l'horizon et l'intentionnalité dans le cogito établi.

Cette généralisation de l'attitude « éthique » semble renouveler à sa manière au sein de la phénoménologie la métaphysique de Schopenhauer. Mais Klein a apparemment accompli le passage final à l'« Esthétique généralisée », comme s'il avait entendu laisser le dernier mot à une autre intimation, devenue de plus en plus lumineuse et indicative. Je la trouve dans les notes du cours qu'il professa à l'Université de Montréal en 1965-1966[1]: Beauté formelle, citation de Platon. *Banquet* — l'idée que le désir suscité par la beauté est un désir de possession (éternelle)... La beauté formelle est ce qui rend *mien* le contenu... La racine commune entre possession et beauté formelle, c'est le paradoxe de la jouissance qui n'altère et ne consomme pas son objet. *Tout sera donc élaboré à partir de la notion du « mien », qui lie le moi à l'objet aimé autant que l'inverse, ce qui permet une réconciliation graduelle entre la doctrine de l'Éros-désir et celle de la résolution virtuelle des contradictions chez Kant[2]. La déclaration du Beau implique la mise en jeu de l'inter-subjectivité, mais aussi, en un sens, il doit être voulu tel. C'est par la richesse de ses virtualités que s'établit l'objet beau en s'identifiant à l'un des cercles du moi (d'où l'explication de l'Empathie). Dès lors, tout dépend en dernier lieu de l'« attitude esthétisante » de la conscience : je peux déclarer n'importe quoi comme beau. Dans la fatigue, le délire, vibre l'expérience de la virtualité des choses. Ainsi dans la rêverie mystique « tout est mien parce que je suis tout ». Euphorie, ivresse, sentiment paradisiaque dû au dépassement de soi dans une « virtualisation indéfinie ». L'Esthétique enseigne la légitimité de ce qui est gagné par une sorte de dépossession consciente au bénéfice de l'univers. Telle semble avoir été la découverte finale de Klein. Mais elle pourrait apparaître comme un effort désespéré en faveur de l'illusion consentie.*

Dans la perspective où Klein s'est placé et où, pour cent raisons complexes dont je ne saurais rendre compte mais présentes à l'esprit de ceux qui l'ont connu, il donnait à coup sûr le meilleur de lui-même, on pourrait dire que la conscience est

1. Pages d'esquisses, recoupant les notes prises d'après les exposés qu'a bien voulu me communiquer Mlle Louise d'Argencourt.

2. J'y trouve cette observation subtile : « A expliquer le côté " caresse ", la finesse d'une exécution musicale, le timbre d'une voix, le velouté d'une (peinture).

« En un sens cela achève l'objet; c'est la " dernière main " qui enlève l'idée même de trace d'une main. Voir (dans " mon Faust "?) la phrase sur la beauté qui répond à un désir si subtil qu'il n'a même pas pu être conçu ou senti avant de se voir comblé : l'objet caressé est ainsi le sujet lui-même. »

le principe constant d'illusion, et la conscience de la conscience le seul remède possible à l'illusion. Autrement dit la lucidité intransigeante et sans autre appui qu'elle-même est, si l'on veut, l'arme absolue ; mais notre condition veut qu'aussitôt conçue elle apparaisse comme impossible. Nous sommes faits de cette contradiction même. Certes, il ne s'établissait pas très loin des thèses de Sartre et plus souvent de Merleau-Ponty, encore que sa réflexion sur la responsabilité et sur le beau, l'avait probablement amené à trouver quelque naïveté cachée dans l'illusion sociologique de l'un, quelque désinvolture dans l'amplification donnée par l'autre à l'illusion esthétique. Le momentum de l'analyse de Klein, le point où il est infailliblement attentif, c'est le glissement involontaire d'une affirmation poussée jusqu'à son terme, qui commence à impliquer ou à justifier malgré elle les éléments qu'elle combat. Cette légère vibration de l'aiguille, il n'est guère de domaine où il n'ait réussi à la saisir. Toutes ses études, toutes ses recherches, toute sa force et son génie, étaient de faire jouer sous nos yeux la balance silencieuse où se révèle en chacun de nous, à toute heure, dans la moindre initiative le double mouvement d'une contradiction, d'autant plus grave et d'autant moins aperçue que l'ardeur de l'impulsion — intellectuelle ou passionnelle — est plus forte.

On ne sera peut-être pas surpris d'apprendre que ses derniers travaux à Florence et précisément sa dernière conférence à la villa I Tatti — où il était pensionnaire de l'Université Harvard — avaient pour objet une nouvelle et brillante interprétation des Tarocchi dits de Mantegna. Il apercevait à juste titre un symbolisme complet, dans cet étonnant appareil d'images, destiné à la fois à favoriser la mnémotechnie humaniste et à instaurer une sorte de « Grand Jeu ».

Les philosophies les plus illustres de l'« illusion » paraissent presque anodines, à côté de ces analyses, qui pénètrent de part en part les démarches et les attitudes familières à partir d'un appareil de notions théoriques réduites au strict minimum. L'originalité de Klein tient au fait qu'il ne prétendait plus être philosophe, au sens commode du mot, pas plus qu'il ne s'engageait à être normalement historien. Directement ou indirectement, il adhère à l'expérience. Si l'on part avec lui de la documentation savante et de l'exploration des textes, la démarche sera historique et inductive. Dans quelques cas, il apparaît plus commode d'énoncer quelques difficultés primaires, des contradictions formulables en quelque sorte a priori, et qu'une méditation ouverte amène à retrouver dans le domaine du quotidien et dans la disposition que prennent les objets d'expérience à

nos yeux. *Le glissement de la* forme *à l'intelligible — et inversement — est sans doute ce qui caractérise le mieux le mouvement choisi et la volonté d'expliciter ce qu'il y a de plus difficile dans l'implicite même*[1]. *Pour Hussert, la mort est un accident à peu près négligeable de la vie-au-monde, qui atteint le
« je » humain mais en aucun cas le « je » transcendantal. Robert
Klein avait fait sienne cette pensée qu'il étendait avec une tran-
quille et discrète assurance à beaucoup d'autres contingences
de notre condition. A un certain moment, le départ lui a paru
tout simple. Mais du silence et de l'oubli émergent, comme une
profusion de signes, tous ces textes témoins d'un immense effort
intellectuel. Il a paru qu'il convenait de les rassembler et de
les publier, à partir du moment où la mort nous rappelait
impérieusement que Robert Klein était un ami.*

André Chastel.

---

1. Il est sans doute indispensable d'ajouter que, autant que je puisse
en juger, Klein n'était pas disposé à absorber la « phénoménologie » dans
la critique du langage. Il était décidément du côté de Husserl, et non du
côté de Heidegger, pour qui « le langage est la maison de l'être ». D'où une
défiance pour le « structuralisme » et ses modalités. Il n'aurait probablement
pas accepté des thèses comme celles de J. Derrida dans *La Voix et le Phénomène*, Paris, 1967, et de son école.

I

*Pensée et symbole
à la Renaissance*

SPIRITO PEREGRINO

Le thème du sonnet *Oltre la spera che più larga gira* (*Vita nuova*, XLI) présente une analogie manifeste avec *La Divine Comédie*; il s'agit encore d'une montée au Paradis, mais accomplie, cette fois, par un *sospiro* ou *pensiero* ou *spirito peregrino* [1]. Du mystérieux récit de l'esprit revenu, Dante n'arrive à retenir que le nom de Béatrice. Le chapitre suivant de la *Vita nuova*, le dernier, fait allusion à une nouvelle *mirabile visione* et annonce la décision d'écrire à la gloire de Béatrice une œuvre sans précédent; ce qui nous laisse libres de supposer que *La Divine Comédie* « explique », au sens cusanien du mot, sinon la brève extase décrite par le sonnet, du moins une vision « spirituelle » du même ordre.

L'esprit migrateur, qui est ici à la fois de la nature d'un soupir et de celle d'une pensée, a une longue histoire, où interviennent la mythologie et les croyances populaires, la magie, la médecine, la philosophie, la théologie, et surtout, en bonne place, la tradition et l'actualité littéraires. Dante ne pouvait pas être conscient de la cohérence et du lien historique entre les éléments de cette pneumatologie diffuse (bien qu'il ait eu son mot à dire sur chacun d'eux, pris séparément); reconstituer, comme nous allons le tenter ici, l'arrière-plan du *spirito peregrino* n'est donc pas une affaire d'exégèse dantesque proprement dite (qui s'occupe à relever « ce qu'il y avait dans la conscience du poète »), mais plutôt une question d'histoire des idées.

---

1. Le commentaire en prose ajoute cette précision terminologique : *e chiamolo... spirito peregrino, acciò che spiritalmente va là suso, e si come peregrino lo quale è fuori di patria, vi stae*. Dante est parfois assez soucieux de souligner le caractère purement métaphorique des *spiriti* de toutes sortes qui figurent dans le répertoire de sa poésie, et d'expliquer le sens qu'il y enveloppe (voir plus loin, p. 56). Il faut lui en donner acte, tout en constatant la cohérence de ce langage métaphorique, et son origine dans des doctrines et convictions qui avaient été, jadis, positives.

I. LA COUCHE MYTHIQUE ET LE CORPS SUBTIL

Le thème de l'âme qui abandonne le corps, dans le rêve ou dans l'extase, pour une migration qui la conduit le plus souvent dans l'autre monde ou devant les dieux, est très ancien et très répandu; il a trouvé une expression concrète un peu partout dans les institutions du chamanisme. On pourrait dire, d'une certaine manière et en sachant très bien où s'arrête la valeur d'un tel parallèle, que *La Divine Comédie* est un poème chamanique, puisque le voyage dans les sphères supérieures y assume un caractère initiatique et régénérateur, et un rôle de « médecine sacrée »[1].

La forme la plus simple et la plus banale du thème de l'âme migrante se rattache à la croyance aux rêves divinatoires; le songe est censé véridique parce que l'âme (ou une des facultés ou parties de l'âme) a quitté le corps du dormeur soit pour assister aux faits dont il rêve, soit pour entendre, de la part d'un être supérieur, la révélation des choses futures. C'est l'explication donnée, à l'état brut pour ainsi dire, par les poèmes homériques et par certains contes populaires[2]; plus ou moins rationalisée par la métaphysique, la théologie ou l'astrologie, elle traverse les philosophies, du stoïcisme et du néo-platonisme antiques jusqu'au naturalisme de la Renaissance; elle a surtout nourri d'innombrables fictions littéraires ou didactiques. Pour Dante, elle est un thème constant et capital.

Les conventions poétiques du temps de sa jeunesse ont dû l'y conduire. Le sonnet *Savete giudicar vostra ragione* contient

---

1. La plupart des récits de voyages dans l'autre monde ou des visions de l'autre monde possèdent un certain aspect initiatique ou invitent à une «conversion» (au sens large, néo-platonique, du terme). Cela est vrai même en dehors du contexte chrétien : cf. l'histoire d'Er l'Arménien, ou le *Liber Scalae Machometi*. On aurait tort, pourtant, de les considérer comme une forme diluée et littérarisée de l'héritage chamanique; y manque notamment l'idée capitale du corps divin acquis par le chaman au cours de l'initiation — idée que l'on trouve par exemple dans le tr. XIII du *Corpus hermeticum* et jusque dans la magie de la Renaissance. Ce qui, dans *La Divine Comédie*, fait le plus légitimement penser au chamanisme, c'est précisément ce qui la distingue du reste de la littérature de visions d'outre-monde : l'ambition de faire entrer le monde historique et actuel dans le système qui, en droit, le régit, et dans l'ordre qui le sauve.

2. M. O. Buhociu m'en signale un, dans le folklore roumain (P. Ispirescu, *Legende*, Bucarest, 1872, p. 119-123), où une colombe sortie de la tête d'un dormeur représente aux yeux d'un ami éveillé les aventures rêvées par le premier. Le conte finit par la découverte d'un trésor à l'endroit indiqué par l'oiseau.

l'explication d'un rêve de Dante da Maiano[1]; *e'n ciò provide
vostro spirto bene*, précise-t-il dans ces vers, confirmant ainsi
que c'est le *spirito* de son interlocuteur qui a fait le rêve,
et qui l'a fait prophétique. La *Vita nuova* abonde en rêves-
visions, dont surtout le délire qui annonce la mort de Béatrice
(chap. xxiii); et quand *La Divine Comédie* parle de rêves
divinatoires, c'est tout naturellement qu'apparaît, à peine
métaphorique, l'ancienne explication :

> ... *e che la mente nostra, peregrina
> più dalla carne, e men da' pensier presa,
> alle sue vision quasi è divina.*

(Purg., IX, 16-18).

L'âme a, dans le songe, des révélations, parce qu'elle n'est
plus troublée par les sens corporels — *più peregrina dalla
carne.* Une forte concentration intérieure doit produire le
même effet à l'état de veille : le silence des sens extérieurs
permet à l'imagination, faculté des rêves et de la vision
intérieure, d'être mue uniquement par des agents supérieurs
ou divins :

> *O imaginativa che ne rube
> talvolta sì fuor, ch'om non s'accorge
> perchè dintorno suonin mille tube,
> chi move te, se'l senso non ti porge?
> Moveti lume che nel ciel s'informa
> per sè o per voler che giù lo scorge.*

(Purg., XVII, 13-18).

Ces vers servent d'introduction à une série de visions qui
s'arrêtent d'ailleurs, tout comme les rêves ordinaires, par
l'effet d'un stimulus extérieur fort, la lumière d'un ange
(*ibid.*, v. 40-45). La substitution de forces astrales (*lume
che nel ciel s'informa*) aux dieux, démons ou autres puissances,
vient directement, comme on l'a remarqué, d'Albert le Grand,
ou plutôt des néo-platoniciens arabes qu'il cite[2]; elle atteste
la familiarité de Dante avec au moins certains des problèmes
philosophiques habituellement soulevés par cette superstition.

1. *Rime di Dante*, éd. Gianfr. Contini, Torino, 1946, p. 27 (sonnet 1 A).
Nous renvoyons toujours à cette édition, pour le texte et pour les numéros
des poèmes.
2. Albert le Grand, *De somno et vigilia*, lib. III, tr. i, cap. 9. (L'opuscule
figure parmi les *Parva naturalia*, t. V des *Opera*, Lyon, 1651, p. 64-108.) La
source arabe d'Albert n'est pas avouée. Cf. Bruno Nardi, « Dante e Pietro
d'Abano », in *Saggi di filosofia dantesca*, 1930, p. 58-61. Nardi cite aussi,
p. 58, n. 2, la thèse condamnée par Étienne Tempier : *Quod Deus vel intelligentia non infundit scientiam animae humanae in somno, nisi mediante
corpore caelesti.*

Mais le témoin capital est sur ce point l'étrange preuve de l'immortalité de l'âme dans le *Convivio*, II, viii, 13 :

> *Anco vedemo continua esperienza de la nostra immortalitade ne le divinazioni de' nostri sogni, le quali essere non potrebbono se in noi alcuna parte immortale non fosse; con ciò sia cosa che immortale convegna essere lo rivelante... e quello ch'è mosso o vero informato da informatore immediato debba proporzione avere a lo informatore.*

Les sources de ce passage et sa signification précise ont été longuement analysées et discutées [1]; Dante s'appuie sur Cicéron [2] et sur Albert le Grand [3] ou sur les Arabes dont ce dernier expose les opinions. Chez toutes ces autorités, le contenu mythique primitif est atténué par des efforts de systématisation philosophique; au lieu du déplacement de l'âme, concept naïf trop facile à critiquer, ils décrivent un mécanisme plus acceptable pour la pensée classique et chrétienne : le silence de l'enveloppe corporelle permet à l'âme de retrouver le contact avec le monde divin auquel elle appartient de droit. Albert, au cours de la discussion, fait état de doctrines assez proches des croyances primitives (les démons de Socrate et des néo-platoniciens) et mentionne la théorie magique des complexions (Avicenne et Algazel). Il réfute cependant ces opinions, et Dante ne s'en inspire pas directement dans ce contexte; mais la théorie d'Avicenne aura une grande importance pour l'ensemble des idées de Dante et de ses amis sur le *spirito*, notamment en relation avec l'amour et l'imagination. Nous venons de le voir à propos du passage du *Purgatoire* cité plus haut (xvii, 13-18), mais le fait est également vrai pour toute l'explication arabe des influences astrologiques : elle fournissait un modèle appliqué

---

1. Voir, outre le commentaire *ad loc.* de l'édition Busnelli et Vandelli, le passage de Nardi cité à la note précédente, et, du même, dans son recueil *Dante e la cultura medievale* (Bari, 1949), l'essai « L'immortalità dell'anima » (p. 284-308), ainsi que « La conoscenza umana », surtout n. 20 à la page 174.

2. *De divinatione*, I, § 63 : *Cum ergo est somno sevocatus animus a societate et a contagione corporis, tum meminit praeteritorum, praesentia cernit, futura providet; iacet enim corpus dormientis ut mortui, viget autem et vivit animus. Quod multo magis facit post mortem, cum omnino corpore excesserit...* § 64 : *Sed tribus censet [Poseidonius] deorum adpulsu homines somniare, uno, quod prodeat animus ipse per sese, quippe qui deorum cognatione teneatur, altero, quod plenus aer sit immortalium animorum, in quibus tamquam insignitae notae veritatis appareant, tertio, quod ipso di cum dormientibus conloquantur...* § 110 : *Altera divinatio est naturalis, quae physica disputandi subtilitate referenda est ad naturam deorum, a qua, ut doctissimis placuit, haustos animos et libatos habemus...* — Mais Dante n'a pas pu ignorer les réserves de Cicéron sur ces opinions qu'il rapportait.

3. *Op. cit.*, lib. III, tr. i, cap. 3-9.

volontiers à d'autres phénomènes d'action « spirituelle ».
Albert le Grand peut servir, une fois de plus, comme témoin :

> *Omnis autem motor elevatus supra naturam agit in eam et*
> *mutat eam, sicut intelligentiae mutant orbem et totam naturam*
> *generabilium et corruptibilium ; et huius signum dicunt [Avi-*
> *cenna et Algazel] esse fascinationem et virtutes magicas, in*
> *quibus (ut asserunt) anima unius operatur in corpus alterius*
> *hominis et animam, et impedit operationes ejus et imprimit*
> *suas* [1].

C'est assez exactement le mécanisme de l'amour véhiculé par
les petits esprits migrateurs ou *spiritelli*, selon Cavalcanti et
les poètes qui l'ont suivi. Dans la suite de son résumé des
théories arabes, Albert précise encore que le degré de vertu
magique ou prophétique des âmes — leur *nobilitas*, comme il
dit (cf. la *gentilezza* des poètes et son rôle dans l'amour) —
dépend d'une certaine *congruentia* entre elles et les intelligences
séparées, due à une bonne disposition de l'organe « de l'imagination » (*organum imaginationis optime est complexionatum
et compositum et commensuratum*) qui lui permet de capter
la lumière de ces intelligences.

— Nous avons parlé jusqu'ici indifféremment d'âme, esprit
ou intelligence, et laissé de côté la question de savoir qui était
en réalité, pour chaque auteur et dans chaque cas, le sujet
de la migration ou de la vision surnaturelle. C'est là un point
auquel s'est attachée surtout la tradition néo-platonicienne,
avec sa théorie du « véhicule de l'âme » ou, chez Synésius, du
« pneuma imaginatif » des rêves [2]. En fait, le concept d'un
pneuma lumineux, analogue à la matière des astres, mais
habitant le corps humain, vient d'Aristote [3], qui le situait
dans la semence virile, comme porteur de la vie et de l'hérédité.
L'idée eut une fortune immense. Le « véhicule » de la vie
transmise de père en fils devint naturellement (le terme est
chez Galien) « véhicule de l'âme » ; ce qui ouvrit la porte à
toutes les croyances anciennes, attestées par les livres hermétiques ou ailleurs, sur la montée de l'âme aux cieux, sa descente
à travers les sphères planétaires lors de l'incarnation

---

1. *Ibid.*, cap. 6.
2. Voir surtout, pour la formation du concept : C. R. Kessling, « The
ὄχημα-πνεῦμα of the neoplatonists and the De insomniis of Synesius of
Cyrene », *Amer. Journ. of Philol.*, 43, 1922, p. 319-330 ; E. R Dodds, éd.
Proclus, *The elements of theology*, Oxford, 1933, Appendix II (p. 313-321) :
« The astral body in neoplatonism ». Pour l'évolution au Moyen Age, voir
plus loin, « L'imagination comme vêtement de l'âme chez Marsile Ficin
et chez Giordano Bruno ».
3. *De générat. animal.*, II, 3, 736 *b*.

Platon aussi avait parlé d'ὄχημα dans un contexte, — *Timée*, 41 *d*-42 *d* — qui semblait autoriser ces mythes). Par Plotin, Porphyre, Proclus, et bien entendu par Macrobe, le lien entre le *spiritus* et le « roman de l'âme » fut définitivement établi. L'idée philosophique d'une enveloppe spirituelle naturellement donnée à toutes les âmes emprunta quelques traits à l'idée gnostique, hermétique et magique d'un corps divin acquis par initiation. Synésius est important par la place qu'il fait, dans ce contexte, à l'imagination. Au terme, on a l'ensemble de thèmes suivants :

— l'âme préexistante au corps acquiert, lors de sa descente pour s'incarner, une enveloppe de matière subtile, l'esprit, dans laquelle s'inscrivent les « dons » des planètes, — les qualités et la destinée de l'individu futur. Le sort posthume de l'âme dépendra de la purification de son pneuma durant sa vie terrestre [1];

— l'imagination, corps subtil de l'âme, est capable de se détacher du corps grossier, et d'établir ou de rétablir, surtout dans le rêve, des contacts surnaturels. Les démons, les spectres, etc., sont de nature analogue à « l'esprit de l'imagination » (φανταστικόν πνεῦμα) en son état vagabond;

— l'esprit vital du sperme est identique à cette enveloppe de l'âme.

Ces thèmes ne sont pas facilement conciliables; il y a eu des variantes et des compromis; Proclus par exemple (suivi plus tard par Ficin) a distingué deux enveloppes différentes. Parfois l'esprit est igné ou aérien au lieu d'être de nature astrale, éthérée; souvent on renonce à réunir les éléments du complexe en un tout cohérent. Ainsi l'idée stoïcienne d'élargir la doctrine de l'esprit vers la cosmologie a pu avoir une histoire presque entièrement distincte, qui n'a pas à nous occuper ici [2]; quant aux rapports entre le *spiritus* et les « esprits animaux » selon Galien, nous aurons à y revenir. Considérons pour

1. Voir plus loin, « L'Enfer de Ficin ».
2. La distinction entre la pneumatologie aristotélicienne et le panvitalisme stoïcien a été bien établie par W. Jaeger, « Das Pneuma im Lykeion », *Hermes*, XLVIII, 1913, p. 29-74. — On trouve chez Philon d'Alexandrie une doctrine stoïco-néoplatonicienne, où le pneuma sert de facteur commun à une théorie de la prophétie ou de l'extase et à une cosmologie panvitaliste du « souffle ». L'Ame du Monde comme pneuma se rencontre dans l'École de Chartres et jusque chez Ficin, qui discute aussi de la distinction entre l'Ame du Monde et un éventuel « pneuma de l'Ame du Monde », considéré comme son lien avec la matière et en quelque sorte son imagination. Cf. D. P. Walker, « Ficino's spiritus of music », in *Annales musicologiques*, I, 1953, p. 131-151; et surtout son *Spiritual and daemonic magic*, Londres, 1958 (Studies of the Warburg Institute, 22), part. I. Le principal intérêt historique de la doctrine du pneuma cosmologique réside dans son incidence sur la théologie du Saint-Esprit.

l'instant deux aspects de la doctrine qui concernent immédiatement la poésie et Dante.

1º Psychologiquement parlant, le départ de l'esprit imaginatif s'appelle extase. Les néo-platoniciens eurent souvent un mot à dire sur les états extatiques, et rapprochèrent entre elles les différentes formes de ravissement : prophétie (en rêve ou non), inspiration, vision intellectuelle. Platon lui-même avait enseigné à comprendre parmi ces formes l'amour; d'où une association qui persiste, très forte, chez Dante et ses contemporains. Vossler a attiré l'attention, à ce propos, sur la notion de *sinderesi* chez les poètes italiens de ce temps, et plus particulièrement sur une strophe d'une ballade de Caccia da Castello :

> *Ed è luce che luce a virtù dae:*
> *per amor d'amor fae*
> *salir l'alma a la santa sinderisi*
> *per la qual Moisi fu nel monte*
> *e nel carro Elia portato.*
> *Non fu mai angel tanto alto creato ;*
> *sol Dio, ella ed amor la fer salita.*

Le « char d'Élie » n'est rien d'autre, selon l'exégèse philosophique, que l'ὄχημα, le pneuma igné qui, chez les purs, transporte directement au ciel l'âme séparée du corps; c'est une image très propre de la syndérèse, comprise au Moyen Age comme la pointe suprême de l'esprit, retiré du corps en lui-même, dans une extase qui le divinise. (Toute la ballade de Caccia da Castello est d'ailleurs, me semble-t-il, une allégorie de l'amour divin plutôt qu'un poème d'amour [1].)

2º Les néo-platoniciens ne se contentaient pas de faire intervenir le pneuma dans leur explication des états extatiques; par sa nature et ses propriétés, il se prêtait parfaitement à la démonologie. Porphyre surtout — suivi par Psellus — considérait que le corps des démons était fait de la même substance que le *spiritus phantasticus* de l'homme; il y a là un thème extrêmement tenace de superstition et de folklore, qui perce par exemple dans la croyance au loup-garou. Le *Liber de spiritu* d'Alcher (xiie siècle) explique au chapitre xxvi *(Spectrorum ratio)* comment l'esprit phan-

---

1. Pour le texte, voir le *Canzoniere Chigiano*, éd. Molteni-Monaci, Bologne, 1877, p. 67-69 (nous corrigeons *falir* en *salir*); et cf. Vossler, *Die philosophischen Grundlagen des süssen neuen Stils*, Heidelberg, 1904. Pour l'interprétation du « char d'Élie » comme *spiritus*, je ne peux citer qu'un texte tardif, — le dialogue *Alverotus* de Niccolò Leonico Tomeo, in *Opera*, Paris, 1530, t. III, p. 34.

tastique de l'homme peut sortir de son corps pour se transformer en bête malfaisante [1].

L'intérêt d'un tel lien entre démonologie et anthropologie
pour l'auteur de *La Divine Comédie* est évident. Déjà l'épisode
du frère Alberigo et de Branca d'Oria rappelle étrangement
l'explication du loup-garou. On sait que les âmes de ces
deux traîtres ont été jetées en enfer immédiatement après
leurs crimes, tandis que leurs corps continuaient à vivre,
animés par des diables, jusqu'à la limite naturelle de leurs
jours. Les commentateurs de Dante rappellent à ce propos
le passage de Jean sur Satan qui entre dans le corps de Judas,
mais ils ajoutent que le départ de l'âme propre du pécheur,
chassée par l'intrus, est une invention du poète [2]. Or elle a,
sinon une source, du moins un parallèle dans la croyance aux
âmes et esprits des sorciers, qui ont quitté leurs corps et
parcourent le monde, la nuit, sous forme de bêtes démoniaques.
— La punition des suicidés [3] reprend, elle aussi, ce concept
d'une « âme extérieure », séparée du corps — en l'espèce, du
corps infernal; c'est une extase perpétuelle, mais douloureuse,
car, aux dires des Pères et des théologiens, l'âme ne désire
naturellement rien autant que de jouir de son corps [4].

Le spiritus intervient surtout, comme il est naturel, dans la
théorie générale du corps des âmes punies qui offre des analogies remarquables avec la démonologie de Porphyre. L'âme
séparée du corps par la mort crée, grâce à sa *virtù formativa*,
un corps nouveau, qui ressemble à celui qu'elle avait eu en
vie, mais dont la matière est, cette fois, l'« air voisin » du lieu
de sa punition [5]. Ce corps aérien ou « ombre » n'est peut-être
pas un *spiritus phantasticus* au sens strict, puisqu'il n'est
créé ou formé qu'après la mort du sujet; mais leur matière
subtile est semblable, leur nature spectrale est identique, et

1. Le *Liber de spiritu et anima* attribué à Alcher est publié dans la *Patrol. lat.*, XL, col. 779-832, parmi les œuvres d'Augustin : il a été aussi donné, notamment par Vincent de Beauvais, à Hugues de Saint-Victor. L'introduction de l'édition Migne réfute ces deux attributions et propose, avec de bonnes raisons, le nom d'Alcher. Le traité lui-même est un tissu d'emprunts à des sources diverses et parfois contradictoires; mais on n'a pas identifié la source précise du chapitre XXVI et du passage qui nous occupe ici.
2. *Inferno*, XXXIII, 118-147 et Jean XIII, 27. De nouveau, la ressemblance de la fiction démonologique avec certaines fictions poétiques concernant les *spiritelli* saute aux yeux (Amour installé de force dans le cœur de l'amoureux, chassant sa vie ou ses esprits vitaux...). Voir aussi *infra*, p. 43, à propos du châtiment des voleurs.
3. *Inferno*, XIII, 93-108.
4. Argument traditionnel de la théologie pour justifier le dogme de la résurrection des corps. Cf. entre autres Tertullien, *De resurrectione carnis*, cap. 7.
5. *Purgatoire*, XXV, 79-108. Passage commenté plus loin dans « l'Enfer de Ficin », p. 108, n. 1.

ils ont la même origine, puisque la *virtù informativa* qui opère la transformation de l'air en spectre est bien la même puissance qui, selon Aristote, siège dans l'esprit de la semence (le « véhicule » classique) et façonne le corps de l'enfant à naître [1]. Le lien significatif entre le spectre et la matière subtile du sperme suffit à montrer que la théorie du corps infernal chez Dante est solidaire de la démonologie des philosophes. Il y a plus : le corps aérien donné par Dante aux damnés caractérise aussi les démons néo-platoniciens — si malléables, dit Porphyre [2], qu'ils deviennent ce qu'ils imaginent; c'est exactement ce qu'enseigne l'âme de Stace au Purgatoire :

> *Secondo che ci affiggono i disiri*
> *e li altri affetti, l'ombra si figura.*

> (*Purg.*, XXV, 106-107.)

— particularité qui convient parfaitement, cela va sans dire, à la substance d'un *spiritus phantasticus*. Porphyre traite même *ex professo* du corps de l'âme dans l'au-delà, et il donne de sa genèse une explication obscure, il est vrai, mais qui semble à peine différente de celle de Dante : le spiritus qui accompagne l'âme pendant la vie quitte le corps avec elle, et l'âme délivrée, agissant sur ce spiritus par l'amour et l'habitude de son corps ancien, « attire » une idole qui lui ressemble [3].

Ainsi, l'idée de l'esprit migrateur se trouve au centre d'un complexe mythique plus ou moins rationalisé et théorétisé, qui embrasse aussi bien l'explication des rêves que la démonologie et les croyances sur le sort posthume de l'âme. Dante n'a sans doute pas établi un lien entre, par exemple, son argument des rêves dans le *Convivio* et l'explication qu'il prête à Stace sur la formation de l'ombre dans l'autre monde; mais si le thème de l'âme extérieure ou errante est, sous toutes ses formes, une des constantes de son univers poétique, les aspects que nous en avons examinés jusqu'ici permettent déjà

1. *Supra*, p. 35.
2. Cité par Dodds, *op. cit.*, p. 319.
3. Porphyre, *Sententiae*, XXIX (éd. Mommert, Teubner, 1907) :

Ὥσπερ τὸ ἐπὶ γῆς εἶναι ψυχῇ ἐστιν οὐ τὸ γῆς ἐπιβαίνειν ὡς τὰ σώματα, τὸ δὲ προεστάναι σώματος, ὃ γῆς ἐπιβαίνει, οὕτως καὶ ἐν Ἅδου εἶναί ἐστι ψυχῇ, ὅταν προεστήκῃ εἰδώλου φύσιν μὲν ἔχοντος εἶναι [ἐν] τόπῳ, σκοτεινὴν δὲ τὴν ὑπόστασιν κεκτημένου· ὥστε εἰ ὁ Ἅδης ὁ ὑπόγειός ἐστι τόπος σκοτεινός, ἡ ψυχὴ καίπερ οὐκ ἀποσπωμένη τοῦ ὄντος ἐν Ἅδου γίγνεται ἐφελκομένη τὸ εἴδωλον. Ἐξελθούσῃ γὰρ αὐτῇ τοῦ στερεοῦ σώματος τὸ πνεῦμα συναμαρτεῖ, ὃ ἐκ τῶν σφαιρῶν συνελέξατο. Ἐκ δὲ τῆς πρὸς τὸ σῶμα προσπαθείας τόν λόγον ἐχούσῃ τὸν μερικὸν προβεβλημένον, καθ' ὃν σχέσιν ἔσχε πρὸς τὸ ποιὸν σῶμα ἐν τῷ βιοῦν, ἐκ τῆς προσπαθείας, ἐναπομόργνυται τύπος τῆς φαντασίας εἰς τὸ πνεῦμα καί οὕτως ἐφέλκεται τὸ εἴδωλον.

de deviner que cette prédilection s'explique par le rôle qu'y
joue l'imagination comme nature ou matière de l'esprit. Dans
le rêve prophétique — un dépouillement des parties non
divines de nous-mêmes —, l'imagination détient des vérités
inaccessibles à la pensée discursive; dans l'*Enfer*, la vision
imaginaire de l'âme séparée engendre un corps, des sensations,
tout un monde entièrement transparent aux affects et aux
désirs de l'âme. Que l'esprit humain libéré et rendu à lui-
même soit à la fois connaissance totale et création d'images
qui sont des réalités, cela paraissait évident à tous; mais
pour Dante, qui dans la *Vita nuova* comme dans *La Divine
Comédie* a lié si étroitement la poésie à la vision, cette double
puissance de l'esprit séparé ou de l'imagination sans entraves
devait réaliser comme le modèle idéal de la poésie [1].

II. LA COUCHE MAGIQUE

Il était inévitable que le complexe mythique de « l'esprit
migrateur », mis en forme doctrinale par les philosophes, fût
aussi et en même temps psychologisé; ainsi la démonologie
et la métaphysique de l'âme furent doublées d'une théorie
de la fascination, entendue comme action extérieure d'une
force spirituelle ou d'un esprit sur l'esprit d'autrui. C'était
en principe le type même de l'action magique ou de
l' « influence » astrale [2]; on pouvait l'étendre sans peine
au domaine de l'amour, compris fascination par une
beauté visuelle ou spirituelle. La *Théologie d'Aristote* résume
excellemment tout ce qui a permis aux poètes et philosophes
médiévaux, — et jusqu'au XVIe siècle — d'établir peu à peu
une théorie unitaire de l'esprit migrateur, comprenant les
effets de la magie naturelle, de la persuasion, de l'amour et
de l'art [3]. La fascination, naturelle ou « par art », suppose,

1. M. W. Bundy, *The theory of imagination in classical and mediaeval
thought*, Illinois Univ. Press, 1927, p. 225-256 (chap. XI : « Dante's theory
of vision ») interprète la poétique de Dante comme une théorie de la vision
imaginative et de l'expression imagée des réalités « vues » (ou intuitivement
saisies) d'ordre tour à tour sensible, intelligible et divin. Si la démonstration
de l'auteur est un peu sommaire et pas toujours convaincante, l'idée en tout
cas doit être retenue.
2. Voir *supra*, p. 34-35.
3. Éd. utilisée : *Libri XIV qui Aristotelis esse dicuntur, de secretiore parte
divinae sapientiae secundum Aegyptios*, Paris, 1571; voir lib. VI, f° 49 r°-54 v°.
On sait qu'il s'agit d'un abrégé de Plotin, écrit au VIe siècle et traduit en arabe
au IXe. Son importance pour la théorie médiévale de l'amour a été indiquée
par Denomy. — Pour un bon exposé du système de magie naturelle transmis
par les néo-platoniciens, directement ou à travers les Arabes, à l'Europe du
Moyen Age et de la Renaissance, voir D. P. Walker, *op. cit.*, p. 75-85 (General
theory of natural magic).

selon ce libelle, une concordance ou une opposition entre le fascinant et le fasciné. L'action n'a pas lieu dans l'âme rationnelle (c'est pourquoi les animaux aussi peuvent l'exercer ou la subir) mais dans les esprits vitaux [1]; la raison ne peut que préparer l'esprit à la recevoir avec plus ou moins de facilité. En somme, la fascination s'exerce sur l'homme en tant qu'être naturel ou qui choisit d'être naturel : soumis aux astres comme à l'attraction de l'amour

naturalis enim fascinandi vis virum ad mulieris formam allicit illumque cum hac coniungit non loco, sed animo [2]

ou aux tentations « matérielles » de toute sorte

ostenditur vitia omnia, in qua nostra sponte incidimus, a quaedam animi fascinatione proficisci [3].

(La chute de l'âme dans le corps ne vient-elle pas de sa fascination par la matière?) Tout le naturalisme magique du Moyen Age et de la Renaissance s'est appuyé sur cette conception.

Aux yeux du Moyen Age latin, Avicenne, Algazel et Alkindi passaient pour les théoriciens par excellence de l'action magique du *spiritus phantasticus ;* erreur condamnée par les uns [4], reprise par les autres. Le *De mirabilibus mundi* du Pseudo-Albert (XIIIe siècle) explique la magie dans des termes qui font penser aux conceptions romantiques de l'expression

---

1. *Dicimus virum iustum fascinationis vim non recipere in ea animi parte in qua rationis est principium...* [sed] *id in ea illi accidere quam cum universo animalium commune habet... Nititur enim fascinator in spiritum animalem agere* (f⁰ 52 v⁰).
2. *Ibid.*, f⁰ 53 v⁰.
3. *Ibid.*, f⁰ 54 r⁰.
4. Egidio Colonna, *De erroribus philosophorum*, éd. Koch, 1944, § 6-7. *Errores Alkindi : ... Quod substantia spiritualis per solam imaginationem potest veras formas inducere... Quod per solum desiderium spiritualis substantiae, formae inducuntur.* § 16. *De erroribus Algazelis... Ulterius erravit circa actionem animae nostrae, ponens animam per imaginationem nostram operare in corpore alieno.* — Albert le Grand, *De somno et vigilia*, cité, lib. III, tr. ii, cap. 6, sur les images qui entrent du dehors dans l'esprit du dormeur : *Secundum Avicennam et Algazelem non tantum a caelestibus fiunt huiusmodi motus sed etiam ab animalibus : quia illi dicunt animam unius imprimere per modum fascinationis in animam multorum aliorum, sed hoc per philosophiam probari vix potest.* — D. P. Walker, *op. cit.*, p. 149, n. 2, rapporte une polémique semblable de Giov. Franc. Pico contre Alkindi, remarquable à cause de l'explication naturaliste et du lien avec la pneumatologie cosmique : *Imaginationem deinde ponit* [Alkindi] *radios habere, mundi radiis apprimi conformes, quod fieri ut facultas ei sit in rem extrariam imprimere, quodque in ea concipitur actualem, ut inquit, existentiam habere in spiritu imaginativo, quapropter extra produci posse quod conceptum est...* (G. F. Pico, *De rerum praenotione*, VII, vi — *Opera Omnia*, Bâle, 1573, p. 651). Pico se réfère, selon Walker, à Alkindi, *De radiis stellicis*, ou *Theoria artis magicae*, ms. Harleian. 13 du Br. Mus., f⁰ 168 v⁰-169 r⁰.

artistique [1] : l'âme plus forte, mieux disposée ou constituée, douée de passions plus violentes et d'une science supérieure des rites ou règles d'expression, saura soumettre à son charme les âmes indécises et même les démons : son imagination triomphera des obstacles et forcera les esprits à lui obéir.

L'action extérieure de l'esprit était la solution passe-partout de tous les problèmes théoriques que posaient les miracles de la magie naturelle, depuis les phénomènes physiques tels que l'œuf de l'autruche couvé par le seul regard de la mère jusqu'au souffle divin inspirateur de la poésie du *vates* [2]. La liaison magie-amour, aussi ancienne que le métier des sorcières, se prêtait avec une facilité particulière à une rationalisation de ce type, et il n'est pas étonnant que la condamnation d'Étienne Tempier place le *De Amore* d'André le Chapelain à côté des livres de nécromancie [3]. Les yeux étant considérés comme les portes naturelles du *spiritus phantasticus*, le charme du regard trouvait une explication d'autant plus convaincante qu'elle rejoignait les superstitions du *malocchio* [4]. Il se confirme ici, comme dans plusieurs autres chapitres de l'histoire intellectuelle du XIIe au XVIe siècle, qu'un des rôles principaux des théories magiques a été d'ouvrir la voie ou de prêter ses concepts à une psychologie descriptive différentielle, surtout dans les domaines de l'affectivité, de l'imagination et des facultés d'expression. Au temps de Dante, il aurait été presque impossible de penser l'amour,

1. *Alberti Magni speculum astronomiae...* éd. consultée : Lyon, 1615; voir p. 56-60.

2. H. Leisegang, *Der heilige Geist*, Leipzig-Berlin, 1919, p. 70-71, rappelle, après d'autres, un curieux passage d'Horace (*Carm.*, II, 16, 38-40), où « l'esprit subtil » de la poésie grecque semble garder, à l'état domestiqué de pneumatologique métaphore, quelque chose du sens pneumatologique primitif :

> mihi parva rura et
> spiritum Graiae tenuem camenae
> Parca non mendax dedit.

3. Ce voisinage a été évoqué à propos de la question du libertinage naturaliste et de l'averroïsme dans l'amour courtois et chez André le Chapelain. Voir *infra*, p. 49.

4. G. Federzoni, « La poesia degli occhi da Guido Guinizelli a Dante Alighieri », in *Studi e diporti danteschi*, Bologne, 1902, p. 77-123, fait le rapprochement entre la croyance au *malocchio* et la poésie du regard comme *trono*, *saetta*, *colpo*, *dardo* chez les auteurs considérés. Walker, *op. cit.*, p. 33 n. 1, rapporte un texte caractéristique sur l'attitude du magicien qui appelle un esprit planétaire : ... *His omnibus addit, quod quidem plurimum valere putaret, vehementum imaginationis affectum, a quo more praegnantium spiritus huiusmodi signatus charactere cum per meatus relinquumque corpus, tum maxime per oculos evolitans, quasi coagulum cognatam coeli vim fermentat et sistit* (Cattanio da Diacceto, *De Pulchro*, in *Opera*, Bâle, 1563, p. 45-46). Walker commente : *this elaboration... derives evidently from the usual explanation of fascination as caused by an emission of noxious spirit from the operator's eyes.*

au-delà d'un certain degré de précision psychologique, sans le modèle fourni par la magie. Le spiritus migrateur n'a pas été choisi par hasard, sous la forme ludique des *spiritelli*, comme fiction poétique propre à traduire les effets de l'amour dans les termes d'une pseudo-science médicale de pure façade; derrière lui, il y avait les contours d'une psychologie de l'extase et de la fascination, et tout l'éventail, entre la sorcellerie et la grâce poétique, de ce que nous couvrons par le mot charme.

Les principaux aspects de la couche magique du *spirito* migrateur se trouvent réunis dans l'épisode des métamorphoses des larrons. « S'unir jusqu'à devenir une seule personne »[1], comme Agnello Brunelleschi et Cianfa Donati, ou « se transformer l'un dans l'autre », comme Francesco Cavalcanti et Buoso, sont des métaphores plus que classiques de l'amour; et c'est peut-être intentionnellement que Dante pousse dans ce passage l'imitation d'Ovide jusqu'au pastiche des procédés descriptifs. La punition d'Agnello et de Cianfa semble illustrer littéralement la phrase citée plus haut de la *Théologie d'Aristote* sur la fascination érotique[2]; et quant à la transformation réciproque de Francesco et Buoso, elle met en jeu tout le mécanisme de la poésie d'amour à la mode d'alors : Francesco, en forme de serpent, transperce le corps de Buoso à l'endroit de l'ombilic (à rapprocher des flèches d'Amour qui pénètrent au cœur); des courants de fumée sortent des yeux de l'agresseur et de la blessure de la victime, et deviennent les agents de la double métamorphose (à rapprocher des échanges de *spiritelli*, sortis des yeux de la dame et du cœur de l'amant); et pendant tout le processus, les partenaires ne cessent de se regarder fixement, selon l'exigence de la fascination magique ou érotique.

Il nous resterait évidemment à expliquer pourquoi Dante a choisi de faire jouer cette sinistre parodie de l'amour par des voleurs. Serait-ce une sorte d'allégorie directement inspirée de la *Théologie d'Aristote*, — le vol signifiant l'attirance de la matière, c'est-à-dire, aux yeux du philosophe, la fascination par excellence? Peut-être s'agit-il plus simplement d'un de ces châtiments symboliques fréquents dans *La Divine Comédie* : ceux qui n'ont pas respecté la propriété d'autrui sont condamnés à la perte toujours renouvelée de ce qu'ils ont de plus propre, leur moi. Cette perte n'a pas d'autre « modèle » terrestre imaginable ou représentable que l'amour courtois ou poétique; c'est pourquoi Dante a dû lui emprunter son schéma, le dénonçant du même coup comme le plus intime et

1. *Inferno*, XXV, 34-151.
2. Voir *supra*, p. 41.

brutal des vols par effraction — ce que nous appellerions
aujourd'hui, quand la notion de propriété n'a plus la même
résonance sacrée, le viol de la personnalité. — Faute d'une
familiarité suffisante avec l'architecture conceptuelle de la
Comédie, nous avançons ces deux hypothèses sans trancher
entre elles, et bien entendu sans en exclure d'autres.

III. LA COUCHE MÉDICALE
ET LA PSYCHO-PHYSIOLOGIE

On s'est beaucoup interrogé jadis sur le passage du début
de la *Vita nuova* [1] où les trois esprits du narrateur, vital, animal
et naturel, — situés respectivement dans le cœur, le cerveau
et le foie —, réagissent différemment à l'apparition de Béatrice.
On a reconnu aujourd'hui l'emprunt à la terminologie médicale courante, et on sait que les trois *spiriti* ont derrière eux
la plus respectable tradition [2].

Entre la théorie médicale des esprits, la métapsychologie de
l'esprit et la théorie de l'imagination, les frontières sont
mouvantes et les contradictions, parfois, inévitables. Un
essai de classification donnerait à peu près ceci :

— selon les conceptions plus ou moins philosophiques ou
religieuses discutées au § I, l'esprit est d'origine astrale; il
accompagne l'âme individuelle depuis sa descente lors de
l'incarnation (ou depuis la transmission de la vie du père à
l'enfant dans la fécondation) jusqu'à sa remontée lors du
salut; il peut se détacher du corps dans les états extatiques;

---

1. Chap. II.
2. Carducci a renvoyé au *Liber de spiritu et anima* qu'il attribuait à Hugues
de Saint-Victor et que l'on donne aujourd'hui à Alcher (voir *supra*, p. 38,
n. 1). Boffito, « Il ' De principiis astrologiae ' di Cecco d'Ascoli », *Giorn.
stor. della lett. ital.*, Suppl., VI, 1903, p. 1-73, a vu qu'il s'agissait d'un lieu
commun plus répandu, et a cité Vincent de Beauvais, qui donne comme sa
source Hali (mais qui connaît aussi l'écrit d'Alcher, attribué par lui à
Hugues); Flamini, « Un passo della Vita nuova e il De spiritu et respiratione
d'Alberto Magno », in *Rassegna bibliogr. della lett. ital.*, XVIII, 1910, 168-174,
et surtout G. Vitale, « Ricerche intorno all'elemento filosofico nei poeti
del dolce stil nuovo », in *Giornale dantesco*, XVIII, 5-6, 1910, p. 162-185,
ont donné une vue plus générale de la question, et indiqué Albert le Grand
comme la source la plus immédiate de Dante. (Voir aussi, plus récemment,
F. Bertola, « La dottrina dello spirito in Alberto Magno », in *Sophia*, 19, 1951,
p. 306-312, qui, sans se référer à Dante, cite plusieurs passages d'Albert très
proches, par leur sens, du début de la *Vita nuova*; par exemple *Summa de
creaturis*, pars II, tr. I, qu. 86 et 41 : *Spiritus enim ad operationem nutrimenti
formam ab hepate, sed ad operationem motus et sensus formam accipit a cerebro,
et ad operationem vitae formam accipit a corde.*)

— selon les conceptions médicales, qui nous occuperont ici, l'esprit est un produit de la combustion des aliments; il constitue la partie la plus subtile du sang. Son siège est dans le cœur, où il est appelé esprit vital, mais il se différencie selon les organes où il est porté : esprit animal dans le cerveau, instrument des sens extérieurs et intérieurs; esprit naturel dans le foie, instrument de la nutrition et de la formation du sang; esprit radical dans les testicules, instrument de la « vertu formative » qui façonnera l'embryon;

— l'imagination peut être considérée comme l'essence de l'esprit tout entier, selon la première conception (le *spiritus phantasticus*); pour les médecins, elle appartient plus particulièrement à l'esprit animal. En un sens plus étroit encore, l'imagination n'est qu'une parmi les fonctions de l'esprit animal : elle coïncide alors avec les « sens intérieurs » ou, parfois, avec un seul de ces sens [1].

La position médicale et naturaliste est résumée le plus clairement dans le *De somno et vigilia* d'Albert, à compléter par son *De spiritu et respiratione* (surtout I, i, 4 et I, ii, 1-4). Selon sa définition, l'esprit est l'instrument de l'âme pour toutes les opérations de celle-ci qui concernent le corps [2]; il est le siège des *virtutes*, des fonctions physiologiques et psycho-

---

1. Sur les différentes acceptions du mot *spiritus* et sur le lien entre elles, il faut consulter le très bel article de M. D. Chenu, « *Spiritus*, le vocabulaire de l'âme au xiie siècle » (*Rev. des sc. philos. et théol.*, XLI, 1957, p. 209-232) qui cite notamment (p. 226, n. 62) un texte de la *Summa philosophiae* du Ps.-Grosseteste (éd. Baur, p. 480) : *Nominatur* [imaginatio] *a diversis diversimode, ut ab Avicenna virtus formativa, a divo Augustino vero spiritus, secundum quam etiam visionem spiritualem fieri dicit.* Ces lignes contiennent peut-être l'affirmation la plus radicale de l'identité entre la *virtus formativa* de la semence, l'imagination et le spiritus en général. Le texte d'Augustin auquel se réfère Grosseteste (*De Genesi ad litteram*, VII, 13) et qui ne fait guère que résumer à des fins d'exégèse les opinions médicales courantes, est devenu le lieu classique sur ce sujet. Très intéressant, pour le lien entre l'imagination, l'esprit des médecins et l'esprit de l'anthropologie néo-platonicienne, est aussi un passage d'Alcher, *op. cit.*, cap. xiv : *Convenientissima autem media sunt carnis et animae: sensualitas carnis, quae maxime ignis est; et phantasticum spiritus, qui igneus vigor dicitur. Igneus vigor* est en effet une référence à l'*Aen.*, VI, 730 (le discours d'Anchise dans l'Enfer) et son identification avec le *spiritus phantasticus* suppose l'interprétation néo-platonicienne de ce texte classique, où l'enfer n'est qu'un symbole de la matière, et l'imagination l'instrument des rétributions posthumes. Voir plus loin « L'Enfer de Ficin » p. 121-122; et surtout P. Courcelle, « Les Pères devant les Enfers virgiliens », dans *Archives d'hist. doctr. et littér. du Moyen Age*, 1955, p. 5-74, qui cite (p. 45) Alcher et Isaac de l'Étoile.

2. *De somno et vigilia*, I, 1, 7 : *Est igitur* [spiritus] *instrumentum animae directum ad omnes operationes eius... et est vehiculum vitae et omnium virtutum eius.* — *De spiritu et respiratione*, I, 1, 1, 8 : *Spiritus non est medium quo anima coniungatur corpori, eo quod sine medio unita est ei sicut omnis perfectio suo perfectibili... sed potius spiritus est, per quem omnia operantur in corpora opera vitae.* (La polémique contre la conception du spiritus comme *medium* pourrait bien viser Alcher, — voir la note précédente.)

physiologiques. La tripartition galénienne en esprit vital, animal et naturel (muette sur l'esprit radical de la semence) a donné lieu à une querelle sur la nature de la distinction : s'agit-il d'un seul *spiritus* sous trois aspects selon ses fonctions, ou de trois espèces d'un genre commun ? Dante semble s'écarter sur ce point d'Albert, car le chapitre 2 de la *Vita nuova* laisse supposer une différence spécifique, qu'Albert n'admettait pas; la raison en est sans doute la convention poétique des *spiriti* autonomes.

Pour la poésie de l'amour, c'est naturellement le *spiritus animalis* du cerveau — instrument des sens extérieurs, de l'imagination et de la mémoire — qui compte en premier lieu, avec le spiritus du cœur, où réside la force vitale. Les deux autres esprits n'interviennent pas dans la poésie; il est intéressant toutefois que Dante se soit arrêté un moment, au début de la *Vita nuova*, à la tripartition galénienne — sans doute pour rehausser la dignité intellectuelle de ce passage; c'est comme s'il voulait indiquer d'avance au lecteur qu'il n'ignorait point la base scientifique du jeu de spiritelli où il se complaira ensuite. Quant à la quatrième fonction du spiritus physiologique, dans la génération, elle n'est pas mentionnée dans la *Vita nuova*, ni d'ailleurs dans les passages du *De somno et vigilia* utilisés dans ce livre [1]; mais Dante en parle dans le *Convivio* et dans le *Purgatoire* suffisamment pour prouver qu'il connaissait ce développement de la théorie du spiritus, et Stace explique dans son discours [2] que le même « esprit » qui façonne l'enfant dans le ventre de la mère façonne aussi le corps aérien du damné.

Dans la mesure où il suivait Albert, Dante ne pouvait pas tenir compte des tentatives de compromis entre les théories physiologiques du spiritus et celles qui lui donnaient une nature astrale. Bien que cautionnés, ou presque, par Aristote [3], ces compromis, déjà formulés dans l'antiquité [4], ont été

---

1. Mais Albert en parle *ibid.*, III, 1, 6-8 et ailleurs. Le *De spiritu et respiratione*, I, 1, 4 remplace la tripartition galénienne par une autre : esprit animal, naturel et radical. L'esprit vital, évincé ici, est en fait rétabli dans son rôle premier et supérieur de source commune des trois autres : [*spiritus vitalis*] *in cerebro accipit sensus et motus formam*... etc., comme dans le texte cité n. 2, p. 44.
2. Voir *supra*, p. 39.
3. Voir *supra*, p. 35.
4. Le traité x du *Corpus hermeticum* affirme par exemple que le pneuma des sept sphères, entraîné par l'âme incarnée, coule avec le sang dans les membres. Une opinion semblable de Hierocles, *In carm. aureum*, est citée par G. Verbeke, *L'Évolution de la doctrine du pneuma, du stoïcisme à saint Augustin*, Louvain, 1945, p. 369 et 371.

sèchement réfutés par Albert[1]. Pour Dante, il est clair en tout cas que les « dons » planétaires n'ont pas formé, de l'extérieur, une enveloppe de l'âme qui s'incarne. Le lien de l'esprit avec l'astrologie est plus complexe; la « vertu céleste » répartie au germe est bien distincte de sa « vertu formative » et survient à une étape postérieure de l'évolution[2]. Si les âmes végétative et sensitive sont directement issues de l' « esprit » de la semence, le fait que cet esprit est consubstantiel à l'imagination n'est pas mentionné, malgré les croyances toujours répandues qui attribuent à l'imagination de la femme enceinte un effet direct sur la forme de l'enfant. L'imagination tend à prendre son sens le plus restreint et à se cantonner dans le *spirito animale* au service de l'âme sensitive.

C'est ici que le lien entre les doctrines médicales du spiritus et la poésie italienne devient le plus étroit. Le *spirito animale*, qui engendre tous les cinq sens, émet par les yeux le pneuma visuel qui rapportera les images des objets rencontrés[3] : cette idée antique est manifestement à l'origine des spiritelli du regard, qui figurent si souvent dans la poésie de Dante et de ses amis. Mais le passage de la science à la poésie se fait librement, sans rigueur. Dante utilise le pluriel pittoresque mais peu orthodoxe *spiriti visivi*[4] (ou *spiritelli* des yeux) dans les parties poétiques de la *Vita nuova* ou dans la prose narrative, poétisée (chap. ii), mais pas dans la prose de commentaire; il n'apparaît qu'une seule fois, employé plutôt métaphoriquement, dans le *Convivio*[5]. Lorsqu'il parle en pesant ses mots, Dante ne connaît qu'un seul *spirito visivo*,

1. *De somno et vigilia*, I, 1, 7 : *Quod autem quidam dicunt, quod spiritus sunt de natura corporis caelestis, est omnino absurdum : quia corpus caeleste non intrat per substantiam in compositione alicuius corporis generabilis.* Cette « absurdité », pourtant admise par beaucoup de médecins et encore par Jean Fernel, devait finir, chez Harvey, par faire éclater toute la doctrine du spiritus sanguin. Cf. D. P. Walker, « The astral body in Renaissance medecine », *Journal of the Warburg and Courtauld Inst.*, XXI, 1958, 119-133.
2. Voir, outre le *Purg.*, XXV, le *Convivio*, IV, 21, avec le commentaire *ad loc.* de Vandelli et Busnelli et les remarques de Nardi, « Origine dell'anima umana » (*Dante e la cultura medievale*, p. 260-283). La question de la genèse est indissociable de celle des différences individuelles des hommes; la solution éclectique de Dante est inspirée d'Albert, *De somno et vigilia*, III, 1, 6-8 (Walker, dans l'article cité à la note précédente, semble l'attribuer en propre à Fernel).
3. Galien, *De placitis Hippocr. et Plat.*, VII, 615 (éd. Müller); l'opinion, renforcée chez les chrétiens par l'autorité d'Augustin (*loc. cit.*, n. 1, p. 214), eut aussi du succès chez les Arabes; Vinc. de Beauvais (*Speculum nat.*, XXV, 29) cite Hali sur l'esprit des yeux : *Cum et ipsius spiritus natura sit quae et aeris igne illuminati, facilis est foras agendi.* — L'opinion contraire, sur la passivité de l'œil dans la vision, eut naturellement elle aussi ses répondants antiques et médiévaux.
4. Il n'est pas attesté, à ma connaissance, chez Albert.
5. II, ii, 1-2, sur la *gentile donna* qui console Dante de la mort de Béatrice : *li spiriti de li occhi miei a lei si fero massimamente amici.*

qui sort des yeux ou qui court sur le nerf optique transmettre
une image à l'*imaginativa* [1]. Et il sait naturellement que son
explication de la fascination, et par conséquent des effets
de l'amour, exige que tous les esprits des sens extérieurs ou
intérieurs, ainsi que les esprits vitaux du cœur, soient au fond
de même nature. C'est ce qui ressort par exemple d'un texte
du *Convivio* sur la fascination musicale :

Ancora la Musica trae a se li spiriti umani, che quasi sono
principalmente vapori del cuore, sì che quasi cessano da ope-
razione ; sì è l'anima intera, quando l'ode, e la virtù di tutti quasi
corre a lo spirito sensibile che riceve il suono [2].

IV. THÉORIE NATURALISTE DU SPIRITO
ET DOCTRINE DE L'AMOUR

Le rapprochement entre les formules de la poésie de l'amour,
surtout chez Cavalcanti ou dans son sillage, et les théories
physiques et médicales du spiritus, est établi depuis longtemps,
et il a été encore approfondi par des études plus récentes. Il
va de soi que personne ne croit que les poètes italiens se soient
contentés de mettre en vers les croyances des médecins plus
ou moins averroïstes; les résultats souvent éclairants et satisfaisants que donne la confrontation entre les explications
physiologiques et les figures poétiques ne suffisent pas pour
expliquer les textes, et il est fort possible que, du moins chez
certains, le formulaire emprunté aux sciences de la nature
aille de pair avec un « arrière-plan philosophique » tout
différent, soit néo-platonicien, soit éclectique et vague, fait
de jugements traditionnels, d'adaptations plus ou moins
réussies, de malentendus et d'idées de bon sens, comme c'est
généralement le cas dans toute « culture parlée » [3].

1. *Conv.*, II, ıx, 4-5. L'*imaginativa* est, dans ce passage, l'ensemble des
sens intérieurs.
2. II, xıı, 24; cf. aussi *Purg.*, IV, 1-2. Les passages de Thomas d'Aquin
cités dans le commentaire du *Convivio*, ad loc., par Busnelli et Vandelli,
concernent les *potentiae animae* et les *intentiones*, et n'ont donc qu'un rapport
assez lointain avec la pneumatologie médicale qui est ici en cause.
3. Lorsque Vossler s'est posé le problème, il y a soixante ans (*Die philos.
Grundlagen...*, *op. cit.*), il a déjà bien vu qu'il fallait recourir, plutôt qu'à des
sources théoriques précises, à une ou à des « philosophies ambiantes » :
conventions de la vie amoureuse, exigences du moralisme chrétien. Un
néo-platonisme plus ou moins mystique et un naturalisme plus ou moins
libertin restaient à l'arrière-plan. Les contradictions qui en résultaient
trouvèrent, selon l'auteur, une issue d'ordre pour ainsi dire pratique dans

Une première interprétation du langage figuré des poètes par la terminologie scientifique de la physiologie du *spiritus* a été proposée dès 1910, et avec des résultats concluants, par G. Vitale [1], qui trouva chez Albert le Grand [2] l'explication détaillée du soupir, du tremblement, de l'évanouissement, des « blessures mortelles » que cause la vue de la beauté, etc. Les poètes n'eurent qu'à appliquer plus spécialement à l'amour la description de mécanismes et de phénomènes qui, chez Albert, couvraient un domaine plus large de la vie psychique. L'imagerie de Cavalcanti — les *spiriti* des sens ou du regard blessant ou consolateur, le *spirito* messager ou support d'une image mentale, la guerre des *spiriti* entre eux ou avec le cœur, les *spiriti* chassés qui s'échappent du corps, etc. — peut être « justifiée » presque point par point; et si le poète se plaît parfois dans des figures de rhétorique évidemment dépourvues de la prétention d'être prises à la lettre (*spiriti* implorants...), il aime aussi montrer, à l'occasion, qu'il connaît la portée exacte de ses termes.

L'arrière-plan de pneumatologie naturaliste dans la philosophie d'amour des poètes nous est devenu, depuis Vitale, plus familier; il a été question du fatalisme et du « libertinage » d'André le Chapelain [3] et surtout, comme on sait, de l'averroïsme de Cavalcanti.

l'allégorisme qui en quelque sorte neutralisait l'amour (*es kann keinem Zweifel unterliegen, dass die Liebesdichtung des dolce stil nuovo prinzipiell symbolisch zu deuten ist* — p. 71), sans exclure d'ailleurs l'existence d'un compromis doctrinal appuyé surtout sur Albert. Une position qui n'est pas sans analogie avec celle de Vossler a été prise par D. Scheludko, « Guinizelli und der Neuplatonismus », in *Dtsche. Vierteljahrsschr. f. Literaturwiss. u. Geistesgesch.*, XII, 1934, 364-399. D'après Scheludko, le *dolce stil novo* comporte une théorie platonicienne de l'amour mondain comme cause occasionnelle d'un réveil de l'âme : par ce biais, la poésie tournerait l'obstacle du rigorisme chrétien, sans s'interdire le droit d'insister sur la beauté sensible et sur les sentiments qu'elle suscite. Depuis ces deux travaux, on a multiplié dans tous les sens les recherches sur les sources doctrinales latines ou arabes, avec des résultats éclairants, mais sans toujours se rappeler qu'une localisation trop étroite des origines était, dans pareil cas, une erreur de méthode.

1. *Op. cit.*, n. 2, p. 44. Voir dans le même sens Bruno Nardi, « L'amore e i medici medievali », dans *Studi in onore di Angelo Monteverdi*, Modena, 1959, p. 1-28, notamment sur le *De amore heroico* d'Arnaud de Villeneuve, et sur un échange de sonnets entre Dante Alighieri et Dante da Maiano.

2. *De motibus animalium*, I, tr. II, cap. 4-7; *De anima*, II, tr. IV, cap. 9.

3. Sur la condamnation de Capellanus, voir M. Grabmann, « Andreas Capellanus und Bischof Stephan Tempier », *Speculum*, VII, 1932, p. 75-79; et A. J. Denomy, « The De Amore of Andreas Capellanus and the Condemnation of 1277 », in *Mediaeval Studies*, VIII, 1946, 107-149. On sait l'importance du petit livre de Capellanus pour la mise en forme et la codification des principaux points de la théorie de l'amour. Dans un sonnet de Gianni Alfieri, *Guido, quel Gianni ch'a te fu l'altri'ieri* (n° 7 dans l'édition de Luigi Di Benedetto, *Rimatori del dolce stil novo*, Torino, 1944 — que nous suivrons pour les poètes de ce groupe), « Gualtieri », c'est-à-dire André le Chapelain, devient simplement synonyme d'Amour. Les questions qu'il a

Les attaches averroïstes de Cavalcanti sont solidement établies, et il ne nous semble pas que l'interprétation de la canzone *Donna me prega* par Nardi ait été, pour l'essentiel, infirmée au cours de la polémique qu'elle a suscitée [1]. Mais une autre question est de savoir ce que signifie cet averroïsme pour la conception poétique de l'amour chez Cavalcanti et chez tous ceux qui ont adopté son langage. Le lien amour-mort et le côté *mezzoscuro* de la poésie de Cavalcanti, si admirablement décrit par Nardi, et déduit par lui de l'averroïsme, pourrait être tiré, à peu de différence près, du néo-platonisme arabe : Denomy a cité plusieurs textes pertinents dans son explication de la philosophie de l'amour chez les poètes provençaux [2]. Vossler a invoqué ce qu'il croyait être un « averroïsme » esthétiquement relevant à propos de quelques poèmes de Cavalcanti, Dante et Cino, où la connaissance est décrite comme passive, mue uniquement par des agents supraterrestres [3]; mais il s'agit simplement d'extases et d'illuminations, d'un type mystique si l'on veut, compatibles en tout cas avec les épistémologies les plus diverses. Quant au répertoire des images et figures, il nous semble que le complexe mythique, magique, anthropologique et médical des doctrines du spiritus y est tout entier impliqué, à peu près sans distinction de l'origine philosophique des éléments; le tout a été de transformer ces croyances en imagerie poétique, par un acte délibéré peut-être sans exemple alors dans la

discutées, sans doute d'après des conventions antérieures, régissent la canzone *Donna me prega* de Cavalcanti, et sa définition de l'amour revient, pour l'essentiel, jusque dans un sonnet attribué à Dante (*Molti, volendo dir che fosse Amore*, nº 79 de l'édition Contini, classé parmi les *dubbie*) : l'amour est une passion du désir, naturelle à l'âme, et suscitée par un objet de belle apparence. Vossler a très bien analysé cette définition descriptive, plutôt courte, qui rend difficile à admettre l'amour pour une âme belle dans un corps laid, et nie même (Capellanus n'a pas reculé devant cette conséquence) qu'un aveugle puisse aimer d'amour. Pourtant le caractère « inné » de cette passion (*passio innata*) permet d'écarter le naturalisme extrême, autorise la thèse de l'amour ennoblissant et, soit dit en passant, réduit à très peu de chose la prétendue nouveauté de la solution que Scheludko attribue à Guinizelli.

1. La thèse de Nardi est exposée dans « L'averroismo del ' primo amico ' di Dante » (*Dante e la cultura medievale*, (cité), p. 93-129); cf. aussi « Di un nuovo commento... », *ibid.*, p. 130-152; et sa « Noterella polemica sull'averroismo di Guido Cavalcanti », in *Rassegna di Filosofia*, III, 1, 1954, p. 47-71. — Voir la réponse de Guido Favati, « Guido Cavalcanti, Dino del Garbo e l'averroismo di Bruno Nardi », in *Filologia romanza*, II, 1955, p. 67-83.

2. A. J. Denomy, « An inquiry into the origins of courtly love », *Mediaeval Studies*, VI, 1944, 175-260, et « Fin' Amors : the pure love of the troubadours, its amorality and possible source », *ibid.*, VII, 1945, 139-207.

3. *Op. cit.*, p. 80 sq., à propos du sonnet VII (*Io vidi li occhi*) de Cavalcanti, du sonnet *Oltre la spera* de Dante (*Vita nuova*, XLI), et de la ballade LXII (*Lasso, ch'amando la mia vita more*) de Cino.

littérature de l'Europe chrétienne[1]. On peut illustrer ce processus sur quelques thèmes de Cavalcanti et de Dante [2].
1º *La guerre des esprits.* Il y a toute une tradition théologique sur la place du *spiritus* en face de *caro, anima* et *mens* [3]. Le plus souvent, *anima* figure comme porte-parole de *caro*; l'intellect étant mis hors de cause par son essence supérieure, on arrive à l'opposition *anima-spiritus*: la partie charnelle et faible et la partie spirituelle et forte de l'homme [4]. La bataille entre les esprits et le cœur, volontiers imaginée par Cavalcanti, porte la trace de ce topos, mais avec un changement de rôles dû à la doctrine médicale : les esprits, vaincus et faibles, ont été chassés; ou bien le cœur, en se serrant, les a expulsés du corps [5]. La vraie psychomachie ne se livre d'ailleurs pas entre le cœur et les esprits de l'amant, mais entre ses esprits et un esprit étranger, intrus, — Amour ou le regard de la dame. Quand ce même regard est favorable, il renforce au contraire les esprits du cœur et dépose parmi eux un *spirito di gioia* [6]. Les rayons visuels de la physiologie traditionnelle se transforment ainsi en êtres animés d'intentions bonnes ou mauvaises; les esprits vitaux et animaux de l'amant deviennent des personnages de comédie, le plus souvent piteux, implorants, craintifs, secourus ou protégés par un envoi de ballade ou de canzone [7]; une fois, *quel pauroso spirito d'amore / il qual sol apparir quand'om si more* menace l'amant fasciné, qui n'est sauvé *in extremis* que parce que son

1. Ni l'usage littéraire des « merveilles » exotiques, ni la transformation des dieux en ornements de la poésie ne peuvent servir de points de comparaison, car dans les deux cas, les auteurs chrétiens entraient dans une tradition littéraire antique, qui leur était connue. L'emploi décoratif ou semi-décoratif de données censées scientifiques est une nouveauté, qui n'a d'analogie que dans les emprunts mutuels de la littérature religieuse et de la littérature profane, surtout de la poésie d'amour.
2. Nous nous bornons à ces deux noms, parce que la liste des exemples s'allongerait beaucoup, sans grand profit, si l'on ajoutait les autres poètes du groupe. Cavalcanti est cité d'après l'édition déjà mentionnée de Luigi Di Benedetto.
3. Voir l'article de M. D. Chenu cit. 7, 45, N. 1, qui donne les textes relatifs à cette question.
4. Hugues de Saint-Victor, *De unione corporis et spiritus, Patr. lat.*, 177, col. 291 : *Prima divisio est inter animam et spiritum, hoc est inter voluptates carnales et spirituales.* — Ou, différemment, Thomas d'Aquin, *S. theol.*, I, qu. 97, a. 3 (cf. Chenu, article cité, p. 223, n. 50) : *Anima rationalis est anima et spiritus. Anima secundum illud quod est comune ipsi et aliis animabus, quod est vitam corpori dare... Sed spiritus dicitur secundum illud quod est proprium ipsi...*
5. *Rime* di Cavalcanti, éd. cit., VIII, v. 9-14, 19-22, 48-52; XII, v. 6; XV, v. 13; XVI; XXIII, v. 12-15. — Dans ces passages, notamment VIII et XVI, *anima* désigne souvent la somme des *spiriti*, ce qui est conforme à la tradition de l'esprit vital.
6. *Ibid.*, XII (sonnet : *Un amoroso sguardo spiritale*), v. 11.
7. *Ibid.*, VIII, envoi.

sottile spirito che vede s'accroche au regard de la maîtresse [1].

Dante partage la liberté de son *primo amico* dans l'usage poétique de ces concepts : l'exil du *spirito* est, pour lui aussi, un motif commode [2]. (On se souvient que cette faculté de quitter le corps est, dans la couche mythique de la tradition, la première caractéristique du spiritus.) Il affecte de prendre au sérieux la représentation physiologique, au point de faire intervenir le *lago del cor*, lieu de rassemblement et domicile des esprits [3], mais n'a peut-être pas reculé devant l'idée, digne d'un Serafino dall'Aquila, que ce « lac » a été asséché par la flèche enflammée du regard de la dame [4]. Une contradiction terminologique entre deux sonnets successifs de la *Vita nuova*, sur laquelle Dante lui-même s'explique dans le commentaire, prouve à quel point les éléments de cette anthropologie sont pour lui métaphoriques : au n° 37, le cœur joue, par rapport aux yeux, le rôle que joue au n° 38 l'*anima* par rapport au cœur : le premier terme étant chaque fois la raison, le second l'appétit — comme dans le conflit *spiritus anima* de saint Paul et des théologiens.

2° Le *soupir*. L'identification de l'esprit qui s'échappe du cœur blessé avec le soupir de l'amoureux pourrait sembler l'invention gratuite d'un concettiste avant la lettre, si elle n'était si solidement ancrée dans la tradition. C'est avec le « dernier soupir » que l'on « rend l'esprit »; Sénèque [5] nous dit que l'asthme est appelé par les médecins *meditatio mortis*, parce que : *Faciet... aliquando spiritus ille* (le souffle), *quod saepe conatus est.* Alfred de Sareshel pense prosaïquement que l'âme, dans l'extase ou la contemplation, oublie volontiers de respirer, et doit de temps en temps rattraper cette omission par une respiration plus forte, qui est le soupir [6]; c'est Albert le Grand, encore une fois, qui propose l'explication retenue par les poètes, d'une constriction du cœur rempli de sang et de spiriti [7]; et Thomas d'Aquin formule une opinion

1. *Ibid.*, XXI (sonnet : *Veder poteste, quando vi scontrai*).
2. Par ex., *Rime*, n° 19; ou n° 66 et 71, classées parmi les *dubbie*.
3. *Ibid.*, canz. 20 (*mezzo del cor*); Contini renvoie à *Inf.*, I, 20 (*lago*) et *Vita nuova*, II, 4 (*segretissima camera*), ainsi qu'aux *Rime dubbie*, n° 61 (*lago*).
4. *Ibid.*, n° 61 (*Rime dubbie*).
5. *Epistolae*, 54.
6. Alfredus Anglicus (Alfred de Sareshel), *De motu cordis*, éd. Clemens Bäumker, Münster, 1923, p. 27 : *Atque horum omnium in propatulo evidens signum suspirium, quod est omissi haustus a mente defixa in multitudine restauratio. Cum enim alicujus conceptioni seorsum vacet anima tamquam ab aliis abstracta, aëris quoque attractionem intermittit, constante tamen calore caeterisque instrumentis. Quiescit igitur interim et respiratio. Hanc dispositionem natura non sustinens laeditur. Anima igitur respirans uberius multitudine redimit, quod omisit in numero.*
7. *De motibus animalium*, I, II, 4 (passage cité par G. Vitale).

voisine, très mécaniste, selon laquelle le « grand cœur » des jeunes gens serait littéralement agrandi par l'afflux des esprits que dilate la chaleur de leur âge; les cris de la douleur et les gestes de repli dans la crainte s'expliqueraient, de manière analogue, par les mouvements effectifs des esprits [1].

Les passages de Cavalcanti et de Dante où les soupirs d'amour sont plus ou moins explicitement interprétés en ces termes de pneumatologie médicale sont assez nombreux. Cavalcanti peut employer *sospiro* comme synonyme de *spirito nel cor* et insiste, avec une affectation un peu ironique, sur le *spiritello*-soupir qui s'échappe du cœur blessé [2]. L'image des soupirs chassés du cœur par l'Amour ou par un regard est tout à fait familière à Dante [3], et le dernier sonnet de la *Vita nuova* (*Oltre la spera*) ajoute une touche supplémentaire en appelant le soupir qui s'élève au ciel tantôt *pensiero*, tantôt *spirito peregrino*.

3º *La dame peinte dans le cœur.* La mécanique des esprits-soupirs risque de faire oublier que le *spirito* est imagination; l'image de la dame « peinte » par ses messagers dans le cœur ou dans la mémoire (*mente*) nous y fait revenir. Ici encore, la pneumatologie traditionnelle se prête si bien à la « motivation » de métaphores apparemment naturelles (« s'imprimer dans l'esprit »), qu'on peut se demander si la rencontre est fortuite ou si le langage courant n'est pas en fait un dépôt de la théorie physiologique vulgarisée (ou inversement la théorie un décalque rationalisé d'une métaphore «naturelle»).

André le Chapelain avait écrit que la *cogitatio* ou méditation sur l'image intérieure de la dame était la condition indispensable du sentiment d'amour. On peut en conclure, et on l'a fait, que ce sentiment naît dans l'*imaginativa* [4]. Cavalcanti parle d'une dame compatissante, dont le *spirito* est entré en lui par les yeux, mais n'a pas pu pénétrer jusqu'au deuxième ventricule du cerveau afin de se « figurer » dans l'imagination [5]. A plusieurs reprises, il mentionne des visages imprimés dans le cœur de l'amant [6]; dans la ballade XXX (*Quando di morte*

---

1. *S. theol.*, Iª IIᵃᵉ, qu. 40, a. 6 et qu. 44, a. 1, ad 2. Cité par Chenu, article cité, p. 225, n. 58 et 59.
2. *Rime* XVIII (sonnet *S'io prego questa donna che pietate*), v. 10; XIX (sonnet *Io temo che la mia disaventura*, v. 9-11); XXXIII (ballade *Era in pensier d'amor quand'i' trovai*), v. 14-16.
3. *Vita nuova*, sonnet c. 34; *Convivio*, canz. II, v. 34-36; *Rime*, sonnet XIX; canz. XX, v. 5-7 (à propos du « dernier soupir »); sonnet LXVIII, d'attribution incertaine.
4. C'est une des opinions rejetées par l'auteur du sonnet dantesque nº 79.
5. XXVII (Ballade *I' prego voi che di dolor parlate*), v. 18-24.
6. XXVIII (*Vedete ch'i' son un che vo piangendo*), v. 13-20, et XXXIII (*Era in pensier d'amor quand'i' trovai*), v. 39-42.

mi convien trar vita), Amour modèle dans le cœur, avec le
désir comme matière spirituelle, l'image nouvelle de l'aimée [1].
Des motifs de ce type ne sont pas moins fréquents chez
Dante [2].

4⁰ *La lumière des spiriti.* La pneumatologie à prétentions
scientifiques, l'arrière-plan philosophique bien marqué (qu'il
soit averroïste, néo-platonicien ou scolastique) et le langage
imagé naturel dans l'expression de l'amour se sont trouvés
plus ou moins en concurrence dans chacun des trois motifs
discutés ici, comme ils se trouvent en concurrence pour toute
explication du répertoire métaphorique du dolce stil novo.
L'ambiguïté, par laquelle justement ces symboles échappent
à l'arbitraire, n'est nulle part plus évidente que dans le thème
de la lumière. Il est, nous dit-on depuis le travail de Bäumker
sur Witelo [3], essentiellement philosophique, en l'espèce
néo-platonicien; mais on n'a pas tardé à tirer de cette philosophie une esthétique, qui est censée la traduire — quel que
soit le sens historique précis que l'on veut accorder à cette
« traduction ». Des analyses multiples, dont certaines sont
restées célèbres, se sont efforcées de prouver l'influence
effective, thématique et stylistique, de la métaphysique de
la lumière sur la poésie et sur les arts visuels [4]. Tenter de
montrer comment la poésie de Cavalcanti et de Dante a
adapté les vues naturalistes sur le pneuma lumineux, ne
signifie donc pas refuser l'interprétation philosophique,
néo-platonisante, des mêmes passages [5] ni, bien entendu, nier
l'expérience élémentaire, naïve et commune, qu'un sourire
peut être « radieux » et un regard « brillant ». Les doctrines
du spiritus ne sont pas nécessairement les sources, au sens
strict, de l'imagerie qu'elles peuvent servir à illustrer; et
quand elles le sont, il ne faut pas pour autant prêter aux

---

1. V. 15-17. De même, Cino da Pistoia, sonnet XXV (*Bene è forte cosa
il dolce sguardo*), v. 9 sq. — le « doux regard » pénètre au cœur et

>   *Formasi dentro in forma e in sustanza*
>   *di quella donna...*

2. *Rime*, canz. VII (*La dispietata mente, che pur mira*), v. 20-22; sonnets
XIII (*Volgete li occhi a veder chi mi tiene*) et XXIV (*Voi donne, che pietoso
atto mostrate*), ainsi que la canzone XX, v. 43-45, et le *Detto d'Amore*, d'attrib.
incert., v. 256-259.
3. Cl. Bäumker, *Witelo*, Münster, 1908 (Beitr. z. Gesch. u. Philos. d. M. A.,
3, II).
4. Pour l'esthétique théorique et pour la poésie, v. E. De Bruyne, *Études
d'esthétique médiévale*, 3 vol., Bruges, 1946, III, 3-29; pour la peinture, voir
provisoirement le bilan de W. Schöne, *Ueber das Licht in der Malerei*, Berlin,
1954.
5. Scheludko, art. cité, a indiqué cette possibilité pour la poésie de Guinizelli.

poètes les convictions que leur emploi impliquerait chez le médecin ou chez le philosophe.

On se souvient que le pneuma du sperme était considéré, dans la tradition d'Aristote, comme un élément lumineux. Synésius avait insisté sur la luminosité du *spiritus phantasticus*, sans laquelle il serait impossible que nous voyions nos rêves. La théorie physiologique de la vision comme émission de rayons par l'œil supposait ces rayons ou esprits doués d'une luminosité qui leur venait des « vapeurs » du sens interne ; l'œil du chat fournissait traditionnellement la preuve « expérimentale » [1]. Si l'on ajoute que les esprits sont chauds selon les médecins, et parfois ignés selon les philosophes, (et volontiers « enflammés » ou brûlants selon les poètes) [2], il devient encore plus clair qu'il faut les concevoir lumineux.

On peut donc penser qu'il y a presque une vague prétention de description exacte des faits dans ce début d'une ballade de Cavalcanti (XXVI)

> *Veggio negli occhi della donna mia*
> *un lume pien di spiriti d'amore...*

C'est l'image même qu'emploie Dante (sonnet XXII, v. 5-6)

> *De li occhi suoi, come ch'ella li mova*
> *escono spirti d'amore infiammati.*

Plus ou moins explicite, l'association entre la lumière du regard (ou du sourire, ou de la beauté) et les spiriti offensifs ou bénins est trop fréquente pour avoir besoin d'être documentée plus longtemps.

*

Nous avons laissé entendre que ces textes ne contiennent pas d'indications fermes sur les opinions et convictions théoriques des auteurs. La façon dont Calvalcanti s'amuse, dans le sonnet XXIII (*Per gli occhi fere un spirito sottile*) à dessiner une généalogie des spiriti, depuis le regard par où tout commence jusqu'à la « merci » finalement accordée, indique assez, par son clinquant verbal (le mot *spirito* est

---

1. Chenu, « Le De spiritu imaginativo de Rich. Kilwardby », *Rev. des Sc. philos. et théol.*, XV, 1926, p. 507-517, cite, p. 510, un manuscrit de Kilwardby (Balliol College, n° 3, f° 36 *b*) : *Natura... sicut indidit oculo cati lumen ad illuminandum medium in tenebris... sic spiritui ymaginativo, quia remotus est ab aliis luminibus... disposuit lumen internum sibi debitum.*
2. Cette chaleur ou flamme est encore un motif dont il serait facile de montrer l'ambiguïté, au sens défini plus haut ; l'analyse n'ajouterait rien aux précédentes.

répété quinze fois dans les quatorze vers) qu'il exclut toute prétention didactique; et la complication des concetti frise souvent, chez lui comme chez Dante, l'ironie, sinon même le burlesque [1]. Il serait absurde de vouloir remonter de bonne foi aux sources mythiques de cette pneumatologie, seulement parce que Cavalcanti donne une fois au spirito une origine céleste, oubliant qu'il n'est que vapeur du sang [2], ou parce que l'Amour, qui dans la *Vita nuova* ordonne si souvent au poète d'écrire des vers sur tel ou tel sujet, — et qui, selon *La Divine Comédie*, va jusqu'à les lui « dicter » — ressemble aux génies ou esprits de l'inspiration antique [3]. Dante s'est expliqué (*Vita nuova*, XXV) sur la raison qui l'a fait personnifier Amour, tout en sachant que, philosophiquement parlant, l'amour n'est qu'un « accident »; or le parallélisme fréquent entre les faits et gestes des spiriti et ceux du dieu Amour (assis comme un archer dans l'œil de la dame; pénétrant avec le regard dans le cœur de l'amant pour chasser les esprits vitaux, etc.) [4] permet de classer une bonne partie du répertoire pneumatologique dans le même chapitre de la mythologie des poètes. Cavalcanti laisse entendre une fois que *spirito* pourrait n'être, dans ses vers, qu'une façon de désigner un « accident » : il en fait dans la ballade XXV (*Posso de gli occhi miei novella dire*) un synonyme de *vertù d'amore*. Et Dante, lorsqu'il déclare ses intentions poétiques [5], dit en toutes lettres que la guerre *spirito-anima*, qu'il avait décrite, n'est qu'une guerre entre deux *pensieri*, et que le *spirito d'amor gentil* qui lui parle n'est, lui aussi, qu'une pensée à laquelle il veut bien obéir. — Mais cette « démystification » du commentateur ne doit pas être étendue systématiquement à toute la poésie des spiritelli, — pas plus que les

---

1. Dante, sonnet 8 (*Non mi porriano già mai fare ammenda*), a envie de tuer les esprits de ses yeux, parce qu'en regardant la tour Garisenda à Bologne, ils n'ont pas signalé le passage d'une dame. Cf. aussi canz. VII, v. 56-65, sur la flèche d'Amour qui a bouché l'entrée de son cœur.
2. Sonnet VII (*Io vidi li occhi, dove Amor si mise*), v. 9-10 :

> *Dal ciel si mosse spirito in quel punto*
> *che quella donna mi degnò guardare.*

3. Cf. aussi chez Cino da Pistoia, canz. XXXVI (*L'alta speranza che mi reca Amore*), v. 63-64, ce conseil à la canzone qu'il n'ose appeler sienne :

> *di che ti fece Amor, se vuoi ben dire,*
> *dentro al mio cor che sua valenza prova.*

Le *Ion* de Platon n'a pas été plus péremptoire — dans son registre ironique et polémique — sur le caractère « inspiré » de la poésie.
4. *Vita nuova*, XI et XIV; *Conv.*, canz. III, v. 18-20; *Rime*, ball. 29 (*Voi che savete ragionar d'Amore*), ball. 34 (*I' mi son pargoletta*), fin.
5. *Conv.*, II, VI, 7 et II, X, 4, commentaire des vers 12 et 42 de la canzone.

explications par la philosophie, par la médecine (ou par la fantaisie poétique) ne sont aptes à fournir des clefs dépourvues d'ambiguïté.

V. DOCTRINES POÉTIQUES DE L'AMOUR

Il est assez significatif que, des deux initiateurs de ce qu'on appelle communément le *dolce stil novo*, l'un, Guinizelli, qui affirma la parenté entre amour et noblesse de cœur, n'a pas songé à expliquer les phénomènes de l'amour par un mécanisme comme celui des spiritelli; et que l'autre, Cavalcanti, l'auteur du « modèle » de petits esprits, ne fait allusion au thème de l'amour ennoblissant que dans deux poèmes, sans doute de jeunesse [1]. Ultérieurement, et d'abord chez Dante, le thème des spiritelli et celui de la *gentilezza* furent volontiers combinés; on sent pourtant qu'ils relèvent de deux doctrines d'amour assez difficilement compatibles.

Guinizelli n'est évidemment pas l'inventeur de l'association entre amour et *gentilezza*, comme il n'a pas été le premier à diviniser la dame. Rien d'essentiel ne distingue l'amour, tel qu'il le conçoit, de l'amour courtois dans la poésie dite chevaleresque. Mais son thème de la *gentilezza* est lui-même composite, comme il l'a été chez ses prédécesseurs provençaux.

D'un côté, l'affirmation que l'amour est une noblesse *sui generis* ou qu'il confère de la noblesse à l'amant est en quelque sorte une revendication sociale, toute naturelle chez les chevaliers qui courtisaient des dames d'un rang supérieur. Ibn Zaïdoun, un poète cordouan du XIe siècle, s'est déjà très clairement exprimé sur ce point [2], et on ne manque pas de textes analogues dans les littératures chrétiennes — chez André le Chapelain en premier lieu. Les poètes italiens d'origine bourgeoise étaient naturellement acquis à cette thèse; le « manifeste » de Guinizelli, *Al cor gentil repara sempre amore*, contient une strophe violente (IV) contre ceux qui

---

1. Cette observation est de J. E. Shaw, *Cavalcanti's theory of love*, Toronto, 1949, p. 117. Il faudra l'atténuer en tenant compte des passages de la canzone *Donna me prega*, où l'association entre amour et *virtù* ou *valore* est maintenue. Pour Guinizelli aussi, quelques réserves s'imposent du fait de ses métaphores du regard comme *colpo* ou *trono*.

2. Passage cité par Denomy, « An inquiry... », art. cité, p. 230; le poète qui parle est amoureux d'une femme noble : « Il ne nous a point nui que nous n'ayons pas été son égal en noblesse, car dans l'affection, il y a des raisons suffisantes d'égalité » (trad. H. Pérès).

confondent noblesse et lignage; et l'on sait la place que tient dans le *Convivio* la polémique contre la définition de la *gentilezza* attribuée par Dante à l'empereur Frédéric.

Ainsi comprise, l'identité amour-noblesse peut aller de pair avec un certain fatalisme, du moins en ce sens que la fatalité de l'amour excuse, elle aussi, les liaisons socialement inégales. D'où par exemple ces vers de Bertrand de Ventadour :

> Pero Amors sap dissendre
> lai on li ven a plazer [1]

et la formule presque identique de Puccio dans un sonnet à Dante

> Solo si pon [Amore] dov'è 'l suo desire
> non cura del più bel nè del migliore [2],

en réponse précisément à la question de savoir si l'amour d'un roturier pour une dame noble était licite.

Dans une seconde acception, la thèse de la *gentilezza* d'amour débouche sur la doctrine platonicienne de l'ascension. Elle n'exclut pas, bien entendu, la tendance « revendicative » — en fait, on trouve les deux idées presque toujours ensemble, entre autres dans la canzone de Guinizelli —, mais elle possède une base philosophique autrement intéressante. L'essentiel de l'amour est l'élaboration intérieure (*immoderata cogitatio*, selon le Chapelain) d'une image mentale; il se situe donc toujours au-delà des sens. La beauté est comme la semence, qui ne pousse que sur certains terrains, convenablement préparés. Du moins est-ce là ce que lui accorde la version « modérée » de Capellanus et des nombreux poètes qui l'ont suivi; mais parfois, surtout chez Guinizelli, son rôle est moindre : *Al cor gentil repara sempre Amore* — l'âme noble aime, dirait-on, spontanément. L'auteur du sonnet dantesque *Molti, volendo dir che fosse Amore* [3] a dû songer à Guinizelli quand il cite la définition de l'amour comme *ardore | di mente imaginato per pensiero*. Selon cette version plus radicale, la beauté ne serait qu'une cause occasionnelle, et l'amour une qualité ou vertu du cœur noble, plutôt qu'un effet produit par la beauté. Lorsque Dante résume en l'exagérant la doctrine de Guinizelli, l'idée même de cause ou condition extérieure de l'amour est écartée, ou négligée comme secondaire : *Amore e'l cor gentil sono una cosa* (*Vita nuova*, XX).

Dans un tel contexte, le problème de la fatalité de l'amour,

1. Cité par Denomy, *ibid.*, p. 189.
2. *Rime di Dante*, n° 58 A.
3. *Ibid.*, n° 79 (attrib. douteuse).

ou de sa liberté, ne se pose pas; plusieurs vers de Guinizelli, et entre autres les derniers de la *Canzone d'amore*, la célèbre réponse à Dieu qui l'accuse d'avoir glorifié sa dame jusqu'au blasphème, ressemblent, il est vrai, à une excuse fataliste :

> *tenea d'angel sembianza*
> *che fosse del tu' regno;*
> *no me fo fallo, s'eo li posi amanza.*

Mais Capellanus, qui avait très bien saisi le problème, a répondu en quelque sorte d'avance dans son Dialogue V, qui contient d'ailleurs une sorte de jugement et une ébauche de *Divine Comédie* de l'amour : la volonté qui ne désire pas se séparer de ce qu'elle aime est par définition la plus libre qui soit, puisqu'elle ne veut que ce qu'elle veut. En termes plus modernes : si la liberté n'est pas liberté de s'engager, elle n'est rien.

Quels que soient le rôle efficient et la causalité contraignante de la beauté dans l'amour, il y a un lien logique entre l'acceptation de l'amour comme *gentilezza* et la divinisation de la dame à laquelle il s'adresse; autrement on ne comprendrait pas son rôle dans le « réveil de l'âme ». Nous sommes ici en plein dans une tradition néo-platonicienne, et il n'est pas étonnant que Denomy ait pu citer tant de parallèles philosophiques, depuis Plotin, à l'amour courtois des poètes médiévaux [1]. L'ascension et la purification, caractères propres à l'amour platonicien et courtois, se révèlent, par le biais de la *gentilezza*, associés à l'ébauche d'une sorte de discipline ou de morale sans devoir pratique formulable, sans valeurs prédonnées, sans contenu d'aucune sorte [2], appuyée uniquement sur une tâche que l'amant se donne à lui-même, et qui s'apparente étroitement (de plus en plus étroitement, au fur et à mesure des « progrès » de l'amour) au « réveil de l'âme », à sa prise de conscience. (Licence étant donnée aux historiens, depuis Vossler, de traiter des doctrines de l'amour en termes empruntés à la philosophie pure, nous parlerions volontiers ici d'une morale transcendantale de l'amour, pour désigner

---

1. Articles cités, p. 50, n. 2. L'auteur a très bien vu que le parallèle avec la mystique chrétienne était déplacé, et qu'il fallait recourir à la philosophie platonicienne et à ses adaptations chrétiennes ou arabes. Il a seulement méconnu, sur un point, le caractère formel de ce qu'on appelle la doctrine de l'amour, et qui est un questionnaire ou un ensemble de problèmes à discuter en poèmes, en tensons ou en *ragionamenti* courtois, plutôt qu'un ensemble de thèses. Denomy a donc localisé avec trop de précision, dans un traité d'Avicenne et dans quelques autres, d'esprit semblable, « la source » de « la doctrine » des troubadours.

2. D'où l'étrange reproche d' « amoralité » fait par Denomy à l'amour courtois.

en langage kantien cette absence ou cet effacement des données objectives, réelles ou idéales, et la tendance à fonder dans la conscience seule tout le système des buts, valeurs et obligations.) La solution du Chapelain pour le problème de la liberté ou de la fatalité de l'amour est typique de cette tendance à reconnaître le caractère « fondateur » de la conscience en matière d'amour; on peut en dire autant de la célèbre explication de Dante aux dames qui l'interrogeaient sur le but de son amour [1] : Jadis, dit-il, sa béatitude résidait dans le salut de Béatrice; maintenant, elle est dans ses paroles qui la louent. On ne doit pas sous-estimer le paradoxe de cette formule qui intériorise toute réalisation de l'amour; le fait de trouver en soi les paroles de l'éloge de Béatrice signifie pour l'amant qu'il l'a comprise dans une *adaequatio rei et intellectus*, et que le réveil ascensionnel de l'âme s'est accompli.

Il serait sans doute exagéré d'ériger en opposition catégorique la simple différence d'orientation entre une telle doctrine de l'amour et l'image que suggère le mécanisme des *spiritelli*. Pris complètement au sérieux et à la lettre, ce mécanisme impliquerait en effet une conception médicale et déterministe, à la manière de Dante da Maiano [2], ou le fatalisme de Cavalcanti :

> ... *che solo Amor mi sforza*
> *contro cui non val forza — nè misura* [3].

Il est sans doute significatif que, contrairement à ces auteurs, Guinizelli ait fait plus de confiance au libre arbitre de l'amant [4]. Mais toute cette logique de l'imagerie, partiellement confirmée par les œuvres, n'est pas contraignante; dans la *Vita nuova* déjà, le répertoire d'images tirées de la doctrine des esprits coexiste tant bien que mal avec l'idée de l'amour ennoblissant et purificateur [5].

1. *Vita nuova*, XVIII.
2. Cf. B. Nardi, « L'amore e i medici medievali », art. cité.
3. Canz. VI, *Fresca rosa novella*, fin; cf. Dante da Maiano à Dante Alighieri :

> *E ben conosco o mai veracemente*
> *che'nverso Amor non val forza ned arte*
> *ingegno né leggenda ch'omo trovi.*

(*Rime di Dante*, 4.)

4. Notamment dans le sonnet peu conventionnel *Chi vedesse a Lucia un var capuzzo* (n° XXII de l'édition Tomm. Casini, *Le rime dei poeti bolognesi del sec. XII*, dans la collection « Scelta di curiosità letterarie », 185, Bologne, 1881).
5. D'ailleurs les spiritelli de la *Vita nuova* apparaissent, au cours du livre, de plus en plus comme de simples façons de parler; leur emploi aussi se fait progressivement plus rare. D'autre part, la doctrine subjectiviste de l'amour n'est pas adoptée intégralement, puisque Béatrice, c'est le moins qu'on puisse en dire, est toujours la cause efficiente et non simplement occasionnelle de l'amour. Dante prépare ainsi sa solution originale du conflit.

A vrai dire, la théorie scientifique ou philosophique des esprits n'a jamais été monopolisée par les naturalistes au point de faire oublier ses liens primitifs avec les thèmes de la purification et de l'extase; d'où la possibilité de réintroduire maintenant tous ces aspects, « platonisme » compris, dans le répertoire métaphorique marqué au coin du naturalisme. Le *spirito* des poètes est, beaucoup plus souvent que celui des médecins, *peregrino* — chassé par Amour, envoyé en messager à la dame, attiré ou fasciné par elle; peu importe la différence entre ces formes de l'extase. En fait, la physiologie positive ne connaissait qu'un seul esprit voyageur, celui du regard; tout le reste relève de l'explication magique ou mythique des états de transe, librement reprise ou réinventée par les poètes. Le sonnet *Oltre la spera* de la *Vita nuova* est à cet égard une somme : on y voit affleurer le mécanisme médical (*spirito = sospiro*), l'explication rationnelle ou allégorique (*spirito = pensiero*) et l'extase « chamanique » (montée au ciel du spirito errant, dont la vision s'explicitera, le lecteur est convié à le deviner, dans *La Divine Comédie*).

La philosophie dantesque de l'amour est tout entière un dépassement de l'alternative entre « noblesse de cœur » et mécanisme des esprits, — ou, si l'on veut, entre Guinizelli et Cavalcanti, — ou encore, mais l'approximation devient ici très grossière, entre idéalisme platonisant et naturalisme philosophique. La contribution originale de Dante a été très bien analysée, surtout par Nardi [1], et il suffira d'en rappeler les grandes lignes.

Dans la conception définitive du poète, l'amour est, comme on sait, un principe universel, cosmique : *Nè creator nè creatura mai / ... fu senza amore / o naturale, o d'animo* (*Purg.*, XVII, 91-93); c'est une condition indispensable du maintien des choses en existence. *Ciascuna cosa ha'l suo speziale amore* (*Conv.*, III, III, 2). Cet élargissement de la perspective dicte une nouvelle définition de l'amour, ou plutôt la reprise d'une définition très ancienne, qui ne procède plus par les causes d'ordre psychique (comme l'avaient fait Capellanus et, sauf erreur, toute la poésie courtoise provençale et italienne, y compris Cavalcanti dans la canzone *Donna me prega*) mais objectivement, par le but : l'union. Ainsi, chez les êtres raisonnables,

---

1. Dans l'étude fondamentale, à laquelle nous emprunterons l'essentiel de la page qui suit, «Filosofia d'amore nei rimatori italiani del Duecento e in Dante » (*Dante e la cultura medievale*, p. 1-92). — Quant à Guinizelli, qui n'est pas un « guinizellien » pur au sens que nous donnons ici à ce mot, son attitude devrait être analysée à part.

*amore... non è altro che unimento spirituale de l'anima e de la
cosa amata, nel quale unimento di propria sua natura l'anima
corre (Conv., III, ii, 3).*

L'identité de ce principe universel avec l'*accidens* de la vie
affective de l'individu est maintenue, en dépit des difficultés
évidentes [1], d'où le caractère déconcertant de l'abstraction
incarnée à laquelle s'adresse la prière de l'amant :

> *Però, vertù che se' prima che tempo,*
> *prima che moto o che sensibil luce,*
> *increscati di me c'ho sì mal tempo,*
> *entrale in core ormai...*
>
> (Sextine 45, *Amor, tu vedi ben che questa donna*)

Cette quasi-contradiction semble délibérée, un peu du même
ordre que l'ambiguïté de Béatrice entre le singulier et l'universel; dans les poèmes politiques aussi, l'Amour est seigneur
de la justice et préside aux vertus, tout en siégeant d'autre
part dans le cœur du poète [2]. A la question de la fatalité de
l'amour et de la possibilité d'en juger selon les critères moraux,
Dante peut alors répondre d'une manière réaliste et objectiviste, aussi éloignée du déterminisme que de la « philosophie
de la conscience » esquissée par les poètes courtois : en tant
qu'instinct, l'amour est nécessaire et inévitable; mais on
peut le diriger selon la raison morale [3]. Ce n'est plus la
conscience qui crée les valeurs; elle les admet comme critères
de jugement, déduits d'un ordre de choses où tout doit
tendre vers une perfection idéale (où toute chose désire naturellement Dieu).

La théorie néo-platonicienne de l'amour n'est pas, en
principe, incompatible avec un tel objectivisme. Le *Traité
de l'Amour* d'Avicenne, invoqué par Denomy, vient étrangement près de la conception finale de Dante [4]; l'idée d'un amour
universel de tous les êtres pour Dieu, et de déviations impu-

1. On devrait distinguer entre : 1° l'amour défini comme *unimento*, selon
le *Convivio ;* c'est alors un phénomène réel, objectif, intéressant deux êtres
matériels ou spirituels distincts; 2° l'amour défini comme principe universel,
coextensif de l'être et appartenant à chaque chose en particulier; 3° l'amour
comme désir ou volonté « accidentels » de l'individu seul, c'est-à-dire l'amour
courtois, codifié par Capellanus, sans l'incidence ontologique de 2° et dont
l'essence est, contrairement à 1°, le processus subjectif et non le but objectif.

2. Canz. 47, *Tre donne,* et sonnet 48, *Se vedi li occhi miei di pianger vaghi.*

3. *Purg.*, XVIII, 13-72 et sonnets (réponses à Cino) 51 A et 52 (passages
commentés par Nardi).

4. Voir la trad. angl. de ce traité par E. Fackenheim (publiée à la suite de
l'article cité de Denomy), *Mediaeval Studies*, VII, 1945, 208-228. *In all
beings, therefore, love is either the cause of their being, or being and love are
identical in them* (p. 214). Le désir amoureux, ascendant, est inné en tout
homme; il peut dévier dans l'amour physique, mais son orientation correcte
conduit à l'amour intellectuel, et l'amour de Dieu est sa fin naturelle.

tables à la perte du vrai but, figure dans le Pseudo-Denys comme dans le *Convivio*[1]. Guinizelli[2] semble voir, tout comme Dante[3] le monde mû par un Amour substantiellement le même chez l'amant d'une dame terrestre et chez l'Intelligence céleste qui tourne autour de Dieu.

Dante acceptait donc de Guinizelli et des néo-platoniciens les thèmes de l'ascension par l'amour, de la purification et du savoir libérateur, qui supposent l'universalité de l'amour cosmique; mais il a beaucoup plus accentué cet aspect universel, il en a mis en relief l'élément objectif d'*unimento* et a rejeté tout ce qui pouvait porter atteinte à la causalité extérieure de l'amour, c'est-à-dire au rôle efficient de Béatrice[4] ou, dans la perspective métaphysique, au rôle de Dieu tel que le décrit le dernier vers du *Paradiso*, objet et cause de l'amour.

Tel qu'il est, ce choix des éléments admis ou rejetés par Dante dans les doctrines concurrentes de l'amour semble trahir comme une obscure adhésion au complexe antique du spiritus. Avec la réalité des causes, Dante sauvegardait la possibilité de l'analyse poétique du mécanisme de l'amour selon la psychologie un peu décorative des spiritelli; il en retirait surtout, outre ces « petites » extases, le fondement logique pour décrire les grandes — les visions de la *Vita nuova*, et *La Divine Comédie*. Il retrouvait l'élan moral et purificateur du néo-platonisme, tout en se prévalant, pour le fixer, de moyens que Guinizelli ne lui aurait pas pu fournir. L'arrière-plan naturaliste soudé à la cosmologie objectiviste de l'amour, et justifié par elle, ouvre la porte aux aspects plus proprement mythiques ou primitifs : la théorie des rêves divinatoires, la démonologie de *La Divine Comédie* et sa conception porphyrienne des corps infernaux.

Nous n'entendons évidemment pas prouver que la philosophie dantesque de l'amour s'expliquerait par un atavisme quelconque ou par une réelle attirance instinctive pour les doctrines du pneuma. S'il y a eu quelque part une réaction instinctive de Dante philosophe, elle n'a été que dans le refus

1. Passages cités par Denomy, « An inquiry... », art. cité, p. 218.
2. *Canz. d'amore*, str. 5.
3. Canz. 37, *Amor che movi tua vertù da cielo*.
4. Le passage de la *Vita nuova*, XVIII, sur le « but de l'amour » de Dante pour Béatrice (v. *supra*, p. 58) marque sans doute la forme extrême de l'« idéalisme » de Dante; il est d'ailleurs étroitement rattaché à l'hommage à Guinizelli (*Vita nuova*, XX). On voit sans peine combien cette position diffère de la définition de l'amour comme *unimento spirituale* dans le *Convivio*, et l'on peut admettre qu'elle fait partie des idées de jeunesse abandonnées plus tard.

des conséquences, pourtant assez séduisantes, de la position pure attribuée à Guinizelli[1]. Mais ce retour aux causes — esprits ou non — s'imposait; car aux yeux de Dante toutes les réalités, toutes les vérités, les autorités, les valeurs, sont toujours « déjà là » avant la conscience. Le bloc de ses convictions et de ses visions n'a jamais souffert l'atteinte de cette autre philosophie de l'esprit que nous appelons aujourd'hui idéalisme; peu de penseurs, même au XIIIe siècle, en ont été à ce point indemnes. L'assurance du « poète de la rectitude » et, pour une part, son geste inimitable de poser d'aplomb, à leur place, les vers de la plus violente passion, étaient sans doute à ce prix; mais c'est pour cela même que d'autres époques peuvent redouter parfois dans cette intégrité quelque chose de vaguement barbare[*].

(1965)

---

1. Voir la note précédente.
[*]. Nous devons remercier M. André Pézard pour plusieurs indications et suggestions, et notamment pour l'idée d'introduire dans ce contexte l'épisode des larrons florentins.

L'IMAGINATION COMME VÊTEMENT DE L'ÂME CHEZ MARSILE FICIN ET GIORDANO BRUNO

I. IMAGINATION ET CONNAISSANCE

Une tradition tenace, issue d'Aristote et dominante jusqu'au XVIIe siècle, considérait l'imagination comme faculté de connaissance, insérée entre la sensibilité et l'intellect[1]. Elle faisait partie des « sens intérieurs », groupe ou plutôt série de fonctions commençant avec le sens commun et aboutissant à la mémoire, si l'on suit l'ordre des transformations intérieures des images, ou au jugement, si l'on suit l'ordre de l'abstraction croissante. Il serait d'ailleurs plus exact, en beaucoup de cas, de dire que l'imagination, identifiée avec la *ratio* au sens large, est le nom générique des sens intérieurs dans leur ensemble[2]; et cela n'est pas sans justification historique, car c'est à partir des différentes fonctions de la

---

1. Une longue et célèbre démonstration d'Aristote, *De anima*, III, 3, *passim*, et aill. (*De memoria*, 449 *b* et suiv.; *Rhet.*, 1370 *b*), établit contre Platon (cf. *Philèbe*, 38 *b*-39 *c*; *Soph.*, 264 *b*; *Tim.*, 52 *a*) que l'imagination ne peut pas être réduite à une opinion issue d'une sensation ou liée à elle, mais qu'elle est un « mouvement » issu de la sensation, — c'est-à-dire, d'après Simplicius, une *transition* dynamique entre *aisthésis* et *doxa*.

2. L'histoire des sens intérieurs a été retracée par M. W. Bundy, *The theory of imagination in classical and mediaeval thought*, Illinois Univ. Press, 1927. — Pour l'extension du sens d'*imaginatio* et son assimilation à *ratio*, voir, par exemple, la série des facultés connaissantes chez Boèce, *Cons. Phil.*, V, 4 (prose) : *sensus, phantasia, imaginatio, mens*, — reprise par Ficin, *Theol. Plat.*, XVI, 3 (*Opera*, Bâle, 1576, p. 373), avec substitution de *ratio* à *imaginatio*. Le texte de Boèce est, comme l'a établi Olschki (« Giordano Bruno », in *Deutsche Vierteljahrsschr. f. Literatur wiss. u. Geistesgesch.*, II, I, p. 1-79; voir p. 12-13), la source de Bruno, *Sigillus sigillorum* (*Opera latina*, t. II, vol. 3 de l'éd. nat., p. 172; cf. *Ars memoriae, ibid.*, II, 1, p. 91). *Imaginatio* signifie l'ensemble des sens intérieurs chez Bruno, *Op. lat.*, II, 3, p. 122 et III, p. 180. — Il serait long d'expliquer ici les différences entre *phantasia* et *imaginatio*, facultés que la plupart des auteurs tiennent à distinguer, mais selon des critères très variables. Souvent, les termes sont intervertis d'un auteur à l'autre, et parfois même entre différents passages d'un même auteur. Thomas d'Aquin les considère d'ailleurs comme synonymes.

φαντασία d'Aristote qu'Avicenne obtint, en les séparant, la liste des sens intérieurs qui devait dominer toute la psychologie du Moyen Age et de la Renaissance [1].

Le groupe des facultés qui concernent l'image (qui la rendent indépendant de l'impression sensible et donc de la présence de l'objet, déterminent la réaction spontanée ou réfléchie du sujet, distinguent ou reconnaissent les *intentiones* ou universaux post rem qui y sont contenus et conservent enfin l'image, devenue ainsi elle-même presque un universel) est donc essentiellement la fonction *intermédiaire* de la connaissance, — comme l'image est l'intermédiaire entre l'objet et le concept. Mais il est en même temps, notamment chez les auteurs plus ou moins platonisants, un *pendant* de la raison et donc un aboutissement plutôt qu'une station de transit [2]. La différence des deux conceptions répond, comme il est manifeste, à l'alternative sur la valeur, autonome ou non, de l'intuition.

Ni Ficin, ni Bruno ne se sont rendu très clairement compte des implications d'un choix sur ce point, et ils font assez tranquillement voisiner l'aristotélisme orthodoxe et la thèse de la phantasia-intuition. Ficin, par exemple, concilie sans peine sa croyance à une intuition intellectuelle avec sa conception de l'échelle des sens intérieurs, assez proche de celle d'Albert le Grand et, par là, de celle d'Avicenne, modèle avoué d'Albert [3] :

Avicenne	Albert le Grand	Ficin
sensus	*sensus*	*sensus*
phantasia (comprenant *sensus communis*)	*sensus communis*	⎫
imaginatio	*imaginatio*	⎬ *imaginatio* (et *sens comm.*)
vis imaginativa (jugement)	*aestimatio*	⎭
vis aestimativa (jugement + réaction spontanée)	*phantasia* (image + *intentiones*)	*phantasia*
memoria	*memoria*	*memoria*

1. Hypothèse de F. Rahman, *Avicenna's psychology* (trad. angl. avec introd. et notes, du livre II, chap. vi du *Kitāb al-Nadjāt*, Londres, 1952). Rahman, aussi bien que Bundy, passent sous silence le rôle d'Al-Fârâbî, précurseur direct, dans ce domaine, d'Avicenne. — C'est peut-être l'imperfection des traductions de l'arabe qui explique les variations de la terminologie des Occidentaux.

2. Cf. Albert le Grand, *De anima*, II, 4, 7 : *Phantasia est... tota formalitas sensibilis virtutis.* — Ailleurs, Albert associe l'imagination à l'instinct animal.

3. J'emprunte à l'article de M. Heitzman, « L'agostinismo avicennizzante

Bruno, de même, énumère souvent dans ses œuvres latines les facultés qui forment la transition de la sensation au concept, comprenant en bonne place *imaginatio* et *phantasia*[1]. Il tient surtout, conformément à sa conception empiriste, à souligner que rien n'entre dans la mémoire, et *a fortiori* dans l'intellect, sans avoir passé par les sens et par toute la série des facultés intérieures, forçant porte après porte par l'intensité de l'impression et par la vertu des émotions soulevées[2]. Mais déjà cette mention de l'affectivité attire l'attention sur le lien, — établi, entre autres, par Épictète, — qui réunit l'imagination et la vitalité : *phantasia* étant, en quelque sorte, le porte-voix du corps dans le concert des facultés; l'opposition à la *ratio* y apparaît donc aussi forte que la subordination téléologique. Ailleurs, Bruno souligne la possibilité, pour l'imagination, de rectifier les représentations des réalités naturelles selon « ce qui devrait être »[3] — fonction de la φαντασία mise en relief par les platoniciens de tous les temps[4] et manifestement incompatible avec le rôle de simple servante de la raison. On peut enfin mentionner, dans ses écrits lulliens, la place de l'*Imaginativum* parmi les neuf « sujets », de l'art universel; elle n'est pas loin de suggérer l'existence d'une âme imaginative à côté des âmes végétative, sensitive et rationnelle[5]. Et même là où Bruno adopte la hiérarchie tradi-

---

di Marsilio Ficino » (*Giorn. crit. della filos. ital.*, XVI, N. S. III et XVII, N. S. IV), les parties du tableau qui concernent Ficin et Avicenne; elles sont d'ailleurs sujettes à réserves. L'auteur a suivi pour Avicenne le *Liber sextus de naturalibus* de l'édition des *Opera*, Ven., 1520; ni l'extrait du *Kitab al-Nadjât*, éd. cit., p. 30-31 et 37, ni le *Compendium de anima*, trad. lat. par Andrea Alpago de Bellune, Venise, 1546, ne concordent avec ce texte. Quant à la liste dressée d'après Ficin, elle néglige forcément d'importantes fluctuations de vocabulaire, et l'interprétation a été sur quelques points attaquée par Kristeller. Malgré tout cela, il apparaît que le rapprochement établi par l'auteur entre Avicenne et Ficin ne devient valable que si on intercale Albert (*De anima*, II, 4, 7).

1. Voir les références données n. 2 et, en outre, *Op. lat.*, I, 4, p. 111; III, p. 141 (série de cinq termes empruntée apparemment à Bovillus, *Liber de sensu*), et, pour les sens intérieurs seulement, II, 1, p. 81; II, 2, 165-166 et 217-218.

2. *Op. lat.*, II, 2, p. 211.

3. *Op. lat.*, II, 1, 81 et II, 2, 165-166. Il y a, dans ce dernier passage, outre un souvenir de l'art mnémique de la *Rhétorique à Herennius*, II (XXII), une analogie significative avec le *De Amore* d'André Le Chapelain (réédd. 1892, p. 6) : *Non quaelibet cogitatio sufficit ad amoris originem, sed immoderata exigitur; nam cogitatio moderata non solet ad mentem redire, et ideo ex ea non potest amor oriri.*

4. On connaît, sur ce sujet, l'ouvrage classique de Panofsky, *Idea*, Leipzig-Berlin, 1924.

5. La liste de Lulle comprend : *Deus, angelus, caelum, homo, imaginativum, sensitivum, vegetativum, elementativum, instrumentale.* Il est évident que *homo* répond ici surtout à *rationale*, comme inversement *sensitivum* et *vegetativum* à animal et plante. Lulle, et Bruno après lui, comprennent d'ailleurs sous *imaginativum* les animaux supérieurs : on aurait donc un quatrième règne correspondant à la quatrième âme.

tionnelle des facultés, il l'affaiblit en soulignant, d'après Boèce, quelque chose comme leur identité profonde [1].

L'interprétation métaphysique : phantasia et conversion.

De toute façon, la conception classique de la faculté imageante comme connaissance intermédiaire s'altère profondément dès qu'elle est interprétée du point de vue néo-platonicien, — dès que le Νοῦς de Plotin remplace, dans l'échelle des fonctions, l'intellect possesseur des universaux. Il s'agit alors d'un réel mouvement de conversion et d'ascension, où la *phantasia* joue un rôle éminent. Plotin avait écrit que si la possibilité de conversion est propre à l'âme humaine individuelle et non, par exemple, aux Intelligences supérieures, c'est que cette âme seule possède la φαντασία [2]. Ficin présente la série de facultés comme une pente à remonter : *Hominis anima... assumit... per sensum has a materia mundi infectas similitudines idearum, colligit... eas per phantasiam, purgat excolitque per rationem, ligat deinde cum universalibus mentis ideis* [3]. Bruno enrichit l'image par un rappel de la métaphysique néo-platonicienne de la lumière et par le souvenir biblique de l'échelle de Jacob : les sens intérieurs et la raison (des universalia post rem) nous donnent comme une « ombre » de l'image lumineuse de Dieu, dont l'Intellect possède le « reflet ». Les fonctions intermédiaires sont le théâtre de la lutte entre *umbra tenebrarum* et *umbra lucis*, décisive pour le sort de l'âme. Dans la nature et dans les sens extérieurs et intérieurs, l' « ombre » est en mouvement et altération; dans l'Intellect, elle est stable. Il y a un *descensus* éternel de la lumière de l'Intellect vers la matière, et un mouvement cosmique inverse, l'ascension suivant *naturae schalam*, que nous avons le devoir de suivre. — La ressemblance de ces thèses avec certaines vues de Hugues de Saint-Victor est frappante : là aussi, l'imagination est « ombre » de la lumière

---

1. Boèce avait noté que chaque faculté supérieure embrasse et remplace, en somme, celles qui la précèdent; de façon que la dernière, *intelligentia*, est, en quelque sorte, à la fois sensation, imagination et raison : *nam et rationis universum* [son universel] *et imaginationis figuram et materiale sensibile cognoscit nec ratione utens nec imaginatione nec sensibus, sed illo uno ictu mentis formaliter, ut ita dicam, cuncta prospiciens* (Consol. philos., loc. cit.). — Bruno accepte la thèse avec empressement (*Op. lat.*, I, 4, p. 125-126).

2. *Enn.*, IV, 4, 13, cité par Bundy, p. 129.
3. *Theol. plat.*, XVI, 3, p. 373.

de la *ratio* (qui correspond à la *mens* de Bruno); entre *imaginatio* et *ratio*, ombre et lumière, une lutte perpétuelle se déroule dans notre âme; le mouvement de conversion est objectif et a une portée métaphysique : Dieu descend par la révélation, et l'esprit par l'imagination et par son instrument, les sens; inversement, le corporel est spiritualisé par la sensation (*corpus sensu ascendit*) et l'imagination prépare l'intellect à la contemplation qui le conduit à Dieu. *Vide scalam Jacob* [1].

L'échelle des facultés est donc interprétée ontologiquement et insérée dans un plan du monde; car on lui adjoint la matière d'une part, Dieu ou les Idées de l'autre. Que ce pas ait été accompli par Hugues de Saint-Victor aussi bien que par Bruno montre, outre la très vraisemblable influence directe, attestée par des motifs secondaires (l'échelle de Jacob, le double mouvement, les pôles altération-stabilité), que l'émanatisne néo-platonicien et sa théorie de la lumière s'appliquaient assez facilement à la description classique et empiriste de la genèse de l'universel, l'enrichissant d'un arrière-plan métaphysique nouveau.

L'interprétation métaphysique : spiritus phantasticus.

L'idée d'une âme imaginative, esquissée peut-être par Lulle, avait au moment où il concevait son art universel un passé déjà considérable. Rien n'était plus naturel que de faire correspondre à la faculté intermédiaire une âme intermédiaire; l'image, mi-sensation et mi-idée, avait besoin d'un substrat moitié corps moitié esprit. Or ce substrat était tout trouvé dans le pneuma des stoïciens [2] et dans les esprits animaux des écoles médicales antiques. L'imagination s'alliait à ce souffle aérien ou igné pour plusieurs raisons, dont le fait qu'elle accompagnait nécessairement, selon Aristote, toute pensée, — lui fournissant, pourrait-on dire, son corps subtil; qu'elle comprenait le sens commun, centre et directeur de tous les sens, assumant ainsi le rôle attribué en physiologie aux esprits animaux; qu'elle se situait à la pointe extrême

1. Bruno, *Op. lat.*, II, 1 (*De umbris idearum*), p. 20 24; Hugues de Saint-Victor, *De unione corporis et spiritus*, *Patr. lat.*, 199, col. 288.
2. Il est vrai que le stoïcisme orthodoxe réduisit longtemps,   jusqu'à Marc Aurèle, peut-être — l'âme tout entière à ce pneuma. Mais rien n'empêchait d'utiliser sa pneumatologie dans le cadre de théories qui admettaient l'existence d'une raison immatérielle supérieure, et ce fut effectivement fait. Cf. G. Verbeke, *L'Évolution de la doctrine du pneuma, du stoïcisme à saint Augustin*, Paris-Louvain, 1945.

de l'âme sensitive et tenait lieu de raison chez les animaux supérieurs; qu'elle formait la matière des rêves, — point particulièrement important, puisque le sujet des rêves est, selon d'anciennes croyances, un double psychique et migrateur du moi.

L'imagination appartient donc à un pneuma ou corps subtil ayant les fonctions des sens intérieurs et formant le substrat de nos rêves : c'est là toute la théorie du « pneuma imaginatif » que le traité *De insomniis* de Synesius a rendue si célèbre [1].

Historiquement, les choses n'ont, bien entendu, pas été aussi simples. La spéculation sur les « véhicules » de l'âme, — celui qui la fait descendre du ciel lors de la naissance et celui qui la transporte, avec la semence, du père au fils futur, — a été généralement indépendante de la théorie de l'imagination, bien que Synesius n'ait pas été le premier à établir ce rapport [2]. Astrologues, mages, gnostiques et hermétistes s'accordent à insister plutôt sur la nature, l'origine et le destin de ce pneuma : il est de la substance des cieux, — l'éther, le cinquième élément, — brillant, incorruptible. Il a reçu, en descendant par les sept cieux planétaires, des dons qui constituent son karma; il est l'organe de perception des rêves et des inspirations divines; il constitue la substance des démons, — *such stuff as dreams are made off.*   Chez Philon et chez Posidonius, le pneuma prend la forme d'un démon intérieur ou d'un interlocuteur invisible [3].

Même quand l'imagination n'est pas expressément citée parmi les fonctions du pneuma, on peut la supposer sous-entendue chaque fois que cette « enveloppe » est mise en relation avec la divination, l'intuition supra- ou infrarationnelle, l'inspiration; l'influence stoïcienne et médicale tend à corroborer la relation entre le pneuma et l'âme inférieure, et à assimiler le pneuma imaginatif aux esprits animaux, — tentative qui a eu quelque succès. Le miracle par excellence de l'imagination, la modification de la forme du fœtus sous

---

1. *Patr. gr.*, 66, col. 1281-1320. Trad. angl., commentée, par Aug. Fitz-gerald, *The essays and hymns of Synesius of Cyrene*, Londres, 1930, 2 vol.

2. La genèse du pneuma synésien a été retracée par R. C. Kessling, « The ὄχημα-πνεῦμα of the neoplatonists and the De insomniis of S. of C. », *Amer. Journ. of Philology*, XLIII, 1922, p. 319 330, et indépendamment, mais avec des résultats presque identiques, par E. R. Dodds, éd. et trad. de Proclus, *The elements of theology*, Oxf., 1933, appendice 11, p. 313 321. Pour la pneumatologie médicale ou stoïcienne sous entendue, voir, en outre, Verbeke, *op. cit.*

3. Verbeke, *op. cit.*, p. 121-126 et 254.   Dodds souligne le fait que, génétiquement, le pneuma des occultistes et mystiques orientaux n'a rien à voir avec celui des néo-platoniciens purs et de Synesius.

l'influence des émotions de la mère, s'explique selon Porphyre par le changement de forme du souffle vital, si malléable qu'il se laisse modeler par les phantasmes ; c'est par un processus analogue que les démons se métamorphosent : ils deviennent l'objet de leur imagination [1].

La théorie personnelle de Synesius n'offre, en réalité, rien de très neuf. La phantasia est identifiée, chez lui, avec le sens commun ; c'est donc au sens commun que se manifestent les dieux dans les rêves, et c'est, par conséquent, chose plus grande de voir un dieu en rêve que de l'apercevoir éveillé au moyen des sens extérieurs [2]. Car ceux-ci ne sont que des portiers et des messagers ; c'est le pneuma tout entier qui voit et qui entend (Bruno a repris cette phrase avec l'approbation que l'on imagine), et plus le rôle des sens extérieurs se réduit, plus la perception est pure et valable ; d'où la dignité particulière du rêve.

Les Pères n'ont pas, en général, suivi la thèse de Synesius. Même ceux qui, comme Origène, admettent l'existence d'un corps subtil, ne le rapportent pas à l'imagination. Seul, inexplicablement, Hugues de Saint-Victor semble faire exception : la série corps-sensation-imagination-raison, dont nous avons vu la signification métaphysique, correspond selon lui à la série des quatre éléments, rangés par ordre de subtilité croissante ; l'imagination est donc analogue à l'air, — comme les esprits animaux ou comme le « souffle », pneuma. Il y a plus : la relation avec un *corporalis spiritus*, qui pourrait bien être le corps subtil, est posée carrément dans la définition : *est igitur imaginatio similitudo sensus, in summo corporalis spiritus et in imo rationalis corporalem informans et rationalem contingens* (ce qui n'est pas sans faire songer à l'*imaginativum* de Lulle, âme-« forme »). Le doute sur le caractère synésien de cette conception n'est plus possible lorsque Hugues désigne ensuite cet esprit corporel comme « vêtement » ou « peau » de l'âme [3].

Il est ici, une fois de plus, le prédécesseur de Ficin et de Bruno. Ficin, traducteur de Synesius, avait adopté sans ambages sa théorie du rêve [4], et développé des vues sur la nature de l'intermédiaire âme-corps, où l'idée d'enveloppe pneumatique et la tradition des esprits animaux se trouvent, non sans peine, conciliés. Il lui arrive ainsi de décrire exacte-

---

1. Dodds, p. 320-321.
2. *De insomniis*, col. 1289. On suppose l'ouvrage écrit avant la conversion de l'auteur au christianisme.
3. *De unione...*, cité, col. 285 289. Voir plus loin, p. 77-78.
4. *Theol. plat.*, VII, 6 ; *Opera*, p. 178.

ment le rôle physiologique du spiritus dans le sang selon la
bonne doctrine galénienne, et de distinguer à ce propos l'imagination, faculté de l'âme sensitive, de la *phantasia*, faculté
de l'âme rationnelle, — ce qui exclut, évidemment, l'hypothèse de Synesius; et à la même page, cet esprit est appelé,
du terme consacré par Jamblique et Synesius, *currus* (ὄχημα) [1].
P. O. Kristeller a recensé les endroits de l'œuvre de Ficin
concernant la théorie de l'intermédiaire; les fonctions pratiquement identiques du *spiritus* et du *currus animae* poussaient
à l'identification des instruments, mais certains endroits où
Ficin les juxtapose comme « véhicule éthéré » et « véhicule
aérien » montrent qu'il est conscient de leur distinction [2].

Pourtant, D. P. Walker a certainement raison en admettant
malgré tout que l'attribution aux esprits animaux de fonctions
appartenant chez Synesius au pneuma imaginatif n'est là
que pour couvrir la conviction plus profonde, mais peu
orthodoxe du philosophe, qui donne à la fantaisie comme
siège un corps subtil d'origine astrale [3]; on peut même ajouter
le poids d'une tradition historique à l'évidence interne mise
en avant par Walker. Synesius lui-même avait tenu à bénéficier de l'autorité des doctrines médicales en assimilant son
pneuma aux vapeurs du sang, qui siègent dans les ventricules
du cerveau et sont capables de purification ou de conden-
sation (col. 1300). L'imagination est souvent citée parmi les
attributs des esprits sanguins, chez Nemesius d'Émèse, par
exemple, ou chez Jean de Salisbury [4]. La confusion chez
Hugues de Saint-Victor et chez Ficin n'est donc ni isolée ni
fortuite; elle persiste chez Bruno, qui, dans un même écrit,
le *De magia*, admet la théorie synésienne du rêve et la relation
de la phantasia avec les esprits animaux [5]. La quasi-corporalité
de l'imagination repose donc en partie sur son association avec
ces esprits.

Même lorsque Ficin, abandonnant ces spéculations où il
n'est pas trop heureux, se fie à son intuition esthétique, il
retrouve l'imagination comme lien privilégié entre l'âme et
le corps; et, fait remarquable, il se montre là encore comme
précurseur immédiat de Bruno.

1. *Ibid.*, IX, 5, p. 211-212.
2. P. O. Kristeller, *Il pensiero di Marsilio Ficino*, éd. ital., Florence, 1954,
p. 404 405. Cf. *Theol. plat.*, p. 388, 405.
3. « Ficino's spiritus of music », in *Annales musicologiques*, I, 1953, p. 131-
151; cf., du même auteur, « Le chant orphique de Marsile Ficin », in *Musique
et poésie au XVI⁰ siècle*, Colloques internat. du C.N.R.S., Sc. hum., V,
Paris, 1954, p. 17-28.
4. Bundy, p. 180, 184.
5. *Op. lat.*, III, p. 426, 449, et aussi p. 449 454.

La thèse classique du néo-platonisme, que Ficin a brièvement formulée : *spiritus quidem et corpus, opus est animae* [1] avait été, avec plus ou moins de force et sous une forme plus ou moins mythique, soutenue par les pythagoriciens, Platon, Plotin [2], de nombreux gnostiques; Benivieni, dans sa *Canzone d'Amore*, str. 6, et Pico, dans son commentaire de cet endroit, s'en étaient servis pour expliquer les affinités électives de l'amour. Mais la vertu informante de l'âme supposée par ce choix de son corps sous-tend notamment le lieu commun, répandu précisément depuis la fin du xve siècle, que chaque artiste se peint lui-même [3].

Ficin a été, comme l'a montré A. Chastel, un des premiers à soutenir ainsi que l'individualité de l'âme se manifeste dans tout ce qu'elle fait, pressentant la théorie de l'art comme expression de la personnalité, un siècle avant le célèbre début des *Fureurs héroïques*. L'âme vitale contient en elle, sous forme séminale, toutes les dispositions et les inclinations du corps. Et, de même que cette « force vitale » du père peut informer le fœtus, elle peut agir, avec bien plus de facilité, sur le propre corps du sujet, — *per vim sensitivam hanc eminentiorem, per affectus scilicet phantasiae. Ergo phantasia instar virtutis vivificae format et ipsa proprium corpus* [4]. Toute l'esthétique de Bruno est virtuellement contenue dans ces thèses.

Dans le dernier ouvrage qu'il ait publié, *De compositione imaginum*, Bruno reproduit fidèlement, presque textuellement, l'essentiel des thèses de Synesius sur le spiritus phantasticus, y compris les mots sur le « premier corps de l'âme » [5], — mais plutôt comme une confirmation de ce qui l'intéresse plus que ces questions de « véhicule » : notre participation par la phantasia à une lumière surnaturelle, et l'existence en nous d'un « miroir vivant ». Lorsqu'il parle en son propre nom, il appelle le spiritus phantasticus une puissance et non une enveloppe, une lumière qui est en même temps œil [6]. Dans

1. *Opera*, p. 178.
2. *Enn.*, III, 4, 5.
3. Cf. A. Chastel, *Ficin et l'art*, Genève, 1954, p. 65 et suiv. et 69, n. 9, sur l'histoire de cette idée entre Cosme le Vieux et Léonard, avec une citation frappante de Ficin. Entre Léonard et Bruno, on peut jalonner l'évolution par Vasari, *Vite*, 1re éd. Flor., 1550, I, p. 333; et 2e éd., Milanesi, II, p. 284. En outre, Paolo Pino, *Dialogo della Pitura*, Venise, 1548, f. 29; Fr. Bocchi, *Opera... sopra l'imagine miracolosa della Santissima Nunziata di Fiorenza*, Florence, 1592, p. 45. Pour la théorie de la littérature, les textes, dans la polémique autour du cicéronianisme et de l'imitation des Anciens en général, ainsi que, plus tard, les passages de l'Arétin sur cette question, sont très connus; on sait aussi que l'Arétin a été, sur ce point, l'inspirateur de Bruno.
4. *Theol. plat.*, XIII, 4, p. 300.
5. *Op. cit.* II, 3, p. 120-121.
6. *Ibid.*, p. 118-119.

le *De magia*, il fait sienne l'explication donnée par Synesius
des songes véridiques et sa foi au corps subtil des anges;
mais dans quelle mesure y croyait-il? Ailleurs, décrivant la
hiérarchie des êtres (physiques, mathématiques, intelligibles),
il intercale entre le monde naturel et celui des mathématiques
un domaine d' « effluves » des corps naturels, — êtres semi-
corporels, bien connus, dit-il, des nécromants, de Synesius et
de Proclus [1]. L'énoncé doit se comprendre, peut-être, en
fonction d'une conviction que Bruno pouvait puiser chez
Bovillus et chez Ficin, selon laquelle les connaissances et les
vérités possédées par l'âme, notamment celles qui lui sont
innées, lui constitueraient une sorte de corps subtil [2]. — Mais
à chaque profession de foi immanentiste, ces constructions
sont reniées :

> ... Quid praestant ergo Platonis
> Arches illae, technae, archetypi, ideae, ora, colossi,
> *Phantasiarum currus, naves quisquiliarum,*
> Extra corporeum sic consistentia mundum [3]?

A cette époque, d'ailleurs, ce genre de mythes était déjà
discuté. Telesio croyait encore à une âme matérielle, mais
Cardan, par exemple, bien qu'il intitule son traité d'oniro-
mancie *Rêves synésiens*, déclare qu'il n'a pratiquement rien
appris dans le *De insomniis*, et n'en adopte (sans s'y tenir)
qu'une seule thèse, celle de la valeur limitée des clefs méthodiques [4].

Mais la théorie du spiritus a chez Bruno un autre prolongement, qui la relie à des spéculations cosmologiques d'une
portée bien plus considérable. Φαντασία, avait dit Aristote [5],
vient de φῶς; ses images, en effet, sont surtout visuelles.
Le spiritus phantasticus des néo-platoniciens avait été souvent
décrit comme brillant ou lumineux. Cette lumière, commente
Bruno, est celle qui nous montre les visions de nos songes; elle
est immatérielle, émanée de notre âme.

---

1. III, p. 426, 428, 449. — Cf. II, 2, p. 197.
2. Bovillus, *De sensibus*, cap. 26-27, *op. cit.*, f. 47 r⁰ et suiv. : l'âme est
représentée par un cercle entouré de trois cercles concentriques, délimitant
autour d'elle : 1⁰ son monde spirituel propre, *intellectualis notio;* 2⁰ le corps
et les sens; 3⁰ le monde extérieur. - Bovillus met cette série en parallèle
avec les extériorisations successives de l'âme : pensée, voix, écriture. —
Ficin, cité par Chastel, *op. cit.*, p. 67 : *anima... vita demonum agit, prout
mathematica speculatur.*
3. *De immenso*, 8, 1⁰, 1; *Op. lat.*, I, 2, p. 312. — *Navis* désigne, aussi bien
que *currus*, le véhicule de l'âme.
4. Cardanus, *Somniorum synesiorum omnis generis insomnia explicantes
libri*, IV, Bâle, 1585, 2 tomes en 1 vol., p. 2 et 15.
5. *De Anima*, III, 3, 9, 428 b.

C'est une substance bien connue des néo-platoniciens et des occultistes; car la première création de Dieu, la *Lux* qu'il fit naître selon la Genèse avant le soleil, et qui ne peut être que la forme non encore informante, la première substance sans corps, avait précisément pour caractère d'être invisible. *Hac luce*, ajoute donc Bruno, *quae substantia quidem spiritualis est... nullo lucente sole... donata est anima, non solum nostra, sed immensa per universum se diffundens* [l'âme du monde]. En nous, elle rend possible l'imagination : *absentium species sensibus internis visibiliter ingerit*. C'est elle qui éclaire nos songes : *nemo est qui negare valeat, visibilitatem illam atque praesentiam a seminibus quibusdam lucis non tantum acceptis, quantum innatis animalique spiritui insitis, emanare et esse* [1].

On n'a, pour trouver les sources de cette idée, que l'embarras du choix. Une référence précise s'impose d'abord : Porphyre aurait soutenu, selon Proclus, que le corps de l'âme du monde est constitué par une lumière qui en jaillit avant toute créature, avant même le ciel. Cette lumière est aussi le véhicule des âmes humaines [2]. En second lieu, on tombe sur Ficin, qui admet une lumière antérieure à la Création et sa dégradation dans l'enveloppe pneumatique, mais camoufle cette relation dans une échelle plus vaste d'émanations : *Prima lux in Deo est, atque ibi est tale, ut supermineat intellectum*. Ensuite, dans l'ange, elle devient *lux intellectualis ;* dans l'âme, elle est *rationalis*, c'est-à-dire qu'elle peut être pensée, non seulement contemplée; dans l'âme vitale (*animae idolum*), elle devient capable de sensations, mais pas encore corporelle. *Inde* [migrat in] *aethereum vehiculum idoli, ubi fit corporalis, nondum tamen manifeste in sensibilis* (c'est le spiritus phantasticus, corps subtil). Enfin, elle aboutit au corps composé d'éléments [3]. — On serait tenté d'ajouter pour Bruno une troisième source, le panthéisme médiéval. La lumière dont il parle, première créature, est de la nature des *formes ;* Bruno suggère assez nettement que les ténèbres qu'elle vainc représentent la matière première, éternelle. La substance formelle, « dont toutes les autres substances ne sont que les accidents » rappelle donc, plutôt que David de Dinant, Amalric de Bène.

---

1. II, 3, p. 117 sq. Cf. aussi II, 2, p. 200, sur la lumière invisible supracéleste.

2. Proclus, *In rem publ.*, II, p. 196-197 (éd. Teubner). Cf. Verbeke, p. 363-364.

3. *Theol. plat.*, XIII, 4, p. 302. Il est également question d'une lumière précédant la Création dans le commentaire de Pic de la Mirandole à la *Canzone* de Benivieni, f. 61 rº : Dieu la créa pour que la *mens angelica* puisse voir et aimer Sa beauté; le même processus se répète entre la *mens angelica* et le monde sensible.

D'autre part, si la première création de Dieu est bien le
spiritus, elle est forcément demi-matérielle, et nous serions
revenus à la « matière spirituelle » de David de Dinant et de
Massarah. Or, Bruno parle en plusieurs endroits d'un éther
subtil, mi-matière, mi-esprit, qui remplit, comme la lumière
invisible qui véhicule l'âme du monde, tout l'espace de l'univers. Il y a plus : l'éther ressemble à l'âme du monde aussi en
ce qu'il est la source de la vie de tout ce qui existe, contenue,
bien que cachée par la matière épaisse, jusque dans les pierres
et les métaux. C'est à l'alchimiste de la libérer [1].

Les souvenirs du *Timée*, des stoïciens (qui, les premiers,
avaient désigné l'âme du monde comme pneuma), de Cusanus
et de Ficin [2], qui avaient distingué l'âme du monde de son
spiritus enveloppant, sont assez manifestes. Importante pour
cette connexion entre le spiritus humain et l'âme du monde
est surtout la théorie ficinienne de la musique, étudiée par
D. P. Walker : le spiritus aérien est de même nature que la
musique; elle lui parle de façon immédiate. D'autre part,
toute harmonie est accordée au mouvement des cieux; d'où
le fait que la musique est porteuse d'influx planétaires et
détermine l'état de notre âme. Walker s'exprime prudemment
sur la possibilité d'identifier le spiritus soumis à l'action
de la musique avec le « véhicule » synésien; mais le fait qu'une
relation s'établit entre cet « esprit » et l'âme du monde, ainsi
que l'action directe des planètes sur l'homme dans la musique,
semblent exclure l'identification du spiritus humain récepteur
avec les esprits animaux; rappelons que c'est bien le véhicule
synésien qui a, dans la tradition néo-platonicienne, une origine
astrale.

De nouveau, l'esthétique impliquée par la métaphysique
ficinienne de l'imagination apparaît ici comme une anticipation de celle de Bruno : de même qu'à la création du corps
par son âme répondait la nature expressive et personnelle
de l'imagination créatrice en art, l'action de la musique, lien
entre le spiritus de l'âme du monde et le pneuma individuel,
rend compte du caractère émouvant des formes artistiques,
de la variation de leur effet suivant les dispositions personnelles de l'auditeur, et, en général, du rôle esthétique de la

---

1. I, 2, p. 396; cf. I, 1, p. 130 et suiv.; III, p. 182 où le spiritus aérien
qui entre dans la composition des âmes et remplit tout l'espace, est distingué
du spiritus parfaitement simple, qui est Amour et âme du monde.
2. Cusanus, *De docta ignorantia*, II, c. 10, cité par Tocco, *Le fonti più
recenti della filosofia del Bruno*, Rendiconti della reale Accad. dei Lincei,
série V, vol. I, 1892, p. 502-538 et 585-622; voir p. 607-608. — Ficin, *De
riplici vita*, III, 3, p. 534-535.

sympathie, — sujet que développera le *De vinculis in genere*
de Bruno.

Le corps subtil et le sort de l'âme.

Le véhicule de l'âme, « fantastique » ou non, joue dans
beaucoup de religions un rôle décisif dans les représentations
de l'au-delà. On n'a guère imaginé les âmes des trépassés
autrement que douées de corps subtils, souvent « glorieux »;
le char de feu d'Élie était, disait-on, son pneuma; et Dante
admet, d'après Origène et contre saint Thomas, que le sujet
des peines de l'enfer est un corps aérien, créé par l'âme
détachée de son enveloppe charnelle [1]. D'autre part, chez les
gnostiques et dans les milieux apparentés, les dons des sept
cieux reçus par l'âme qui descend pour s'incarner font de son
pneuma un véritable karma [2]. Dans le cours de la vie humaine
enfin, c'est le pneuma qui enregistre les traces de la conduite
de l'homme, s'alourdissant si elle est tournée vers la matière
et les formes sensibles, restant pur et permettant le salut
après la mort si l'homme est resté pur (Porphyre, Synesius).

Dans ce dernier cas, le spiritus en question est explicitement
désigné comme celui de la phantasia. C'était une perche tendue
aux doctrines ascétiques, qui, depuis toujours, rendent
l'homme responsable de ses pensées et de ses imaginations.
Plotin, qui n'avait pas connu ou pas accepté l'idée d'un
corps subtil, a quand même soutenu que l'âme préoccupée
des choses sensibles acquiert une certaine étendue analogue
à la leur et « devient la chose dont elle se souvient », —spirituelle ou non, selon que ce « souvenir » est pensée ou image [3].
Et la même moralité reparaît chez le seul penseur chrétien du
Moyen Age qui ait repris l'idée de Porphyre et de Synesius,
Hugues de Saint-Victor : *Ipsa quippe anima, inquantum delectatione corporis afficitur quasi corpulentiam trahens, in eadem
phantasiis imaginationum corporalium deformatur, eisdemque
alte impressis etiam soluta corpore non exuitur. Quae vero in
hac vita se ab ejusmodi faeculentia mundare studuerint, hinc
exeuntes quia nihil corporeum secum trahunt, a corporali passione
immunes persistunt.* — Techniquement, si l'on peut dire, le
processus ressemble à celui que décrit Plotin : *Et siquidem ratio*

---

1. *Purgatorio*, chap. xxv.
2. Robert Eisler, *Orphisch-dionysische Mysteriengedanken in der christl.
Antike*, Vortraege der Bibl. Warburg, II, 2 (1922-1923), chap. xxxv,
passim.
3. *Enn.*, IV, 4, 3.

ipsa sola contemplatione eam susceperit, quasi vestimentum ei est ipsa imaginatio extra eam, et circa eam quo facile exui et spoliari possit. Si vero etiam delectatione illi adhaeserit, quasi pellis ei fit ipsa imaginatio [1]. Cette « peau » empêchera le salut.

Ficin reprit presque point par point, dans sa *Theologia platonica* (XVIII, 1), ces idées de Hugues de Saint-Victor; il précisait cependant que l'âme « tisse » elle-même, *ex elementorum vaporibus*, le corps subtil qui sera le sien. Inutile d'imaginer des juges après la mort : d'elle-même, par le poids de ce qu'elle a fait ou pensé, l'âme se porte vers l'endroit de sa peine ou de sa récompense. La réincarnation dont parlent les platoniciens n'est que l'expression mythique du fait que l'âme choisit son destin; la forme animale, par exemple, traduit les appétits bestiaux qui ont façonné le spiritus du pécheur. Et quant aux punitions, elles sont, ainsi qu'il convient au sujet auquel elles s'appliquent, des sortes de rêves : l'âme prise, pendant sa vie, par des imaginations, reste leur prisonnière après la mort, en est terrifiée ou « tantaliquement » déçue.

On voit ici poindre l'idée, promise à un certain développement, que les peines de l'enfer sont imaginaires. Bruno l'a hasardée avec sa coutumière hardiesse : *Etsi enim nullus sit infernus, opinio et imaginatio inferni sine veritatis fundamento vere et verum facit infernum; habet enim suam species phantastica veritatem, unde sequitur quod et vere agat, et vere atque potentissime per eam vincibile obstringatur, et cum aeternitate opinionis et fidei aeternus sit inferni cruciatus...* [2]. Il est assez curieux de constater ainsi qu'une doctrine typique du siècle des lumières provient directement des spéculations néo-platoniciennes sur le pneuma phantastique, la réincarnation et le destin de l'âme [3].

---

1. *Patr. lat.*, CXCIX, col. 288. J'ai placé après *susceperit* une virgule qui, dans le texte de Migne, se trouvait après *vestimentum;* cela donne un sens plus facile et permet le parallélisme avec *quasi pellis ei fit.*
2. *Op. lat.*, III, p. 683. La suite du texte est corrompue. J'ai corrigé *sua* en *suam.*
3. Les ressemblances de cet ensemble d'idées avec plusieurs doctrines religieuses indiennes sont frappantes. Elles s'étendent non seulement à la théorie bouddhique du karma et du sort de l'âme, mais à l'enseignement de l'école Sâmkhya et surtout de Râmânuja sur le corps subtil cosmique, première créature, lumière surnaturelle, force vitale répandue dans l'univers (cf. le *spiritus animae mundi* de Ficin et l'éther de Bruno), et sur le pneuma-karma individuel, participant du premier et siège du sens commun. Tout comme chez plusieurs néo-platoniciens, et notamment en un nombre d'endroits de Ficin et de Bruno, l'architecture du monde résulte d'une série d'incarnations successives en corps de plus en plus grossiers, et non d'émanations ou d'actes créateurs.
Pour une explication partielle de ces analogies, il faudrait peut-être recourir aux thèmes chamaniques de l'âme migrante dans le rêve et l'extase, du corps glorieux de l'initié, de la lumière intérieure qui le guide, de sa

II. L'IMAGINATION ET LE PARTICULIER

Faculté intermédiaire entre le sens et l'intellect, entre le corps et l'esprit, l'imagination l'était forcément aussi entre le particulier et l'universel. Cela signifiait qu'elle devait intervenir dans le processus d'abstraction, d'une part, et, d'autre part, dans l'application de l'universel au particulier. Or, ce second rôle, dans la « descente », appartenait traditionnellement à une autre fonction, *cogitativa* ou *judicativa*, — le jugement au sens kantien du terme.

Le fait n'était guère embarrassant, puisqu'en somme cette faculté d'application appartenait aux sens intérieurs, donc à la *phantasia* dans l'acception élargie du mot. La solution n'était que verbale, il est vrai, mais semble avoir été considérée comme satisfaisante; Ficin n'hésitait pas à appeler *phantasia* ce qui est pour Kant *Urteilskraft*.

La situation ne changea qu'à la fin du xvie siècle, époque de crise des relations entre l'universel et le particulier, *scientia* et *ars*, dialectique et rhétorique, méthode et prudence. Elle devait se résoudre par une série de divorces : dans le domaine de la pensée, la déduction se passera de l'induction et réciproquement (Descartes, Bacon); dans l'art, un certain aspect du baroque se confinera dans le sensible, le particulier, la délectation, alors que l'académisme choisira l'universalité de l'*idea*. Mais au seuil du xviie siècle, l'universel et le panméthodisme livrent comme une dernière bataille pour conquérir le domaine de ce qui par définition leur échappe, la *mera energia* de l'individuel [1]. On codifie, on logicise les cas de conscience (c'est l'âge d'or de la casuistique), la physiognomonie, l'étude des tempéraments ou des complexions, la mimique, les proportions idéales du corps humain, de plus en plus différenciées par types, la poésie, la rhétorique, l'*arte dello stato* et jusqu'à l'observation de la nature. On veut tout « réduire en art », et on rêve naturellement plus que jamais d'un art universel, lullien. Mais devant l'impossibilité de la tâche, les soi-disant méthodes aboutissent toutes, pour l'essentiel, à des topiques

relation avec le monde céleste ou infernal. Il ne serait pas trop étonnant que les rationalisations de ce fonds de chamanisme latent dans des civilisations supérieures présentent, après avoir subi le contact de quelques idées religieuses ou scientifiques analogues, des ressemblances assez poussées.

1. L'expression est de Giulio Camillo, *Tutte l'opere*, Venise, 1581, 2 tomes en 1 volume, p. 19.

plus ou moins honteuses, à des « théâtres », systèmes ou
tableaux du monde. La grande machine à penser de Giulio
Camillo — *mens quaedam artefacta et fenestrata*, comme
l'appelait un contemporain —, les Poétiques d'un Lionardi
(1554) ou d'un Partenio (1560), les arts universels de Bruno
lui-même ne sont, comme tant d'autres écrits analogues de
ce temps, que des topiques généralisées [1].

Toutes ces constructions, qu'elles s'appellent logiques,
poétiques, rhétoriques, mnémotechnies ou méthodes universelles, sont, en réalité, des béquilles de l'*Urteilskraft*; elles
ont donc pour sujet l'imagination.

Varchi, vers le milieu du siècle, et surtout Huarte vers sa
fin, ont fait de l'imagination une sorte d'intellect du particulier [2]. Bruno avait des raisons qui lui furent propres pour
insister sur ce point; et bien qu'un seul de ses traités, le
De imaginum compositione, suggère nettement, par son titre
déjà, cette fonction de la faculté représentative, la chose en
soi ne fait pour lui pas de doute. Un court passage du *De
lampade combinatoria*, où le sujet *imaginativum* reçoit, selon
les règles de l'art lullien, une série de neuf déterminations,
est assez éloquent; on y lit : *certam natura inditam artem
habens, providentiam vel huic proportionale habens* (or, la
prudence est la matrice commune de tous les arts), *locorum
selectum faciens* (les *loci* sont ceux de la topique universelle
et leur « choix » est le jugement) [3]. L'*Ars memoriae* est encore
plus explicite : une analyse très détaillée du cheminement
de la connaissance donne, après le passage par les sens extérieurs et le sens commun, le « mouvement passif de l'imagination », ensuite son « mouvement actif » ou *investigatio*, — à
quoi répond l'*ars inveniendi*, — puis le *scrutinium*, *quo
intendens imaginatio investigat*, et enfin quatre étapes qui
forment la transition vers la mémoire. Or, ce *scrutinium* qui
appartient à l'imagination supérieure est à l'occasion appelé
cogitativa et joue exactement le rôle de l'*Urteilskraft*: il
distingue l'objet d'après sa caractéristique, par exemple, une
châtaigne parmi les glands; il rapporte telle *intentio* à tel

1. Les écrits couramment désignés dans l'œuvre de Bruno comme mnémotechnies sont des arts universels au même titre que les exposés de Lulle;
Bruno ne cesse de répéter pour chacun de ces traités qu'il sert à la fois la
mémoire, le jugement, l'*inventio* (la « chasse au moyen terme » des arts
lulliens) et la *dispositio*, c'est-à-dire l'exposition rhétorique.
2. Varchi, *Due lezioni sopra la pittura e la scoltura* (1546), in *Opere*, Trieste,
1858-1859, 2 vol.; voir t. II, p. 619; Huarte, *Esame degli ingegni
degl'huomini per apprendere le scienze*, Venise, 1586 (l'éd. orig., en
espagnol, date de 1578).
3. II, 2, p. 253-254.

objet; il applique aux choses qui n'ont pas d'ordre naturel, un ordre artificiel qui permet de les remémorer, par exemple la série des nombres naturels aux moutons d'un troupeau; il introduit dans la mémoire les images qui s'enchaînent sans ordre [1].

Le sujet des arts universels est donc pour Bruno l'imagination; et ceci pour la simple raison que les concepts qu'ils manient sont, en réalité, des images, — symboles qu'il est impossible, chez lui, de réduire à l'état de purs universaux. D'ailleurs, même s'ils n'étaient que des abstractions sans corps, leur nécessaire mise en ordre impliquerait une certaine spatialité, donc un acte d'imagination, — la distribution des τόποι dialectiques, vérités innées très simples et très générales, bases de toute connaissance, ne peut être conçue que par la *phantasia*. Or, l'art universel n'est au fond que l'étude de ces « lieux »; l' « artiste » de cette logique s'appelle, chez Bruno, *topicus*. Avant lui, la théorie des τόποι était courante dans l'art mnémique; mais il a vu, — le premier, je crois, — qu'ils appartiennent à l'imagination et non à la mémoire ni à l'intellect; et il a défini leur substrat non comme une feuille de papier imaginaire, mais comme la source de toutes nos facultés innées [2]. — *Campus*, le premier des « trente sigles » qui constituent une des formes de son art universel, comprend les images des choses et possède une vertu inépuisable. [Spiritus phantasticus] *est mundus quidam et sinus inexplebilis formarum et specierum... virtute imaginationis magnitudinem magnitudini, numerum numero apponit*. Il a la puissance qui combine à l'infini des images, invente des figures plus variées que les phrases que l'on tirerait de tous les vocabulaires de toutes les langues [3]. Ce passage est d'autant plus intéressant qu'Augustin avait justement utilisé la faculté de compter à

1. II, 1, p. 84-90. A la page 90, *scrutinium*, jusque-là identique à la *cogitativa*, devient un instrument de cette faculté.

2. Aristote, il est vrai, a défini le τόπος comme ce en quoi se rencontrent plusieurs raisonnements portant sur des sujets différents (*Rhét.*, 140, 3 *a*), mais les « lieux » de la mnémotechnie sont compris, depuis la *Rhétorique à Herennius*, III, 30-31 (XVII-XIX) comme des surfaces réelles, palais, voûtes, etc., où s'impriment les images significatives à retenir: l'étendue imaginaire ne sera employée que comme pis-aller. — Malgré la position prise par un Rodolphe Agricola, par exemple, la topique de Giulio Camillo et son art universel étaient encore représentables et conçus pour la représentation. Il y a une certaine distance de là au *campus*, *chaos* ou *amplissimus sinus phantasiae* de Bruno.

3. Pour l'imagination comme sujet de l'art universel, voir *Op. lat.*, II, 2, p. 46 : *A subiecto isto* [scil. imaginativa] *multiplex ratio multiplicis artis memorativae, quam invenimus, dependet.* — Et II, 2, p. 67 : *Primum ergo subiectum artis est technica extensio, sive sinus in phantastica facultate. Ibid.*, p. 68, citation de sa *Clavis magna*, écrit perdu, où il est question d'un *phantasticum chaos*.

l'infini comme preuve que notre raison dépasse notre imagination; ici, c'est l'imagination qui compte.

Il est vrai que dans ses premiers écrits, Bruno développait
encore assez complaisamment le parallèle entre son art et
l'écriture ou la peinture. Mais la description que donne le
De compositione imaginum[1] de la nature du spiritus phantasticus enlève à cette comparaison tout sens littéral : l'impression des images sensibles sur l'imagination n'est pas
comparable au contact de deux surfaces; car l'esprit saisit
les choses en un seul point, comme l'œil, et il est de la nature
de la lumière, mais d'une lumière qui serait en même temps
l'objet qu'elle éclaire et l'œil qui le voit et l'actualité de la
vision.

L'art, qui contient virtuellement tous ses résultats, est donc
identique à la raison, matrice des principes innés; mais ces
principes sont des images, et cette raison est l'imagination[2].

III. L'IMAGE COMME CORPS SUBTIL

Personne, parmi les néo-platoniciens de la Renaissance,
n'avait pris la peine de dégager la théorie de l'imagination
des contradictions léguées par les multiples traditions qui
s'y croisaient. Pourtant, la psychologie et la métaphysique
de l'imagination n'étaient pas des fardeaux inutiles dans le
grand courant de la pensée renaissante; leur actualité réside
dans leurs contacts multiples avec la théorie de l'image, qui
les éprouve, les met en jeu et implicitement les critique.

Toute pensée s'accompagne de phantasmes, avait dit
Aristote, ajoutant : à moins qu'elle ne soit elle-même un
enchaînement de phantasmes[3]. L'empirisme de cette

---

1. II, 3, p. 118 sq.
2. Cette conception de l'imagination comme *scrutinium* devait conduire
tout droit à l'esthétique. Le goût avait été longtemps considéré comme
faculté de juger un objet particulier selon des règles universelles; et on
venait juste de découvrir, autour de 1600, qu'il était personnel, irréductible
à des principes rationnels, une faculté à part et un don; on apprit bientôt
à distinguer « goût productif » et « goût judicatif », tout en reconnaissant
leur identité profonde. C'était, très exactement, la forme pure du *scrutinium*,
mais d'un *scrutinium* enrichi de toutes les propriétés nouvellement reconnues
à l'imagination dans son ensemble. Même la *Critique du jugement* de Kant
s'éclaire encore si l'on songe que non seulement la *Urteilskraft*, mais les
deux fonctions dont elle a pour objet de constater l'accord préétabli, imagination et raison (*ratio-judicativa*) faisaient partie traditionnellement des
sens intérieurs ou facultés concernant l'image.
3. *De anima*, 402 *b*-403 *a*; *De memoria*, 449 *b*-450 *a*. — L'imagination
comme peintre intérieur figure déjà dans le *Philèbe*, 39 *b*-40 *a*.

remarque n'en a pas empêché les interprétations hasardées : la φαντασία « donne une sorte de réalité » à ce qui est pensé (Plutarque), elle « revêt (περιτίθησιν) d'un corps l'incorporel » (Olympiodore) [1]. L'image est, en somme, le corps subtil de la pensée, de même que l'imagination est celui de l'âme. Les réserves formulées sur ce point précisément par Porphyre et Synesius, puis par Augustin, Dante et, suivant Ficin, par les platoniciens en général [2] ne tendent en gros qu'à sauvegarder la possibilité d'une inspiration divine directe ou d'une intervention exceptionnelle de l'intellect agent seul; elles ne concernent pas la psychologie de la pensée commune. La Renaissance se complaît dans la métaphore de l'incarnation : l'emblème est le « corps » de la devise, — son âme étant la sentence, — la musique est le « corps » du poème chanté, et le tableau lui-même a comme *animo* le sujet ou l'idée [3]. Mais ces façons de parler, relativement innocentes, ne contiennent pas le dernier mot du néo-platonisme renaissant sur cette question. Les cabalistes, les occultistes, les pythagoriciens et les magiciens de l'époque ont été bien plus précis.

Idea, adsimulatio, configuratio, designatio, notatio est universum Dei, naturae et rationis opus, et penes istorum analogiam est ut divinam actionem admirabiliter natura referat, naturae subinde operationem humanum (quasi et altiora praetentans) aemuletur ingenium [4]. Toute action divine a donc lieu par le moyen de formes, mais, comme le prouvent les termes du texte, de formes *qui traduisent ou « signifient » une pensée* (l'usage contemporain de *idea* ne contredit pas cette constatation). Tout parle. Et ce qui vaut pour le processus objectif de l'émanation, vaut pour la prise de connaissance : *Itaque formae, simulacra, signacula vehicula sunt et vincula veluti quaedam, quibus favores rerum superiorum inferioribus tum emanant, procedunt, immittuntur, tum concipiuntur, continentur, servantur* [5]. Autrement dit : l'Idée elle-même, ses

1. Plutarque, *De defectu oraculorum*, 38 sq.; Olympiodore, *Comm. in Phaedonem*, éd. Teubner, p. 35. Voir Bundy, p. 97 et 144.
2. Kristeller, *op. cit.*, p. 254.
3. Les exemples à citer seraient innombrables. Dans les traités sur les *imprese*, cette terminologie est obligatoire depuis Giovio (1559); pour la chanson, voir Walker, *Ficino's spiritus of music*, cité, p. 148; pour la peinture, voir, par exemple, *Les Correspondants de Michel-Ange*, I, *Sebastiano del Piombo*, éd. C. Milanesi, Paris, 1890, p. 2. — E. Gombrich, « Icones symbolicae », in *Journ. of the Warburg and Courtauld Inst.*, XI, 1948, p. 82, note que le traité de Giarda (1626) parle du rapport entre idée et image symbolique en termes qui rappellent l'incarnation du Verbe.
4. Bruno, *Op. lat.*, II, 3, p. 89-90.
5. *Ibid.*, p. 101-102. Ce texte est apparemment très médité. *Formae, simulacra, signacula* indiquent respectivement l'idée divine, la forme naturelle, le symbole conçu par l'esprit (*idea — vestigium ideae — umbra ideae*

vestiges dans la nature, ses ombres dans l'esprit sont des
formes. Rien ne peut être saisi sauf par la forme, — l'esprit
ne connaît ou ne conçoit que ce qui est composé, il ne se
connaît lui-même qu'en miroir (dans le monde), en image.
L'art universel de Bruno, — c'était là, pour l'époque, son
actualité, — est un art de regarder et de comprendre des
images disposées en *Theatrum Mundi* métaphysique, et
Bruno confesse : *Nos in proposito haudquaquam de rebus, sed
de rerum significativis methodum instituimus* [1].

L'image entre le particulier et l'universel.

Mais l'image ainsi confondue avec la pensée n'est plus
guère compatible avec l'imagination comme simple vêtement
de l'âme. Le symbole, qui est presque une notion, mais qui
reste singulier, est un lien entre le particulier et l'universel
au même titre que l'imagination comme faculté intermédiaire,
qui, justement, formait le sujet de l'art général, science du
particulier.

A la théorie du spiritus phantasticus répondaient, du côté
de l'image, toute la magie, le pansymbolisme objectiviste et
l'allégorisme artistique de la Renaissance ; à celle de la faculté
intermédiaire entre l'universel et le particulier répondent
toute la théorie du symbole et celle du *concetto* comme *disegno*,
une des créations les plus caractéristiques de l'âge pré-
baroque [2].

selon la formule habituelle. Ce sont, en somme, les pensées respectives des
trois principes créateurs de la tradition hermétiste et médiévale : Dieu, la
Nature, l'Homme). *Vinculum* désigne chez Bruno la causalité magique,
sympathique ; *vehiculum*, l'image comme corps de sa signification. *Emanant,
procedunt, immittuntur* marquent l'irradiation selon les points de vue successifs de l'Intelligible, de la forme, de la matière ; *concipiuntur, continentur,
servantur* expriment le passage par les sens intérieurs, imagination, *cogitatio,*
mémoire.

1. *Ibid.*, p. 95.
2. Il est vrai que les précurseurs ne manquent pas. Le Pseudo-Longin
(*Du sublime*, XV, 1) appelle φαντασία tout concept (ἐννόημα) qui engendre
un discours ; Jean Scot Érigène, confondant curieusement la catégorie
aristotélicienne du lieu avec les jugements que discute la *Topique*, affirme
que le lieu de chaque chose consiste dans sa définition et que tout art est
« circonscrit » par sa définition, — *cogor fateri non esse locum nisi in animo*
(*De divisione Naturae, Patr. lat.*, col. 122 sqq.). Le Moyen Age, depuis
Bernardus Silvestris, et même le XVᵉ siècle, se représentaient volontiers les
Idées platoniques comme images, — par un effet, sans doute, de l'ambiguïté
du terme *idea*. — Nicolas de Cues appelait l'esprit humain *figura figurarum*,
par analogie avec la *species specierum*, Dieu (*Excitationes*, I, cité par M. de
Gandillac, *La Philosophie de Nicolas de Cues*, Paris, 1941, p. 152, n. 15).
Bovillus affirmait que la raison humaine *omnia in semetipsa effingit* (*De
sapiente*, V) et Scaliger voyait dans les figures de style une déformation
du « contour » (*delineatio*) d'une notion donnée, — la « notion » elle-même

Le terrain idéal pour l'étudier est naturellement la théorie de l'art, — les définitions du *disegno*, par exemple, qui, de Vasari à Zuccaro, ne font qu'emprunter des thèmes de l'épistémologie courante, en substituant *disegno* à *scientia, notio, forma* ou *idea* [1]. Le concept est réellement, pour ces auteurs, une sorte de petit dessin, et l'image mentale est déjà un concept. Lodovico Dolce n'hésitait pas à appeler peinture « *qualunque componimento de' dotti* » [2], et il n'était pas seul de cet avis. La création artistique ou artisanale s'effectuant toujours en deux temps, la « conception intérieure » et l' « exécution extérieure » (*intus concipere* — *foris exprimere*), il est normal que la conception, premier état de l'œuvre, — la « maison dans l'esprit de l'architecte », — soit, en tant que fin de l'action et image du résultat, une sorte de projet ou « dessein » (*disegno*). Le concetto est à la fois l'universel, la conception-« dessein », et le modèle intérieur ou dessin projeté. Il est question, chez Zuccaro, d'un *disegno interno intellettuale particolare*; et chez Camillo Pellegrino, à la même époque, du *concetto poetico particolare*, « pensée de l'intellect... formée dans la fantaisie » [3].

Il est vrai qu'une vue plus philosophique du concetto le libère de toute visualisation et en fait une idée indépendante de n'importe laquelle des « incorporations » qu'elle subit. Dans ce sens vont les *imprese* où un texte et un dessin « expriment » la même idée, — qui n'est donc ni verbale, ni plastique, mais

---

n'étant d'ailleurs que l'image sensible de la chose, représentée dans l'âme (*Poetica*, 1, 1581, p. 303-304). — Mais, à l'époque de Bruno, ces idées sont incomparablement plus répandues et plus nettement exprimées.

1. Pour Vasari, *Vite*, I, p. 168-169 — texte à rectifier d'après Frey : *regolarissima* pour *singolarissima* —, le modèle de la définition du *disegno* est celle que donne de la *science* le passage des *Analyt. post.*, II, 19, 100 *a*; cf. aussi *Metaph.*, I, 1, 980 *b*-981 *a*, où il est question, il est vrai, de τέχνη, mais dans un sens large, visiblement synonyme d'ἐπιστήμη, comme c'est souvent le cas chez Aristote (cf. l'index de l'éd. Bekker). — Pour Zuccaro (*Idea de' pittori...*, Turin, 1607) le travestissement de la théorie de la connaissance en théorie de l'art s'exerce surtout, comme l'a montré Panofsky, sur des thèses de Thomas d'Aquin.

2. Cité par R. W. Lee, « Ut pictura poesis », *The Art Bulletin*, 22, 1940, p. 197.

3. Zuccaro, *op. cit.*, p. 41, et Camillo Pellegrino, *Del concetto poetico*, 1598, publ. par Ang. Borzelli en annexe à *Il cav. G. B. Marino*, Naples, 1898, p. 327-359, voir p. 331-332. (L'ouvrage de Camillo Pellegrino est bien le premier qui ait traité théoriquement du concetto, — et non, comme on lit partout, l'écrit de Matteo Pellegrino, qui date de 1639.) — Tout cet ensemble d'idées a certainement influencé Vico dans sa théorie du symbole « héroïque »; il parle, en effet, d'un *universale fantastico* ou de notions appartenant à l'imagination (*Scienza nuova*, 2ᵉ éd., § 34 et aill.). On connaît son intérêt pour les *imprese*. On trouve la trace de ces lectures jusque dans sa logique, puisqu'il désigne expressément l'*ars inveniendi* comme unique activité de l'intellect, et la topique comme *ars inveniendi* par excellence (§ 495-498).

purement intellectuelle [1]. De même, les constructions complexes où une idée est traduite par un emblème, sa sentence,
un poème, un commentaire, et si possible une autre idée sur
un plan différent, — par exemple religieux, si le sens obvie
est érotique; ou moral, si le sens est alchimique, — servent
à rendre évidente la transcendance de l'idée par rapport à
toute formulation [2]. Il ressort alors de ces vues que tous les
arts sont identiques dans leur source, la « conception » indifférente à ses « vêtements »; et que celui qui, comme Michel-
Ange, possède réellement, à fond, un seul art, les possède par
là même tous. Ces deux idées furent en effet assez répandues
depuis le milieu du xvie siècle (Varchi, 1546) et constituent
une innovation des plus intéressantes de l'esthétique de ce
temps, préparant le goût baroque pour les synesthésies et les
synthèses des arts. — Mais là aussi, l'image reste l'intermédiaire : elle n'est plus fusion de l'universel et du particulier,
mais elle reste véhicule de l'idée; le particulier devient « corps »
de l'universel, animé par lui, et donc plus que particulier.

Le symbolisme chez Pic de la Mirandole et chez Bruno.

De la liaison étroite entre la théorie de l'imagination et
celle de l'image, l'une ne pouvant être comprise sans l'autre,
témoigne surtout leur solidarité dans l'altération qu'elles
subissent conjointement entre l'époque de Ficin et celle de
Bruno.

Il est évident que l'image en tant que particulier et universel
à la fois se réalise en premier lieu dans le symbole, figure

1. Voir surtout Contile, *Ragionamenti sopra le proprietà delle imprese*,
Pavie, 1574, f. 2 v°; et pour l'époque suivante, une phrase célèbre de Gracián :
ce que la beauté est pour les yeux et l'harmonie pour l'oreille, le concetto
l'est pour l'entendement (*Agudeza*, p. 4). Cf. Bruno, *Op. lat.*, II, 2, p. 133-134 :
*Primus praecipuusque pictor est phantastica virtus, praecipuus primusque
poeta est in cogitativae virtutis adpulsu vel conatu vel inditus noviter enthu-
siasmus... Idem ad utrumque proximum est principium; ideo philosophi sunt
quodammodo pictores atque poetae, poetae pictores et philosophi, pictores
philosophi et poetae...; non est enim philosophus, nisi qui fingit et pingit.* —
Bien que ces trois activités de l'esprit soient ici attribuées à trois fonctions
différentes, *imaginatio, cogitativa* et *ratio*, leur identité profonde ne fait,
d'après le contexte, aucun doute.
2. On pourrait prendre comme exemple les *Fureurs héroïques* de Bruno
(voir, sur leur construction, Frances Yates, « The emblematic conceit in
Giordano Bruno's Degli eroici furori », *Journ. Warburg*, VI, 1943, p. 101-
121) ou l'étonnante *Atalanta fugiens* de Michael Maierus (Oppenheim, 1618),
livre d'alchimie qui expose ses secrets sous forme de symboles parallèles
par images, poèmes, leurs commentaires et leur musique, — car il s'agit,
dit l'auteur, de vérités qui ne souffrent d'exposé que symbolique, étant
in intellectu comprehendenda prius, quam in sensu (préf.).

concrète et pourtant universel en acte. De ce point de vue, le pansymbolisme répond naturellement à la doctrine de l'imagination-intermédiaire, que, comme on sait, le platonisme renaissant n'a pas hésité à adopter. Toute forme est parole, — soit, comme dans l'allégorisme, en tant que corps d'une signification, soit, comme dans la magie, comme acte de Dieu, revêtement de ses « faveurs » et de son éclat. Mais au temps de Ficin, le rapport était, de même qu'au Moyen Age, bi-univoque : le lien entre forme et signification repose sur une correspondance réelle des mondes sublunaire, céleste et idéal, dit Pico dans la préface de l'*Heptaplus : Ab hoc principio... totius sensus allegorici disciplina manavit. Nec poterunt antiqui patres alijs alia figuris decenter repraesentare nisi... totius naturae et amicitiae et affinitates edocti. Alioquin nulla esset ratio cur hoc potius hac imagine aliud alia quam contra repraesentassent. Sed gnari omnium rerum et acti spiritu... naturas unius mundi, per ea quae illis in reliquis mundis noverant respondere aptissimè figurabant* [1]. Chez Bruno, cet ordre des choses n'existe plus : *Omnia tandem formant omnia et formantur ab omnibus, atque dum omnia per omnia formantur atque figurantur, ad inveniendum, inquirendum, iudicandum, ratiocinandum reminiscendumque de omnibus per omnia possumus promoveri* [2]. Même des signes apparemment conventionnels, mais d'institution divine, comme les hiéroglyphes, ne sont plus seulement porteurs d'un seul sens naturel ou privilégié : chacun, *pro dictamine sui furoris seu impetu sui spiritus*, pouvait y trouver autre chose, et la signification n'y était pas simplement contenue comme la morale d'une fable, mais agissante comme le charme d'un chant. C'est là le seul langage par lequel nous pouvons encore, exceptionnellement, communiquer avec les dieux [3].

La justification de cette vue, en apparence incompatible avec la puissance réelle ou magique des formes et avec toute interprétation réaliste du symbole, est chez Bruno d'une complexité qu'il serait difficile de résumer. Le pananimisme y joue le rôle principal : tout peut signifier tout, parce que « tout est dans tout » [4], car l'âme du monde anime réellement

1. *Opera*, Bâle, 1572-1573, 2 vol., II, p. 7.
2. *Op. lat.*, II, 2, p. 208. — Cf. II, 1, p. 25-26; II, 2, p. 138 et 303-305. — D'autre part, comme le prouve le *De monade*, Bruno n'a jamais oublié certains principes du symbolisme antique et médiéval, comme, par exemple, le pythagorisme vulgaire.
3. *Op. lat.*, III, p. 411-413.
4. Ce principe est un lieu commun de toute théorie du symbole et de la magie; il figure chez Synesius, et jusque chez Pico à l'endroit même où le pansymbolisme est fondé par lui sur les analogies entre les mondes stratifiés. Bruno, contrairement à ses prédécesseurs, prend l'idée à la lettre.

son corps, c'est-à-dire se trouve tout entière dans chacun de
ses points [1]. Mais ce qui importe ici, c'est qu'à l'innovation
apportée par Bruno dans la théorie du symbole répond une
modification parallèle de la théorie de l'imagination : elle
n'est plus une feuille où écrit un « peintre intérieur » [2], mais
un point de « complication » au sens cusanien du mot, source
vivante de développements infinis, principe de l'activité
sans bornes de l'esprit, — *amplissimus sinus*, source inta-
rissable, même là où Bruno la désigne comme « champ ».

IV

Aux deux registres ainsi accordés de l'imagination et de
l'image on pourrait sans peine ajouter celui de l'esthétique
et de l'art. Il serait aisé de montrer dans le symbolisme
minutieux des peintres florentins de l'époque de Laurent
l'équivalent de l'allégorisme tel que l'a formulé Pic, et dans
l'arbitraire ostentatoire — plus ostentatoire que réel, — des
concettistes, l'application du principe cher à Bruno que tout
peut signifier tout. L'imagination des ficiniens, feuille blanche
où s'inscrit l'idée, conçoit des formes de netteté botticellesque.
L'imagination de Bruno est vivante, féconde, personnelle,
comprise pour la première fois comme essence de l'art; elle
répond au naturalisme, au pathétique et au subjectivisme
baroques [3]. La mode et la théorie de l'*impresa*, illustrations
privilégiées de la philosophie du concetto, permettraient à
elles seules des rapprochements d'une précision parfois
surprenante entre théorie de l'imagination, théorie de l'image,
théorie de l'art, goût artistique et style, auxquels on pourrait
ajouter l'épistémologie. Mais il n'est guère besoin de prouver
que tous ces aspects de la pensée et de la civilisation traver-
saient, dans les années où écrivait Bruno, une seule et même
crise de croissance.

(1956)

1. *Op. lat.*, II, 2, p. 196.
2. Voir *supra*, p. 81.
3. Il faudrait insister ici sur les liens entre la théorie du *concetto* et celle
de l'*ingegno*, considéré comme fécondité naturelle de l'esprit. Les auteurs
de l'époque sont convaincus que ce qui rend une chose digne d'admiration,
c'est l'acte de l'*ingegno* qui l'a conçue; une œuvre réussie par hasard, disent-
ils, ne vaut rien. Il suffit de songer à ce que penseraient de cet axiome
Malraux ou André Breton, pour se rendre compte qu'il définit très nettement
une conception précise de l'art, d'ailleurs rigoureusement aristotélicienne,
et qui, plaçant l'acte de production artistique plus haut que les qualités
objectives de l'œuvre produite, conduit directement au virtuosisme baroque.

III

L'ENFER DE FICIN

I. LA THÉOLOGIE PLATONIQUE

Comme le *Gorgias*, le *Phédon*, l'*Apologie de Socrate* et la *République*, la *Théologie platonique* de Ficin s'achève sur un mythe de l'Enfer. Et comme dans ces modèles, ce mythe est destiné à confirmer ou à prouver une idée qui lui est en fait diamétralement opposée, celle de la justice immanente dans l'ordre du monde.

Une exigence morale qui se prétend rationnelle, et dont nous n'avons pas à examiner, pour l'instant, le bien-fondé, veut que le péché porte en lui-même sa punition, et la vertu sa récompense. Devant le démenti flagrant de l'expérience quotidienne, on répond que châtiment et récompense ne sont pas ce qu'un vain peuple croit, et qu' « en réalité » les injustes sont les plus malheureux des hommes; et comme il est malaisé de prouver le « malheur » des gens qui ne le ressentent pas, les philosophes empruntent aux religions les peines et joies posthumes, en essayant de les rattacher par un lien *intérieur* aux actes sanctionnés.

Cette démarche fut, entre autres, celle de Platon dans le *Gorgias;* elle est aussi celle de Ficin. Il commence, très naturellement, par l'idée que récompense et châtiment naissent ensemble avec la vertu ou le vice [1]; la punition n'est que la maturité de ce qui est en germe dans le péché. Cela rend inutile le concept d'un jugement des âmes, dont s'était encore embarrassé Platon; Dieu n'a pas besoin d'intervenir, l'âme se porte vers le lieu de l'expiation par le même penchant « naturel » qu'elle a suivi en devenant coupable; penchant qui, il est vrai, prend ainsi l'aspect d'un piège tendu par la Provi-

---

1. *Théol. plat.*, XVIII, 10, 418 : *In vita praesenti virtus nascitur ac vitium. Cum virtute oritur praemium, cum vitio vero supplicium.*

dence [1]. Le « démon » inspirateur qui s'occupe de notre âme — autre fiction platonicienne — n'est en réalité qu'une faculté de l'âme elle-même [2].

L'instrument de la justice immanente, le moyen inventé par la Providence pour arriver à ses fins, est le *spiritus phantasticus*, le « véhicule » ou « corps subtil » propre à l'âme rationnelle. C'est une enveloppe douée de sensibilité, mais sans distinction entre les sens : tout entière, elle entend et voit par le même acte [3]. Cela veut dire qu'elle communique avec l'extérieur par le « sens commun » comme l'entendait Aristote; elle est donc supérieure à l'âme sensitive, mais reste inférieure à l'âme rationnelle : les facultés dont elle est douée correspondent à l' « imagination » au sens ancien et large du mot, c'est-à-dire tout ce qui sert à extraire de la sensation brute l'universel de la raison : la faculté de comparer les perceptions, leur « estimation » ou jugement immédiat, la représentation du perçu, la mémoire... Quand, dans le sommeil ou dans l'extase, les sens corporels sont réduits au silence, le corps subtil, cessant d'être distrait par leurs messages, peut communiquer directement avec les dieux, ou écouter l'harmonie des sphères : ce don est propre aux prophètes et aux inspirés. Mais ceux qui ne se sont jamais souciés que des biens matériels, « obscurcissent » la lumière de l'esprit subtil, habituent leur « imagination » aux choses de ce monde, et lui donnent ainsi un pli et un poids dont l'âme rationnelle elle-même n'arrivera plus à se défaire après la mort [4]. Il s'ensuit que l'âme qui a l'*habitus* de la contemplation va directement jouir, après la mort de la vision béatifique [5]; les autres auront besoin d'un stage plus ou moins long pour se déshabituer, car, ne pouvant supporter l'existence sans corps, elles commencent par se faire elles-mêmes un nouveau corps « vaporeux » qui

1. *Ibid.*: *Quemadmodum natura... corpora intrinsecus levitate sursum movet, gravitate deorsum, ita et providentia, intrinseca lege, et quasi naturali cuidam inclinationi persimili, omnia ducit... Hac... insita lege mentes humanae sese ad loca suae vitae convenientia ducunt* (dans l'au-delà). *... Ea lex intrinsecus more naturae, adeoque leviter ducit, ut nullus donec ad terminum perveniat a providentia sentiat violentiam.*
2. Ficin fait allusion à un mythe du *Phédon* et de la *Rép.*, X, au sujet duquel il adopte tacitement le commentaire de Plotin, *Enn.*, III, 4.
3. *Théol. plat.*, XVIII, 4, 405. Sur ce thème chez Ficin et sur sa « fortune », voir D. P. Walker, *Spiritual and demonic magic, from Ficino to Campanella*, Londres, 1958; sur sa préhistoire, les ouvrages cités *infra*, p. 97, n. 1.
4. *Ibid.*, p. 404 : *Praecipit ergo* [Zoroaster] *ne propter nimium corporis elementalis affectum, cogas ipsum* [spiritum] *etiam post hanc vitam sordidum atque grave superfore caliginis elementalis adiunctione...*
5. *Théol. plat.*, XVIII, 10, 421 : *Quando enim quinque sensuum actiones cessant, actiones interiores maxime augentur. Ac si ratione uti plurimum consueveris, tunc diligentissime specularis. Si phantasia, tunc imaginaris vehementissime.*

rôde autour du sépulcre [1]. Tout naturellement, il prendra
l'aspect qui correspond aux passions de l'âme encore vivante;
d'où ces formes animales, quasi symboliques, dont on parle
à propos de la métempsycose. Le propre des corps subtils
de cette espèce est d'adopter toujours la forme imaginée par
l'esprit qui l'habite [2]. L'âme errante et « matérielle » souffrira
d'une part d'être privée de la béatitude qui est sa vocation
naturelle, et sera d'autre part tourmentée par les passions
mêmes qui l'ont agitée durant sa vie [3]. Ficin ajoute hypothéti-
quement une autre cause de douleur, qui semble satisfaire
un peu moins son exigence d'automatisme des rétributions,
mais qui se réclame du grand nom d'Hermès Trismégiste :
les âmes damnées peuvent être liées magiquement aux
éléments, et souffrir ainsi sans cesse des agitations de la
matière [4]. Quelle qu'elle soit, la condamnation n'est éternelle
que pour les « intempérants » dont l'imagination a complètement perverti la raison, incapable désormais de se purifier
et de changer d'*habitus*.

Si le sujet des peines est l'imagination, les peines elles-mêmes
sont forcément imaginaires. C'est la conclusion tirée par
Ficin, avec des arguments à l'appui. Nous pouvons nous faire
une idée de la nature de ces tourments, en la comparant aux
délires et aux dépressions des mélancoliques; mais ils sont
beaucoup plus cruels, et surpassent en intensité les douleurs
physiques — car toute souffrance est toujours sentie par l'âme
seule, et s'accroît quand l'agent la touche directement, sans
l'intermédiaire du corps [5]. L'habitude des jouissances physiques devient une source de douleur par le fait même que
l'âme, privée des sens corporels, n'est plus en état d'en

1. *Théol. plat.*, XVIII, 10, 420 : *Terreno igitur corpore dissoluto,* [animus]
alterum sibi quam primum ex elementorum retexit vaporibus... Addit [Plato]
*eiusmodi animum circa corpus elementalemque regionem, erga quae affectus
fuerat, affectu perseverante revolvi* (cf. *Phédon*, 81 *a*-82 *b*).
2. *Théol. plat.*, XIII, 4, 300 : *Ergo phantasia instar virtutis vivificae
format et ipsa proprium corpus.* Chez Porphyre, les démons ont un corps si
malléable qu'il devient l'objet de leur propre imagination; cf. Dodds, éd. et
trad. Proclus, *The elements of theology*, Oxford 1933, append. XI, p. 320-321.
3. *Théol. plat.*, VIII, 10, 421 : *Ex amoris habitu, quem ad corporea contra-
xerat indelebilem, tales quaedam rursus cogitationes surrepunt et affectus.*
4. Il y a ici une allusion explicite au fameux passage de l'*Asclepius*, 37,
sur le dieu magiquement lié à l'idole parlante et miraculeuse; et une allusion
plus voilée à la description de l'état des âmes damnées selon l'*Ascl.*, 28;
voir plus loin, p. 97.
5. *Théol. plat.*, XVIII, 10, 421, après la comparaison du cauchemar :
*Multo magis impiis in morte atque post mortem fallacia terribilium contigit
imaginum.* Le corps étant aboli, l'âme est livrée au délire : *solius restat (ut
Platonici putant), phantasiae furentis vel phantasticae rationis imperium in
homine ipso, quae odio... et timore commota versat secum longo ordine tristes
imagines.*

goûter : c'est ainsi qu'il faut s'expliquer le tourment de
Tantale : l'état de l'âme mal habituée dans la vie, et privée
par la mort de son corps, est toujours tantalique [1]. (L'inconséquence qui attribue à l'imagination horrifiante le pouvoir
d'infliger de vraies peines, mais refuse à l'imagination volup-
tueuse les vraies satisfactions, est caractéristique de la
manière de raisonner des rationalisateurs de l'Enfer. Nous en
verrons d'autres exemples.)

L'opinion des *prisci theologi* que la *Théologie platonique*
prétend résumer, se réduit en somme à une doctrine du
sommeil et du réveil de l'âme. Seul le divin étant réel, l'incarnation devient un rêve; il importe seulement qu'avant la
séparation du corps, l'âme réussisse à se réveiller; car sinon,
elle continuera de dormir, entre les vains désirs et les terreurs
douloureuses qui constituent le cauchemar de l'Enfer. Les
appels du Christ : veillez, réveillez-vous..., confirment l'intuition des métaphysiciens antiques.

Suivant la règle du jeu néo-platonicien, Ficin se plaît à
interpréter philosophiquement différentes croyances concernant le site et la nature de l'Enfer ancien. Il n'importe pas
d'entrer ici dans les détails de sa classification des péchés et
des punitions correspondantes — exercice conduit toujours
avec le souci d'écarter toute instance punitive et toute
différence de nature entre faute et expiation, et cherchant,
d'autre part, à retrouver aussi souvent que possible les données
des fables antiques. Mais la question essentielle du raccord
avec l'enseignement religieux chrétien continue de se poser:
car on ne peut pas prendre avec la foi les mêmes libertés
qu'avec le mythe antique, et le damné ficinien, qui n'est en
somme qu'une sorte de revenant agité par des obsessions,
des phobies et des cauchemars, ne ressemble pas suffisamment
au pécheur rôti de la tradition. Ficin essaie donc de jeter
quelques ponts; la théologie lui tend la perche de la *poena
damni* — la punition d'être privé de Dieu — qu'il semble
rapprocher d'une thèse « acceptable » de Platon et d'Origène
(*non negabunt hoc omnino Christianorum theologi...*) : que l'âme
damnée souffre de son propre désaccord ou déséquilibre,
causé en elle-même par le péché; tout entière, elle se sent
amputée du corps du cosmos. L'amortisseur habituel, le
corps de chair, avait agi pendant la vie comme anesthésique.
La conscience aiguë, maintenant, de la vraie situation, apporte
deux tourments supplémentaires, liés eux aussi à la *poena
damni*: l'âme sait qu'elle a causé elle-même son malheur,

1. *Ibid.*, 421 : *Sardanapalus arcetur longius ab amplexu, Midas ab auro...*

et sait aussi qu'il est trop tard pour réparer. (On remarquera que tout cela est assez difficile à concilier avec l'explication de l'Enfer comme état de l'âme qui, précisément, n'a pas su et ne saura plus jamais devenir consciente de la réalité divine.) Enfin, comme l'Église mentionne formellement une *poena sensus* à côté de celle de la damnation, Ficin ajoute, tout à la fin de sa liste, et sans autre explication, *huius corporis cruciatus, qui in sensu Phlegethon, in animo Cocytus esse videtur* [1]. C'est le genre d'embarras déjà ressenti avant lui, du côté musulman, par Avicenne, et du côté du paganisme antique, sur une question voisine, par Platon [2]. Prudemment données, *praecipue secundum Philosophos*, les explications qui suivent sur les Limbes (*De medio animorum statu*), rendent un écho lointain d'une doctrine de Jean Scot : l'identité entre la lumière des bienheureux et le feu de l'Enfer, distincts seulement par la manière dont les âmes les supportent, selon leur condition de « santé » ou de « maladie » morale. Ficin atténue cette thèse et remplace l'identité parfaite de l'agent dans les trois règnes par sa dégradation suivant l'échelle connue de *lux-lumen-radius* [3]; et il se garde de citer ici sa source.

On n'a pas trop de peine à chercher les origines de ces conceptions; Ficin lui-même nomme de temps en temps Platon, Plotin, Proclus, Hermès, Zoroastre, Origène, Avicenne. Ce sont les deux derniers, à vrai dire, qui lui ont fourni l'essentiel du système. Mais par un réflexe assez naturel, il masque ses emprunts chez le Père hétérodoxe et chez l'Infidèle moderne, et il ne les cite que sur des points secondaires, où leur opinion est admissible pour l'Église, ou quand il peut la présenter sans dommage comme hypothétique. On comprend qu'il ait eu le souci de ne pas trop montrer qu'aucun de ses principaux répondants n'était catholique [4]. S'il crée

1. *Ibid.*, p. 422.
2. L'éternité des tourments de l'Hadès, acceptée dans le *Gorgias*, est difficile à concilier avec le but éducatif ou déterrent qui, selon le *Protagoras* (324 *ab*) doit présider à toute justice punitive. Platon suppose qu'il s'agit de peines exemplaires qui doivent épouvanter les autres âmes : subterfuge inconsistant, car on ne voit ni pourquoi cet effet exige l'éternité de la condamnation, ni pourquoi il faut effrayer des âmes défuntes, destinées à tout oublier à la réincarnation.
3. *Théol. plat.*, XVIII, 10, 423-424. (Le terme *radius*, qui fait allusion aux influences astrales, dérive ici du *Corpus hermet.*, tr. X.)
4. Sur des questions moins délicates du point de vue de la foi, il n'hésite pas à se réclamer d'Avicenne, ou à discuter ses thèses; l'abbé R. Marcel (*Marsile Ficin*, Paris, 1958, voir p. 645, n. 3) a compté dans l'œuvre de Ficin 72 mentions d'Avicenne, contre 54 d'Averroès, et 45 de tous les autres Arabes ou Juifs ensemble, tant philosophes ou théologiens qu'astrologues, médecins, etc. — L'éloge fervent d'Origène dans le *De christiana religione*, chap. xxxv (p. 72) est destiné à légitimer Porphyre; mais il est toujours de bonne tactique de louer « en gros » l'autorité suspecte dont on se réclame

ainsi l'impression d'avoir trouvé lui-même les idées exposées, il écarte au moins la prévention qui s'attache aux noms d'Origène et d'Avicenne, et les passages de l'Écriture qu'il cite d'après le premier en acquièrent un tout autre poids.

Conformément à son habitude d'éclectisme assez peu rigoureux (mais qui est chez lui une obligation de méthode plutôt qu'un laisser-aller du sens critique) Ficin a rassemblé dans ce dernier chapitre de la *Théologie platonique* presque tous les éléments qui entrent dans la conception « platonicienne » de la justice posthume. Le tableau systématique qu'on peut en donner aura, en contrepartie de son aspect pédant, l'avantage de faciliter les références.

A. Postulat de la justice immanente : tout péché doit comporter son châtiment comme conséquence *naturelle ;* l'idéal serait qu'il soit son propre châtiment.

I. Corollaire concernant la théologie : tout « jugement des âmes » devient donc superflu; on ne l'accepte que comme mythe, ou on le réduit à une formalité. En fait l'âme défunte doit « se porter d'elle-même au lieu de son châtiment ».

B. Postulat de la « peine préférable » : la punition, qu'elle soit ou non terrestre, et qu'elle soit ou non entièrement impliquée par le péché, doit être, autant que possible :
    B*a*. moyen d'éducation (corriger le coupable, ou, à défaut, agir comme déterrent sur les coupables en puissance);
    B*b*. mise à l'épreuve du coupable:
    B*c*. « intériorisée » (remords, souffrance du bannissement; à défaut, tourment du vain désir et de la vaine crainte).

II. Corollaire concernant la théologie : le « feu de l'enfer » est métaphorique. Dieu n'a pas pu préparer tout exprès aux âmes le lieu d'une punition aussi inadéquate. On peut supposer :
    II*a*. que la terre elle-même est le lieu d'expiation de l'âme déchue;
    II*b*. qu'il n'existe qu'un seul « feu divin », senti différemment par les âmes comme lumière béatifiante ou flamme brûlante, selon l'état de leur propre nature.

ensuite, sans trop insister, dans les questions précises. On sait que pour beaucoup de théologiens, Origène passait pour un hérétique damné, tandis que d'autre part les milieux philosophiques de Florence se piquaient d'origénisme (cf. Edg. Wind, « The revival of Origen », in *Studies in art and lit. for Belle da Costa Greene*, Princeton, 1954, p. 412-424).

C. Hypothèse conciliant les deux postulats : l'imagination
est le karma du pécheur. Elle prend le pli des habitudes
acquises pendant la vie, et les communique à l'âme
rationnelle, qu'elle « salit » ou déforme par là. Après la
mort, l'âme restera donc prisonnière de la matière,
ou se formera éventuellement elle-même un corps plus
subtil. Ses souffrances sont « imaginaires ». Le principe
de la justice immanente est ainsi toujours sauf; celui
de la peine préférable est partiellement respecté, car
l'âme pourra :

Ca. souffrir de la *poena damni :*
   1. être privée de la contemplation, qui est son but
      naturel,
   2. être déchirée par son désordre intérieur, se sentir
      retranchée de l'ordre du monde,
   3. être en proie au remords;
Cb. souffrir d'autres peines spirituelles :
   1. regret du corps (vain désir),
   2. cauchemar (notamment la peur des tourments
      qu'on lui avait prédits sur terre, et qu'elle croit
      sentir),
   3. l'agitation vaine (l'exposition aux éléments selon
      Hermès, la peine des revenants selon Platon);
Cc. être réincorporée (soumise à l'épreuve).

III. Corollaires concernant la théologie :
   IIIa. difficultés pour la résurrection de la chair;
   IIIb. tendance à placer l'Enfer sur la terre, ou à faire
          de la vie terrestre l'Enfer des âmes déchues;
   IIIc. difficulté, dans la plupart des hypothèses, à conce-
          voir la *poena sensus* [1].

Malgré son libéralisme doctrinal, Ficin a reculé devant
quelques-unes des possibilités énumérées ici; il n'approuve
explicitement ni la métempsycose (*Cc*), ni l'idée que l'Enfer
est sur la terre (*IIIb*), ni la thèse très « libertine » que les
cauchemars infernaux sont le souvenir du catéchisme (d'où
il suivrait que les esprits forts et les incroyants en seront
épargnés) (*Cb2*).

---

1. Ce schéma laisse de côté la question de l'éternité des peines (apokatastase, annihilation des damnés), qui déborde le cadre de notre étude.

a. *Le platonisme.*

L'apparition indépendante de ce corps de doctrine chez Origène et chez Avicenne nous oblige à attribuer le plus grand poids à ce qui peut être leur source commune, Platon et ses interprètes. Il apparaît d'ailleurs en effet que presque toutes les pièces de ce système, qu'on dirait issu de la méditation des dogmes d'une religion constituée, se trouvent, claires comme le jour, chez Platon lui-même. Le postulat *A*, sous sa forme la plus extrême (commettre l'injustice est en soi le plus grand mal pour l'âme), est un des grands thèmes que traite le *Gorgias;* le second postulat (*Ba*) est formulé dans le *Protagoras* avec toute l'énergie souhaitable [1]. L'hypothèse *C* est préparée par plusieurs passages qui affirment que l'homme sensuel ou injuste déforme son âme et l'enlaidit (*Gorgias*, 524 *d* sqq.), la revêt d'une sorte de corporalité qui l'empêche de s'élever aux cieux (*Rép.*, X, 611 *d*-612 *a*) et lui inflige ainsi le sort d'un revenant (*Phédon*, 81 *a*-82 *b*); Plotin sera encore plus explicite, en affirmant qu' « en général l'âme est et devient la chose dont elle se souvient » [2]. L'exploitation de cette psychologie pour une théorie du karma ne manque pas, bien qu'elle soit assez sommairement indiquée : dans le *Phédon* (248 *c*-249 *b*), à propos du décret d'Adrastée, et dans la *République*, X (617 *a*-621 *d*), à propos du « choix » des vies futures par les âmes qui s'incarneront, il apparaît clairement que l'avenir, lors de la renaissance, dépend des penchants

---

1. 324 *ab*: « ... *Personne, en effet, en punissant un coupable, n'a en vue ni ne prend pour mobile le fait même de la faute commise, à moins de s'abandonner comme une bête féroce à une vengeance dénuée de raison : celui qui a souci de punir intelligemment ne frappe pas à cause du passé — car ce qui est fait est fait — mais en prévision de l'avenir, afin que ni le coupable ni les témoins de sa punition ne soient tentés de recommencer* » (trad. Croiset).
2. *Enn.*, IV, 4, 3. Cf., *ibid.* : « *ainsi quand* [l'imagination] *voit des choses sensibles, elle acquiert la même étendue que ce qu'elle regarde* ». Et IV, 4, 4 : « *Il faut bien comprendre que le souvenir existe non seulement quand on perçoit actuellement qu'on se souvient, mais encore dans les dispositions de l'âme qui suivent les impressions ou les connaissances antérieures; il peut arriver que l'âme possède ces dispositions sans en avoir conscience, et elles ont beaucoup plus de force que si elle les connaissait; quand elle sait qu'elle a une disposition, elle est sans doute différente elle-même de cette disposition: mais si elle ignore qu'elle la possède, elle risque d'être elle-même ce qu'elle possède; ce sont ces affections ignorées d'elle qui la font surtout déchoir* » (trad. Bréhier). Cf. plus haut, p. 92, Ficin sur la nécessité de « veiller ».

acquis dans l'existence précédente. Il suffisait, pour christianiser le thème, de remplacer l'existence terrestre réincarnée (*Cc*) par le lieu de la rétribution future (*AI*), ce qui allait presque de soi; en tout cas, soit que l'on adopte l'alternance platonicienne de mises à l'épreuve et de punitions médicinales limitées dans le temps (*Cc* et *Ba*), soit que l'on refuse la métempsycose et le mythe du choix, il suffit de conserver le principe du karma pour satisfaire l'essentiel, le postulat *A* : « Chacun est responsable, Dieu ne l'est pas » (*Rép.*, X, 617 *e*).

Ne manque à cet ensemble qu'une seule pièce importante : l'interprétation spirituelle des peines de l'Enfer (les diverses hypothèses *Ca* et *Cb*). Elle suppose notamment une théorie plus développée de l' « esprit fantastique », nécessaire pour établir son identité avec le « vêtement » alourdi et demi-corporel de l'âme pécheresse, et pour déduire de là que les peines de l'Enfer sont « imaginaires ». Ces éléments manquants ont été fournis en vrac par les néo-platoniciens, surtout Porphyre et Synesius [1], appuyés d'ailleurs par la tradition de la démonologie.

Mais les mêmes néo-platoniciens constituaient aussi une source de perplexité pour les commentateurs chrétiens, car ils avaient tendance à confondre l'incarnation de l'âme, surtout dans le cas de la métempsycose, avec le châtiment, ou la matière avec l'Enfer (*IIIb*). Platon les distingue le plus souvent, mais le *Phédon* (81 *a*-82 *b*), avec sa théorie des revenants, favorise l'identification. L'habitude de décrire l'incarnation en termes de chute était absolument normale et courante dans une ambiance néo-platonicienne [2]; la vie terrestre était donc elle-même punition et mise à l'épreuve; une variante, née dans les cercles hermétiques, remplaça la métensomatose par un lien magique rattachant l'âme défunte à la matière (*Cb3* [3]). On peut à ce propos rappeler la thèse gnostisante que la création du monde matériel était une conséquence de la chute d'Adam. Et ce sont en effet les résidus

---

1. Cf. E. R. Dodds, *op. cit.* ; G. Verbeke, *L'Évolution de la doctrine du pneuma, du stoïcisme à saint Augustin*, Paris-Louvain, 1945; M. W. Bundy, *The theory of imagination in classical and mediaeval thought*, Illinois Univ. Press, 1927; Aug. Fitzgerald, *The essays and hymns of Synesius of Cyrene*, Londres, 1930, 2 vol.; C. R. Kessling, « The ochemapneuma of the neoplatonists », dans *Amer. Journ. of Philology*, 43, 1922, 319-330.
Voir *supra*, « L'imagination comme vêtement de l'âme ».
2. P. ex., Aristide Quintilien, *De musica*, II, 17 : « *Mais lorsque, du fait de son inclination vers le monde d'ici-bas,* [l'âme] *se met à accueillir des images issues des choses de la terre, peu à peu elle oublie les beaux objets de là-haut et, du même coup, s'enfonce.* » Cf. Festugière, dans *Transaction of the American Philol. Assoc.*, 35, 1954, p. 56.
3. Voir *supra*, p. 87, et p. 91, n. 4.

gnostiques chez Origène, ou attribués à Origène par saint
Jérôme, qui marquent la deuxième étape dans l'histoire de
l'eschatologie « platonique ».

b. *L'origénisme.*

Il faudrait, pour retracer le cheminement de ces idées dans
la patristique et le Moyen Age chrétien et musulman, une
compétence qui me dépasse. Quelques repères, notés un peu
au hasard, suffiront peut-être pour marquer en gros la continuité de la tradition et les voies qu'elle emprunte.

Chez Origène, déjà, l'ensemble est constitué[1] avec le
postulat *A* dûment pris comme point de départ : chaque
pécheur prépare lui-même par ses actes le feu infernal qui le
tourmentera. Sa plus grande douleur sera le remords, la
conscience du mal fait (*Ca3*). Il se représentera sans cesse
ses péchés, et sera son propre accusateur et témoin. Les
souffrances sont donc psychiques et « imaginaires » (causées
par la faculté de la représentation sensible); et Origène, qui
craint l'accusation de la pitié impie, souligne qu'elles n'en
seront pas pour cela moins intenses[2]; de toute façon, elles
sont ainsi appropriées au délit. Il s'ajoute la douleur d'être
retranché de l'ordre divin du cosmos, et de sentir sa propre
disharmonie[3]. Après avoir affirmé avec force que l'Enfer doit
améliorer les âmes punies (*Ba*) — ce qui suppose qu'il n'est
pas éternel — Origène passe à l'interprétation des endroits
de l'Écriture qui s'y rapportent, et insinue, dans son commentaire des « ténèbres extérieures », la possibilité de la métempsycose.

Cette dernière idée ne se lit d'ailleurs que dans la traduction
que donne de ce passage saint Jérôme; et Jérôme dénonce
d'autre part la doctrine de la préexistence des âmes, la
rédemption universelle à la fin du cycle de la création, l'affirmation que l'âme punie peut changer d'état, au cours même

1. *De principiis*, II, x, 4-8, que nous résumons ici; à compléter par les
textes sur l'apokatastase, surtout I, vi, et par les réfutations de saint Jérôme,
surtout *Epist. CXXIV ad Avitum*, Patr. lat., XXII, 1061 sq., qui donne de
plusieurs passages une version latine bien plus hétérodoxe que celle de Rufin;
le texte grec est, comme on sait, perdu.
2. Cf. Ficin, *supra*, p. 91, n. 5. La comparaison avec les passions douloureuses,
comme l'amour, est commune à Origène et au traité hermétique, X, 20.
Dans les deux cas, la raison de l'analogie est la thèse platonicienne et
stoïcienne, que la plus grande punition de l'âme impie est son impiété même.
3. Idée reprise par Ficin, avec indication expresse de la source, *supra*,
p. 92 et n. 1. Voir *infra*, p. 103, n. 1, pour la ressemblance avec Avicenne.

de ses peines, par l'effet de sa conduite, et enfin l'hypothèse
que le monde matériel lui-même est le lieu de l'expiation
(*IIIb*), les esprits déchus ayant reçu pour leurs fautes des
corps éthérés, aériens ou de chair, suivant la gravité de leurs
péchés [1]. Pour les démons aussi, Origène invente une peine
d'ordre spirituel : leur grand tourment est de voir se convertir
les âmes qu'ils voulaient corrompre [2]. Mais il ne semble pas
certain qu'Origène ait voulu faire de la terre, Enfer relatif
des esprits déchus, l'Enfer absolu des âmes humaines.

Dans tout cela, c'est l'apokatastase, le salut final de toutes
les âmes, Satan compris, qui fit le plus de scandale; aujour-
d'hui encore, quand on parle d'origénisme, on songe tout
d'abord à cette thèse. Mais elle est marginale dans notre
contexte, et comme son histoire diffère beaucoup de celle du
reste de la doctrine, nous devons la laisser ici de côté.

Saint Augustin, qui n'est pas entièrement hostile à l'interprétation spirituelle des châtiments infernaux, apporte comme
principale nouveauté la comparaison avec le rêve. Elle n'est
pas inattendue ici, car le théoricien néo-platonicien du rêve,
Synesius, avait fourni des indications presque contraignantes,
en précisant que les visions du sommeil sont perçues par le
spiritus phantasticus, l'enveloppe qui migre avec l'âme pendant
l'extase dans les cieux. Il est donc naturel qu'Augustin ait
pensé au rêve lorsqu'il lui fallut expliquer comment les démons
sans corps combustible et les âmes humaines avant la résurrection de la chair peuvent souffrir les tourments d'un feu
également incorporel [3]. L'indication ne sera pas perdue pour
les humanistes de la Renaissance.

Des traces d'origénisme subsistent çà et là chez plusieurs
auteurs médiévaux; outre l'apokatastase, beaucoup discutée
par les Pères, on se souvient surtout de la préexistence des
âmes et de leur chute à travers les cieux (avec comme conséquence la localisation de l'Enfer sur la terre) : affirmations
relevées, sous des formes plus ou moins hypothétiques ou
allusives, par Boèce, Guillaume de Conches, Bernard Silvestre,
et dans le commentaire de l'Énéide attribué à Nicolas Trivet [4].
Plus largement acceptée fut la doctrine du feu métaphorique

1. Saint Jérôme, *Liber contra Joannem Hierosol.*, *Patr. lat.*, XXIII, 368.
Cf. Augustin, *De Genesi ad litteram*, XII, 32 (*Patr. lat.*, XXXIV,'481): *Nec
audiendi sunt, qui affirmant inferos in hac vita explicari, nec esse post mortem.*
2. Origène, *In Numeros*, Homil., 27.
3. *De Genesi ad litteram*, loc. cit.; *Civit. Dei*, XXI, 10, *Patr. lat.*, XLI, 725.
4. M.-Th. d'Alverny, « Les pérégrinations de l'âme dans l'autre monde,
d'après un anonyme de la fin du XIIᵉ siècle », dans *Archives d'histoire doctrinale et littéraire du Moyen Age*, XV-XVII, 1940-1942, p. 239-300; voir p. 259
sq. et notes.

ou spirituel, qui n'entraîne pas forcément tout le reste des
thèses d'Origène, et que l'on trouve souvent réaffirmée jusqu'à
nos jours. Mais le témoin principal de l'eschatologie origéniste
est bien entendu Jean Scot [1].

Sa position est nette. *Nihil aliud esse poenas peccatorum,
nisi peccata eorum,* commence-t-il; ce qui est l'énoncé le plus
radical du postulat *A,* sans parallèle depuis les Stoïciens ou
Hermès Trismégiste (*Tr.,* X, 20), et tout à fait propre, en
vérité, à rendre l'Enfer superflu. Il s'agit pour Jean Scot
d'écarter, comme Platon, la responsabilité de Dieu : *nulla
natura naturam punit.* Ce n'est pas une nature, en effet, qui
est punie, mais seulement une volonté perverse, c'est-à-dire
un non-être; et toute la punition de l'âme est d'obtenir ce
qu'elle a voulu, l'absence de Dieu, la *poena damni* [2]. La différence entre le bonheur du méchant ici et sa misère au-delà
n'est guère qu'apparente : dès cette vie, le péché *intrinsecus
se ipse punit,* et ne délecte qu'extérieurement; après la mort,
cette délectation révèle aussi son vrai visage et devient
douleur [3].

Une note, à ma connaissance originale, est apportée par la
théorie de l'identité entre le feu qui embrase les bienheureux
et celui dont souffrent les damnés. L'effet sur chaque âme
dépend de l'état de santé de celle-ci. Ainsi la responsabilité
de Dieu, même globale, est complètement dégagée : il n'a pas
créé d'Enfer (le titre même du chapitre de Jean Scot est :
« Cur Deus dicitur praedestinasse poenas, cum eas non faciat,
nec praedestinet ») : l'automatisme des peines et leur adaptation aux péchés sont cependant garantis une fois pour
toutes [4]. L'hypothèse *IIIb* est maintenue, dans les mêmes
limites que chez Origène : la terre est le lieu de chute des âmes
préexistantes. La mention des corps éthéré et aérien comme
états intermédiaires pour les esprits ayant péché légèrement
— idée directement empruntée à une thèse d'Origène condamnée par Jérôme — pouvait suggérer l'hypothèse *C,* qui
cependant n'est pas formulée.

c. *L'avicennisme.*

Le problème se posait en termes légèrement différents pour
les Arabes, qui avaient à compter avec une tradition où non

1. *Liber de praedestinatione,* chap. xvi-xvii, *Patr. lat.,* CXXII, 417-425.
2. La *poena sensus* est affirmée ailleurs, *ibid.,* cap. xix, col. 436, mais assez
ingénieusement « immanentisée »; voir l'alinéa suivant.
3. Cf. Ficin, *supra,* 89, n. 1.
4. Cf. Ficin, *supra,* 90, n. 1, et la *Théol. plat.,* XVIII, 10, 423-424 (*supra,* p. 93).

seulement les peines, mais aussi bien les récompenses futures, étaient d'ordre physique. Les spéculations sur l'au-delà n'ont donc pas pour premier but la conciliation des données du Coran avec l'exigence d'une justice immanente, mais l'invention d'un commentaire qui permet de spiritualiser à la fois le Ciel et l'Enfer.

Avicenne, le plus connu des philosophes arabes qui attaquèrent la question, accorde dans la *Métaphysique* au sens littéral de la Révélation le rang d'une vérité de foi indémontrable, qu'il faut conserver à côté d'une interprétation rationnelle qui en spiritualise les données [1]. Ailleurs, dans le *Compendium de anima*, qui ne fut connu en traduction qu'au XVIᵉ siècle, il prend une position plus radicale, que Mˡˡᵉ d'Alverny a qualifiée de voltairienne [2], refusant toute créance aux descriptions « matérialistes » de l'au-delà; ce qui tend à montrer que du côté musulman aussi, l'explication platonisante des sanctions futures frisait l'hétérodoxie.

L'idée directrice d'Avicenne n'est pas, comme chez la plupart des chrétiens, le besoin de disculper le Créateur de l'Enfer, mais, comme dans le *Corpus hermeticum*, X, 8, une vraie eschatologie de la connaissance. La béatitude de l'âme est la contemplation, son malheur est l'ignorance : c'est sur ce plan que se joue son sort, la possibilité pour elle d'atteindre ou non sa perfection naturelle. Or elle ne peut « apprendre » que grâce au corps; l'état de l'âme après la mort, heureux ou non, est donc définitif [3]. Si durant sa vie, elle a toujours eu le désir des choses divines, elle montera au ciel; sinon, si elle s'est attachée au corps, elle restera toujours liée à la matière.

Tout dépend donc des habitudes prises durant la vie terrestre. La doctrine du *spiritus phantasticus*, très familière aux Arabes (c'est par eux qu'elle parvint aux psychologues et aux magiciens latins) se prêtait naturellement à l'explication du processus. Les peines posthumes, surtout, apparaissent comme « imaginaires » — affirmation assortie d'habitude de la remarque qu'elles sont par là même plus vives; et Avicenne va jusqu'à suggérer la thèse « libertine » (*Cb2*) des cauchemars infernaux. Mais chez lui, ainsi que chez

---

1. *Metaphys.*, IX, 7. Texte consulté : l'édition latine, Venise, 1495. L'Occident latin cite en outre Alfarabi, Algazel et Avencebrol.
2. *Compendium de anima*, trad. Andrea Alpago da Belluno, 1546.
3. *Metaphys.*, loc. cit.: [Anima] *postquam fuerit separata, si nondum adepta fuit id quo post separationem perveniet ad perfectionem, incidit in hanc manieram laboris aeterni, eo quod presentia habitus scientialis non acquiruntur nisi per corpus tantum, sed corpus iam non est.*

Algazel qui le résume[1], une autre peine joue un rôle plus considérable (*Cb*1) : l'âme habituée au corps souffre de ne plus pouvoir s'en servir. L'importance de cet élément vient du fait que, dans l'optique de la théorie du savoir libérateur, le corps est le seul instrument du salut; d'autre part, cela permet de limiter la durée des châtiments, à la faveur de la vérité primaire que les désirs restés vains s'effacent avec le temps, et que l'âme peut se déshabituer de tout; elle cesse, du même coup, de souffrir de ce désaccord intime (*Ca*2) qui vient de l'opposition entre sa destination naturelle et ses penchants acquis — souffrance d'ailleurs présente déjà chez le pécheur vivant, mais masquée, jusqu'à sa mort, par le bruit des sensations[2].

Le système ne peut évidemment guère admettre les joies sensibles du Paradis. Avicenne assure qu'elles sont, de toute manière, bien inférieures à la béatitude de la contemplation, Algazel[3] leur désigne une place et une fonction : selon lui, l'homme ignorant mais juste se représente sa récompense en faisant appel à l'imagination; or *imaginatio non potest fieri nisi per corpus;* il aura donc le Paradis qu'il se dépeint (cf. le châtiment *Cb*2). Le pire sort n'est pas réservé à l'ignorant injuste, mais à celui qui sait et pèche quand même (parallèle exact du chrétien pécheur, qui fit l'objet d'une discussion entre les Pères; l'opinion condamnée dite *miséricordisme* soutenait le salut final non des païens justes, mais des coupables baptisés. C'était donner de l'eschatologie du savoir une interprétation bien plus étroite que les Arabes).

Il est facile de voir maintenant ce que Ficin doit à la tradition d'Origène-Jean Scot et à celle d'Avicenne-Algazel[4]. A la première, il emprunte le point de départ explicite, les postulats *A* et *B* de sa théodicée; à la seconde, la conclusion qu'il attribue en bloc aux *prisci theologi*[5]: que le sort de l'âme dépend de sa capacité de s'éveiller pendant qu'elle est encore dans le corps. La synthèse des deux éléments n'est nullement artificielle; Ficin a pu la trouver toute faite chez Hermès (*Tr.*, X). Propres à ses sources chrétiennes (renforcées par des éléments hermétiques) semblent ses allusions prudentes aux corollaires *IIa* et *IIb*, ainsi qu'aux peines *Ca*3

1. *Metaphys.*, II, v, 4 (éd. Muckle, Toronto, 1933, p. 186-188).
2. Cf. Ficin, *supra*, 89, n. 1, Jean Scot, *supra*, p. 100.
3. *Loc. cit.*
4. Sans poser ici la question de savoir dans quelle mesure Algazel adhère à la doctrine avicennienne qu'il reproduit, nous le citons ici surtout à cause de son rôle de diffuseur de ces idées dans l'Occident latin.
5. Voir *supra*, p. 92.

et *Cc;* les peines *Cb*1 et 2, relativement indépendantes du principe de la justice immanente, sont au contraire plus accentuées chez les Arabes. Seul *Cb*3 vient de l'*Asclepius.* L'essentiel, de toute façon, est commun à tous, et Ficin a pu sans doute s'émerveiller d'un accord si général entre l'ancien sage Hermès, le païen Platon, le chrétien Origène et le musulman Avicenne; de même qu'il ne manque pas de souligner l'accord des trois religions monothéistes sur la résurrection de la chair[1].

Concernant le roman de l'âme, la différence essentielle entre les deux traditions est qu'Origène et Jean Scot envisagent surtout l'incarnation-chute, alors qu'Avicenne et Algazel pensent aux possibilités d'ascension. D'où, chez les musulmans, l'insistance presque mécaniciste sur les conséquences futures de l'attachement ou du détachement de l'âme incarnée à la matière; chez les origénistes par contre domine une vision pneumatologique et hétérodoxe d'ensemble, qui embrasse au même titre les âmes préexistantes, les démons punis et les anges; elle concerne surtout les degrés de la descente[2]. Il faut attendre les traducteurs du xiie siècle pour que les différences s'effacent — d'ailleurs au détriment des derniers restes d'origénisme.

---

1. *Théol. plat.*, XVIII, 10, 416. Sur un point, secondaire il est vrai, la ressemblance entre Origène et l'avicennisme nous semble assez étonnante. Dans celui-ci, la séparation de l'âme avec l'intellect agent est conçue comme l'origine de la chute (Algazel, *Metaphys.*, II, v, 4); on est tenté de rapprocher Origène, *De principiis*, II, x, 7, sur la peine de ceux *quorum... separandus ab anima spiritus iudicatur.* La parabole de Luc, XII, 46, où une partie des serviteurs du maître absent est condamnée à partager « le sort des [*serviteurs*] infidèles », se rapporte selon Origène à l'amputation future de l'âme pécheresse : soit qu'elle sera séparée de l'Esprit-Saint, soit qu'elle sera divisée : *pars eius melior illa dicitur, quae ad imaginem Dei et similitudinem facta est; alia autem pars... utpote amica et chara materiae cum infidelium sorte mulctatur.* Il faut sans doute chercher la racine commune d'Avicenne et d'Origène dans la doctrine de la « descente de l'âme » pour s'incarner : le premier pense en est la séparation d'avec l'Ame du Monde ou, comme dit le *Traité* hermétique, X, 15, d'avec son « vrai soi ». Cela suppose évidemment la vision cosmologique de la chute; cf. la note suivante.

2. Origène, résumé par Jérôme, *Liber contra Joannem Hierosol., loc. cit.*: « [Origenes] *dixit cunctas rationabiles creaturas incorporales et invisibiles, si negligentiores fuerint, paulatim ad inferiora labi et juxta qualitates locorum ad quae defluant, assumere se corpora. Verbi gratia, primum aetherea, deinde aerea, cumque ad viciniam terrae venerint, crassioribus corporibus circumdari, novissime humanis carnibus alligari.* Cf. Jean Scot, *Liber de praedestinatione,* XVII, 7 : *Huic rationi additur, quod cum in aethereo corpore primum a Deo creatus sit* [apostata], *in quo nihil pati potuit, corpus ejus aethereum, postquam superbia intumuit, a supernis sedibus, videlicet aethereis, in hunc aerem humiditate crassum, caligine tenebrosum, perturbationibus passibilem detrusus est, ut et inde corpus meritis suis condignum ipsa nolente copularetur, ac per hoc in eo iniquitate sua torqueretur.* On peut comparer *Corp. hermet.*, X, 7-8.

d. *Les réponses latines.*

L'histoire de la réception de ces idées arabes dans l'Occident
latin a été faite avec soin par E. Cerulli [1]. Les apologistes
chrétiens reprochaient aux musulmans la matérialité de leur
Paradis; les réserves des platonisants arabes leur servaient
souvent de preuve que même les fidèles de Mahomet étaient
scandalisés par ces doctrines du prophète. Mais l'eschatologie
plus philosophique proposée par Avicenne était tout aussi
inacceptable pour les Latins, car elle spiritualisait du même
coup l'Enfer [2]. Avicenne répondait cependant trop bien à
certaines difficultés senties par les théologiens latins d'Occident, pour que sa ·doctrine restât tout à fait sans écho; la
question « technique » soulevée par Augustin, des « brûlures »
de l'âme désincarnée, a suscité des réponses que l'on dirait
avicennisantes avant la lettre [3]; plus tard, il devint usage
courant de mentionner dans les *Commentaires des Sentences*
(IV, dist. 44) les opinions arabes sur la nature des peines
infernales. La condamnation de 1277, qui visait aussi l'avicennisme latin, incluait la proposition 19 : *quod anima separata
nullo modo patitur ab igne* [4]; la liste des théologiens qui citent
et discutent avec plus ou moins d'exactitude les vues arabes
sur l'Enfer spiritualisé est assez longue chez Cerulli; seul un
anonyme est ouvertement favorable, mais les réfutations d'un
Richard de Middleton prouvent une méditation attentive
des sources en question [5] : il rappelle tant la peine de privation
des organes corporels ($Cb1$) que diverses formes de cauchemar
($Cb2$), qui supposent presque inévitablement l'idée que le
sujet des souffrances éternelles est l'imagination. Enfin
Thomas d'Aquin [6] a mis clairement en évidence la nature
commune des hétérodoxies chrétiennes et arabes, citées

1. « Il Libro della Scala e la questione delle fonti arabo-spagnuole della
Divina Commedia », Vatican, 1949 (*Studi e Testi*, 150). L'alinéa qui suit
repose essentiellement sur ses données.
2. Thomas d'Aquin fait remarquer qu'il convient que les âmes soient
récompensées par ce qui les élève, des joies spirituelles, mais châtiées par ce
qui les abaisse, des douleurs corporelles (*De veritate*, qu. 26, art. 1).
3. Hugues de Saint-Victor, *De sacramentis*, II, 16, 3; *Patr. lat.*, CLXXVI,
584 sq. : *Quidam putant animas corporalibus poenis cruciari non posse, nisi
per corpora et in corporibus manentes. Quapropter a corporibus exutas animas
nullas alias poenas sustinere credunt, nisi eas solum quas conscientia intus
accusatrix irrogat.* A vrai dire, cette position (*Ca3*) ne semble pas se trouver
exactement chez les Arabes, et peut être qualifiée théoriquement d'origéniste.
4. N. 219 dans Mandonnet, *Siger de Brabant*, 2e éd., 1908, t. II, 191. C'est
la thèse même que visait déjà Hugues de Saint-Victor; voir la note précédente.
5. *Comm. Sent.*, IV, dist. 44, art. 2, qu. ix, concl.; éd. Brescia, 1591, p. 591.
6. *Loc. cit.*

conjointement dans sa polémique : Origène-Algazel, qui réduisent le châtiment infernal au remords et à la peine du dam, et Augustin-Avicenne, qui en font une sorte de cauchemar.

L'anonyme avicenniste mentionné ci-dessus présente un intérêt particulier dans ce contexte. Par chance, son bref manuscrit sur les pérégrinations de l'âme a été édité par Mlle d'Alverny avec une présentation et un commentaire où il nous suffira de puiser [1]. L'auteur, qui écrivit à la fin du XIIe siècle, était familier avec le néo-platonisme interconfessionnel qui fut quelque temps et en partie la philosophie des traducteurs. Son eschatologie est bizarre : il distingue dans l'âme des *dispositiones* échelonnées, dix paradisiaques et autant d'infernales ; une *dispositio* moyenne ou neutre (correspondant sans doute aux Limbes, comme plus tard chez Ficin) est mentionnée en passant. Il faut comprendre que ces *dispositiones* sont des états de damnation ou de béatitude plus ou moins profonds, étant toutefois entendu que les peines aussi bien que les joies sont exclusivement spirituelles, et surtout que le passage d'un état à l'autre est toujours possible. Les degrés infernaux sont associés aux cieux planétaires, et le fond de la damnation est atteint quand l'âme est liée à la matière terrestre : elle souffre alors d'une agitation perpétuelle qui n'est autre que celle du dernier enfer : par opposition à toutes les autres *dispositiones*, celle-ci est en effet éternelle (*Cb3*). Mlle d'Alverny a reconnu ici une idée hermétique, dont l'écho se rencontre d'autre part chez Ficin [2]. Le thème caractéristique et répandu de la descente par les cieux planétaires a dû venir de l'Orient gnostique par les voies connues, Macrobe, magie arabe... ; mais il me semble que l'assimilation de cette descente aux degrés d'une damnation, dans un Enfer relatif où l'âme peut passer d'une *dispositio* à l'autre, n'est que la doctrine d'Origène telle qu'elle fut présentée et combattue par saint Jérôme [3]. Il convient de remarquer que le mythe cosmologique de la chute de l'âme servit primitivement à expliquer les influences astrales et le karma du nouveau-né ; les « dons des planètes » tissaient autour de l'âme un vêtement qui tenait à la fois le rôle du karma et du corps subtil, par exemple chez Macrobe. Ainsi apparaît, mais en filigrane seulement, la pneumatologie qui manque chez cet auteur pour compléter le système.

1. Art. cité, *supra*, p. 99, n. 4.
2. *Supra*, p. 91, et n. 4.
3. Voir *supra*, p. 98-99 et p. 103, n. 2.

e. *Le thème du « vêtement de l'âme ».*

On le trouve explicitement dans une autre tradition, qui souvent interfère avec celle-ci, et qui a également ses racines dans la gnose et dans le platonisme : la doctrine de l'imagination comme adversaire de l'âme. Son thème fondamental est formulé par Plotin : « l'âme est et devient la chose dont elle se souvient » [1]. L'imagination sensible la remplit de représentations d'objets matériels et bloque ainsi son ascension, empêchant sa libération future. Le livre gnostique *Pistis Sophia* (inconnu au Moyen Age) raconte qu'une sorte de *spiritus*, l'*antimimon pneuma*, est rattaché à l'âme et l'oblige, si elle lui obéit, à la réincarnation future; si elle sait se soustraire à son emprise, elle remontera au ciel [2].

Le point intéressant est ici, comme chez Plotin, l'action presque physique de l'imagination : elle entoure l'âme comme d'un mur de matière ou de demi-matière. C'est ainsi, sans doute, qu'il faut entendre le mécanisme de la justice immanente chez Isaac Israeli, un médecin philosophe du ixe-xe siècle, qui écrit, en gros, que « les péchés » pèsent sur l'âme défunte et la lient pour toujours à la terre, où elle sera en proie aux agitations des éléments, selon l'eschatologie hermétique des *Pérégrinations* et de Ficin [3]. Les Arabes avaient reconnu à l'imagination une *vis immutandi res* qui causait les phénomènes magiques et, entre autres, le mauvais œil; c'était une des « erreurs philosophiques » qu'on leur reprochait [4]; mais les esprits forts et quelques autres aussi s'empressèrent d'admettre l'explication. Il y a sans doute un lien sous-entendu entre la magie de la *phantasia* et son rôle dans l'eschatologie de Hugues de Saint-Victor, qui met enfin les points sur les *i* et, retournant inexplicablement à un néo-platonisme plus proche de l'antique, introduit le corps subtil de

1. *Supra*, p. 96 et n. 2.
2. H. Leisegang, *La Gnose*, trad. française, 1951, p. 258.
3. *Qui vero non fecerint quae praecepta racionalia afferunt quae Deus demonstravit bonis, ... sordidebunt eum peccata sua... et deproment et gravebunt ipsum ab ascensione ad saecula veritatis... et remanebit comprehensus sub orbe in igne magno et flamma cruciatus* (Isaac Israeli, *Liber de definicionibus*, éd. Muckle, *Arch. hist. doctr. litt. M.A.*, 1937-1938, p. 305; cité par M.-Th. d'Alverny, *op. cit.*, p. 296, n. 9). Cf. *supra*, p. 97, n. 2, un lieu commun semblable, mais philosophique et non théologique, chez Aristide Quintilien.
4. P. ex., Egidio Colonna, *De erroribus philosophorum*, éd. Koch, 1914, § 16 : *De erroribus Algazelis : Ulterius erravit circa actionem animae nostrae, ponens animam per imaginationem nostram operari in corpore alieno*, et § 6-7 :*Errores Alkindi : Quod substantia spiritualis per solam imaginationem potest veras formas inducere... Quod per solum desiderium spiritualis substantiae, formae inducuntur.* Les mêmes protestations chez Thomas d'Aquin et ailleurs.

l'imagination là où l'auteur des *Pérégrinations* ou Isaac Israeli le laissaient seulement supposer : *Ipsa quippe anima, in quantum delectatione corporis afficitur quasi corpulentiam trahens, in eadem phantasiis imaginationum corporalium deformatur* [1] *eisdemque alteimpressis etiam soluta corpore non exuitur. Quae vero in hac vita se ab ejusmodi faeculentia mundare studuerint, hinc exeuntes, quia nihil corporeum secum trahunt, a corporali passione immunes persistunt. ... Et siquidem ratio ipsa sola contemplatione eam susceperit, quasi vestimentum ei est ipsa imaginatio extra eam et circa eam, quo facile exui et spoliari possit. Si vero etiam delectatione illi adhaeserit, quasi pellis ei fit ipsa imaginatio.* Cette « peau » empêche le salut [2]. C'est la thèse que Ficin retrouvera dans les sources grecques. Hugues est cependant muet sur les conséquences immédiates de sa théorie pour l'état de l'âme condamnée, car il n'avait guère le choix qu'entre des hétérodoxies : nature imaginaire des peines (doctrine qu'il repousse expressément) [3], ou métempsycose, ou damnation éternelle dans la terre-Enfer [4].

On a remarqué des traces de quasi-origénisme dans la doctrine du corps subtil de l'âme, exposée par Stace dans le Purgatoire dantesque (ch. XXV), à propos de la difficulté classique depuis Augustin : de quelle nature est la souffrance physique des damnés avant la résurrection de la chair [5] ? Mais *La Divine Comédie* ne se propose ni de donner aux sanctions posthumes un caractère strict de justice immanente, ni de spiritualiser les peines; la théorie vise, au contraire, à

---

1. Plotin, cité *supra*, p. 96.
2. *Patr. lat.*, 177, col. 288. (J'ai légèrement modifié la ponctuation de Migne, et notamment placé après *susceperit* la virgule qui se trouvait après *vestimentum*.) Il me serait impossible d'indiquer des sources précises. Hugues de Saint-Victor a pu se servir, en la modifiant, de la thèse d'Origène reproduite et condamnée par saint Jérôme, *Contra Joannem Hierosol., loc. cit.* — l'emploi métaphorique semblable de *Scala Jacob* dans les deux textes serait un indice. Mais cette référence n'explique pas tout, et l'ensemble est, pour l'époque (avant la connaissance d'Avicenne) très surprenant.
3. Voir *supra*, p. 104, n. 3.
4. L'espèce de lutte suggérée par Hugues entre l'âme imaginante, encrassée de matière, et l'intellect qui désire s'en séparer, est un topos ancien et inusable; quelques vers célèbres du *Faust*, I, 1, 2 semblent encore conserver la conscience de sa portée métaphysique :

> Zwei Seelen wohnen, ach, in meiner Brust
> Die eine will sich von der andern trennen;
> Die eine hält in derber Liebeslust
> Sich an die Welt mit klammernden Organen;
> Die andre hebt gewaltsam sich vom Dust
> Zu den Gefilden hoher Ahnen.

5. La situation n'est plus la même après le Jugement; cf. *Inferno*, VI, 103-111.

sauvegarder leur caractère physique, du moins *ex parte subjecti*. Malgré l'usage que Ficin a pu en faire, l' « origénisme » de Dante est plutôt accessoire et extérieur[1], bien que, sur le point précis de la théorie de l'imagination, d'autres endroits aussi (*Purg.*, XVII, 13-18; *Conv.*, II, VIII, 13) montrent d'indéniables influences médiates du néo-platonisme[2].

1. *Purg.*, XXV, 79-108.

> *Quando Lachesi non ha più del lino*
> *solvesi* [l'anima] *dalla carne, ed in virtute*
> *ne porta seco l'umano* [âme végétative et sensitive] *e'l divino*
> [âme rationnelle]
> *l'altre potenze tutte quante mute ;*
> *memoria, intelligenza e voluntate*
> *in atto molto più che prima agute* (cf. Ficin, *supra*, 91, n. 5)
> *Sanza restarsi, per se stessa cade*
> *mirabilmente all'una delle rive*

(Ce *per se stessa* est peut-être le seul trait d'immanentisme; on peut penser au mécanisme décrit entre autres par Hugues de Saint-Victor. Cf. aussi le passage de Ficin cité p. 90, n. 1. Mais il ne faut pas trop solliciter cette expression, qui pourrait aussi vouloir dire : « de son propre mouvement ». De toute façon, *mirabilmente* doit se référer à une ordonnance divine préalable et générale.)

> *quivi conosce prima le sue strade.*
> *Tosto che loco li la circumscrive*
> *la virtù informativa raggia intorno*
> *così e quanto nelle membra vive.*

(Cf. Origène, *De princ.*, II, x, 3 : le corps ressuscité sera produit par une *insita ratio... quae... substantiam continet corporalem*, un *logos spermatikos*. Ce rapprochement ne prétend naturellement pas établir une filiation.)

> *e come l'aere, quand'è ben piorno*
> *per l'altrui raggio, che'n sè si riflette*
> *di diversi color diventa adorno*
> *così l'aere vicin quivi si mette*
> *in quella forma che in lui suggella*
> *virtualmente l'alma che ristette.*

(Ad. Faggi, « A proposito di due passi danteschi », dans *Atti R. Accad. Sc. Torino*, 1932-1933, 484-496, souligne l'incompatibilité de cette explication avec Aristote, puisque l'âme ne peut pas informer un corps non organisé; il note la contradiction avec Thomas d'Aquin, et la différence avec la solution d'Augustin. Il relève une parenté, bien entendu fortuite, avec Plotin, IV, 4, 5. L'idée du « corps aérien » est évidemment conforme à la tradition origénienne et donc platonisante. Ficin, avec son éclectisme coutumier, a repris ce thème dantesque sans y rien changer : voir *supra*, p. 91, n. 1 et 2.)

> *... Pero che quindi ha* [l'alma] *poscia sua paruta*
> *è chiamat'ombra, e quindi organa poi*
> *ciascun sentire infino a la veduta.*

(Les damnés reçoivent donc des sens réels, qui s'exercent réellement. Cela enlève toute portée profonde aux traits « origéniens » ou « avicenniens » de ce passage.)

> *... Secondo che ci affigono i disiri*
> *e li altri affetti, l'ombra si figura...*

(Cf. Porphyre, *supra*, p. 91, n. 2.)

2. Bruno Nardi, *Dante e la cultura medievale*, Bari 1949, p. 174, à propos de l'action directe des esprits purs (intelligences motrices des astres) sur l'imagination, sans intervention des impressions sensibles. Sur la punition des suicidés et son rapport avec ces problèmes, voir *infra*, p. 110.

III. DÉVELOPPEMENTS

a. *Une phrase de Léonard.*

Dans un article sur Ficin et l'art de la Renaissance[1], M. Ivanov a rapproché deux textes sur la nature de l'union entre l'âme et le corps; l'un de Ficin : *Corpora animis suis et junguntur avidissime, et ab eis molestissime sejunguntur*[2]; l'autre de Léonard : *L'anima desidera stare col suo corpo, perchè senza li strumenti organici di tal corpo nulla può operare nè sentire*[3]. La ressemblance de ces phrases est trompeuse; A. Chastel a fait remarquer qu'elles sont contraires, et que leur opposition est tout à fait significative pour les philosophies des deux auteurs[4] : Ficin parle de l'attachement du corps pour l'âme; la crainte de la mort apparaît dans ce contexte comme quelque chose de purement physique. Léonard renverse les termes, disant que c'est l'âme qui désire rester avec le corps : la mort serait donc une privation pour elle. La sentence était précédée de la prémisse : *Ogni parte ha inclinatione di ricongiugnersi al suo tutto per fuggire dalla sua imperfetione*, c'est-à-dire l'axiome dont on se servait pour prouver que le destin naturel de l'âme n'était pas le bonheur physique, mais au contraire la béatitude éternelle. Ici encore, Léonard prenait donc sciemment le contre-pied de la philosophie spiritualiste, avec une entière conviction, et sans intention parodique : ses « éloges de l'œil » montrent assez que le bonheur de l'exercice des sens n'était pas pour lui un vain mot.

Il se classait ainsi lui-même dans la catégorie des pécheurs qu'attendait au-delà, selon les platoniciens, un châtiment tantalique; le tourment des facultés sensibles inemployées

1. *Revue d'esthétique*, I, 1948, 3.
2. *Comm. in Convivium Platonis de Amore*, III, 1 (éd. R. Marcel, Paris, 1956, p. 160).
3. Cod. Atl. 59 r°, éd. Richter, § 1142. G. Fumagalli, « Leonardo e le favole antiche », *V Congr. Internaz. di Studi sul Rinascimento : Il mondo antico nel Rinascimento*, Florence, 1958, 111-147, p. 145, n. 2, suppose qu'*anima* pourrait signifier ici l'âme vitale, puisque Léonard parle ailleurs (ms. Ar. 156 v°) de l' « âme » (rationnelle) qui désire retourner à son Créateur. Mais selon cette interprétation, l' « âme vitale » pourrait être pensée à la fois sans le corps et sans l'âme rationnelle, ce qui impliquerait l'immortalité des animaux.
4. André Chastel, « Léonard et la culture », dans *Leonardo da Vinci et l'expérience scientifique au XVIe siècle*, Colloque internat. du C.N.R.S., Paris, 1953, 251-263.

faute de corps (*Cb*1); il affirmait presque que c'est la condition
naturelle de toutes les âmes défuntes. Mais l'anathème
qu'aurait pu lui jeter Ficin est compensé, de manière inattendue, par l'approbation de la tradition catholique : les défenseurs de la résurrection de la chair n'omettent jamais
d'appuyer le dogme sur une considération sur la nature de
l'âme, dont la perfection serait inconcevable sans le corps.
Le premier que l'on pourrait citer à l'appui de Léonard n'est
personne d'autre que Tertullien [1], mais la liste est inépuisable,
puisqu'il s'agit d'un lieu commun apologétique [2]. Algazel,
qui développe complaisamment l'argument *Cb*1, belle illustration de la justice immanente [3] — et il est fidèlement
suivi, sur ce point, par l'auteur des *Pérégrinations* [4] — est
pris à partie par Richard de Middleton [5]. Pour les uns et les
autres, il est clair que l'âme séparée du corps peut souffrir
de ne pas l'avoir; mais si les traditionalistes considèrent cette
situation comme naturelle et commune (à laquelle Dieu
apporte le remède de la résurrection), les platonisants en font
un châtiment spécial. Dante, encore une fois, reprend ici un
thème « origéniste » pour le retourner en faveur de la tradition;
dans l'*Enfer* XIII, 93-108, Pier delle Vigne explique le sort
posthume des suicidés : leur âme restera extérieure à leur
corps ressuscité, *chè non è giusto aver ciò ch'om si toglie* [6].
Au lieu d'être réservée à ceux qui aimaient trop leur chair,
la peine frappe ceux qui l'aimaient trop peu; et c'est Ficin
plutôt que Léonard qui pouvait se sentir visé [7].

---

1. *De resurrectione carnis*, chap. VII; *Patr. lat.*, 2, 805 : ... *atque adeo totum
vivere animae carnis est, ut non vivere animae nihil aliud est, quam a carne
devertere.*
2. Saint Bonaventure, surtout, s'étend longuement et à plusieurs reprises
sur ce sujet. Notons encore qu'on prouve toujours que l'âme doit retrouver
son propre corps et pas un autre, pour satisfaire pleinement son penchant
naturel (l'opinion contraire fut reprochée aux sociniens comme hérétique).
3. *Metaphys.*, II, v, 4, éd. cit., p. 186-187.
4. Éd. cit., p. 294 : *Prima* [dispositio infernalis] *est ut non possit operari
anima quod vult, quia non habet obediens sibi nec cui imperet, nec proprias
operationes secundum creationem exercere potest, et cum hoc cupiat et non
possit, torquetur.*
5. *Loc. cit.*, p. 591. Le rapprochement entre les *Pérégrinations* et Algazel
est fait par M.-Th. d'Alverny; Richard de Middleton est cité par Cerulli.
6. Au *Purgat.*, XXV, 20-27, la faim qui tenaille l'ombre des *golosi* est
rendue plausible par l'exemple de la bûche de Méléagre et par celui des
images spéculaires : la relation corps-âme n'a pas besoin d'être « locale ».
Cette idée rappelle la doctrine d'Algazel et des magiciens sur l'action extra-
corporelle de l'imagination (voir *supra*, p. 106 et n. 4).
7. Porphyre, *Aphormai pros ta noéta*, dont un abrégé avait été traduit par
Ficin sous le titre *De occasionibus*, précisait que si le lien du corps à l'âme
est « naturel », celui de l'âme au corps est volontaire (dû à l'acceptation des
passions). Dans la mort dite naturelle, c'est la nature qui détache les liens;
dans la « mort philosophique » (extase, contemplation) c'est l'âme qui opère
la coupure. « Et ces deux morts ne s'entraînent pas toujours l'une l'autre »

b. *Échos et transformations.*

Dans la suite de l'histoire, l'enfer ficinien subissait naturellement le sort du néo-platonisme tout entier : d'une part, il fut
dévié vers le naturalisme magique, et de l'autre il fut pris dans
l'engrenage des discussions théologiques de la Réforme et de
la Contre-Réforme, jusqu'à ce que cette espèce d'humanisme
psychologisé que l'on appelle les lumières lui offrît l'occasion
de s'affirmer encore une fois, sous un dernier déguisement.

Le premier, dans le temps, qui reprend avec une certaine
ampleur l'eschatologie ficinienne est Francesco Giorgi [1]; mais
son esprit est déjà assez différent. Le grand motif de la justice
immanente n'est guère que sous-entendu; au lieu de l'éthos
platonicien, il n'a que la curiosité de l'érudit fouilleur et
l'ingéniosité de ses interprétations insolites. Ses autorités
principales sont Origène, qu'il nomme quand il le discute,
non quand il le reproduit, et Jean Scot, qu'il ne nomme pas,
mais dont il admet, en l'enjolivant, la « doctrina de eodem
igne, beatificante et torquente » (*II b*). Giorgi juxtapose,
sans les concilier, trois éléments de la tradition qui mène à
Ficin : le postulat *A* dans la version origénienne : que les
flammes qui tourmentent le pécheur sont nourries de ses
propres péchés; la thèse de Jean Scot, mentionnée ci-dessus;
et l'idée que les péchés « alourdissent » l'âme, alors que la vie
sainte « spiritualise » le corps : ce qui est une variante ingénieuse sur Hugues de Saint-Victor (non nommé) avec peut-
être une réminiscence de Thomas d'Aquin [2] sur la base d'une
exégèse hardie de saint Paul. Le caractère physique des peines
serait donc à la rigueur recevable, mais Giorgi ne l'admet
qu'avec répugnance : une *vulgata opinio*, qu'il ne faut pas
contredire, mais qui n'est pas certaine... Le grand thème
arabe du savoir libérateur est aussi absent, dans tout cela,
que la hardiesse morale de Jean Scot; reste un demi-ésotérisme
inconsistant, qui ne peut mener qu'à la magie.

La tendance obscure des doctrines magiques était cependant, comme l'a bien montré Walker, de réduire l'âme tout

(§ 5-9 du texte original, cap. 2, dans l'abrégé de Ficin). On pourrait dire
que, dans les textes que nous avons confrontés, Ficin parle du lien volontaire, Léonard du lien naturel. Mais, étant donné ce qu'on sait de sa formation, il est probable que Léonard soit parti de la tradition Algazel-
Pérégrinations-Ficin, dont il connaissait au moins l'aboutissement, et qu'il
renversait comme Dante; la lignée orthodoxe, depuis Tertullien, qu'il rejoint
sans le savoir, est sans doute étrangère à sa culture comme à sa philosophie.
1. *Harmonia Mundi*, III, VII, *cap.* 14-17.
2. Voir *supra*, p. 104, n. 2.

entière au *spiritus*, afin d'assimiler la religion à la magie.
Telesio lui-même étend à l'esprit — la matière la plus fine
et la plus chaude — plusieurs attributions de l'âme, et ne
laisse à celle-ci que l'initiative de ce qui va contre la conservation de l'homme : le désir d'éternité, la contemplation.
Encore une fois, on se souvient de Léonard, qui caractérisait
l'âme par le désir de retourner à son Créateur — le *Todestrieb*,
pour parler comme Freud. Le *spiritus* qui la retient par
l'inertie naturelle semble donc être encore celui de Hugues et
de l'opposition imagination-âme [1]. Mais le contexte est bien
étranger, cette fois, à l'ancienne théologie.

On ne sait jamais dans quelle mesure il faut prêter foi à
Bruno, quand il reprend un motif de Ficin ou de l'ésotérisme
néo-platonicien; il peut les renier violemment aussitôt après.
Le passage qu'il consacre à l'enfer « imaginaire » n'a cependant
pas l'air de traduire une humeur momentanée. Il s'agit, selon
le contexte, d'illustrer la « vérité » des « liens » créés par
l'imagination. Bruno énonce tranquillement l'idée (jadis
repoussée, tout aussi tranquillement, par Richard de Middleton, comme une absurdité qui se condamne d'elle-même)
que le damné souffrirait d'une «fausse opinion» concernant
l'existence du feu qui le brûlait; mais la conséquence, que
Bruno semble insinuer, est bien plus grave : celui qui, durant
sa vie, a refusé d' « imaginer » l'enfer, ne peut pas en souffrir
après la mort [2]. On peut trouver cette idée scandaleuse, mais
sa logique est bonne, surtout en dehors des arguments formels :
si l'Enfer est intérieur et spirituel, c'est-à-dire peine du dam
et du remords, et si sa justice est immanente, c'est-à-dire
en dehors de toute intervention spéciale du Dieu justicier
qui infligerait *ad hoc* des sentiments pénibles au coupable

---

1. Il va de soi, répétons-le, que ces sortes de rapprochements ne prétendent
pas établir des filiations, mais fixer des jalons.
2. *De vinculis in genere, Opera latina*, III, p. 683 : *Etsi enim nullus sit
infernus, opinio et imaginatio inferni sine veritatis fundamento vere et verum
facit infernum; habet enim suam species phantastica veritatem, unde sequitur
quod et vere agat, et vere atque potentissime per eam vincibile obstringatur, et
cum aeternitate opinionis et fidei aeternus sit inferni cruciatus, usque adeo
ut et animus exutus corpore easdem tamen retinet species, iisdem nihilominus,
quinimo etiam potentius interdum propter indisciplinam vel oblectationem vel
imbibitam speciem per saecula infelix perseveret.* Le passage, apparemment
corrompu (j'ai corrigé le mot *sua* en *suam*, mais laissé telle quelle la phrase
finale, dont le sens n'est pas douteux) est suivi de quelques lignes où ceux
qui prennent les menaces de l'Enfer à la lettre sont dédaigneusement traités
d'enfants. Il semble clair que si l' « imagination » de l'Enfer n'a pas de
fondement, et si les « images » qui tourmentent les âmes sont rapportées
de la vie terrestre, l'incroyant est nécessairement indemne. Aucune des
autres théories envisagées jusqu'ici ne comportait cette conclusion, car le
remords, la privation du corps, les ravages des passions, les peines du
dam, etc., sont indépendants de la foi au catéchisme.

décédé, l'incroyant et le parfait cynique sont hors d'atteinte.
Les idées d'Origène et de Ficin conduisent inévitablement
à cette conclusion. D'ailleurs la vérité en question n'est pas
seulement théologique, mais s'applique comme on sait aux
relations humaines et sociales élémentaires : on ne peut
pas « punir » un cynique. On peut lui faire du mal et se venger
de lui, ce qui est tout autre chose, mais la société n'a contre
lui que le droit éventuel du plus fort. Le remords du méchant
n'est pas chose trop fréquente dans la vie, et quant à la bonne
conscience du juste, autant dire qu'elle n'existe pas.

A l'heure où Bruno enterrait ainsi la morale de la justice
immanente, la Réforme et la Contre-Réforme avaient donné
au débat un autre ton et un autre enjeu. La matérialité du feu
infernal n'était plus une question de nature à diviser les
camps : elle fut niée à la fois par Calvin [1] et par le fougueux
polémiste antiprotestant Ambrogio Catarino Politi [2]. Les
deux auteurs faisaient preuve, sur ce point, d'une attitude
aussi éclairée qu'inconsistante, car tout le monde était d'accord
pour dire que la peine du dam dépassait celle des sens infiniment, tant par sa gravité essentielle que par l'intensité
de la douleur. Qui peut le plus, peut le moins; au nom de
quelle bienséance ou miséricorde voulait-on alors refuser le
moindre mal? Le visage de l'ancien humanisme est plus
reconnaissable chez les sociniens, qui cependant portaient le
débat sur un plan différent, rouvrant une querelle depuis
longtemps enterrée : l'éternité des peines — qu'ils remplaçaient
par l'anéantissement du damné (opinion reprise jusqu'à nos
jours par divers mouvements réformés).

Le débat n'était donc plus entre humanistes et théologiens;
il agita quelque temps les Églises, avant de trouver un
nouveau terrain dans la philosophie des lumières, dont
l'intérêt pour l'origénisme s'annonce dès avant 1700 [3]. De
nouvelles théories, dont le cheval de bataille était généralement l'apokatastase, se voulaient toujours philosophiques et
éclairées, fussent-elles aussi bizarres que les essais mentionnés
par Leibniz dans la *Théodicée* (§§ 17-18 et 226). Mais les
philosophes, à l'exception des sceptiques, se résignaient à faire
auprès des théologiens figure de dilettantes. Leibniz se pose
en défenseur de la tradition, bien qu'il ne le soit guère. En
vertu des principes de la monadologie, Dieu ne pouvait pas
intervenir effectivement pour rétribuer les âmes : l'immanen-

1. *Inst. christ. relig.*, III, 25, 2.
2. *De bonorum praemio.*
3. Voir l'article « Origène » de Bayle.

tisme était sauf, quoique sous une forme assez atténuée, en ce sens que le châtiment « découlait » du péché par leur fondement commun dans l'âme. En bloc, le mal est toujours « immanent » puisqu'il est ce sans quoi le meilleur des mondes possibles ne saurait exister. L'origénisme au sens strict a laissé deux traces : la préexistence des âmes et la possibilité d'un mérite et d'un démérite posthumes; mais Leibniz refuse l'apokatastase. Quant à la matérialité du feu infernal, la *Théodicée* n'y contredit pas, puisqu'elle traite de l'Enfer dans la partie consacrée au mal physique; mais à la lumière de la monadologie, la question n'a évidemment pas de sens.

Sous le prétexte inoffensif d'une exégèse de Leibniz, Lessing a proposé, dans un bref écrit (*Leibniz von den ewigen Strafen*) le dernier système comparable, par ses tendances comme par la hardiesse de l'invention, à celui d'Origène. L'immanentisme est posé comme un postulat évident : la peine doit être déduite directement du péché. Le principe leibnizien de la cause suffisante en garantit alors l'éternité, car tout acte a des conséquences infinies, et jamais sa trace ne peut être entièrement perdue. Mais il s'ensuit aussi que ces conséquences vont s'amenuisant. Rien, ni dans l'Écriture ni dans le bon sens, n'exige, selon Lessing, qu'elles soient de la nature des douleurs physiques, que leur intensité soit infinie, et qu'elles ne conduisent pas à l'amendement du coupable. Au contraire : des châtiments comme le remords ne peuvent pas ne pas être pédagogiques. En outre, le même principe de la cause suffisante doit s'appliquer aux suites des actes louables aussi bien qu'à celles de nos fautes; de sorte que « chacun doit trouver son enfer même dans le ciel et son ciel même dans l'enfer ». Relativement au pauvre Lazare, le riche sera toujours en enfer, car rien ne pourra effacer sa dureté de jadis : il se sait coupable sur ce point, et même au milieu des joies du Paradis il refuserait de l'oublier; ce qui n'empêche pas, éventuellement, qu'il ait son Paradis relatif. (L'idée de Purgatoire d'ailleurs n'est pas, au fond, si mauvaise : « nos réformateurs n'auraient peut-être pas dû le rejeter aussi facilement, malgré l'abus fâcheux auquel il a donné lieu ».)

Le périple se referme ainsi avec un retour évident à ses initiateurs, Platon et Origène. Le principe de la justice immanente est de nouveau dominant, après la parenthèse de l'eschatologie du savoir, ouverte avec Avicenne et pratiquement refermée avec Ficin[1]. Les peines sont exclusivement

---

1. A moins qu'on ne veuille compter parmi les eschatologies du savoir la thèse de Bruno sur l'immunité du cynique.

intérieures; et l'enfer relatif de Lessing répond, sur le mode rationaliste, à la chute graduelle des démons selon Origène et Jean Scot, et à la « descente » selon l'auteur des *Pérégrinations*. Les autres enjolivements métaphysiques sont tombés : il n'est plus question de métempsycose, d'âmes ballottées par les éléments, d'identité entre le feu céleste et infernal, du corps subtil fait de la demi-matière de l'imagination et encrassé par les péchés, etc. Que la monadologie ait somme toute si bien répondu à l'ancien platonisme, et engendré une théorie semblable des sanctions futures, est en partie un hasard (Lessing ne cite ni Origène, ni Avicenne, ni Ficin); mais ce hasard a dû être facilité un peu par les traditions de la philosophie spiritualiste; et de toute façon, la coïncidence prouve que l'eschatologie dont nous nous occupons répond à un besoin assez profond et assez naturel pour que de temps en temps on la réinvente.

IV. HUMANISME ET JUSTICE

Ceux qui éprouvèrent surtout ce besoin furent, on l'a vu, les platoniciens de toutes les nuances et de toutes les religions. La conception qu'ils proposaient répondait en effet à la double tendance du platonisme de toujours : l'interprétation « philosophique » du dogme et l'ésotérisme. Ils acceptaient volontiers que la religion dépasse l'entendement, mais ils ne pouvaient souffrir qu'elle choque ce fonds commun de convictions humaines qu'ils appelaient philosophie. Ils rêvaient donc d'une théologie à la fois universelle et secrète. Ficin devait être content plutôt que gêné du fait que « son » Enfer, qui résolvait si bien ce qui le heurtait dans la foi commune des chrétiens, avait été inventé et défendu par des païens, des hétérodoxes et des infidèles : c'était comme une preuve de plus que le « sens commun » (platonicien) de l'humanité s'accordait avec le christianisme bien compris. Un libéralisme presque syncrétique avait été rattaché, dès avant lui, à sa doctrine eschatologique : l'auteur des *Pérégrinations* est, semble-t-il, le premier chrétien à avoir parlé avec respect des « trois législateurs » et fondateurs de religion, réservant à Jésus une priorité de rang, mais non de nature [1]. Il n'est pas étonnant qu'ensuite

---

1. *Pérégrinations*, op. cit., p. 297 : ... *legumlatores iusti, sapientissimi, alios salvare cupientes, super quos cecidit lumen Dei et eius cognitio et eius verbum super linguas earum, sicut Moyses et Mahometh et Christus qui fuit potentior his duobus et sermone virtuosior.* Mlle d'Alverny note que, du côté chrétien, personne n'avait encore tenu un tel langage.

le protestantisme éclairé se soit emparé du sujet, essayant d' « humaniser », si l'on peut dire, la justice de Dieu. Un Lessing, qui croyait à la « lumière naturelle » autant ou plus que Ficin, dut sentir le même besoin que lui d'accorder l'eschatologie chrétienne avec cette lumière.

Cette doctrine supposée commune à l'humanité est aussi secrète; presque tous ses défenseurs, Origène [1], Avicenne, Giorgi, Bruno, Lessing, ont plus ou moins estimé qu'il n'était pas mauvais de laisser la foule à son erreur, seuls les sages pouvant supporter sans dommage la vérité. Ils ne savaient pourtant pas à quel point leurs croyances étaient ésotériques : elles dérivaient (sauf chez Lessing) du chamanisme. Car le « sens commun » chamanique admettait, comme celui des platoniciens, la migration de l'âme dans le rêve ou l'extase, et l'existence d'un corps glorieux qu'il fallait revêtir pour l'accès au monde céleste ou infernal. Origène et Ficin reliaient, sans le savoir, un résidu des religions primitives aux prémisses d'une religion rationalisée.

Mais il convient de passer enfin à la critique de cet ensemble de doctrines; et il faut se demander tout bonnement quel en était le but et dans quelle mesure il l'a atteint. La version qui fonde l'eschatologie « platonicienne » sur l'idée du savoir libérateur (Hermès, Avicenne, et en partie Ficin) est plus facile à discuter. Car ou bien elle revient à assurer automatiquement le salut de tous ceux qui ont subi certaines initiations (tous les baptisés, par exemple, selon l'hérésie improprement appelée miséricordisme), et alors l'ordre moral est évidemment nié; ou bien elle soumet l'efficacité du savoir libérateur à un critère moral autonome, et alors elle n'est qu'une complication injustifiable; ou enfin, elle fait d'une certaine prise de conscience la condition de la conduite salvatrice : et c'est la solution qu'on peut provisoirement retenir, ne fût-ce qu'en tant que transposition métaphysique d'un fait indéniablement vrai dans les relations interhumaines.

L'autre version, la plus intéressante et la plus répandue, part, nous l'avons dit, du besoin d'immanentiser la justice divine. Cette tendance prouve, tout d'abord, une insatisfaction sérieuse quant à la justice rétributive humaine : on voudrait que celle de Dieu ne lui ressemble pas. C'est pour éviter à Dieu le rôle de juge et d'exécuteur que l'on invente des systèmes où l'ordre du monde est celui d'une justice qui se ferait d'elle-même. La critique doit donc rappeler d'abord les raisons d'insatisfaction principielle avec l'appareil répressif

1. *Contra Celsum*, VI, 26 et aill.

humain, puis examiner si l' « immanentisation » les écarte, soit dans l'ordre humain, soit dans l'ordre divin.

Nous admettons qu'en principe le châtiment ne peut s'appliquer qu'à un être responsable, c'est-à-dire disposant de la liberté de jugement et d'action. La justice, s'étant mise à prendre en considération la « force majeure », les antécédents de l'inculpé, les circonstances du fait, pose en somme l'axiome : n'est punissable que l'auteur d'un acte (ou d'une omission) qu'il aurait pu ne pas faire. Or cet axiome n'est jamais respecté, et ne peut jamais l'être, dans une condamnation ; la loi même l'admet, qui mesure si souvent la peine au résultat de l'acte coupable et non à la faute subjective ; d'autre part, rien de plus absurde que la prétention de dire que quelqu'un aurait pu ne pas agir comme il l'a fait ; « à sa place, j'aurais agi autrement » : c'est l'affirmation invérifiable par excellence ; qui sait tout ce qu'impliquent les mots « à sa place »? La critique d'une certaine conception de la liberté d'indifférence n'est plus à faire. La justice recourt forcément aux compromis, invente la « responsabilité atténuée » (comme si la responsabilité pouvait admettre des degrés), mêle l'idée de réparation à celle d'intention coupable, suppose hardiment qu'il existe des punitions éducatives... Le fait tout simple est que notre conception de la justice rétributive est incompatible avec l'exercice même de cette justice, et que le droit s'en tire comme il peut.

En supposant donc qu'une punition puisse servir à l'amendement du coupable, il est clair que tout autre châtiment n'est que vengeance. Or le sentiment dit à tort « instinct de vengeance » n'est pas primaire, car ce qui irrite dans le spectacle d'un malfaiteur heureux n'est pas son bonheur, mais le fait qu'il ne comprend pas sa faute ; c'est pourquoi on « veut la lui faire sentir », et on s'autorise de la loi du talion. Il est évident que si le criminel « comprenait », la punition deviendrait inutile, et le désir même de sanction disparaît alors chez tout homme « juste », car « il faut pardonner au pécheur repenti ». Si seule l'intention est coupable, le repentir seul, étant le contraire de la mauvaise intention, absout.

L'idée d'une justice immanente, inventée pour échapper à ces difficultés, ne réussit pas à modifier la situation. Exiger que la sanction soit la suite « naturelle » de l'acte, c'est une fois de plus s'arrêter à mi-chemin : d'abord, parce qu'aucune conséquence « naturelle » n'est inéluctable, ensuite parce que cette sorte de sanction n'a pas, en principe, d'efficacité pédagogique. Et remplacer le Dieu de Geulincx, qui punit chaque acte séparément, par le Dieu de Leibniz, qui a pourvu une fois pour toutes l'automatisme des punitions, ce n'est pas enlever à Dieu la charge de la justice répressive. Il est vrai que la formule rigoureuse du principe d'immanence est différente : il ne suffit pas que la sanction découle de l'acte, il faut qu'elle soit dans l'acte même. C'est ainsi que l'ont entendu Platon, Origène, Jean Scot et Ficin. Incontestablement, une telle sanction ne ressemble plus guère à une vengeance; mais elle n'est toujours pas, pour cela, éducative. La « nature des choses » s'est simplement chargée du rôle d'exécuteur. La justice immanente ne résout donc rien sur ce plan; si on en fait la solution idéale, on doit avoir d'autres raisons pour cela.

Appliquer la loi du talion ou amender un coupable par le châtiment (ou par toute autre méthode) sont deux moyens, de valeur inégale, pour arriver au même but : lui « faire sentir ce qu'il a commis », c'est-à-dire l'obliger à s'en rendre compte. Une fois qu'il s'en est rendu compte, qu'il est devenu responsable (car il ne l'était pas), il n'est plus pécheur, mais repenti, donc pardonné. Le principe de la justice immanente, aussi absurde qu'il soit face à l'expérience, n'a pu être inventé et proposé à Dieu que parce qu'il veut dire, à sa manière, la même chose : l'impossibilité, pour un homme responsable, de commettre le délit pour lequel il se sentirait responsable; et l'absurdité de « faire répondre » quelqu'un d'un délit qu'il a commis. Le seul « fondement de la morale » est la prise de conscience, le « savoir libérateur » qui empêche de faire le mal. Nous retrouvons donc aussi bien l'eschatologie avicennienne du savoir, et même, si l'on veut, le mythe platonicien du « choix de son sort », avec tous ses succédanés jusqu'à la liberté transcendantale de Kant et le projet existentiel de Sartre.

Mais prêter cette justice immanente à Dieu est un effort inutile. D'une part, nous l'avons vu, les constructions théologiques en question n'étaient pas des plus solides; d'autre part, le scandale qui choque dans la justice répressive humaine peut sans doute aussi choquer dans la justice divine, mais la religion n'est pas contrainte d'en tenir compte, et il lui est relativement plus facile de juger absurde la prétention de vouloir justifier la justice; en troisième lieu enfin, si le principe de la justice immanente a un sens comme critique de ce que nous faisons dans nos sociétés, il ne réduit pas les difficultés théologiques, n'enlève pas à Dieu sa qualité de justicier, et a le tort supplémentaire de n'être nullement conforme aux réalités : péché et punition ne peuvent pas se confondre, même s'ils se compensent, même s'ils coïncident, soit dans le registre naturel, soit en dehors de lui (je pense en particulier à la chute des anges).

Le mérite de la tentative d'eschatologie platonicienne est donc dans sa critique implicite et camouflée de la justice humaine plutôt que dans sa critique de la théologie traditionnelle; elle met en évidence un postulat moral, senti plutôt qu'exprimé, selon lequel le mal et le bien sont fonction d'une prise de conscience. Affirmer que la sanction se confond avec l'acte qu'elle concerne, ou que l'âme choisit son destin, ou qu'il existe un savoir libérateur, une « conversion » de l'esprit, sont autant d'approximations; on répugne toujours d'aller au-delà, parce qu'on tient à l'espoir fallacieux d'incorporer la prise de conscience à l'ordre rationnel (préjugé « socratique », version arabe), ou de la diriger pratiquement par des considérations d'ordre utilitaire (préjugé juridique, version origénienne) — c'est-à-dire d'induire la conscience *ab extra* et de la rendre « obligatoire ». Il faudrait pourtant reconnaître, avec Heidegger, que la prise de conscience est l'acte libre par excellence, ou plutôt le seul acte qui soit d'un autre ordre que celui des contraintes rationnelles ou naturelles.

Cela étant, notre sens de la justice est entièrement en porte à faux : pour être justiciable, il faut être responsable, et si l'on est responsable, on n'est plus justiciable. Et comme il n'y a pas moyen de convaincre ni de contraindre le cynique — la prise de conscience ne pouvant être « induite » — l'aporie de la justice est telle, que les objections enveloppées du platonisme contre les sanctions et rétributions divines ou humaines, et ses tentatives de réformer nos conceptions de l'ordre moral, ont l'air d'être très à côté de leur objet.

APPENDICE

L'ENFER VIRGILIEN ET LES PHILOSOPHES[1]

Le penchant des philosophes platoniciens pour la théologie poétique est, on le sait, plus ancien que l'Académie florentine. Ils ont de bonne heure transformé le chant VI de *L'Énéide* en oracle métaphysique, exactement comme ils ont trouvé plus tard dans la théologie chrétienne ou musulmane des illustrations pour leur roman de l'âme; mais dans le cas de Virgile leur procédé se défend mieux, car malgré l'évident caractère stoïcien de sa spéculation, son affabulation, du moins, doit quelque chose aux dialogues de Platon.

L'histoire des échos de l'Enfer virgilien a été retracée, jusqu'au XIIᵉ siècle, par P. Courcelle dans un article très complet, très précis et très nuancé[2], montrant comment la perspective néo-platonicienne de Macrobe et de Servius a pu faire de la descente d'Énée une source des apologistes et des moralistes chrétiens. L'allégorisation, propre à ces commentateurs, a naturellement aidé les chrétiens à dé-mythiser le poème, le rendant ainsi plus assimilable pour eux; on reculait seulement, de justesse, devant les implications « origénistes » qui ne pouvaient manquer de se présenter à l'esprit.

Les peines de l'au-delà virgilien sont purificatrices; le discours d'Anchise à son fils laisse deviner une échelle des lieux de torture, air-eau-feu, qui faisait penser à une ascension de la terre au ciel (la région aquatique étant celle de la lune) :

VI, 740   ... *aliae* [animae] *panduntur inanes*
         Suspensae ad ventos; aliis sub gurgite vasto
         Infectum eluitur scelus, aut exuritur igni;
         Quisque suos patimur Manes.

Un cycle millénaire de purification et de réincarnation fournit, comme chez Platon, le cadre général.

La grande idée des commentateurs platonisants a été de considérer cet Enfer comme une image allégorique de la vie terrestre; la vraie prison et torture de l'âme est la matière. L'eau de Léthé est l'oubli de la patrie céleste, inévitablement lié à l'incarnation (Macrobe, *In somn. scip.*, I, 10, 9); et la descente de l'âme à travers

1. Je dois l'idée de cet appendice aux conseils de M. André Chastel.
2. « Les Pères devant les Enfers virgiliens », dans *Archives d'hist. doctr. et littér. du Moyen Age*, 1955, 5-74. Nous faisons ici un large usage de ce travail.

les cieux est représentée par les neuf cercles du Styx qui entourent l'Enfer :

Hanc terram in qua vivimus inferos esse voluerant, quia est omnium circulorum infima, planetarum scilicet septem... et duorum magnorum; hinc est quod habemus « et novies Styx interfusa coercet (VI, 439) : *nam novem circulis cingitur terra : ergo omnia quae de inferis finguntur suis locis hic esse comprobabimus* [1].

Les commentateurs de Virgile sont donc obligés, d'après ce parti, d'interpréter les peines des âmes et toute la géographie de l'au-delà en fonction de réalités terrestres; et il doit s'agir moins de châtiments que de malheurs inhérents à la condition humaine.

C'est Macrobe (*loc. cit.*) qui s'acquitte de cette tâche avec le plus de virtuosité. Le vautour de Tityos, explique-t il, est le remords jamais apaisé; la faim est le désir qui fait mépriser ce qu'on possède, et languir toujours après l'impossible; les âmes suspendues à une roue tournante signifient l'imprévoyance et la passivité de ceux qui vivent exposés à tous les hasards; les pierres qu'il faut rouler comme Sisyphe, c'est le labeur sans fruit; le rocher suspendu au-dessus des têtes est la crainte perpétuelle des ambitieux et des tyrans, dont la résolution *oderint, dum metuant* se tourne surtout contre eux-mêmes.

« Des variantes sur ce thème étaient possibles, précise Courcelle [2], au sein même du néo-platonisme : par exemple Servius s'accorde avec Macrobe pour considérer la faim comme le supplice des cupides, mais réserve d'après Lucrèce le rocher aux superstitieux, le boulet aux ambitieux, la roue aux commerçants ballottés par la tempête. La source immédiate des exégèses néo-platoniciennes est à chercher du côté des traités perdus de Numenius et de Porphyre. »

On expliquait de la même manière les fleuves de l'Enfer comme allégories des passions liées à la condition humaine. L'étymologie aidant, on faisait aisément du Pyriphlégéthon la colère ou le désir brûlant, d'Achéron (*a-chairon*) la tristesse, du Cocyte le deuil et les larmes, du Styx le gouffre de la haine; Léthé, premier fleuve, cause de l'oubli, était le corps [3].

Mais dans l'affabulation de Virgile, les passions avaient un rôle différent et une place définie; le discours d'Anchise le dit sans équivoque :

VI, 730 *Igneus est ollis vigor et coelestis origo*
              Seminibus, quantum non noxia corpora tardant,
              Terrenique hebetant artus, moribundaque membra.
              Hinc metuunt, cupiuntque : dolent, gaudentque ; neque auras
              Despiciunt, clausae tenebris et carcere caeco.

1. Servius, *ad Aen.*, VI, 127; cité par Courcelle, p. 26, n. 1. Il n'est pas exclu que nous tenions ici une source de l'auteur des *Pérégrinations,* qui avait lui aussi placé l'Enfer sur la terre, et marqué les degrés de la descente par les planètes.

2. *Op. cit.*, p. 27-28.

3. Macrobe, *loc. cit.* Courcelle, *op. cit.*, p. 27, n. 1.

735   *Quin et, supremo quum lumine vita reliquit*
      Non tamen omne malum miseris, nec funditus omnes
      Corporeae excedunt pestes; penitusque necesse est
      Multa diu concreta modis inolescere miris.
      Ergo exercentur poenis, veterumque malorum
740   *Supplicia expendunt...*

C'est donc la matière qui crée dans l'âme les « quatre passions »
canoniques, peur, désir, peine et joie (v. 733); et à leur tour, ces
passions « matérialisent » l'âme au point de l'obliger à la purgation
posthume dans l'air, l'eau et le feu, jusqu'à ce qu'elle soit redevenue
esprit pur[1]. Lactance explique ainsi[2], à peu près comme saint
Thomas[3], pourquoi la souffrance est corporelle dans l'au-delà,
alors que la béatitude est spirituelle.

Mais si les fleuves infernaux sont les passions, et si les passions
ont la matérialité de l'âme, les fleuves sont la matière. Ce sera un
des thèmes favoris du néo-platonisme florentin, qui se servira de
leur nombre pour le faire correspondre aux éléments, et donc
aux humeurs du corps, aux tempéraments et aux affects : on cons-
truira ainsi un lien causal sous l'assemblage des symboles.

Landino a ébauché cette construction; mais il est encore resté
assez proche de la simple psychologie : l'oubli (Léthé), cause de
la privation de félicité (Achéron), engendre la tristesse (Styx), d'où
viennent le deuil et les larmes (Cocyte) qui conduisent finalement
à la fureur ou folie (Phlégéthon)[4]. C'est surtout Ficin qui, multipliant
les « correspondances » de toute sorte, insista sur l'allégorie cosmo-
graphique et physique. Les quatre repères de la topographie infernale
(Ficin élimine Léthé et Styx, mais ajoute le Tartare) correspondent
selon la *Théol. platon.*, XVIII, 10, aux éléments, aux humeurs,
aux passions et aux péchés (suivant une échelle de sujétion croissante
à la matière), aux points cardinaux, aux quatre groupes de signes
zodiacaux. Le commentaire *In Phaedonem*[5] est un peu plus prudent
et plus chrétien : les fleuves ne « sont » pas réellement les passions
et les humeurs, mais l'auteur qui les identifie *nonnihil adducit
simile vero;* de même, les peines ne sont pas « imaginaires », mais

1. V. *supra* les vers 740-743. Tout cet exposé virgilien permet peut-être
d'expliquer en partie l'apparente précocité de la théorie de Hugues de
Saint-Victor sur le rôle du *spiritus.*
2. *Instit.*, VII, 20, 7-11; Courcelle, *loc. cit.*
3. V. *supra*, p. 104, n. 2.
4. *Disp. camald.*, lib. II; éd. citée : *In P. Virg. Maronis Aen. Allegor.
plat.*, en annexe à *Lamberti Hortensii Montfortii Enarrationes in... Aeneidos*,
Bâle, 1587; voir p. 3038 : *Quae de tartaris fabulantur poëtae, ea omnia anima
in corpore pati manifestum est. In materiam enim protracta novam sylvae
ebrietatem haurit, cum illa veluti flumine demergatur. Flumen autem ipsum,
non sine exacta ratione, in quatuor flumina, ac stygiam paludem deducunt :
Lethaeum, Acheronta, Stygem, Cocylum ac Phlegethontem.* Suit l'explication
de l'enchaînement des cinq passions symbolisées par ces fleuves. Voir la
même idée dans le commentaire de Dante, *Inf.*, XIV, 116 sqq. : *Ex hyle
igitur unico flumine, mala haec omnia eveniunt.*
5. *Opera*, p. 1394.

souffertes par un corps matériel, quoique subtil et aérien[1]; la liste
des rapports symboliques est d'ailleurs différente dans les deux versions ficiniennes, sauf pour les étymologies et pour le schéma d'ensemble; l'idée commune à toutes les allégorisations de Virgile se
retrouve naturellement : que la gravité du péché se mesure par le
degré de « matérialisation » de l'âme (emprise de l'imagination sur
la raison), et que par suite les repères topographiques de l'Enfer,
entre l'Achéron et le Tartare, doivent constituer une échelle de
l' « engluement » progressif.

Dans la description des peines, Ficin introduit un élément poétique
absent chez Virgile, le rôle des deux Furies Megaera et Alecto.
Peut-être s'est-il inspiré de Claudien, dont le *In Rufinum* est à
l'origine d'un *topos* épique très répandu jusqu'à Milton et Klopstock,
le Conseil infernal. Megaera et Alecto y sont les protagonistes;
mais il n'est pas clair pourquoi Ficin, s'il les a empruntées à cette
source, les a préposées respectivement à la crainte et au désir. La
liste des cauchemars terrifiants, œuvres de Megaera, atteste l'empreinte virgilienne par le classement soigneux selon les éléments[2],
mais la description des tortures infligées par Alecto (désir et impuis-
sance) ne fait que répéter le lieu commun de la justice immanente
des supplices de Tantale.

L'incompatibilité entre toutes les interprétations platoniciennes
de l'Enfer, virgilien ou autre, et le dogme chrétien a été clairement
vue et courageusement expliquée par Landino. Les Platoniciens,
dit-il, doivent supposer la préexistence des âmes, la métempsycose
ou l'apokatastase, l'inexistence d'un Enfer ailleurs que sur terre.
La descente de l'âme incarnée, telle qu'ils la conçoivent, ne peut
donc pas être la vérité du chant VI de *L'Énéide*. D'autres « descen-
tes » peuvent être citées : celle de l'âme défunte dans l'Enfer chrétien;
celle des magiciens et des nécromants qui appellent les esprits;
celle, métaphorique, du péché commis par les vivants; une cinquième
enfin, également métaphorique : l'ignorance[3].

S'il faut en croire une brillante hypothèse de Panofsky[4], l'Enfer
virgilien-platonicien a failli trouver une dernière expression, certainement la plus intéressante de toutes, dans les tombeaux médicéens
de Michel-Ange. On sait que le projet comportait, entre autres,
quatre fleuves couchés au pied des sarcophages : *As will be*

---

1. *Ibid.: Affligi vero possunt animae non tantum per imaginationem
infeliciter a daemonibus agitatam, sed per aerea quaedam corpora, quae vehiculi
et cymbae nomine designantur.*
2. *Nunc coelum ruere in caput suscipit. Nunc se terrae profundis hiatibus
absorberi. Tum impetu absumi flammarum. Tum vasto aquarum gurgite mergi,
aut umbris daemonum comprehendi.* Il faut évidemment entendre par *umbrae
daemonum* des phantasmes *aériens* (cf. la note précéd.); quant au ciel, il
figure ici sans doute comme cinquième élément.
3. *Disp. camald., loc. cit.,* cf. *Comm. Dante,* ad *Inf.,* III, 78 sqq., où Landino
assure qu'il faut mettre « péché » au lieu de « matière », pour que l'Enfer
platonicien rejoigne celui dont parle l'Église. La descente d'Énée et celle de
Dante constituent d'ailleurs, selon Landino, un sixième type : celui du
savoir libérateur.
4. *Studies in iconology,* New York, 1939, voir p. 199-212.

remembered, the Florentine Neoplatonists called the realm of matter il mondo sotterraneo *and compared the existence of the human soul, while it is « imprisoned » in the body, to a life* apud inferos. *It is therefore not hazardous to identify the River-Gods, placed as they are at the very bottom of the monuments, with the four rivers of Hades*[1]. La version ficinienne de l'allégorie laisse facilement voir les conséquences d'une telle supposition : les quatre formes de la « matière » inférieure sont les éléments, auxquels correspondent, à l'étage supérieur (avec les quatre époques du jour) les tempéraments, synthétisés, plus haut encore, dans les deux *capitani*, la vie active et la vie contemplative. D'autre part, si les statues sur le sol sont la matière brute, les époques du jour sont la forme ou la Nature, au-dessus de laquelle vient le niveau de l'âme; les fresques (non exécutées) des tympans supérieurs auraient ajouté l'Ascension ou la Résurrection.

On ne peut que regretter l'absence de preuves décisives en faveur de ces vues. Nous savons avec certitude que les quatre statues sur les sarcophages devaient représenter le temps, plutôt que les tempéraments ou le règne des choses informées. Comme un cliché iconographique très répandu associait les fleuves aux terres ou à la terre (points cardinaux, fleuves du Paradis), les *capitani* trônant au-dessus de ces deux étages auraient peut-être dû figurer une fort banale idée de triomphe. Il est vrai que les statues couchées suggèrent les tempéraments; mais rien n'est plus naturel à la pensée de Michel-Ange que les oppositions de deux ou de quatre termes, et on peut trouver dans son œuvre autant de séries de « tempéraments » qu'il y a de groupes de quatre figures; sauf que ces groupes seront toujours en même temps des saisons, des époques du jour, des éléments, etc. : tout cela n'est jamais faux, mais c'est une raison de plus pour ne pas penser trop vite que c'est vrai. Quoi qu'il en soit, d'ailleurs, du cas particulier des tombeaux médicéens, il est certain que personne n'avait autant que Michel-Ange des raisons de croire que l'interprétation platonicienne de la Descente d'Énée correspondait à une profonde vérité d'expérience.

(1961)

1. *Op. cit.*, p. 203-204.

LA THÉORIE DE L'EXPRESSION FIGURÉE
DANS LES TRAITÉS ITALIENS
SUR LES *IMPRESE*, 1555-1612

Il n'y a pas de nos jours de terme français pour désigner l'*impresa*, symbole composé en principe d'une image et d'une sentence, et servant à exprimer une règle de vie ou un programme personnel de son porteur. On disait au xvie siècle *devise*, dans le sens ancien de projet, dessein, « devis », qui correspondait bien à *impresa*, « l'entreprise ». L'invention était d'ailleurs française ou passait pour telle ; le premier recueil est français [1], et Giovio raconte dans un passage célèbre de son *Dialogo dell'imprese militari et amorose*, écrit vers 1550, que la mode en avait été introduite en Italie par les capitaines de Charles VIII, et imitée tout d'abord par les hommes de guerre italiens, qui dessinaient des imprese sur leurs armes et bannières, et les donnaient à leurs hommes pour les faire reconnaître dans la mêlée et pour stimuler leur courage. On peut ajouter que c'est la société franco-italienne de Lyon qui fut une des plus promptes, au xvie siècle, à adopter l'usage de l'impresa en la « littéralisant », comme l'invitait la vogue contemporaine, dans les mêmes cercles, de l'emblème [2].

Le récit de Giovio a été accepté et répété par tous les contemporains. L'origine française allait presque de soi pour une coutume généralement considérée comme chevaleresque. Elle est, écrivait en 1562 Scipione Ammirato, une « philo-

1. Les *Devises héroïques* de Claude Paradin, Lyon, 1551, avec les *imprese* de plusieurs personnages illustres.
2. Les éditions lyonnaises des *Emblemata* d'Alciat se multipliaient depuis 1547. La diffusion des « devises » à Lyon est due en grande partie à Gabriel Simeoni, correspondant d'Alciat, qui a soigné une réédition lyonnaise, illustrée, du *Dialogue* de Giovio, enrichie d'*imprese* de son cru, en 1559 ; l'ouvrage fut traduit en français la même année. Ses propres « devises » ont paru, avec celles de Paradin, en latin et en français, chez Plantin, en 1562 et 1563 respectivement (plusieurs rééditions). Il est également l'auteur d'un dialogue à ce sujet, Lyon, 1560 ; des *imprese* inédites (Florence, Laurenziana, ms. Ashb. 1367) ont été signalées par Toussaint Renucci, *Gabriel Symeoni*, Paris, 1943, p. xviii et 202-212.

sophie du chevalier ». Les premiers recueils ne contenaient
que des devises « amoureuses et militaires » ou simplement
« héroïques » ; puis la mode atteignit les salons, où l'impresa
fut vite répandue à cause de son caractère mondain de confession voilée. On en fit le principe de nombreux jeux de société,
qui permettaient de caractériser autrui ou soi-même par des
improvisations de ce type. L'académie des Intronati de Sienne
fut, vers 1570-1580, le centre qui donna le ton : Scipione
Bargagli décrivit les jeunes gens de la ville « amateurs... non
moins que de poésie, de peinture et d'architecture, de ce
genre d'œuvres belles et ingénieuses ; considérant surtout que
tant de beaux esprits *(belli ingegni)* s'y adonnent de
nos jours, tant en discutant qu'en écrivant [1] » ; et le *Dialogo
de' giuochi* du Siennois Girolamo Bargagli codifia des amu-
sements dérivés de l'impresa, qui furent adoptés jusque dans
le salon de Rambouillet. Mais les Intronati, bien que très
attachés à cet exercice mondain (deux autres recueils, l'un
anonyme, le *Rolo degli uomini d'arme sanesi*, l'autre dû à
Ascanio Piccolomini, l'ami de Galilée, proviennent de ce
milieu), n'ont pas négligé le symbolisme savant : on sait que
Cesare Ripa, l'auteur de la célèbre *Iconologia*, fut un des
leurs. La coïncidence n'est pas fortuite, et il serait étonnant
que l'intérêt pour le symbole et pour la pictographie, si
répandu dans les milieux cultivés italiens depuis la moitié
du xve siècle, ne soit pour rien dans la vogue de ces images
symboliques.

   Giovio avait presque soixante-dix ans quand il composa
son *Dialogue*, et plus de cinquante ans étaient passés depuis
la descente de Charles VIII. On s'explique que sa version
sur l'origine de cette mode en Italie ait un peu simplifié les
choses. Le fait est que les Italiens connaissaient très bien,
dès avant 1498, des imprese qui n'étaient pas militaires ; et, circonstance significative, c'est aux poètes qu'on les demandait.
Le Politien et Sannazzaro se sont plaints des importuns qui
les assaillaient de leurs exigences [2]. Il est vrai que nous ne
pouvons pas dire avec certitude si *impresa* signifiait au xv[e]
siècle la même chose que dans les traités pédants du xvie ;
il pouvait s'agir souvent d'une simple sentence, d'une « devise »
au sens actuel du mot, ou encore d'une image, espèce de
blason personnel, comme la pierre à feu de Charles le Témé-

1. *Dell'Imprese*, 1578, p. 2.
2. *Negozj del secolo XVI*, Florence, 1903. Outre Politien et Sannazzaro,
Marcantonio Epicurio, Molza, Caro et Rota furent particulièrement solli-
cités pour donner des *imprese*, mais personne ne songeait, avant Giovio,
à les publier en recueil.

raire. Mais c'est de toute façon à partir des images parlantes
du Quattrocento, des hiéroglyphes et des allégories, que l'on
peut comprendre, bien mieux qu'à partir d'un usage militaire,
l'évolution de l'impresa italienne [1]. Et les trattatistes qui
racontent après Giovio l'origine de l'impresa ne manquent
jamais de citer comme inventeurs, à côté des guerriers (ils
se référaient notamment à un passage des *Sept contre Thèbes*
d'Eschyle), tous les dépositaires de la sagesse mystérieuse des
Anciens, les Égyptiens dessinateurs d'hiéroglyphes, les cabalistes, et souvent Noé, Adam ou même Dieu le Père. Cette
double origine mythique traduit bien la double origine réelle
de la vogue : l'affectation chevaleresque des hommes d'armes
et l'affectation philosophique des milieux littéraires. Cela
devait aboutir nécessairement au pédantisme des académies,
et le pas fut franchi dès 1570-1580 : les académies choisirent
chacune son impresa, obligèrent leurs membres à en adopter,
publièrent des recueils et des traités. Au lieu d'exploits militaires et d'amour, les devises parlèrent de vertus morales.
La définition d'Andrea Chiocco (*Discorso delle Imprese*,
Vérone, 1601) porte bien sa date : l'impresa est « un instrument
de notre intellect, composé de figures et de paroles qui représentent métaphoriquement le concept intérieur de l'académicien ». « Instrument de l'intellect », « composé », « concept
intérieur », « académicien », — Giovio n'eût pas reconnu dans
cette description l'impresa qu'il avait mise à la mode dans
un livre dont la composition, disait-il, le « rajeunissait ». Il
n'y est même plus question de ce qui est l'essentiel de l'impresa chevaleresque, le programme personnel, la confession
teinte d'une nuance de défi comme l'était toujours, au Moyen
Age, la proclamation publique des sentiments d'un chevalier
(Ruscelli, en 1556, prend encore grand soin de préciser comment il fallait éviter de rendre l'impresa outrecuidante ou
présomptueuse) : pour Chiocco, elle exprime simplement un
« concept intérieur », n'importe lequel.

En 1612, le gros volume d'Ercole Tasso, une somme
complète et une discussion détaillée de tout ce qui avait été
écrit sur cette matière depuis Giovio, marquait la fin d'une
étape; peu avant, Simone Biralli avait réalisé en deux volumes,
1600 et 1610, le plus complet des recueils, en grande partie
récapitulatif. L'impresa avait atteint un palier : elle était

---

1. L'ouvrage ancien et connu de K. Giehlow, *Die Hieroglyphenkunde des
Humanismus in der Allegorie der Renaissance* (*Jahrb. der kunst hist. sammig.
d. all. Kaiserhauses*, XXXII, 1915, 1-232), relève déjà dans le symbolisme
du XVe siècle tous les éléments qui se rencontrent dans l'impresa du XVIe.

devenue une œuvre dont le mérite principal consistait dans la richesse des significations et des allusions que l'on pouvait cacher ou découvrir dans sa structure complexe : l'« explication » d'une impresa en vers ou en prose était devenue un genre littéraire à part — occasion, naturellement, de flatter le porteur, mais aussi exercice typiquement concettiste. C'était, après l'impresa maniériste des salons et des académies, la période de l'impresa concettiste qui allait s'ouvrir.

La transformation accomplie pendant l'époque du maniérisme est particulièrement sensible dans le changement des exigences techniques. Les premières « règles » n'étaient, en réalité, que des préceptes de convenance. Giovio en avait formulé cinq, qui sont restées célèbres [1] : l'« âme » et le « corps » (la sentence et l'image) doivent être dans un rapport juste; l'impresa ne doit être ni trop obscure, ni trop plate; elle doit être agréable à voir; elle exclut la figure humaine; la sentence, si possible en langue étrangère, ne doit pas dépasser trois ou quatre mots, sauf s'il s'agit de vers ou d'hémistiches d'auteurs connus. Très tôt, en 1556, Ruscelli ajoute une première règle structurale : les figures et la sentence ne doivent avoir de sens que par leur rapport mutuel [2]; Palazzi, réduisant les cinq règles de Giovio à trois, conserve cette clause [3]. On blâme la fameuse impresa de l'empereur Titus, le dauphin autour de l'ancre, avec la sentence *Festina lente*, sous prétexte que figure et sentence y disent la même chose. Plus vétilleux, Ammirato [4] exclut même les sentences qui ne font qu'expliquer la figure, comme le *cominus et eminus* sous le porc-épic de Louis XII : « il ne faut ni que l'âme soit l'interprète du corps, ni le corps de l'âme ». Tout le monde s'accorde à mépriser les imprese-rébus [5], mais on critique aussi les colonnes d'Hercule avec la sentence *Plus oultre*, adoptées par Charles Quint : car cette impresa n'est pas basée sur une comparaison, mais affirme simplement un propos. L'if avec l'inscription *Itala sum, quiesce* (le lecteur est censé savoir que l'ombre de l'if espagnol tue, tandis que la variété italienne est inoffensive) encourt un autre blâme : la sentence y est

1. *Dialogo*, p. 6. — Voir à la fin de l'article la liste chronologique des ouvrages utilisés (contenant les premières éditions et, le cas échéant, les rééditions consultées). Les citations se réfèrent, sauf autre indication, aux titres de cette bibliographie. Les renseignements bibliographiques complets se trouvent dans le tome II des *Studies in seventeenth century imagery* de M. Praz, Londres, 1939-1947 (*Studies of the Warburg Inst.*, 3).
2. *Op. cit.*, p. 208.
3. *Op. cit.*, p. 116-117.
4. *Op. cit.*, p. 14.
5. P. ex. une perle suivie d'un T et d'une semelle de cuir : *Margherita te sola di coramo*.

prononcée par la figure représentée dans le dessin. Les apophtegmes, proverbes, préceptes, énigmes ou questions ne doivent pas constituer des sentences, parce qu'elles portent en elles-mêmes un sens général. Ces remarques et conditions proprement esthétiques n'excluent pas pour autant les questions de convenance et de rang — l'esprit contre-réformiste tend au contraire à les multiplier — mais il est évident que l'idéal est, vers 1600, l'expression qui se suffit et « se tient » techniquement, et dont tous les éléments sont indispensables et strictement suffisants pour traduire un *concetto* unique, acte simple de la pensée; les servitudes extérieures et les considérations de personne ne sont finalement, pour l'*impresa* ainsi conçue, que des conventions supplémentaires.

*

Les *Studies in seventeenth century imagery* de M. Praz, qui sont le livre fondamental sur ce sujet [1], ont montré l'affinité qui existait dès l'origine entre *impresa* et *concetto*, et permettent de comprendre l'évolution qui la dégage. L'analyse adopte, comme il est naturel, le point de vue de l'histoire du goût, des styles, des conceptions de l'art. M. Praz n'a pas eu à s'interroger sur le fondement philosophique, soit implicite, soit reconnu et avoué, de ce nouveau langage symbolique [2]; cette question, qui nous occupera ici, n'est d'ailleurs pas posée par les *imprese* elles-mêmes, mais par les introductions théoriques des recueils et par les discours et dialogues qui leur sont consacrés — assemblages de discussions stéréotypes sur l'origine de l'*impresa*, sur ce qui la distingue des blasons, chiffres, revers de médailles, « hiéroglyphes », emblèmes, etc., sur les règles de cet art, ou sur le rôle respectif de la sentence et de l'image. On y trouve habituellement, comme pièce centrale, une définition longuement motivée et défendue contre les opinions différentes. Ces discours, bien oiseux en apparence, touchent en réalité au point central de l'anthropologie philosophique du maniérisme, le problème de l'expression. C'est vers lui que convergent en

---

1. *Op. cit.* Le second volume est consacré à une très précieuse bibliographie.
2. Il a cependant donné une indication que nous aurons à confirmer amplement (I, p. 50) : *Shall we be accused of exaggerating if we say that while Platonism in the sixteenth century had dwindled into treatises on love and to the idle and more or less paradoxical questions discussed in them for the uses of polite conversation, Aristotelian dialectics had in the same way degenerated into argument... over witty passtimes such as devices?*

ces années logique, théorie de l'art, poétique, rhétorique et
en un sens la psychologie; c'est par lui que s'élabore aussi
le sens précis de *concetto*, germe d'une esthétique nouvelle :
l'impresa, image-idée, « nœud de paroles et d'images », comme
disait Ammirato, était en effet aux yeux de plusieurs le
concetto à l'état pur.

Les auteurs des traités sur les imprese avaient généralement une culture philosophique assez mince; le néo-platonisme
d'Alessandro Farra et de Luca Contile, tous deux membres
de l'Académie des Affidati de Pavie, était si peu à jour, qu'ils
songeaient l'un et l'autre à écrire, quatre-vingts ans après
Pic de la Mirandole, des discours sur la dignité de l'homme.
Torquato Tasso connaissait bien la philosophie; mais son
dialogue sur les imprese est précisément un des moins pré-
tentieux. Le père Horatio Montalto, jésuite, était lecteur de
rhétorique aristotélicienne à Milan, et on peut penser que
les trattatistes proches des milieux jésuites — Scipione
Bargagli, déjà, avait été un des premiers élèves de leur collège
siennois — possédaient bien leur Aristote. Mais le gros des
auteurs de recueils ou de traités était composé, dans les années
de l'impresa « chevaleresque », d'historiens ou de beaux
esprits : Giovio et ses continuateurs directs, Domenichi et
Ruscelli, avaient écrit des biographies, des histoires, et
n'étaient pas sans s'intéresser aux questions d'épigraphie, de
langue, de critique littéraire; on peut en dire autant de Simeoni
et de plusieurs parmi les auteurs de la génération suivante.
Scipione Ammirato, évêque et historien comme Giovio, était
d'autre part, comme avant lui Claude Paradin, généalogiste.
Les écrivains de métier, désireux de faire fructifier leurs dédi-
caces, étaient naturellement les plus nombreux; on rencontre
surtout des secrétaires courtisans plus ou moins itinérants,
comme, après Simeoni et Ruscelli, Contile et Capaccio;
Ruscelli et Capaccio, qui sont des types accomplis de *tan-
tecose* littéraires, ont même laissé des modèles pour «parfaits
secrétaires ». Dans les académies, où le bel esprit n'était pas
question de métier, l'on comptait parmi les amateurs d'imprese un homme d'armes retraité comme Farra, un juriste
et criminologue comme Taegio; mais dans les œuvres com-
plètes des trattatistes figurent surtout des *Rime* (Caburacci,
Ercole Tasso) ou des controverses littéraires, des défenses de
l'Arioste. Plus tard, à l'époque concettiste, l'orientation intellectuelle des auteurs et l'arrière-plan philosophique des traités

changent complètement. La théorie de l'impresa fut annexée par les jésuites, notamment français, et renouvelée dans le sens d'une métaphysique baroque.

Il ne faut donc pas s'attendre à trouver souvent au XVIe siècle une conscience très nette des problèmes philosophiques que ces écrits soulevaient. Mais la structure de l'impresa était telle que les lieux communs rassemblés pour la fonder théoriquement se groupaient d'eux-mêmes selon des lignes de force qui donnaient à une philosophie sous-entendue une forme d'une précision assez frappante.

I. L'EXPRESSION FIGURÉE

Tous les auteurs sont d'accord pour ranger l'impresa parmi les moyens d'expression — *un modo di esprimere qualche nostro concetto* dit Palazzi [1]. Scipione Bargagli tient à souligner qu'il définit à bon escient l'impresa comme « expression d'un concetto » et non comme « concetto exprimé » : elle n'est pas un concept, mais une manière de le figurer [2]. Le Materiale Intronato avait écrit par inadvertance que l'impresa était une « comparaison muette »; sur trois grandes pages, Ercole Tasso réplique, en citant dix-sept définitions de différents auteurs, que les impresa ne sont pas « muettes », mais représentent, signifient, expriment — en un mot, qu'elles s'adressent toujours, plus ou moins explicitement, à quelqu'un. Elles peuvent même, comme les images symboliques qui conservent la sagesse mythique des Anciens, servir d'enseignement.

Aux auteurs qui admettaient, comme Ruscelli ou Domenichi, qu'une impresa pouvait à la rigueur se passer de paroles, Ercole Tasso répondait cependant [3] que dans ce cas tout objet, tout geste, tout dessin serait une impresa. Mais l'objection ne fait qu'exprimer l'arrière-pensée des adversaires : à leurs yeux, l'impresa est en effet l'expression figurée par excellence; toute image qui signifie, ou même tout objet considéré comme image ou symbole, est en un sens impresa. Tout dépend du contexte; Ercole Tasso s'est plu lui-même à montrer ainsi [4] qu'un lion peut être tour à tour animal, hiéroglyphe, signe héraldique, maison du zodiaque, enseigne, symbole d'Évan-

1. *Op. cit.*, p. 102.
2. *Op. cit.*, p. 41.
3. *Op. cit.*, p. 103.
4. *Op. cit.*, p. 21.

géliste, impresa. Établir des distinctions entre les genres de
symboles selon leurs domaines et selon les moyens techniques
de leur figuration, était un jeu assez commun; on spécifiait
par exemple que les couleurs servent exclusivement à représenter « certaines choses incorporelles » — les émotions, les
sentiments [1]; on distinguait jusqu'à trente-deux sortes de
« signes naturels et artificiels [2] »; mais on s'attachait surtout
à décrire une échelle de tous ces moyens d'expression : gestes
pour les muets, paroles pour le vulgaire, écriture pour les
« doctes ou moyennement doctes », et impresa, synthèse de
tous les moyens d'expression, pour les esprits raffinés [3]. L'échelle
de Scipione Bargagli [4] comprend gestes, cris, sons articulés,
mots, écriture alphabétique; l'écriture par chiffres et figures
est une espèce de luxe intellectuel, mais la plus rare et la plus
singulière des inventions de l'esprit dans ce domaine est l'impresa : car l'interdépendance des paroles et des figures en fait
l'instrument le mieux structuré et le plus complexe. Ruscelli
avait motivé le même jugement d'une manière différente :
l'impresa, disait-il, couronne le langage de l'imitation, inné ou
« naturel en acte », par le langage articulé, appris ou « naturel
en puissance ». L'évolution même des formes symboliques
d'expression (c'est-à-dire des imprese au sens large) montre,
suivant Taegio [5], un effort semblable vers la perfection : il
y eut d'abord les mots-symboles, la cabale; puis les figures-
symboles ou hiéroglyphes; puis l'association des deux moyens,
mais soit inepte, soit « superflue » (tautologique); finalement
l'impresa actuelle, qui est parfaite.

Ainsi, le sommet de l'échelle n'est pas occupé par l'expression la plus commode, la plus simple ou la plus malléable,
mais par la plus complexe et la plus richement organisée.
Il y a ici une remarquable valorisation de la voie indirecte
et du voile qui révèle et qui cache à la fois; on la retrouve,
approfondie, chez Francesco Caburacci, qui distingue trois
actes expressifs : signifier, par des moyens conventionnels,
représenter ou imiter, en créant un double de l'objet, et
montrer, acte propre de l'expression discursive ou figurée,
où le concept est manifesté indirectement par le moyen d'un
autre concept. Comme plus tard Vico, Caburacci assimile ici
le discours à l'expression figurée, et il précise bien que la

1. G. Ruscelli, *Discorso...*, p. 124.
2. Giordano Bruno, *De compositione imaginum*, *Opera latina*, II, 3, p. 106-
111 (Ediz. Naz.).
3. G. A. Palazzi, *op. cit.*, p. 4-5.
4. S. Bargagli, *op. cit.*, p. 14.
5. *Op. cit.*, 1°, 6 r° sq.

poésie n'« imite » pas, mais « montre » : car elle est, de même que l'impresa qu'il ne faut pas confondre avec une représentation imitative d'un objet quelconque, essentiellement figure [1].

C'est dans le même sens que semble aller Taegio, qui voit dans l'impresa « l'image d'un concept exprimé, de façon convenablement brève, par des paroles ou par des figures ou par les deux ensemble [2] ». La définition concerne, bien entendu, l'impresa au sens large, c'est-à-dire toute expression symbolique; et son sujet n'est pas le concept, mais l'« image d'un concept » — image que le contexte nous montre antérieure et étrangère à la différence entre l'expression verbale et plastique. Elle n'est pas, cependant, identique à la pensée initiale qu'il fallait traduire, celle que les trattatistes désignent habituellement comme *intentione dell'autore*, et que Taegio appelle ici *concept;* l'« image » de ce concept ne pourra donc être qu'une première mise en forme, pas encore exprimée, un revêtement pensé de la pensée — cette signification indirecte dont parle Caburacci, l'expression d'un concept par le moyen d'un autre, bref, la métaphore. La « figure » de style est en effet une image pensée remplaçant un concept; M. Praz a d'ailleurs montré comment l'image, dans les imprese, se réduit presque toujours à l'illustration d'une métaphore. La métaphore prise au pied de la lettre et développée point par point est le moyen littéraire favori du Secentisme ingénieux, et constitue aussi le mécanisme évident de l'immense majorité des hyperboles, comme dans les variations banales sur les « fleuves » de larmes et le « vent » des soupirs. Autrement dit, le passage de la « figure » de style à la représentation quasi visuelle, et l'exploitation de « l'image » ainsi obtenue par le discours, est une des démarches essentielles du concettisme; le concettisme est possible, et lié étroitement à l'impresa, parce que la métaphore est, à l'origine, un revêtement de la pensée avant l'expression, image à la fois discursive et capable de représentation visuelle, ou plutôt antérieure à la distinction des deux moyens qui l'expriment.

II. L'IMAGE INTELLIGIBLE

Les indications de Caburacci et de Taegio montrent que l'intérêt philosophique de l'impresa comme forme d'expression

1. *Op. cit.*, p. 15 sq.
2. *Op. cit.*, f° 5 r°.

gît dans le rapport qu'elle suppose entre idée et image : une image peut-elle être universelle? L'idée est-elle ou peut-elle être image?

Ces questions étaient au xvie siècle d'une grande actualité. La théorie de l'art avait comme premier postulat le caractère universel du *disegno* et la possibilité de rendre visible l'Idée. Chez les logiciens, la topique, devenue discipline dominante, développait ses implications « spatiales » dans les *artes inveniendi*, transformées en « théâtres » de figures symboliques (Camillo, Bruno), et dans l'essor de la mnémotechnie. Dans la théorie de l'âme enfin, un rôle capital fut accordé, notamment par Bruno, à l'imagination, cette faculté centrale à qui l'on demandait depuis douze siècles le secret de la transformation des images reçues par les sens en notions maniées par l'intellect.

A la difficulté de concevoir l'union, censée être réalisée par l'impresa, entre le visible et l'intelligible, les philosophes du xiiie et du xive siècle avaient trouvé, sinon une solution, du moins un cadre : la *species intelligibilis*, qu'ils intercalaient dans la genèse de l'idée abstraite, entre l'image mentale et l'universel. Mais ils n'ont su que déplacer la difficulté : ils ont fidèlement repris, à propos de cette « image », les discussions déjà connues et les arguments échangés entre nominalistes, empiristes (Roger Bacon), conceptualistes (Thomas d'Aquin) et « platonistes » (Mayron).

Dans le cas particulier de l'impresa, il y avait cette difficulté supplémentaire que le « concept » à exprimer n'était pas une notion, mais un jugement : métaphore, analogie ou comparaison. Un seul logicien scolastique, Pierre d'Ailly, avait affirmé, comme plus tard quelques néo-kantiens, que le jugement en tant qu'opération de l'intellect, *propositio mentalis*, était un acte simple et non composé de termes; cette distinction lui a même servi pour expliquer les sophismes difficiles que l'on appelait alors *insolubilia* et qui sont devenus, depuis leur redécouverte, les « paradoxes de Russell ». — Sans citer et vraisemblablement sans connaître Pierre d'Ailly, les théoriciens de l'impresa ont essayé, comme nous le verrons, d'estomper eux aussi le caractère censé composite du jugement mental.

En réalité, ce n'est pas dans la logique et dans la théorie de la connaissance qu'il fallait chercher l'explication des images-idées, mais, comme il est évident, dans une théorie du symbole. L'idée à retenir était celle qu'ébauche Caburacci : qu'aucun sens universel ne peut être exprimé autrement que par une « figure » qui le voile en le révélant. Cette intuition n'a pas été étrangère au Moyen Age, mais, comme si souvent en matière d'anthropologie philosophique, c'est dans des projections animistes que l'on a trouvé d'abord ce qu'il s'agissait de découvrir dans l'homme. Roger Bacon a indiqué que toute action « naturelle », c'est-à-dire toute action de Dieu, est une manifestation, une création d'images : *Transumitur hoc nomen (species) ad designandum primum effectum cuiuslibet agentis naturaliter.* Ce qui agit, c'est partout une même force dont les produits sont toujours des formes, des reflets, des figures, des « ombres » parlantes : *Virtus habet multa nomina, vocatur enim similitudo agentis et imago et species et idolum* (= image dans l'âme) *et simulacrum et phantasma et forma et intentio* (= détermination logique) *et passio et umbra philosophorum* (= notion, image mentale) [1]. C'est presque exactement ce que dira Giordano Bruno : *Idea, adsimulatio, configuratio,designatio, notatio est universum Dei, naturae et rationis opus, et penes istorum analogiam est ut divinam actionem admirabiliter natura referat, naturae subinde operationem (quasi et altiora praetentans) aemuletur ingenium* [2]. Ces textes ne sont que l'amplification métaphysique — magnifique, il est vrai — et l'application au « langage de Dieu » de ce que Caburacci, Taegio et en un sens Vico affirment, à propos de l'expression humaine, au sujet de la « figure » comme source commune du discours et de l'image.

*

Représenter une idée par une figure qui « participe » à l'universalité et à l'idéalité de son objet est, comme on sait, la fonction propre du symbole, telle que l'ont conçue les néo-platoniciens de la Renaissance : signe magique ou expressif, charme évocateur, incarnation ou reflet de l'Archétype, présence atténuée de l'intelligible, « ombre » ou préparation de l'intuition mystique. A cette richesse du platonisme et des courants qui s'en réclament, l'aristotélisme ne pouvait opposer, dit-on, que le signe conventionnel ou l'allégorie comme simple étiquette et « définition illustrée ». Mais Aristote

---

1. *Opus maius,* éd. Jobb, Londres, 1733, p. 358; cité par Prantl, *Gesch. d. Logik im Abendlande,* 4 vol., Leipzig, 1855-1870, t. III, p. 127, n. 576.
2. *De compositione imaginum,* cité, p. 89-90. Voir *ibid.,* p. 101-102 sur les *formae, simulacra, signacula* qui sont à la fois les « véhicules » et les « chaînes » de l'action divine. Elles produisent aussi bien les effets naturels que la connaissance humaine sensible et rationnelle.

offrait en réalité, par sa conception du rapport entre la pensée et l'expression, entre l'idée et sa réalisation dans l'œuvre, un autre moyen d'approfondir le sens des images d'idées. On peut les envisager sous deux aspects, dont la complémentarité est bien caractéristique du péripatétisme : l'expression imite les articulations de la pensée, qui sont celles de la chose, et autorise par là une logique des imprese; d'autre part, l'invention et la représentation recréent le concept dans la matière sensible, et ce procès fonde, non une esthétique, mais une *techné:* une science de l'impresa-art. Nous nous proposons de montrer comment la tradition d'Aristote a été appliquée à ces deux tâches, non sans y donner d'ailleurs d'assez belles preuves de vitalité.

III. IMPRESA ET PENSÉE

Pour les logiciens de l'impresa, ce qui intéresse d'abord, c'est la possibilité de considérer le concetto initial comme une notion abstraite. Cette identification ne va pas de soi, car le concetto explicite est un jugement plutôt qu'un concept. Mais on tient à les rapprocher; et il faut d'abord, pour cela, distinguer entre l'idée de l'impresa et le « concept intérieur », alogique, des autres artistes. C'est du moins l'avis de Luca Contile; l'impresa est pour lui plus qu'un art, une « invention [1] » car l'invention est un produit de la pensée, alors que l'imitation (au sens large : « imitation » d'objets ou d'autrui) est l'instrument de l'invention, et l'art, finalement, l'acte de l'exécution. Il est très clair que, conçue de cette manière, l'imitation est l'expression de la pensée, et l'art sa réalisation durable; Contile ajoute que ces trois termes font une chaîne, chacun d'eux étant l'instrument ou l'auxiliaire du précédent. Mais en tirant ainsi le concetto de l'impresa vers la pensée, on ne l'éloigne de l'art qu'en apparence; il suffira de donner à l'expression les caractères propres de l'artifice, pour rétablir l'équilibre — et c'est ce que fit, parmi d'autres, comme nous verrons plus loin, Contile lui-même.

Cette « pensée » est, autant que possible, réduite à l'unité d'un acte simple de l'intelligence, afin de mieux ressembler au concept. Ce n'est qu'une question d'astuce verbale : on baptise *concetto* ou *pensiero* le « ferme propos » à exprimer; on considère le dessin comme expression de ce « concetto »,

1. *Op. cit.,* f⁰ 2, r⁰.

et on fait de la comparaison ou analogie une relation entre les deux termes. Le procédé est logiquement attaquable, car on ne peut appeler une même relation tantôt expression et tantôt comparaison; mais on obtient ainsi, et c'est ce qui importe, un concetto initial simple. L'impresa, dit Girolamo Bargagli, est *una mutola comparatione dello stato, e del pensiero di colui che la porlta, con la cosa nella impresa contenuta*[1]. Ercole Tasso interdit l'emploi de l'allégorie dans le dessin de l'impresa, sous prétexte qu'on introduirait des significations secondaires dans une œuvre qui est *tutta per stessa figura*. Sans nier que l'impresa est jugement, on la ramène ainsi à la pensée-image unique; Capaccio précise qu'elle est *un ritratto del concetto che col penello dell'imaginativa* (l'autore) *ha lineato in quell'espressione, e parturendo una cosa simile a se, la manda fuori in quella demonstratione, non matematica, ma ombreggiata di spirito del suo pensiero*[2]. La pensée est donc elle-même une image, que copie l'image de l'impresa; la sentence, pour Capaccio, n'est même pas indispensable — elle peut servir à spécifier, à particulariser, à mettre en relief tel ou tel aspect; en un mot, elle est la « couleur » qui s'ajoute à ce dessin[3]. — Chez Scipione Bargagli, l'équivoque entre expression et comparaison joue à plein : *l'impresa e espression di singolar concetto per via di similitudine con figura d'alcuna cosa naturale (fuor della spezie dell'huomo) ovvero artifiziale, da brevi et acute parole necessariamente accompagnata*. C'est pour éviter le pléonasme que Bargagli exclut du dessin la figure humaine : l'homme étant déjà impliqué dans le concetto initial de ce qui s'appelle son impresa — son « entreprise ». Pour la même raison, la sentence ne doit pas contenir le nom d'un objet figuré dans le dessin; et il serait bon qu'elle se dispense d'un verbe à un mode personnel : elle doit être en quelque sorte substantivisée, pour être le terme d'une comparaison et non l'expression autonome d'une idée. — On voit que tout ce qui est relation ou analogie se trouve relégué dans l'ordre instrumental et subordonné à un concetto qui n'est pas forcément une notion simple, mais dont l'éventuel caractère composé ne joue aucun rôle positif.

Le père Horatio Montalto a publié sous le nom de Cesare Cotta un traité dirigé, semble-t-il, contre celui d'Ercole Tasso[4], et qui a dû être un exemple parfait, mais bien pédantesque, d'aristotélisme appliqué. Il commence par établir que la

1. *Op. cit.*, p. 194.
2. *Op. cit.*, I, f° 23 r°.
3. *Ibid.*, f° 73 r°-74 v°.
4. L'ouvrage, qui doit dater de 1612 ou 1613, est perdu; mais les *Risposte* d'Ercole Tasso en donnent des extraits assez significatifs.

facultas, quae tradit rationem condendi Impresiam n'est partie d'aucun autre art, mais utilise peinture, poésie (métrique), histoire, rhétorique : c'est donc un art autonome, appartenant, avec l'art des emblèmes et quelques autres, au groupe des *facultates, quae leges tradunt constituendi peculiaria Symbola* (Ass. IV). Les éléments de l'impresa sont : *figura extranea* (dessin), *consilium mentis* (concetto) et comme lien entre les deux, *similitudo* (Ass. V). Le concetto est l'idée à exprimer ; la figure extérieure, second terme de la comparaison, est la « matière » « informée » par le concetto (Ass. XIX). Ce composé constitue l'impresa *quatenus* (habet) *vim aptam ad exprimendum quidquid materia potest esse Impresiae* (Ass. VIII) — matière qui est, bien entendu, le « ferme propos » ou l'état d'âme du porteur. La sentence est facultative. En gros, ce schéma est bien celui de Scipione Bargagli, et si Montalto veut y introduire à tout prix la métaphysique d'Aristote, elle ne sert qu'à baptiser « lien entre la matière et la forme » la ressemblance nécessaire entre le concetto et sa représentation. Une fois de plus, la métaphore ou la comparaison est laissée en dehors du concept ; elle n'est ni en lui, ni dans la figure, mais entre les deux : le *consilium mentis* apparaît alors théoriquement comme un élément simple, proche de l'universel-image. — On retombe ainsi chez tous ces auteurs, assez curieusement, sur la *propositio mentalis* de Pierre d'Ailly, acte simple de l'intellect.

Il reste, quoi qu'on fasse, que la chose à exprimer, le « propos », est une pensée, un jugement, et souvent un jugement sur soi-même. L'impresa utilise, pour l'énoncer, certaines propriétés des choses : [le imprese] *furono ritrovate per un certo occulto discoprimento nella similitudine c'hanno le cose con i pensieri e con i disegni honorati dell'huomo*, écrivait Contile [1] ; elle est, disait Chiocco, *un instromento dell'intelletto, composto di Figure e di Parole, rappresentanti metaforicamente l'interno concetto dell'accademico* [2]. C'est donc comme « instrument » d'une expression de la pensée — expression indirecte et métaphorique, il est vrai — que l'on doit la considérer. Elle est, malgré sa forme concrète, d'ordre logique.

Cela explique la nature des jugements critiques sur les imprese : on ne se pose jamais la question de la qualité ou du « bonheur » de l'expression, mais on se demande si elles sont conformes aux règles. Il suffit à l'impresa, comme au

1. *Op. cit.*, f° 2 v°.
2. *Op. cit.*, p. 376.

syllogisme, de répondre exactement à sa définition et de respecter toutes les conditions matérielles et surtout formelles requises. Un vrai syllogisme est nécessairement un syllogisme vrai; une vraie impresa est nécessairement « parfaite ».

L'assimilation à la logique, ou plutôt aux Analytiques, est poussée très loin chez Farra : *l'impresa è operatione dell'intelletto, o seconda* (jugement) *o ultima* (raisonnement), *dimostrata con parole brevi, e con figure sole, o necessarie* [1]. La représentation d'un joug, avec la sentence *soave*, est une impresa-jugement; un écusson vide, avec la sentence *non est mortale quod opto*, est un enthymème. — Caburacci, plus systématique, étend l'analogie à l'Organon presque tout entier; dans les imprese-syllogismes, la majeure est toujours un lieu commun : c'est donc à la Topique d'intervenir; d'autres imprese, qui servent d'*exempla*, dépendent naturellement de la Rhétorique; et quant à la troisième espèce, les imprese qui ne sont que des images, elles gagnent à être traitées comme des jugements, avec l'attribut exprimé par la sentence [2].

Dès ses débuts, la logique humaniste fut caractérisée par un mouvement en faveur de la Topique contre les Analytiques, donc de la logique-art contre la logique-science [3]. C'est vers une topique que tendent bon nombre de traités : celui de Torquato Tasso et celui de Capaccio sont en grande partie des inventaires de la Création, avec la liste des imprese que l'on peut tirer de chaque classe d'objets; Ammirato, plus fidèle à l'esprit d'Aristote — et, il faut le dire, à celui de l'impresa — procède selon les catégories du semblable, du plus ou du moins, du contraire; Caburacci, dont le texte est sur ce point incomplet (l'édition, de 1580, est posthume) a du moins longuement défendu la possibilité et la nécessité d'une topique des imprese, contre ceux qui donnent des règles sans avoir d'abord enseigné l'« invention » (les partisans, en quelque sorte, d'une Analytique), et aussi contre ceux qui croient que l'invention ne permet pas de règles, étant *ventura di capriccioso cervello*, ou contre ceux qui estiment que la topique classique des orateurs et des dialecticiens suffit dans tous les cas [4].

1. *Op. cit.*, f⁰ 274 r⁰.
2. *Op. cit.*, p. 12 sq.
3. La conviction répandue qu'il y a là une réaction contre le « formalisme » des écoles du Moyen Age peut d'ailleurs appeler quelques réserves; car, en un sens, la logique humaniste ne fait ici que prolonger des tendances médiévales : les *artes inveniendi* étaient déjà des « arts » et même, peut-on dire, des topiques; la diffusion de Lulle depuis la fin du xvᵉ siècle est à ce sujet significative. L'apport principal de la logique médiévale, la théorie des *suppositiones*, a pour objet non les formes de la pensée, mais, plus « concrètement » que chez Aristote, la prise de la pensée sur le réel.
4. *Op. cit.*, p. 12 sq.

La Rhétorique, annexe de l'Organon, fut, elle aussi, considérée comme modèle de l'art des imprese; car cet art, disait-on, a pour but de « persuader », d'enflammer les cœurs aux nobles entreprises. De telles idées, poussées à d'invraisemblables outrances, se rencontrent de plus en plus fréquemment aux approches du xviie siècle; après Torquato Tasso, qui, comme beaucoup d'autres, ne songeait encore qu'à la « dignité » ou la noblesse des sentiments exprimés, Chiocco se lançait dans les fantaisies pédagogiques et morales. Mais le seul à en tirer des conséquences précises pour la théorie des imprese fut Caburacci [1].

IV. L'IMPRESA COMME ŒUVRE D'ART

Le concetto initial, considéré négativement, en tant que différent du dessin ou de la parole qui l'expriment, nous paraît permettre, à la rigueur, une logique de l'impresa; mais les théoriciens du xvie siècle le voyaient volontiers aussi sous son aspect positif, en tant que discours et image à la fois. Cette union n'avait rien de choquant à une époque où le *ut pictura poesis* donnait lieu à de si surprenants développements [2] : la littérature n'était pas « semblable à la peinture » mais, pour Lodovico Dolce ou pour Michelangelo Biondo, un genre particulier de peinture; et inversement, toute une esthétique des arts plastiques se basait sur l'axiome que peindre, c'est discourir, exprimer des « inventions » et des « concepts ». Les traités de peinture, citant l'impresa à côté des hiéroglyphes comme preuve que la peinture est poésie, s'annexent consciemment le domaine de l'universel; Zuccaro, avec sa théorie du *disegno interno* [3], parle de la pensée en croyant parler d'art. — Mais tout change quand on s'occupe du « plaisir » que donne l'œuvre artistique : l'intérêt s'oriente dès lors vers la démarche de l'esprit qui s'exprime en elle. Ainsi Cesare Ripa, établissant que le poète part de « l'accident intelligible » pour suggérer le sensible, et que le peintre, inversement, part du sensible pour aboutir aux significations saisies par l'esprit, conclut : « et le plaisir que l'on prend à l'une et à l'autre de ces professions n'est rien d'autre que ce fait que, par la force de l'art et en trompant, pour ainsi dire, la nature, l'une

---

1. *Op. cit.*, p. 26 : l'assimilation de certains types d'imprese aux *exempla* des orateurs; l'assimilation de l' « ornement » des imprese à celui des discours.
2. R. W. Lee, « Ut pictura poesis », *Art Bulletin*, XXII, 1940, 197-269.
3. *L'idea de' pittori, scultori ed architetti*, 1607; éd. consultée : Rome, 1748.

nous fait comprendre avec les sens, et l'autre sentir avec l'intellect [1] ». — Si, depuis la fin du XVIe siècle, l'impresa est de loin le plus important et le plus répandu des exercices de la « faculté symbolique », c'est parce qu'elle est par définition l'acte de manifestation d'un esprit plutôt que symbole donné à déchiffrer. La beauté de l'œuvre est celle de l'*ingegno*, — l'« ingéniosité »; le terme même de concetto, après avoir désigné l'idée initiale, arrive à signifier, dans le concettisme, la forme astucieuse de l'expression. Tout le goût caractéristique de l'art-écriture : les programmes, les hiéroglyphes, les fêtes — ce goût dans lequel humanistes, philosophes, « antiquaires » et théologiens se rencontrent avec la foule des amateurs — révèle un penchant à remonter au-delà de l'art, et souvent à côté de l'art, à l'ingegno créateur. Et l'esprit parle à l'esprit : les secrets de l'alchimie, disait Michael Majerus [2] sont les plus hauts et les plus rares, *ideoque intellectu comprehendenda prius, quam sensu;* par conséquent, il les manifesta à tous les sens à la fois, exprimant chaque secret en vers, en prose, par l'image et en musique : ainsi l'âme peut dépasser tous ces moyens d'expression pour atteindre le concept pur. — Mais les imprese et les emblèmes qui étaient des métaphores illustrées, et les métaphores pétrarquistes qui étaient des emblèmes [3], s'ils ne sont logiquement possibles que parce que la pensée est aussi image, sont, aux yeux du public, artistiquement valables parce que l'expression joue sur les deux tableaux et parce que ce jeu constitue une invitation expresse à rejoindre, au-delà de l'œuvre, le concetto ambigu qui la créa.

Parler de l'impresa comme art — *quasi poesia*, disait Scipione Bargagli [4] — signifie donc, avant tout, qu'on la considère comme un produit de l'ingéniosité, comme une œuvre de l'esprit. Elle n'est pas à proprement parler « imitation » : Bargagli est formel là-dessus, de même que, nous l'avons vu, Contile. Le livre aristotélicien dont on s'inspire pour traiter l'impresa comme art n'est pas la Poétique, mais l'Éthique à Nicomaque et les passages de la Physique et de la Métaphysique qui décrivent la structure de l'artifice, la techné : la réalisation, selon des règles précises, d'une idée conçue d'avance. Cette idée à « réaliser » ou à exprimer, Bargagli la

1. *Iconologia*, éd. Sienne, 1613, II, 155, s. v. Pittura.
2. *Atalanta fugiens*, Oppenheim, 1618, 214 p. Voir la préface.
3. *Petrarchism is really a sort of picture language;* Fr. Yates, « The emblematic conceit in Giordano Bruno's De gli eroici furori », *Journal of the Courtauld and Warburg Inst.*, VI, 1943, p. 101.
4. *Op. cit.*, p. 38.

trouve dans la « ressemblance » : *E ingegnosa cosa veramente
la similitudine, e degna di lode in chi trovar la sà; da intelletto
ella nascendo (!), che, o per sua acutezza e bontà, o per certa
scienza e longa sperienza che tenga delle cose, riconosce in quelle,
per natura fra loro diverse, le simiglianze e conformità loro*[1].
Cette ressemblance avait déjà été reconnue, au moment où
écrivait Bargagli, pour ce qu'elle était : la source de la *meraviglia*, la pointe concettiste. C'est à Naples, naturellement,
qu'elle fut définie : *Deve l'impresa eccitare la meraviglia nelle
persone dotte; la quale non nasce da l'oscurità delle parole, nè
dalla recondita natura delle cose, ma dall'accoppiamento, e misto
dell'una, e l'altra, per cagione di che vien poscia constituito
un terzo, di natura da lor diverso, producente essa meraviglia*[2].
La recommandation de faire la sentence en une langue étrangère, *perchè difficilmente si cava stupore dalle cose communi*,
est ici presque superflue pour nous faire reconnaître l'agudeza,
le wit, l'esprit concettiste. — Il suffisait de remplacer la
théorie aristotélicienne de la poésie par sa théorie générale
de l'art, pour passer de Trissino au chevalier Marin.

Pratiquement, la conception « artistique » de l'impresa se
reconnaît au rôle accordé à l'expression comme chose; pour
le « logicien » pur, comme Torquato Tasso, la figure et la sentence expriment également bien le concetto initial, et peuvent
faire double emploi, comme signes parallèles d'une même idée.
Pour un « artiste », tel que Ercole Tasso, le sens de l'impresa
ne doit dériver que du rapport mutuel sentence-figure.
Scipione Ammirato ou Montalto conçoivent ce rapport comme
une « ressemblance »; selon Capaccio, la sentence doit déterminer, mettre en relief, particulariser, « colorer » l'aspect de
la figure qui intéresse l'impresa; Farra et Caburacci découvrent
entre figure et sentence le rapport de sujet et attribut, ou
de majeure et mineure dans un syllogisme; Ercole Tasso
s'en tient, plus simplement, à la complémentarité.
    L'essentiel dans tout cela est l'autonomie de l'impresa —
expression par rapport au concetto initial. C'est une autonomie lentement acquise. A mesure que l'« art » se compliquait,
l'impresa demandait un nombre accru de qualités techniques;
au lieu de témoigner du porteur et de son tempérament, elle
témoigne de l'auteur et de son *ingegno*. On la définit *una
mistura mistica di pitture e parole*[3], *un nodo di parole e di*

1. *Op. cit.*, p. 43.
2. Ammirato, d'après Erc. Tasso, p. 127.
3. Ainsi, Arnigio, *Rime e Imprese dei Accademici Occulti di Brescia*.

cose [1], *un componimento di figure e di motto* [2], tout en ajoutant, bien entendu, que cette « composition » cache et révèle une intention de notre esprit. La définition-type de cette catégorie est celle d'Ercole Tasso : *Impresa è Simbolo constante necessariamente di Figura naturale (toltane l'humana semplicemente considerata) overo artificiale, naturalmente prese, et di Parole proprie, o semplicemente translate : dalle quali Figura e Parole tra se disgiunte, nulla inferiscasi, ma insieme combinate, esprimasi non proprietà alcuna d'essa figura, ma bene alcun nostro instante affetto, o attione, o proponimento* [3]. — Il est significatif que Tasso ait bourré sa définition de précisions diverses, qui constituent en réalité autant de règles (le dessin ne doit comporter de figure humaine que s'il s'agit de héros historiques ou mythiques, dieux, etc.; les autres objets représentés doivent être considérés au sens propre, non métaphoriquement; les mots de la sentence ne peuvent être pris au figuré que s'il s'agit de métaphores courantes, etc.) : comme pour les œuvres d'art, les règles sont constitutives de l'essence.

La dépersonnalisation de l'impresa n'empêche pas l'obligation de s'attacher au particulier; Ercole Tasso insiste plusieurs fois sur ce point, précisant qu'une impresa est d'autant meilleure, qu'elle convient mieux au caractère et à la situation particulière du porteur, et il n'est pas seul de cet avis [4]. Mais c'est, en réalité, une conséquence directe du parti pris « artistique » et ingénieux : car l'art, par définition, concerne le particulier, et l'obligation de s'y conformer est une difficulté « technique » de plus, qui rend plus brillante la performance.

Les spéculations sur l'âme et sur le corps de l'impresa s'accordent bien avec la nouvelle tendance. L'identification simple, par Giovio, de ces deux éléments de la devise avec la figure et la sentence est rarement maintenue; on la rencontre encore chez Ammirato ou chez Palazzi. Mais Ruscelli, déjà, proteste : autant vaudrait appeler âme, dit-il, les paroles d'une chanson ou le sujet d'un tableau — *sottilezze da riso*, dignes d'un *filosofo bestiale* [5]. Cette subtilité ridicule a été cependant très courante : Ficin l'avait introduite à propos de la musique [6], et les exemples dans les traités de la peinture

1. Ammirato, *op. cit.*, p. 10.
2. Contile, *op. cit.*, f⁰ 31 v⁰.
3. *Op. cit.*, p. 24.
4. Erc. Tasso, p. 59, 96, 360, 363, etc., Caburacci, p. 29; Palazzi, p. 101, citant une définition de Francesco Lanci da Fano.
5. *Op. cit.*, p. 3.
6. *De triplici vita*, III, 21; *Opera*, Bâle, 1576, p. 563

sont assez nombreux[1]. Ruscello propose d'ailleurs avec bon sens d'appeler *anima*, s'il faut absolument qu'on en trouve une, l'intention du porteur plutôt que la sentence qui accompagne la figure.

Cette nouvelle idée, suivie, entre autres, par le Materiale Intronato[2] ouvrit le chemin à d'étranges distinctions. Si l'intention de l'auteur est l'âme et le dessin le corps, la sentence, dont la fonction est justement de rapporter la figure à l'intention, de créer le lien entre elles (comme par ex. lorsque le papillon volant vers la flamme est accompagné des mots : *sò bene*), sera l'« esprit animal » des médecins, le *spiritus* : ce fut l'avis de Capaccio[3], point de départ, pour Ercole Tasso, d'une autre complication : il distingue le concetto (la « comparaison » ou le symbole initial) de l'intention (le « sentiment » du porteur), et il établit une chaîne intention-concetto-sentence-figure, où l'analogie organiciste vaut pour les trois derniers termes : le concetto anime l'ensemble sentence-figure, la sentence étant le spiritus intermédiaire, «forme» du dessin[4]; quant à l'intention, elle semble être tantôt la forme première, tantôt la matière de l'ensemble.

Chaque auteur, ou peu s'en faut, ajoutait sa petite note originale. Contile voyait dans la sentence l'âme « particulière » de la figure; car la sentence n'est pas « tout entière en chaque point » de l'objet représenté, mais en souligne un aspect seulement[5]. Chiocco identifiait les paroles à l'âme sensitive, parce qu'elles confèrent à l'impresa l'être substantiel, l'individualité et la faculté d'« opérer »; mais cette âme sensitive devient rationnelle si on enlève le corps : la sentence, considérée en elle-même, contient un sens général[6]. Farra, enfin, développe avec soin tout le système des analogies : à l'intellect *(mens)* répond l'intention première de l'auteur, à l'âme rationnelle la sentence, à l'esprit vital le rapport sentence-figure, à la qualité (au « tempérament ») du corps la signification immédiate de la figure, et au corps matériel le dessin matériel. Farra réussit même à déduire de cette double échelle quelques-unes des règles connues de l'impresa[7].

1. Ainsi Paleotti, *Discorso intorno alle imagini sacre e profane*, Bologne, 1582, fᵒ 63 rᵒ.
2. *Op. cit.*, p. 190.
3. *Op. cit.*, fᵒ 71 rᵒ.
4. *Op. cit.*, p. 83.
5. *Op. cit.*, fᵒ 29 vᵒ-30 rᵒ.
6. Ainsi Ercole Tasso, *op. cit*, p. 393 394.
7. *Op. cit.*, fᵒ 271 rᵒ,-vᵒ.

V. LA THÉORIE GÉNÉRALE DE L'EXPRESSION

On voit que pour les auteurs d'imprese il n'y a en fin de compte pas de différence essentielle entre l'art et l'expression d'une pensée ; il s'agit, dans les deux cas, d'incarner un concept. Ce qui les distingue est une question d'accent plutôt que d'esprit : que le concept soit abstraction pure ou pensée-image, il est toujours objet d'une logique ; et pour faire de cette logique un art, il suffit d'appuyer sur le caractère structuré, « architectural », du moyen d'expression, et sur l'ingéniosité de la démarche. L'époque était favorable, d'une part, aux systèmes où la logique apparaissait comme un art, et notamment aux *artes inveniendi*, topiques imagées ; d'autre part, aux théories de la peinture qui assimilaient l'art à l'expression directe de la pensée ou du savoir. Il est vrai qu'en ce qui concerne l'art de l'impresa, on peut séparer en gros les « logiciens », qui insistent sur l'analogie avec l'Organon et soulignent les ressemblances entre le concetto et l'appréhension simple d'un universel, et les « artistes », qui élaborent des règles, établissent des interactions sentence-figure, détaillent les correspondances de l'impresa avec le composé humain. On peut même constater, chronologiquement, une certaine évolution de l'attitude logiciste à l'attitude artistique ; mais il reste toujours que ces deux points de vue ne sont nullement incompatibles.

C'est que, au fond, toute activité de l'esprit, logique ou artistique, est d'abord, en tant qu'expression, métaphore — pensée-image, ou, dans le double sens du mot, concetto ; et puisque l'art consiste, comme nous l'avons vu, à remonter au-delà de l'objet proposé à l'acte de l'ingegno qui le créa, tout l'art, comme aussi toute pensée, se réduit en fin de compte à la métaphore. L'affirmation fréquente que « celui qui possède un art à fond, les possède tous », revient très exactement à dire qu'il n'y a, pour l'essentiel, que cette seule activité de l'esprit.

VI. L'INTUITION INTELLECTUELLE

Cet arrière-plan philosophique semble bien éloigné de l'aristotélisme qui était censé expliquer la théorie de l'impresa : l'esprit comme créateur d'images-symboles est à nos

yeux avant tout une idée du néo-platonisme renaissant. C'est
du néo-platonisme qu'est parti E. Gombrich pour étudier, sur
l'exemple d'un discours de Giarda (1626), la structure de
l'allégorie concettiste [1]. Mais la valeur de l'allégorie, selon
Giarda, repose sur une participation réelle de l'image à l'Idée;
elle met en jeu la conception, commune aux néo-platoniciens,
que le monde est une écriture chiffrée, un ensemble de signes
magiques ou sympathiques, un langage de Dieu; et la vertu
de l'image suppose la vertu béatifiante de la contemplation.
En réalité, ces vues répondent moins à une théorie philosophique qu'à une forme archaïque et mystique de l'esprit, et
c'est un des mérites de Gombrich d'avoir insisté sur ce point.
L'arrière-plan de l'impresa, par contre, est lié à une doctrine
particulière, aristotélicienne, et qui ne concerne que le fonctionnement de l'esprit; elle n'a pas de prétentions métaphysiques et ne préjuge rien sur l'efficacité « réelle » des symboles.

Les théoriciens de l'impresa peuvent très bien être, personnellement, des néo-platoniciens; ils peuvent employer le
langage de cette école, introduire dans leurs discours les
mythes qu'on y affectionne, sacrifier à toutes les habitudes
de l'esprit néo-platonicien : il est facile de montrer que leurs
vues sont, dans l'ensemble, et peut-être malgré les auteurs
ou à leur insu de simples applications d'Aristote.

Farra, par exemple, s'exprime dans un style nettement
ficinien : *essendo* [le imprese] *le Imagini de' nostri concetti
più nobili, hanno necessariamente un'altissimo principio, per-
ciochè nella formatione loro gli Animi humani vengono a farsi
seguaci e imitatori dell'Anima Regia o gran Natura, della
Mente prima, e finalmente d'Iddio sommo opefice, nella crea-
tione del Mondo ideale, del ragionevole, e del sensibile* [2]. Cela
signifie en clair que la création de l'impresa ressemble au
travail de l'artisan qui conçoit d'abord une idée, et la réalise
ensuite dans la matière sensible, selon le schème aristotélicien bien connu. L'analogie de l'impresa avec l'homme, que
nous avons rencontrée plus haut parfaitement encadrée dans
le système aristotélicien, est exploitée sous tous ses aspects

---

1. « Icones symbolicae », *Journ. of the Warb. and Court. Inst.*, XI, 1948,
162-192. Le jésuite Christoforo Giarda avait composé un discours sur les
fresques de la bibliothèque de son collège (*Liberalium disciplinarum Icones
Symbolicae Bibliothecae Alexandrinae*, 1626) où il assimilait les allégories
peintes aux Idées platoniciennes et vantait en termes hyperboliques leur
vertu pédagogique et morale. L'analyse de E. Gombrich arrive à rendre
compte de ces extravagances en les replaçant dans leur contexte historique
et dans leur ambiance spirituelle, qui est celle du néo-platonisme et de sa
conception particulière du symbole et de l'image — conception dont cet
article donne un aperçu resté classique.

2. *Op. cit.*, f⁰ 157 r⁰.

pour donner à la thèse une couleur néo-platonicienne : le mythe « orphique » de Dionysos lacéré par les Titans reçoit une interprétation cosmologique aboutissant à l'explication de la structure de l'homme, puis une interprétation psychologique parallèle, qui rend compte de la structure de l'impresa : voilà pourquoi l'impresa est une « image de l'homme[1] »; bien plus, l'impresa *può dirse huomo ideale*[2] — phrase qui ressuscite pour nous toutes les spéculations sur l'Adam kadmon et d'autres traditions gnosticocabalistiques; mais Farra poursuit, et c'est lui qui souligne ces mots : [l'impresa può dirsi] *vera, e propria operatione e impresa* [entreprise] *dell'intelletto humano*. Personne parmi les théoriciens n'a aussi bien résumé, en une phrase, ce qui nous semblait être justement le point principal de l'interprétation aristotélicienne et concettiste : que tout acte et toute pensée de l'esprit sont essentiellement impresa.

On peut refaire la même démonstration pour Torquato Tasso : malgré le rappel de la langue adamique, de Dieu implantant les premiers signes de l'écriture dans l'âme des hommes, malgré aussi une allusion au Pseudo-Denys incluse dans la définition même de l'impresa[3], la description qu'il en donne est entièrement conforme aux idées que nous connaissons : l'impresa est *signe*, c'est-à-dire expression au sens large (car ce terme, suivant le Tasse, s'applique indifféremment à la parole, au dessin ou à leur composé); elle est peinture en tant que comparaison ou métaphore, poésie par sa sentence; la comparaison est l'âme vitale de l'impresa, la sentence l'âme rationnelle[4]. Il est tout à fait remarquable que l'impresa soit assimilée à la peinture non à cause du dessin réel qui constitue son corps, mais à cause de la « comparaison » ou métaphore qui constitue son âme; le concetto « figure » de style, est donc considéré comme figure tout court. Ce texte est un des témoignages les plus clairs que l'identité image-pensée dans le concetto était admise comme un lieu commun.

Sur un seul point le néo-platonisme n'est pas, dans la théorie des imprese, un ornement superflu : il apporte l'idée d'une intuition intellectuelle, dont l'impresa serait l'ombre

1. f⁰ 269 r⁰-270 r⁰.
2. f⁰ 269 v⁰.
3. Elle est « signe ou image semblable et adéquate » (p. 386). Cf. « Hiérarchie céleste », dans Ps.-Denys, *Œuvres*, éd. trad. et comm. par M. Patronnier de Gandillac, Paris, 1945, p. 191 : la poésie emploie des images semblables, mais la théologie ne peut user que d'images dissemblables pour exprimer Dieu par la négation et le contraste.
4. *Op. cit.*, p. 386 sq.

et l'ébauche. Quand Taegio célèbre comme *Imprese generali* les dix lettres de la Cabale qui représentent les attributs de Dieu et le monde idéal, et quand il accorde le même titre aux hiéroglyphes, qui permettaient aux prêtres égyptiens d'embrasser d'un seul regard toutes les « choses divines [1] », il reprend, après Plotin et Ficin, le thème de la connaissance parfaite. Il est à peu près certain que la célébration hyperbolique de l'impresa dans les traités ne fut possible que par l'arrière-pensée d'une telle connaissance, qui est proprement du type de la vision béatifique; Capaccio, avec une désinvolture qui sert du moins à dévoiler les batteries de ses collègues, a formulé ces thèses (I, l. 1, *passim*) : ... *essendo l'Impresa un'espression del Concetto, sotto simbolo di cose naturali... ma dalla propria naturalezza* [elevati], *ad esprimere il più occolto pensiero della superior portione, bisognarebbe che fusse l'uomo un'Angelo, acciocchè potesse a prima vista apprendere, intendere et acconsentire.* Cette comparaison avec l'ange doit être prise à la lettre; car l'ange seul connaît directement l'universel, *in quelle tenebre Platoniche nascosto, ove con l'intellettual silentio l'intelletto produce ; al producente solo l'intuitiva cognitione... si serba, havendo ella solamente di se stessa la teorica di formare, e la prattica di esprimere, e di produrre.* Si le concetto d'autrui nous était directement connaissable, *recondita non sarebbe l'Idea ;* notre connaissance ne serait pas théorique, mais « divine ». Il faut donc trouver des moyens indirects pour exprimer l'idée. *Quindi nasce la difficoltà di fabricar l'Impresa.* Les conventions, les méthodes, les règles des diverses académies nous permettent, d'une part, de rendre l'idée communicable, d'autre part, de l'adapter aux cas particuliers. De même que le soleil semble se cacher dans les ténèbres pour qui le regarde fixement, le concetto fuit qui veut le saisir « en soi »; il faut donc que l'intellect « fasse un portrait de soi-même dans ce qu'il exprime ». *Onde, riducendo il discorso a determinate regole nascenti da tutto ciò che la Natura ci insegna, il senso manifesta, e la varietà delle cose ci dipinge, con metodo particolare possiamo intendere le* [imprese] *fatte, e far le nuove.*

La plupart de ces thèses nous sont connues : le concetto au-delà de l'image ou de la parole, l'expression conçue comme étant, par sa condition essentielle, voile et vêtement (« reflet », « portrait », « moyen indirect »), c'est-à-dire métaphore; les règles comme instrument (logique) de communication des idées : tout cela accompagne habituellement la tradition

1. *Op. cit.*, f⁰ˢ 3 v⁰ et 4 r⁰.

d'Aristote. Mais si la dignité de l'impresa est fondée sur celle du concetto, produit de l'intellect dont l'éclat nu serait insupportable, et si on réserve à l'auteur du concetto une connaissance parfaite, c'est-à-dire immédiate, intuitive et productrice en même temps que passive, donc de même nature que la connaissance que Dieu possède de ses créatures — l'apport nouveau, spécifiquement néo-platonicien, ne peut être nié.

L'introduction de ces éléments transforme l'esprit de l'impresa. Les ambitions mystiques et théologiques que l'on rencontre chez les jésuites français du xviie siècle rendent licite et même nécessaire la « métaphore dissemblable et inadéquate », de préférence burlesque, expressément bannie par le Tasse. L'art de la « comparaison » pure, qui néglige le « plaisir » et l'« utilité » au profit de l'« émerveillement » que crée la démarche de l'intellect et l'acte d'expression — cet art très abstrait que l'on rencontre, en dehors de l'impresa, chez quelques poètes entre Scève et Donne, en passant par Michel-Ange et les sonnets de Shakespeare, disparaît au xviie siècle : l'école même qui se dit concettiste sacrifie à la « délectation », introduit systématiquement l'image dissemblable et forme ainsi le pendant de la tendance didactique et mystique qui gagne de plus en plus, après Ercole Tasso, l'art de l'impresa. Le baroque développe, systématise et surtout applique le nouveau moyen d'expression; la théorie était arrivée, avec Ercole Tasso, à un point d'arrêt — en même temps, à peu d'années près, que la littérature des Poétiques tirées d'Aristote. Ce sont exactement les années où le baroque, en Italie, remplace définitivement le maniérisme.

Cette coïncidence s'explique assez bien : la théorie de l'impresa est maniériste parce qu'elle assimile la logique à l'art et l'art à l'acte de « réaliser » un modèle intérieur (et non à la science, à l'imitation de la nature ou à l'expression personnelle); elle est aussi maniériste par son intellectualisme : car le modèle à réaliser est un concetto, création arbitraire de l'esprit. A ces thèmes, qui étaient au centre de l'actualité philosophique, le néo-platonisme, élément essentiel de la « culture parlée » à la fin du xvie siècle, ajoute un vernis d'ailleurs assez superficiel, permettant ainsi à la théorie de l'impresa, insignifiante en soi, mais très favorablement « située », de refléter avec une remarquable richesse et fidélité la conscience que l'esprit humain avait alors de son fonctionnement.

(1957)

*Tableau chronologique des principaux traités
et recueils italiens intéressant la théorie
des* Imprese, 1555-1613

1. Paolo GIOVIO, Dialogo dell'imprese militari et amorose, Rome, 1555.

2. *Idem*, ... con un ragionamento di Messer Lodovico Domenichi, nel medesimo soggetto, Venise, 1556.

3. *Idem*, ... con un discorso di Girolamo Ruscelli intorno all' inventione dell'imprese, Venise, 1556.

4. Scipione AMMIRATO, Il Rota ovvero dell'imprese, Naples, 1562.

5. Girolamo RUSCELLI, Le imprese illustri, Venise, 1566 (éd. consultée : Venise, 1580).

6. Alessandro FARRA, Settenario dell'humana riduttione, Venise, 1571 (VIIe partie : Filosofia simbolica, ovvero dell'imprese).

7. Bart. TAEGIO, Il Liceo... dove si ragiona dell'arte di fabricare le imprese; libro secondo, Milan, 1571.

8. IL MATERIALE INTRONATO (Girolamo BARGAGLI), Dialogo de'giuochi che nelle vegghie sanesi si usano di fare, Sienne, 1572.

9. Luca CONTILE, Ragionamento... sopra le proprietà delle imprese, Pavie, 1574.

10. Giov. Andrea PALAZZI, Discorso sopra le imprese, Bologne, 1575.

11. Scipione BARGAGLI, Dell'imprese, Sienne, 1578 (éd. consultée : Venise, 1594, augmentée d'une seconde et d'une troisième partie).

12. Francesco CABURACCI, Trattato... dove si dimostra il vero e novo modo di fare le imprese, Bologne, 1580.

13. Giulio Cesare CAPACCIO, Delle imprese, Naples, 1592, 3 t. en 1 vol.

14. Torquato TASSO, Il Conte ovvero de l'Imprese, Naples, 1594 (éd. consultée : Dialoghi, éd. Guasti, 3 vol., Florence, 1858-1859, t. III, p. 361-445).

15. Andrea CHIOCCO, Discorso delle imprese e del vero modo di formarle, Vérone, 1601 (cité ici d'après Ercole TASSO, no 16).

16. Ercole TASSO, Della realtà, e perfettione delle imprese, Bergame, 1612 (éd. consultée : Bergame, 1614, non mentionnée dans la Bibliographie de M. Praz).

17. Horatio MONTALTO (Cesare COTTA), Assertiones... (perdu; cité ici d'après les *Risposte* d'Ercole TASSO, no 18).

18. Ercole TASSO, Risposte... alle assertioni del M.R.P. Horatio Montalto..., Bergame, 1613.

LA FORME ET L'INTELLIGIBLE

La subtilité et la complication des programmes inventés par les érudits et les beaux esprits de l'époque maniériste pour les décorations des palais ou résidences et même pour les triomphes et entrées des souverains étaient telles, qu'aucun spectateur d'intelligence et de culture moyennes ne pouvait espérer les comprendre dans le temps qu'il lui était normalement possible de leur consacrer. Warburg a noté[1] à propos de l'entrée qui marquait en 1589 les noces de Ferdinand de Médicis, que les auteurs mêmes des descriptions imprimées ignoraient apparemment le sens du *Trionfo* inventé par Bardi. Un ensemble comme les fresques vasariennes du Palazzo Vecchio pouvait admettre autant de significations cohérentes et parallèles qu'un texte de l'Écriture : l'*istoria* mythologique supportait à la fois des interprétations physiques, morales, religieuses et politiques. Mais pour qui les cumulait-elle? Aucun visiteur non prévenu ne pouvait soupçonner, par exemple, que la chambre décorée avec l'histoire de Cosme le Vieux était placée, pour des raisons subtilement apologétiques, juste au-dessous de celle de Cérès. L'ingéniosité de l'inventeur n'était payante ni sur le plan artistique, ni sur le plan de la propagande.

Warburg, en discutant l'entrée de 1589, invoque, pour expliquer cette situation, la loi du genre et la définition même d'un art « hiéroglyphique ». L'explication est évidemment valable, mais insuffisante, parce qu'elle ne rend pas compte de toute l'étendue du phénomène. Comme l'a montré Wittkower[2], Palladio a déterminé les dimensions des salles successives de ses villas selon un enchaînement « fugal » de proportions, que l'œil, incapable de percevoir simultanément les grandeurs mises en relation, n'était pas en état d'apprécier.

1. « I costumi teatrali per gli intermezzi del 1589 », in *Gesammelte Schriften*, I, Leipzig-Berlin, 1932, p. 280-282.
2. *Architectural principles in the age of humanism*, Londres, 1949, *Warburg Studies*, 19). Voir surtout p. 110-115.

Mieux encore : lorsque les conditions ne permettaient pas
la réalisation du programme « pythagoricien », Palladio s'en
écartait et introduisit même des asymétries, quitte à les
corriger ensuite tacitement lorsque, dans ses écrits théoriques,
il dessinait ces édifices « comme ils auraient dû être » ; ce qui
prouvait, de la part d'un pythagoricien, peu d'estime pour
l'harmonie visuelle. Puisque l'édifice idéal, non exécuté et
impossible à deviner derrière la réalité, était « parfait »,
l'architecte se jugeait quitte envers l'exigence de la beauté
rationnelle [1]. L'extraordinaire reconstruction idéale du Temple
de Jérusalem par G. B. Villalpando dépasse largement, dans
ses calculs, le pouvoir appréciateur de l'œil : des proportions
« musicales » régissent, par exemple, les rapports entre les
métopes du premier étage et les triglyphes du troisième, ou
entre les métopes des ordres de deux étages successifs [2].

Plus la peinture se voulait discursive, moins la forme en
était « parlante »; plus l'architecture se prétendait pythagoricienne, moins elle se souciait de l'harmonie visible. La perfection de l'art était ainsi placée dans une « idée » non seulement abstraite, mais muette et cachée, et même restée, le
cas échéant, à l'état de simple sous-entendu; la beauté n'existait alors que pour une analyse rationnelle que, dans la plupart des cas, personne n'avait l'envie ni les moyens d'entreprendre.

On est facilement tenté de croire que ce paradoxe, commun
à l'art apologétique et au pythagorisme, ne serait qu'une des
formes du penchant connu des maniéristes à élever l'*idea* au-
dessus des sens. Si le noyau conceptuel est tout, la peinture
peut n'être plus qu'un discours pictographique, et l'architecture un schéma visuel traduisant n'importe comment des
rapports arithmétiques privilégiés.

Mais un tel souci de perfection inutile et apparemment
absurde repose aussi sur une tendance esthétique positive,
une sorte de frénésie de l'agencement. Le décor du Palazzo
Vecchio fait ainsi penser à ces sortes de chefs-d'œuvre qui
depuis les polyphonistes jalonnent l'histoire de la musique :

---

1. Wittkower, (p. 122), écrit à propos du commentaire vitruvien de Barbaro,
l'ami et l'inspirateur de Palladio : *Those who work through Barbaro's chapter
on proportion... will put it aside with the conviction that this man expected and
saw in a building proportional relationships which are outside our range of
perception.* La formule est un peu équivoque; elle ne doit pas être comprise
dans le sens que les hommes de la fin du xvie siècle avaient un sentiment
particulièrement aigu de l'harmonie; nous venons de voir, d'après Wittkower
lui-même, que Palladio la sacrifiait assez allègrement. C'est à l' « idée » seule
de l'édifice que s'adressaient les exigences des théoriciens.
2. G. B. Villalpando et H. Pardo, *In Ezechielem Explanationes*, 3 vol.,
Rome, 1596-1604; voir t. II, p. 449 (cité par Wittkower, p. 107) et p. 443, 458.

compositions « à clef », qui n'existent ni pour le public, ni pour l'exécutant, mais pour l'analyse seule, et dont la véritable interprétation se fait par le calcul. C'est cela qui détermine le caractère maniériste : la contingence de la forme par rapport à l'essence intelligible de l'œuvre. La signification est souvent « raccrochée » à la forme par les détours les plus inattendus : Vasari peignit sur un des plafonds de sa maison arétine *Virtù* et *Fortuna* en lutte : quand on fait le tour de la chambre, c'est tantôt l'une, tantôt l'autre qui paraît avoir le dessus : symbole de ce qui se passe dans la vie.

Il ne serait pas absurde de donner à cette esthétique intellectualiste et savante l'épithète d'humaniste. Par ses représentants, elle lui convenait certainement : les inventeurs des programmes de décors étaient presque toujours des érudits, des *antiquarii* ou au moins de beaux esprits; les architectes pythagoriciens étaient tous héritiers d'Alberti, et Wittkower n'a pas hésité à appeler ce courant l'« architecture humaniste ». La théorie sur laquelle on s'appuyait était toujours celle d'Aristote, indispensable pour justifier ces exercices; rappelons qu'elle considérait l'œuvre d'art comme la réalisation pratique d'une idée préalablement conçue dans l'esprit et imposée avec « violence », disait l'école, à la matière extérieure. Ce processus était rationnel, méthodique, et les seules conditions subjectives étaient, du côté de l'artiste, le savoir et l'*habitus* acquis. On serait tenté de croire que l'art de Vasari et de Palladio n'était que l'application de cette doctrine. Indication supplémentaire, la réaction contre cette esthétique coïncidait par la date comme par ses représentants, avec la fin de l'humanisme. Elle consistait essentiellement à nier la séparation de la forme et du sens, et à enlever au sens son caractère purement intellectuel; elle réduisait l'art avec Bruno, par exemple, à une beauté qui était charme sympathique et communication d'affects.

Mais cette réaction de 1600, était-elle cependant vraiment anti-humaniste, et l'art qu'elle cherchait avec un certain succès à détrôner pouvait-il se réclamer à bon droit de l'humanisme? Il n'est pas possible de l'affirmer. Car d'une part un certain humanisme, celui de Ficin, a cautionné quelques-unes des thèses nouvelles; d'autre part, rendre l'humanisme classique responsable de la séparation radicale entre l'idée et son « vêtement » sensible, serait faire tort à une de ses plus anciennes et plus profondes aspirations.

On peut, pour mettre les choses au point, examiner sur quelques thèmes significatifs, liés au rapport entre la forme et l'idée, le glissement de la conception ancienne (disons, en gros, maniériste) à la nouvelle esthétique vitaliste et expressionniste. Les questions se groupent assez facilement autour de la pensée esthétique de Lomazzo.

a) *Pythagorisme et sensibilité.*

Le livre de Wittkower a bien montré quelles convictions et quels partis pris théoriques ont contribué à façonner l'architecture pythagoricienne de la Renaissance, où, selon le mot d'Alberti, rien ne devait entrer qui ne sente la pure philosophie. Il a cependant évité, par une limitation qui était son droit, d'interroger systématiquement ce pythagorisme sur son sens esthétique concret; car le concept était équivoque : il pouvait viser une beauté réduite au charme sensible, aussi bien qu'une perfection abstraite, inaccessible à l'instinct aveugle du beau. Le nombre et la mesure pouvaient vouloir soit rationaliser et purifier l'émotion, soit, comme dans l'emploi des modes musicaux, susciter des « passions » bien déterminées. La « proportion » pythagoricienne pouvait être soit accord ou convenance dans le domaine de la quantité — ce qui en faisait un cas particulier, mais autonome, de l'harmonie universelle — soit simplement une traduction visuelle exacte de la consonance musicale. On comprend que toutes ces questions, auxquelles des critères précis permettent de donner souvent des réponses sans ambiguïté, gravitent autour d'une seule : comment et dans quelle mesure le sensible *comme tel* est-il en art porteur du nombre intelligible?

Grâce au *Timée* et à la théorie de la musique, le pythagorisme n'a jamais été oublié au Moyen Age; les classifications où *musica mundana, humana* et autres espèces d'harmonie ne laissent à la musique vocale ou instrumentale qu'une modeste dernière place, ont été au XIIe et XIIIe siècle plus florissantes que jamais. L'apport de l'humanisme consiste seulement dans l'application de cet acquis à l'architecture. Vitruve y invitait, et la tentation était très forte — consciente chez Alberti — de fonder ainsi une beauté « rationnelle » au sens à la fois arithmétique et philosophique du mot. Quand un architecte de la Renaissance parle de la « musique » d'un édifice, il n'entend pas forcément traduire une impression esthétique; encore moins, bien entendu, lorsqu'il désigne des rapports de longueurs par les termes techniques *diapason* et *diapentès*. La « consonance » est elle-même une notion arithmétique, et on ne se demande pas, d'abord, si elle correspond entièrement et exclusivement aux intervalles consonants et aux rapports de longueurs qui plaisent à l'œil. Un rapport a/b est consonant quand la différence $a - b = n$ est un diviseur commun de a et de b [1]. Cette règle est assez arbitraire et d'une étroitesse excessive, excluant, par exemple, les deux tierces, mais elle a l'avantage énorme de donner une formule de la beauté. Réciproquement, Alberti accepte en architecture, comme l'a fait remarquer Wittkower [2], des proportions que l'on ne pourrait pas traduire en musique sans dissonance, mais qui arithmétiquement sont irréprochables : la succession de deux quartes, 4-6-9, ou de deux quintes, 9-12-16. Les trois domaines de la « consonance », arithmétique, musical et visuel, ne se recouvrent donc pas, et c'est le premier qui l'emporte. La nouveauté humaniste n'est pas d'avoir cherché dans le schème mathématique le secret de la beauté, car on connaissait déjà au moins le nombre d'or comme recette d'atelier, mais d'avoir voulu remplacer, ici comme ailleurs, la « pratique » aveugle par une règle du beau que garantissaient à la fois la tradition antique et la philosophie.

Ce point est d'une importance fondamentale. C'est lui qui rendait le pythagorisme si rassurant pour beaucoup d'auteurs du XVe et du XVIe siècle : il prouvait la rationalité du monde. Le sens de la beauté devenait un instinct du rationnel; Alberti est ici d'accord avec Villalpando, le premier affirmant par confiance dans la raison ce qu'après la longue parenthèse du maniérisme le second redécouvrira par un début de confiance dans l'instinct [3]. Et si les théoriciens de l'architecture affectent d'ignorer le nombre d'or, pourtant harmonieux et fondé en géométrie, c'est que sa beauté n'est ni rationnelle ni musicale,

1. Voir, par exemple, Daniele Barbaro, éd. et comment. de l'*Architecture* de Vitruve, Venise, 1556, p. 147.
2. *Op. cit.*, p. 102.
3. Alberti, *De re aedific.*, IX, 5 : *Ut vero de pulchritudine iudices non opinio : verum animis innata quaedam ratio efficiet.* Et plus loin : *... naturae sensu animis innato, quo sentiri diximus concinnitas.* Villalpando, t. II, p. 18, assure qu'il a montré à son maître Juan de Herrera, l'architecte de l'Escorial, sa reconstruction du Temple de Jérusalem, où il tirait des textes de l'Écriture un modèle parfait de rationalité, de « musicalité » et de vitruvianisme avant la lettre : *Is cum primum has nostras descriptiones perspexit... ingenue fatebatur, aliquid divinae sapientiae in ipsa se architecturae proportione subolfacere, ita ut etiam si descriptiones ipsas tantummodo vidisset, audissetque a nemine... eas sacris litteris contineri; nihilominus ipse facile iudicasset, ab humano ingenio excogitatum non fuisse eiusmodi aedificium, sed a Deo infinita sapientia architectatum.*

et pourrait faire douter de l'essence supérieure de l'instinct esthétique[1].

La formule type du pythagorisme humaniste albertien, classique et naïf, reposerait en somme sur les postulats suivants, qui définissent dans le domaine esthétique l'harmonie préétablie de la nature et de la raison :

la proportion « consonante », c'est-à-dire une certaine forme de rapports numériques simples, est la condition nécessaire de la vraie beauté — tout autre agrément acoustique ou visuel n'étant que pur « plaisir des sens »;

cette condition n'est cependant pas suffisante, car certaines proportions théoriquement irréprochables peuvent ne pas s'avérer bonnes soit en architecture, soit en musique; et ces deux arts ne sont en outre pas strictement parallèles, mais deux cas particuliers et différents de l'harmonie universelle;

il existe un instinct du beau qui nous signale cette harmonie, sans le détour de l'analyse et sans l'aide des mesures de contrôle.

Lors de la crise maniériste, ce système devait s'écrouler, et le pythagorisme changer de sens. Le point faible était la question du parallélisme entre les diverses formes de beauté. La dissymétrie des arts n'était pas justifiable, et on tenta de l'abolir, ce qui entraîna deux conséquences : d'abord, surtout chez Francesco Giorgi, mais dans une certaine mesure aussi chez Corneille Agrippa, une sorte de panmusicalisme qui risquait de transformer l'harmonie cosmique en une synesthésie idéale; ensuite, chez Palladio entre autres, une confiance un peu pédantesque dans la méthode, qui ne tient plus aucun compte de la sensation.

Il est facile de suivre ce processus. La « correspondance des arts » fut bientôt exploitée, surtout, naturellement, en Vénétie. En 1590, le musicien Gafurio est appelé en consultation pour la construction du dôme de Mantoue; en 1535, Francesco Giorgi fait imposer à Jacopo Sansovino un projet « pythagoricien » pour San Francesco della Vigna. Giorgi tend à maintenir le pythagorisme dans les limites du sensible; il n'admet pas, comme Platon, une beauté des nombres en soi, mais seulement une « vertu » efficace, véhiculée par la beauté

1. Le silence des théoriciens explique le *lapsus* de Wittkower (p. 95) que « probablement ni Palladio, ni aucun autre architecte de la Renaissance n'a jamais employé en pratique des proportions irrationnelles ». C'était oublier, par exemple, la façade de la Cancelleria. Une autre recette d'atelier, la triangulation prétendue gothique, a pu, justement parce qu'elle passait pour la caractéristique d'un style irrationnel, être discutée comme on sait lors de l'achèvement de San Petronio à Bologne.

sensible. Le *De harmonia mundi* (Venise, 1525) est un des plus pittoresques, mais des moins spéculatifs parmi les livres platonico-pythagoriciens et magiques de l'époque. Le langage musical, qu'il emploie volontiers, exprimant les distances des planètes en tons et demi-tons, etc. [1], a chez lui une signification réelle, car contrairement à Alberti, Giorgi refuse de prendre en considération des harmonies de nombres qui ne subissent pas l'épreuve de l'audition [2]. L'harmonie des sphères elle-même est, en principe, sonore; une oreille meilleure que la nôtre l'entendrait [3].

Ainsi conçu, le pythagorisme ne prouve plus la rationalité du réel, mais son merveilleux agencement, encore une « harmonie », si l'on veut, mais au sens leibnizien de la coordination des monades. Le rapport classique entre le sensible et l'idée s'y trouve menacé. Cinquante ans plus tard, il est rompu. D'un côté, l'analogie des arts se resserrait, dans un sens presque expérimental : Zarlino ayant élargi la notion arithmétique de consonance, pour la faire coïncider avec le témoignage de l'oreille en réhabilitant les tierces, Palladio s'empressa d'utiliser en architecture les proportions ainsi autorisées; d'autre part, nous l'avons vu, même Palladio ne semblait pas se soucier de rendre ces proportions accessibles à la vue. Insistant plusieurs fois, dans les *Quattro libri*, sur l'opportunité de corriger selon les exigences de l'oreille et du goût des grandeurs déduites par la théorie, il confirme un divorce peu compatible avec l'esprit du pythagorisme [4]. La curiosité « expérimentale », presque synesthésique, et l'extrapolation basée sur un postulat théorique aveugle s'entremêlent aussi dans l'invention par Arcimboldo d'un « clavier des couleurs » et dans la recherche par Giacomo Soldati d'un « sixième ordre » idéal [5].

Le maniérisme insiste beaucoup sur le caractère suprasensible de l'harmonie pythagoricienne. Comme elle n'appartient

1. *De Harm. Mundi*, I, 8, 16; cf. III, 1, 1, l'expression en termes musicaux des proportions canoniques du corps humain.
2. *Ibid.*, I, 3, 13.
3. *Ibid.*, I, 8, 16 et 19.
4. Voir la même prise de position, très claire, chez Barbaro, p. 59 et surtout p. 105, à propos de la fameuse question des monuments antiques non conformes aux règles de Vitruve.
5. Scamozzi, *L'idea dell'architettura universale*, Venise, 1615, III, p. 220-221, garde, comme Arcimboldo et Soldati, une confiance solide dans la valeur esthétique de la correspondance musique-architecture, et n'hésite pas à suggérer, après Giorgi, que les différentes proportions peuvent mouvoir les passions de la même manière que les modes musicaux; d'autre part — et ceci est caractéristique de l'époque maniériste — il pousse l'apriorisme dogmatique jusqu'à « déduire » logiquement le nombre et en partie l'aspect des ordres vitruviens.

en effet à aucun sens en particulier, comme elle n'est ni proprement quantitative, ni purement qualitative, on peut y
voir, avec Scaliger, un « affectus transvolans per omnia prae-
dicamenta »[1], et en déduire l'impossibilité d'une esthétique
fondée sur elle : la beauté, qui est une qualité sensible, n'a
rien en commun avec la *symmetria*, qui est relation; l'œil
ne décèle pas, dans l'éclat d'une couleur, la *temperatio* qui
en est la cause[2]. Mais Cardan, contre qui sont dirigées ces
remarques, n'avait pas été moins étranger à l'optimisme
albertien : le plaisir esthétique n'était pour lui autre chose
que la « délectation » de connaître la *symmetria* des choses.
L'œil comprend *(intelligit)* les proportions simples; le beau
sensible s'appelle chez Cardan *cognitum*[3]. Le nerf du pythagorisme est ainsi enlevé, car la beauté n'est plus que le
rationnel connu à travers le sensible, comme on connaît une
pensée à travers les mots qui l'expriment. Cardan, Palladio
et Scaliger admettent donc ensemble, mais en mettant différemment l'accent, qu'il existe une beauté sensible pure, qui
en tant que telle n'est pas incarnation du nombre (Scaliger),
une beauté purement intelligible qui peut ou non se servir
des sens comme véhicule (Cardan), et parfois, mais presque
fortuitement, un accord des deux (Palladio).

Les théoriciens nous ont donc ramenés à la situation réelle
de l'art maniériste en nous permettant d'en préciser le rapport
avec l'humanisme : un fait d'expérience, le manque de concordance entre les différentes formes de l'harmonie, a ruiné le
pythagorisme naïf d'Alberti et a imposé la séparation de
l'intelligible, non comme doctrine humaniste pure, mais comme
position en retrait avant la capitulation.

Pythagorisme et symbolisme, qui posent de la même
manière le problème de l'intelligible et de l'art, sont aussi
liés en fait par un arrière-plan philosophique déterminé. La
philosophie de la *proportio* pouvait à la fois invoquer le
passage de la *Sagesse* de Salomon sur le nombre, le poids et
la mesure, se réclamer du *Timée* et du discours d'Eryximaque
dans le *Banquet*, et se fonder, avec Vitruve, sur le fait que
l'homme est la mesure de toutes les choses. Ainsi Dieu, la
Nature et l'homme concourent à fonder *in re* l'exigence de

1. *Exotericarum exercitationum libri XV*, Francfort, 1601, exercit. 300,
I, p. 895.
2. *Ibid.*, 300, 2, p. 896.
3. *De subtilitate libri XXI*. Paris, 1551, f° 232 r°-v°.

la proportion et l'expérience de l'harmonie; et c'est aussi pourquoi le pythagorisme, encore tout objectif chez Alberti, peut se prolonger à l'époque maniériste par un symbolisme et par une psychologie.

La confluence des trois traditions citées donne en effet à la *symmetria* des architectes une superstructure théorique démesurée. Vitruve avait déduit de la forme humaine celle du temple et de la colonne, établi un canon relativement simple des proportions du corps humain, amorcé sa « quadrature » et fait remarquer que ses membres sont à l'origine du système romain des mesures. Sur ces passages inlassablement commentés se greffe à présent le thème de l'homme « modèle du cosmos », dont dérivent non seulement les formes de l'architecture, mais les figures géométriques élémentaires. Le Dieu qui créa le monde des lois mathématiques et fit de l'homme un abrégé de toutes les harmonies, est donc essentiellement architecte, mais architecte d'une structure de symboles : *Immo et ipse opifex summus totam mundi machinam symmetram corpori humano, et totam ei symbolicam fabricavit*, écrit Giorgi (III, 1, 1). Le microcosme est un accord de beauté avec le monde, et une expression figurée de sa constitution. Villalpando, qui pousse très loin ce genre de spéculations, cite tout naturellement Vitruve à côté de l'Écriture [1]. Vitruve est canonique parce qu'il est la raison même; il a d'ailleurs emprunté toutes ses règles au Temple de Jérusalem [2], où elles avaient été réalisées de manière exemplaire sous l'inspiration de Dieu. Le thème de l'Arche de Noé entre tout naturellement dans ce contexte. Philon avait montré (*Quaest. in Genesim*, II, 1) que ses proportions étaient celles de l'homme idéalement constitué; Augustin (*Contra Faustum*, XII, 39; cf. *Civitas Dei*, XV, 26) renchérit : cet homme idéal est le Christ, ou encore l'Église, le vaisseau hors duquel il n'y a pas de salut. D'où l'importance symbolique de l'analogie entre la forme humaine et les plans des églises (Giorgi, Villalpando). Le cercle se ferme quand interviennent aussi les intervalles musicaux; cette terminologie pythagoricienne avait été employée pour formuler le canon humain d'abord par Gauricus, puis, avec une intention plus précise, par Corneille Agrippa; Lomazzo l'a soigneusement réservée au corps de proportions

1. L'ensemble de ces motifs apparaît chez lui, assez bien groupé, au tome III, p. 465 sqq.; cf. aussi t. II, p. 20, la polémique contre ceux qui osent reconstituer le Temple de Salomon sans connaître Vitruve.
2. III, p. 436-437 : *Omnes basilicae construendae leges ex hac una Salomonis mutuata est Vitruvius*. Et t. II, p. 144 : Vitruve a emprunté à la Bible *non sententias modo, verum etiam fere verba*.

parfaites (plus près donc du Christ et de l'Arche), se conten-
tant, pour les types dérivés, de la simple notation numérique.
Villalpando n'introduit les termes musicaux que vers la fin
du tome III, où il parle aussi de l'interprétation symbolique
du Temple, dans lequel il découvre un schéma du cosmos
ainsi que les douze tribus, les planètes, les signes du zodiaque,
les éléments, et des allusions au Christ [1].

Le pythagorisme s'apparente donc, du moins chez Giorgi
et Villalpando, à cette autre doctrine de l'*harmonia mundi*
qu'est le pansymbolisme. Mais il n'est pas moins lié, traditionnellement, à l'idée du cosmos régi par des lois mathématiques. « Les règles de l'arithmétique, écrit Daniele Barbaro,
sont celles qui unissent musique et astrologie, car la proportion est générale et universelle dans toutes les choses faites
selon mesure, poids et nombre [2]. » Il n'est peut-être pas exclu
que l'on puisse trouver dans les textes du xvie siècle sur
les lois divines et le monde sensible qu'elles régissent, la trace
d'une évolution semblable à celle que subissait à la même
époque la conception des rapports entre le nombre harmonieux et la beauté. Ce qui est certain, c'est que le célèbre
passage de la Sagesse sur « mesure, nombre et poids » (XI, 20)
appuie, en dehors d'une science de la nature, une esthétique
du beau naturel qui, elle, s'intègre dans le mouvement général
des idées [3].

b) *Magie et art.*

Le deuxième grand « modèle » dont on se servait pour
expliquer l'art était, après le métier, la magie. Dans l'alter-

1. III, p. 449, 458, 465-483.
2. *In Vitr.*, I, 1, p. 16; cf. aussi p. 57 : *Divina è la forza de' numeri tra loro
con ragione comparati, né si può dire, che cosa sia più ampio nella fabrica...
[del] mondo... della convenevolezza del peso, del numero, et della misura, con
la quale il tempo, lo spazio, i muovimenti, la virtù, la favella, lo artificio, la
natura, il sapere, e ogni cosa... divina, e humana, è composta.*
3. On donne aussi à la fameuse triade un sens moral ou noétique, plus près
d'ailleurs que les autres interprétations de sa valeur originale dans le contexte.
En effet le vers de la Sagesse ne faisait pas allusion aux passages sur le
Créateur, que l'on cite à son propos (Is., xl, 12; Job, xxviii, 25), mais au
Lévit., xix, 35 : *Nolite facere aliquid in iudicio in regula, in pondere, in
mensura.* Dieu ne figure pas ici comme architecte, mais, si l'on veut lui
laisser un métier symbolique, comme contrôleur des poids et mesures.
De ce *iudicium* dérive le parallèle entre la musique et la justice, fondées
toutes les deux, selon le Sieur de Pibrac, sur nombre, ordre, mesure et
enthousiasme (*Discours*, 1572; cf. Frances Yates, *The French Academies
of the XVIth century*, Londres, 1947, p. 106-107); Villalpando écrit de même
(II, 332-333) : *Mensurarum ponderumque iustam rationem a Deo iniungi...
quod... aptissima iustitiae symbola sunt.* Il a eu, pour renforcer son commentaire intellectualiste et moral de la triade, l'idée d'interpréter comme suit
le texte cité du *Leviticus:* « Vous ne fausserez pas le jugement, l'étalon de
longueur, le poids et la mesure... »

nance historique entre les deux conceptions, qui souvent caractérisent deux esthétiques ou deux théories de la science, le tournant de 1600 correspond bien entendu à une très nette et frappante résurrection de l'art-magie. Il serait d'ailleurs plus correct de parler de découverte que de résurrection; car les rapprochements précédents, quoique nombreux, avaient été plutôt tacites ou involontaires.

Nous pouvons prendre comme référence — le choix étant sans doute arbitraire — un texte comme le faux *Alberti Magni... de mirabilibus mundi* [1] : l'âme humaine possède une *virtus immutandi res* (c'est la formule connue d'Avicenne) et peut « lier ou délier » la matière, « altérer » son propre corps et les choses extérieures par la force de ses affects, opérant à la faveur de constellations propices. C'est une question d'énergie : l'âme plus fervente l'emporte sur la plus faible; une question de don inné aussi : *Nullus autem est aptus in hoc nisi quem instigat ad hoc faciendum inclinatio naturalis aut aliquid vigens in eo.* L'efficacité des rites célébrés avec la passion due est semblable à la causalité de l'âme; et il est bon que le magicien possède, outre l'inclination permanente, une disposition spéciale, un désir plus fort, au moment où il opère. La magie, en somme, est un langage des affects, qui s'expriment ou « prennent corps » au moyen de l'imagination; c'est la thèse devenue classique, passée avec des variantes chez Pietro d'Abano, Ficin, Pomponazzi. Or on y reconnaît, *mutatis mutandis*, tous les éléments de l'art dont l'aristotélisme pur ne pouvait pas rendre compte : le talent, la force contagieuse de l'affect manifestée par la forme qui l'exprime, le rôle et le charme de l'individualité, l'inspiration. Dans la suite du texte d'Albert apparaît encore, avec la magie sympathique, l'importance essentielle de la *mimesis* qu'Aristote avait intellectualisée en bannissant l'imagination de sa théorie générale de l'art.

Avant de reconnaître dans la magie ainsi conçue le prototype des beaux-arts, on en a fait, contre Aristote, le prototype de la *techné* au sens large, qui cessait ainsi d'être une « violence » faite à la nature, et devenait une maïeutique, *ars ministra naturae*. Le rôle de l'homme cesse d'être créateur; il prépare les conditions de l'activité naturelle, hâte ou retarde les processus, les provoque, les favorise ou les empêche. L'alchimiste, disait Jean de Meung dans un poème où, fait significatif, les manèges décrits ont un double sens obscène,

---

1. Apocryphe du XIIIe siècle, imprimé en Italie dès 1478; édition consultée : *Alberti Magni speculum astronomie...*, Lyon, 1615; voir p. 56-60.

agit par « naturel artifice », c'est-à-dire en se bornant à mettre
la nature sur la voie [1]. Ficin évoquait, à propos des *vapori,
qualità, numeri e figure* utilisés par le mage, les opérations
de l'agriculteur, et concluait : *adunque l'opere della Magica
sono opere della natura* [2]. Ce complexe magie-nature, dont on
sait l'avenir considérable, s'élargit plus tard pour embrasser
expressément les beaux-arts. G. B. della Porta dans son écrit
de jeunesse *De i miracoli e maravigliosi effetti dalla natura
prodotti* [3], transcrit presque littéralement Ficin, mais en le
plaçant dans le cadre d'une discussion sur les qualités du
magicien, où il s'appuie sur les schèmes qu'Horace et Vitruve
avaient proposés pour les cas respectifs du poète et de l'architecte : de la complémentarité entre théorie et pratique,
entre don inné et art acquis — le don chez les privilégiés
pouvant dans une certaine mesure tenir lieu d'étude.

Au savant maïeute, qui dans la magie naturelle commande
à la nature en lui obéissant, répond alors l'artiste oiseleur, qui
ne « produit » pas la beauté, mais qui sait la capter. Nous
sommes ici au cœur du débat esthétique de la Renaissance :
il s'agit de savoir si les nombres et les rapports pythagoriciens,
l'« harmonie » quantitative et qualitative des parties constituent la beauté, ou s'ils n'en sont que la « préparation »; si,
autrement dit, la beauté est règle ou si elle est grâce; ou
encore : si l'art consiste dans l'agencement rationnel des
parties constitutives ou dans un charme spirituel inhérent
à l'aspect sensible et à la *Gestalt*.

Les auteurs « magiciens » ont généralement, avec une logique
qui n'était pas toujours consciente, pris le parti de réduire
la beauté mathématique ou autrement « ordonnée » au rang
d'une « préparation », d'un piège pour la grâce. Ficin l'a dit
expressément dans un passage connu du *Convito;* Corneille
Agrippa explique la supériorité du chant sur la musique instrumentale par celle de l'expression sur le nombre seul, et
y reconnaît l'intervention de ce facteur mi-spirituel, mi-
corporel qu'est l'imagination [4]. Ailleurs, pour illustrer la

---

1. Jean de Meung, *Remonstrances de Nature à l'Alchymiste errant* et
Response de l'Alchymiste (édition consultée : *Roman de la Rose*, Paris, 1735,
appendice).
2. *Convito*, VI, 10 (Florence, 1594, p. 166).
3. Venise, 1560, I, 1, f° 1 v°; cf. II, 2, f° 35 r°.
4. *De occulta philosophia*, II, 25 (éd. Lyon, 1555, p. 259) : *Cantus quam
instrumentalis sonus plus potest, quatenus per harmonicum concentum, ex
mentis conceptu, ac imperioso phantasiae cordique affectu proficiscens, simulque
cum aere fracto ac temperato, aerium audientis spiritum, qui animae atque
corporis vinculum est, motu facili penetrans, affectum animumque canentis
secum transferens, audientis affectum movet affectu, phantasiam afficit phantasia, animum animo, pulsatque cor, et usque ad penetralia mentis ingreditur,*

nature extra-rationnelle des charmes magiques *(non enim ratione cognoscentem et intelligentem trahere possunt)*, il recourt de nouveau à l'exemple de la musique, qui meut les passions et qui nous fait battre inconsciemment la mesure des chants entendus [1]. Il cite l'amour comme exemple d'une action de la vue sur le *spiritus animalis hominis*, l'imagination non rationnelle et opposée au rationnel [2]. Plus tard, poussé par la même méfiance du « magicien » contre la surestimation pythagoricienne de l'intelligible, Campanella s'attaquait à la vertu des nombres : ils sont causes idéales, non efficientes ; ils servent à formuler les règles des phénomènes et il arrive que la Nature procède en tenant compte des nombres significatifs comme trois et cinq, mais le nombre comme tel n'a aucune « vertu » propre [3].

Cette évolution du pythagorisme « arithmétique » n'est cependant pas aussi nettement dessinée que celle de la théorie générale du beau ; tous les auteurs ne tendent pas à le coiffer d'une théorie de l'expression ou de l'action magique purement spirituelle. Agrippa lui-même, lorsqu'il parle de l'harmonie des parties du corps humain (puisant d'ailleurs largement dans Gauricus et Cesariano) et Giordano Bruno, dans le *De Monade*, lorsqu'il démarque Agrippa sur la vertu des nombres, ont continué la tradition primitive. Francesco Giorgi a encore une vision très statique de l'harmonie, réduite à des correspondances et à des « résonances » ; il se situe d'ailleurs assez loin des tenants de la magie naturelle, qui ont essentiellement contribué à dépasser ce stade. Comme toujours lorsque des thèses qui s'affrontent s'appuient toutes les deux sur une longue tradition, le changement d'attitude ne se produit que lentement et avec des fluctuations ; mais son point d'arrivée est certain ; dans le *De vinculis in genere* de Bruno, musique, amour, magie, déjà réunis accidentellement par Agrippa [4], se trouvent confondus dans une théorie complète des « liens », qui soude ensemble de la manière la plus forte possible la

sensim quoque mores infundit ; movet praeterea membra atque sistit, corporisque humores. — C'est un mélange des théories musicales de Ficin (cf. Walker, *Ficino's spiritus of music*, Annales musicologiques, I, 1953, 131-151) avec des vues dérivées de l'identification entre le *spiritus phantasticus*, enveloppe « subtile » de l'âme pensante, et les esprits animaux du sang, d'une part, les *spiritelli* des poètes, de l'autre.

1. *Ibid.*, II, 60.
2. *Ibid.* Sur l'antagonisme *phantasia-ratio*, hérité des stoïciens, cf. Ficin, *Theol. plat.*, VIII, 1.
3. Voir, par exemple, « Magia e Grazia » (*Theologicorum liber XIV*), éd. R. Amerio, Rome, 1957, p. 204.
4. Cf. *De occ. philos.*, I, 5, p. 103-104, la curieuse explication de l'amour.

forme et le sens dont elle est porteuse[1]. C'est une esthétique
générale de la fascination, portée à son point extrême, et
qui, prise à la lettre, excluerait la possibilité même d'une
théorie de l'art.

L'interprétation magique de l'art se traduit expressément
dans les emprunts de Lomazzo à Corneille Agrippa. Le
Trattato dell'arte della pittura (1584) et l'*Idea del Tempio
della Pittura* (1590) de Lomazzo sont truffés de citations et
d'adaptations inavouées du *De occulta philosophia*[2], et on
peut bien dire que sur tous les points où Lomazzo annonce
la conception de l'art que nous avons appelée ici magique,
il a trouvé dans Agrippa une confirmation ou un appui,
sinon même un guide. Significatif est le passage[3] sur l'effet
psychologique des couleurs. La remarque de Lomazzo à ce
sujet est nouvelle et bien surprenante à sa date; je ne sais
pas si elle a été reprise par autrui avant la *Farbenlehre* de
Gœthe. Des valeurs symboliques précises avaient déjà été
attribuées aux couleurs dans l'invention des blasons et des
livrées, ainsi que dans le langage des cadeaux[4]; d'autre part,
d'innombrables textes confirment que, face au *disegno* d'essence intellectuelle, la couleur représentait l'élément sensible
et affectif; on en avait fait aussi, depuis longtemps, le domaine
réservé de la subjectivité dans le jugement artistique, associant « les goûts et les couleurs »[5]. Cependant, malgré le préjugé ancien et vague contre les couleurs sombres, « tristes »,

1. L'amour, surtout selon les néo-platoniciens, était prédestiné à jouer
un rôle important dans ce contexte. Par sa cause (la beauté) il s'apparentait
à l'art, par son mécanisme et ses effets (sympathie, fascination, extase)
à la magie. Une croyance immémoriale attribue à la magie le pouvoir de
créer l'amour; d'autre part, l'analogie avec l'amour permettait aux théoriciens de l'art de s'avouer certaines réalités difficiles à justifier autrement,
notamment la diversité des goûts (Lomazzo, *Idea*, chap. xxvi). Il n'est
donc pas étonnant que l'amour a pu devenir, dans le *De vinculis in genere*,
le prototype de tout « lien » ou charme : *Diximus... quemadmodum vincula
omnia tum ad amoris vinculum referantur, tum ab amoris vinculo pendeant,
tum in amoris vinculo consistant* (*Op. lat.*, III, p. 684).
2. Lomazzo n'a nommé Corneille Agrippa qu'une seule fois, dans un
sonnet railleur des *Grotteschi*.
3. *Trattato*, II, 11, p. 201-202.
4. Dans la littérature assez copieuse sur ce sujet, on peut citer : Fulvio
Pellegrino Morato, *Del significato de' colori* (1535); Lod. Dolce, *Dialogo nel
quale si ragiona... de i colori* (1565); Coronato Occolti da Canedolo, *Trattato
de' colori* (1557; rééd. augmentée d'un appendice sur les cadeaux, 1568);
Girol. Rinaldo, *Il vago, e dilettevole giardino* (seconde édition, la seule que
j'aie pu voir, 1593). Il faut ajouter les passages sur les couleurs dans les
dialogues sur l'amour, les livres des *imprese*, les commentaires de l'Arioste, etc.
Cf. A. Salza, dans le *Giorn. stor. di letterat. ital.*, 38 (1901), p. 310-363.
5. Cf. Alciat, *Emblemata*, cxii : « In colores », avec le comment. de Franc.
Sanctius, éd. de Lyon, 1573, p. 348-349 : une courte liste des significations
symboliques des différentes couleurs, terminée par un rappel de la relativité
des jugements en cette matière.

et pour la « gaieté » des claires, personne n'avait encore vu ou dit que, prise en soi, une couleur déterminée engendrait un sentiment déterminé. Or Agrippa avait classé les couleurs selon leur caractère astrologique [1]; il suffisait alors à Lomazzo de transcrire littéralement ce texte, mais en remplaçant les noms des planètes par leurs qualités traditionnelles : les couleurs qui, selon Agrippa, *Saturnum referunt*, sont caractérisées chez Lomazzo par le fait qu'elles *generano per gl'occhi nell'animo tristezza, tardità, pensiero, melancolia, et simili* — les classiques propriétés saturniennes. De même que, selon le *Picatrix*, il fallait s'habiller de noir pour capter l'influence bénéfique de Saturne, un tableau aux teintes sombres conjurait en quelque sorte les dispositions de l'esprit saturnien [2].

Ceci n'est cependant qu'un cas particulier; l'intrusion des modèles magiques, astrologiques ou en général vitalistes dans la réflexion sur la peinture s'accomplit sur un front plus large. Que la description des sept dieux planétaires chez Agrippa [3] ait été utilisée par Lomazzo pour ses besoins iconographiques [4] n'a rien que de naturel; mais il est déjà plus intéressant qu'en vertu d'une physiognomonie astrologique d'ailleurs assez répandue, Lomazzo s'en soit servi pour élaborer sa théorie de l'expression. Car le chapitre II, 6 du *Trattato*, qui décrit d'après Agrippa les *moti*, c'est-à-dire les caractères et les « dons » psychiques et physiques des planètes, conseille aux peintres de s'en inspirer pour créer des personnages saturniens, joviaux, etc., et forme l'introduction d'un long développement qui classe les expressions des affects et les types caractérologiques selon un schéma planétaire inavoué mais évident [5]. En soi, cela n'est pas une nouveauté : les astrologues du Moyen Age, arabes et chrétiens, avaient depuis longtemps

---

1. *De occ. philos.*, I, 49, p. 102.
2. Il convient de noter cependant qu'en deux endroits Lomazzo, quittant le schéma astrologique pur, fait preuve d'un certain esprit indépendant d'observation : jaune, et et pourpre clair, les couleurs du soleil, engendrent dans l'âme, outre les dispositions « solaires » classiques, l'attention visuelle (*fanno l'huomo intento nel guardare*); le blanc, couleur lunaire, *genera una certa semplice attentione più melancolica che altrimenti.* Ici comme plusieurs fois ailleurs, l'adaptation des thèses magiques a mis Lomazzo sur une voie sur laquelle il pouvait continuer seul.
3. I, 52, p. 109 sqq.; cf. les épithètes et les attributs, cités II, 59, p. 335-338.
4. *Trattato*, II, 7, 120-125 et en partie VII, 12, 545-578.
5. II, chap. IX-XV. On reconnaît respectivement Saturne, Jupiter, Mars dans les titres des chapitres : *IX, De i moti della malancolia, timidità, malignità, avaritia, tardità, invidia, rozzezza, et simili ; X, De i moti della fortezza, fedeltà, giustitia, divotione, maestà e constanza ; XI, De i moti dell'audacia, robustezza, ferocità, orrore, furia, ira, crudeltà, impeto, rabbia, asprezza, terribilità, ostinatione, sdegno, impietà, ingiuria, odio, superbia, vanità et ardimento.* La suite est tout aussi conforme aux images traditionnelles des autres planètes.

appliqué leur science à la physiognomonie et à l'étude des
caractères. Dans le cas spécial où Lomazzo[1] copie Agrippa,
la source dernière est même très probablement *Picatrix*[2];
il n'y a ici de neuf — mais le fait importe — que l'application, pour la première fois, de ces conceptions à l'art. Même
Gauricus, dont le traité *De sculptura* comprend un long chapitre physiognomonique, et qui était le frère d'un astrologue
célèbre, n'y avait pas songé.

Plus significative encore est cependant une autre adaptation d'Agrippa par Lomazzo, le schéma de sept maîtres ou
« gouverneurs » de la peinture, assimilés aux planètes[3].
Lomazzo leur donne naturellement des attributs empruntés
à l'astrologie planétaire courante (métaux, animaux); mais
il n'hésite pas, pour caractériser leur style, à transcrire entièrement des passages astrologiques d'Agrippa, avec guère
plus de modifications que le remplacement des noms : Michel-
Ange pour Saturne, Gaudenzio Ferrari pour Jupiter, Polidoro
pour Mars, Léonard pour le Soleil, Raphaël pour Vénus,
Mantegna pour Mercure, Titien pour la Lune[4].

L'examen du texte de Lomazzo montre que la conception
des gouverneurs était d'abord chez lui une théorie de ce
qu'il appelait *moto* (mouvement, expression, physionomie,
caractère) et de sa diversité chez les différents artistes. Cette
origine n'a rien d'étonnant, car la *techné* selon Aristote ne
peut évidemment pas rendre compte des deux faits conjoints,

1. II, 7, 120-125 et, pour Saturne, VII, 6, 545.
2. Agrippa, *op. cit.*, I, 52, 109-110. En effet Fritz Saxl, *Antike Götter in der
Spätrenaissance*, Leipzig, 1927, p. 17 et n. 1, cite la description de
Saturne comme preuve d'un emprunt de Lomazzo à *Picatrix*; à moins,
précise-t-il, qu'il n'y ait source intermédiaire. Je n'ai pas pu consulter
des manuscrits du *Picatrix*, mais il n'y a rien dans le passage en question
que Lomazzo n'ait trouvé dans Agrippa. Il est vrai qu'une partie du contexte
d'Agrippa revient aussi chez G. B. della Porta, *Caelestis physiognomonia*,
Naples, 1603 (II, 1, p. 19) avec Messahala comme indication de source;
mais, du moins d'après les deux éditions de Messahala que j'ai pu voir
(Venise, 1519, et Nuremberg, 1549), cette référence est fausse.
3. Leurs noms ont été suggérés à Lomazzo par le *Cortegiano*, I, 37, qui
citait cinq artistes dissemblables par le style, mais également grands.
Lomazzo a remplacé, comme de juste, Giorgione par Titien, et il a ajouté
deux Lombards pour parfaire le nombre sept.
4. La moitié du chapitre XII de l'*Idea*, sur les sept types du *moto*, est la
traduction presque littérale de Corn. Agrippa, III, 38, p. 465-466. On a
ainsi pour Saturne, chez Agrippa : *Per Saturnum* [accipitur] *sublimis contem-
platio, profunda intelligentia, gravitas iudicij, firma speculatio, stabilitas
immobileque propositum.* Cela donne chez Lomazzo : *il Buonarroto ha espresso
i moti della profonda contemplazione, dell'intelligenza, della grazia* [sic pour
gravità], *del giudizio, della ferma speculazione, del saggio proposito, ed immobile.*
En outre, au chapitre IX de l'*Idea*, les Vices gravés sur les socles des statues
des gouverneurs reprennent la liste des mauvais influx planétaires d'après
Agrippa, III, 38, p. 469; enfin, au chapitre XXXIII de l'*Idea*, une nouvelle
brève caractérisation des sept est encore empruntée aux planètes d'Agrippa,
II, 28, p. 279.

de l'expression et de la manière personnelle. Or l'astrologie fournissait un schéma commode pour combler ces lacunes; elle expliquait non seulement les différences objectives entre artistes, les « inclinations » individuelles, mais aussi la différence des goûts du public; le tableau des sympathies et antipathies entre les planètes, classique dans l'astrologie, indiquait *a priori* ce qui plaira ou déplaira à chacun.

Dans une construction assez complexe, où entrent aussi la médecine et la psychologie humorales, la physique des éléments et la physiognomonie, Lomazzo expose le mécanisme de l'influence astrale sur l'aspect, le caractère et les goûts des individus. La théorie est beaucoup moins astrologique que magique au sens étroit du mot; car c'est dans les livres de magie naturelle, et là seulement, que l'on trouvait une psychologie différentielle basée sur une typologie planétaire et appliquée à la puissance de l'âme pour agir, par les affects et l'imagination, sur le monde physique. Le tableau devenait ainsi en quelque sorte un talisman complexe : d'une part, en tant qu'expression involontaire du peintre, il prenait, grâce à la *maniera*, les propriétés astrales de l'artiste; en second lieu, il évoquait d'autres qualités planétaires par le moyen de ses couleurs, des proportions de ses personnages, des objets représentés; Lomazzo est inépuisable en classifications, empruntées d'ailleurs à un nombre assez restreint de sources, où tout ce qui peut être peint est distribué entre les planètes, selon une image presque totémiste du monde, accréditée par Manilius. En troisième lieu, l'œuvre d'art exerçait une sorte de magie sympathique déterminée par deux principes souvent énoncés par Lomazzo, et aussi courants dans les traités de l'art depuis la Contre-Réforme que dans les rhétoriques depuis l'antiquité et, compte tenu des différences inévitables, dans les écrits magiques depuis le Pseudo-Albert : la représentation d'un affect suscite automatiquement cet affect chez celui qui l'aperçoit [1]; et l'affect ne peut être communiqué que par celui qui en est possédé lui-même.

Ce tissu compliqué de « captations » a chez Lomazzo pour effet paradoxal d'affaiblir l'esthétique expressionniste dont il dérive, et de transformer de nouveau l'œuvre, du moins idéalement, en traduction voulue d'une idée. Car si l'artiste courant obéit à la loi commune et possède un style personnel fixé par son horoscope, l'artiste idéal, parfait, instruit par Lomazzo, saurait utiliser chacune de ces déterminations, qui

1. *Trattato*, II, 1, et *Idea*, chap. XX.

sont des limitations, aux endroits de l'œuvre où elles ont rationnellement leur place, donnant à chaque figure et à chaque action ou objet la forme, la couleur et le mouvement qui lui conviennent selon l'astrologie et la raison, et créant ainsi une œuvre entièrement justifiable, qui devrait plaire à tous.

Cette réserve est assez typique. La perfection égale dans tous les genres caractérisait déjà, selon Cicéron, l'orateur idéal, l'Idée platonicienne de l'orateur. Si Léonard avait insisté sur le fait que tout peintre se peint lui-même, c'était pour en conclure qu'il fallait bien s'étudier afin d'éviter de reproduire partout son propre type. Tant que l'on considère l'œuvre d'art comme une forme réalisant l'image préalablement conçue, on ne peut vaincre la prévention contre la *maniera;* c'était le tort de Lomazzo de vouloir réunir les deux positions.

Deux préceptes généraux, d'aspect contradictoire, commandent en effet chez lui la déontologie du peintre; l'un, exprimé avec beaucoup de force dans l'*Idea*, chapitre II, prescrit de bien connaître ses aptitudes personnelles, pour éviter d'aller contre elles et pour les exploiter à fond; c'est un conseil astrologico-magique bien connu, déjà expressément appliqué par Ficin au savant [1]. Le second précepte, énoncé non moins énergiquement en plusieurs endroits [2] affirme la nécessité absolue de bien « concevoir » l'œuvre dans l'esprit avant d'y mettre la main, de séparer idée et exécution, et de ne rien laisser au hasard. Il est évident de toute façon que le tableau parfait, dû à l'artiste dépourvu de manière propre et capable de toutes les manières, est surtout destiné au tribunal de la raison.

L'hésitation qu'illustrent ces deux conseils, l'un magique, l'autre aristotélicien, n'est pas sans issue; car dans le premier Lomazzo avait précisé qu'il faut connaître son génie personnel, et non seulement s'y fier; c'est dire qu'il faut exploiter sa veine en la dominant. Cette clause donne le dernier mot à l'aristotélisme. L'individualité reste une limitation et non

---

1. *De vita coelitus comparanda*, chap. II (*Opera*, p. 533) : *Exigua igitur praeparatio... sufficit coelestium muneribus capiendis, si modo quisque ad id praecipue se accommodet, cui est praecipue subditus.* Le chapitre XXIII, p. 566-568, a pour titre : « *Ut propere vivas agasque, in primis cognosce ingenium, sidus, genium tuum, et locum eisdem convenientem; hic habita, professionem sequere naturalem.* » Cf. aussi le chapitre suivant : « *Qua ratione literati cognoscant ingenium suum, sequanturque victum spiritui consentaneum.* » Dans le même sens, Corn. Agrippa, I, 67, p. 156, cité plus loin, p. 169, n. 3.

2. *Trattato*, VI, 54, p. 481-486.

une valeur; cultiver son style est affaire de modestie, comme se spécialiser dans les paysages, portraits ou grotesques. La raison profonde en est que la forme demeure pour Lomazzo le véhicule distinct d'un intelligible discursif.

On peut multiplier sans peine les preuves de la lente emprise des thèmes magiques sur la théorie intellectualiste de l'art. Elle n'est pas, nous l'avons vu, limitée aux années de la crise; elle accompagne en fait le néo-platonisme, et c'est sans doute la raison pour laquelle Ficin a pu être copié dans l'*Idea*. Du saturnien mélancolique naît l'idée de génie; la *mania* du poète devient la *furia*, la spontanéité ou fraîcheur que le xviie siècle estimait tant dans les dessins. La théorie ficinienne de la musique, où une communication sympathique de l'âme avec l'harmonie de l'*anima mundi* tient la place de la simple vertu des nombres pythagoriciens, est un modèle que n'ont perdu de vue ni Lomazzo, ni Bruno; et on en retient l'accent sur le *moto*, la passion.

Contre l'anarchie pure qui marquait l'aboutissement de la théorie subjectiviste, les néo-platoniciens essayaient de se garantir en accordant aux règles un rôle au moins subordonné; leur justification est trouvée dans les principes qui présidèrent à la création de l'univers, *ordo*, *modus* et *species;* mais leur importance se limite à celle de « préparations ». Ce terme essentiellement magique désignait les rites ou les figures qui rendaient un orant ou un objet propre à capter l'influx d'une planète ou d'un esprit[1]; il fut appliqué par Ficin à *ordo*, *modus* et *species*[2] comme pour s'opposer à la conception traditionnelle qui en avait fait les principes de la beauté naturelle et, avec Alberti, de la beauté artistique[3]. Le chapitre où Vasari décrit le style parfait des artistes depuis Léonard doit, inconsciemment sans doute, quelque chose à cette conception des rapports entre la règle-préparation et l'esprit qui survient : car les traits distinctifs du nouvel art

---

1. Voir, p. ex., Ficin, *De vita coelitus comparanda*, II, *Opera*, p. 533.
2. *Convito*, V, 6, passage copié par Lomazzo, *Idea*, xxvi, et pour une autre partie par Bruno, *De vinculis*, III, 18.
3. *De re aedif.*, I, 1. Ils perdent tout leur caractère quantitatif dans un énoncé de Corneille Agrippa, I, 67, p. 156, curieux parce que, strictement limité aux rites magiques, il réunit à leur propos plusieurs parmi les thèmes devenus, quatre-vingts ans plus tard, conquêtes importantes de la théorie de l'art : *Et est generalis regula in istis, quod omnis animus qui est magis excellens in suo desiderio et affectu ipso, efficit sibi res huiusmodi magis aptas, efficaces ad id quod appetit. Oportet igitur quemcumque volentem operari in magia, scire et cognoscere suae ipsius animae proprietatem, virtutem, mensuram, ordinem et gradum in potentia ipsius universi.*

sont, selon lui, *buona regola, miglior ordine, retta misura, disegno perfetto* et *grazia divina*. On reconnaît dans *ordine, misura* et *disegno* les classiques *ordo, modus* et *species;* la *grazia divina* — que le contexte identifie d'ailleurs à *maniera* — n'est alors que l'indéfinissable « vraie » beauté à quoi tout cela prépare [1]. Lomazzo lui-même, qui s'était contenté de copier la thèse générale de Ficin, est ici pour une fois en retrait sur l'application critique de Vasari.

c) *Le calembour plastique.*

La prise de conscience, vers 1600, des diverses possibilités du rapport entre la forme et le sens dont elle était porteuse, s'accompagne d'un phénomène parallèle qui concerne, si l'on peut dire, le rapport des objets avec leur propre apparence. Les historiens de l'art ont remarqué depuis Pinder que dans le maniérisme l'organisation en surface du tableau contredit délibérément l'illusion de profondeur et plie les contours avec un arbitraire ostentatoire à un jeu de courbes planes; on neutralise par exemple un raccourci violent, en prolongeant sa ligne, sur le plan du tableau, par le contour d'un objet dont l'orientation spatiale est toute différente ou opposée. Le résultat est la conscience nette d'une sorte de séparation entre la chose en soi et sa forme apparente.

Il s'agit là d'un parti pris assez général, que l'on peut suivre dans plusieurs catégories d'exemples. Ainsi la perspective, au temps de Brunelleschi et d'Alberti, imposait à la représentation des volumes et de l'espace un aspect géométrique qui coïncidait tout naturellement avec un style, une « poétique » des volumes réguliers et, comme on l'a montré pour le cas de Piero della Francesca, avec l'exigence de la compartition harmonieuse de la surface; de même, elle détermina un essor décisif de la marqueterie, parce que cette technique s'accordait aisément avec le style ainsi fixé, et qu'un tel accord ne pouvait pas ne pas être exploité [2]. Dans le maniérisme au contraire, si la perspective rationnelle, l'organisation de la surface peinte et l'exigence stylistique nouvelle continuent de s'accorder, c'est, comme on a soin de le souligner, par le fait d'un arrangement ingénieux : décentra-

---

1. Voir aussi la relation entre nombre, ordre, mesure et enthousiasme chez Pibrac, cité plus haut, p. 160, n. 3.
2. A. Chastel, « Marqueterie et perspective au xvᵉ siècle », *Rev. des arts,* n° 3, 1953, p. 141-154.

lisation, choix insolite de la distance ou de l'horizon, etc. Les lignes qui définissent l'espace scénique organisent encore l'image, mais selon un schème tout différent, abstrait; leur fonction double est manifeste comme telle. Le Tintoret a souvent montré le parti qu'il était possible de tirer de ces moyens; mais déjà, à son époque, un nouvel emploi de la perspective, celui que préférera Rubens, s'annonce avec Véronèse : l'angle de prise de vue y joue au service de l'expression le rôle que lui assignent aujourd'hui les metteurs en scène cinématographiques.

Par un mécanisme analogue à celui de la perspective maniériste, le contour des objets peut également, en un double jeu voulu, se détacher de sa signification. De là l'importance des grotesques, qui présentent cette abstraction *in fieri* : la courbe d'une jambe n'a qu'à s'accentuer légèrement pour être celle d'une feuille, dont la tige devient, en soulignant un peu son caractère graphique, le pied d'un satyre. En grande partie, les grotesques ne sont qu'un exercice de vision « abstraite ». Un pas de plus et, on rejoint le principe des figures d'Arcimboldo : comme dans le calembour le son d'un mot se détache de son sens, subit une transformation autonome et retombe ainsi sur un sens nouveau, qui « comme par hasard » éclaire ou commente le premier, ainsi chez Arcimboldo les formes et les couleurs des livres et des outils d'écriture, « abstraction » faite de la réalité des objets auxquels elles appartiennent, se groupent pour constituer un ensemble qui a, « comme par hasard », l'aspect du *Bibliothécaire*. L'effet est plus frappant lorsque, pour découvrir dans un paysage le profil d'un satyre, ou dans une casserole remplie de légumes la tête du cuisinier, il faut tourner ou renverser le tableau : car il devient alors plus évident que le passage d'une signification à une autre se fait à travers la forme abstraite.

Le double saut et le choc des rencontres sont ici essentiels; dans la sculpture romane comme dans l'art maniériste, les formes des objets sont pliées avec violence selon les exigences de la composition, les grotesques abondent et des motifs ornementaux se groupent souvent pour ébaucher, par un hasard voulu, des figures apparemment arcimboldesques; mais cet art n'est pas, dans le cas général, maniériste, parce que le vivant est ici une interprétation fantastique du schéma ornemental, et non l'ornement une « abstraction » devenue autonome de la forme des choses. L'art roman ne connaît pas le saut irréalisant du plan de la signification à celui de la forme pure.

On sait qu'Arcimboldo a été élevé aux nues par ses compatriotes milanais; mais ces louanges comportent des différences assez significatives de motivation. Dans un échange de madrigaux sur la Flore composée de fleurs, Comanini et Giov. Fil. Gherardini s'amusaient surtout à répéter les mots *Flora* et *fiori*, sous prétexte de célébrer l'ingénieuse union peinte de la déesse et de ses attributs [1]; leur dessein est d'imiter en paroles cette cascade de fleurs ou cette redite de motifs qu'est la figure arcimboldesque : *questo madrigale imita ben davvero la pittura dell'Arcimboldo*, atteste Comanini [2]. C'est, peut-on dire, l'interprétation sensualiste, où l'impression artistique elle-même et le caractère formel de l'œuvre sont censés contenir, grâce à leur force expressive propre, l'essentiel du « message ». D'autre part Comanini, devant un *Chasseur* composé de bêtes, se lance dans une longue exégèse symbolique, expliquant par le menu pour quelles raisons, tirées des bestiaires et de la philosophie morale, tel animal a été placé dans telle partie du visage [3]. L'apologie adopte le parti aristotélicien extrémiste, situant la beauté suprême de l'œuvre dans l'agencement de l'« idée », dévoilé à la seule analyse intellectuelle. Enfin Lomazzo, dans sa présentation d'Arcimboldo [4] ne cesse de s'émerveiller devant l'ambiguïté de la forme : de loin, on croit avoir affaire à un portrait ressemblant, de près on voit qu'il est composé d'objets eux aussi parfaitement reproduits, et pourtant la ressemblance avec la figure humaine ne disparaît pas. Arcimboldo, le peintre qui illustre le mieux la crise du passage entre l'idéalisme négateur de la forme et le sensualisme qui réduit l'idée à l'expression de la forme, a pu ainsi être à son tour interprété simultanément dans le sens intellectualiste, dans celui de l'impression pure, et dans celui de l'ambiguïté critique voulue.

La destruction d'une certaine théorie de l'art a donné naissance dans ces années à une esthétique générale renouvelée. L'humanisme avait posé le problème des rapports entre l'idée et la forme qui l'exprime dans la rhétorique, la logique, la poésie, les arts visuels; il s'était efforcé de souder le quoi

---

1. Reproduit dans Lomazzo, *Idea*, chap. xxxviii, et Comanini, *Il Figino*, Mantoue, 1591, p. 32 :

> *Son'io Flora o pur fiori?*
> *Se flor, come di Flora*
> *Ho col sembiante il riso? e s'io son Flora...*
> (etc.)

2. *Il Figino*, loc. cit.
3. *Ibid.*, p. 46 sqq.
4. *Idea*, chap. xxxviii.

et le comment, de trouver à la beauté de la forme une justification plus profonde que le besoin de parure. Mais aussi loin qu'il se soit avancé, il n'a jamais nié que, dans tous ces domaines, « ce qui est dit » doit être là, antérieurement à l'expression. C'est pourquoi d'un point de vue très simplifié l'humanisme prend fin dans les sciences lorsque la méthode d'investigation devient féconde par elle-même, et dans l'art lorsque l'exécution, la *maniera*, devient une valeur autonome. Quand, vers 1600, la conscience artistique avait atteint ce terme, elle ne trouvait pas de théorie de l'art qui puisse en rendre compte. Il n'y avait que l'ancienne magie naturelle, c'est-à-dire une esthétique générale qui s'ignorait, et que Bruno se hâta de développer dans la magnifique esquisse qu'il a nommée *De vinculis in genere*.

L'expérience artistique y entre, à côté de la persuasion rhétorique, de la fascination, de la sympathie, des phénomènes d'allergie, des prodiges magiques, etc., dans la catégorie des « chaînes », qui sont toutes des formes positives ou négatives de l'amour. Ce sont des rapports d'âme à âme — rapports de forces, mais aussi de réciprocité; car, comme dira Scheler, l'amour, sauf empêchement, engendre naturellement l'amour. C'est la raison selon Bruno pour laquelle l'artiste qui veut émouvoir doit être ému lui-même. Il n'y a pas d'autre recette. Le charme n'a pas de conditions objectives, ni de règle; l'ordre parfait déplaît, et la belle forme n'est pas nécessairement composée de parties belles. La subjectivité est totale; la formule voltairienne que le Beau absolu, pour le crapaud, c'est sa crapaude, Bruno l'avait énoncée, à la seule différence près qu'il prend comme exemple le singe. Le domaine du charme et des chaînes est l'imagination, ce qui ne veut pas dire l'irréel, car l'imaginaire a sa vérité à lui *(habet suam species phantastica veritatem)* mais une réalité spirituelle et subjective.

Comment et de quelle manière, dans ces conditions, la forme artistique (ou, puisque le domaine de l'art est dépassé, la forme belle) peut-elle encore véhiculer un sens? Bruno ne nie aucune des possibilités que nous avons vues se présenter : *Contemplativi a sensibilium specierum aspectu divinis vinciuntur, voluptuosi per visum ad tangendi copiam descendunt, ethici in conversandi oblectationem trahuntur...* (II, 10, p. 674). Mais pour lui ces virtualités de la forme donnée, qui répondent en réalité, nous l'avons vu, à des différences d'esthétique et de style, sont ainsi transformées elles-mêmes en simples réactions subjectives.

(1958)

VI

« LES SEPT GOUVERNEURS DE L'ART »
SELON LOMAZZO

Lorsque, avec les restes inutilisés de ses notes pour le *Trattato dell'Arte della Pittura* (1584), et après relecture de deux ou trois livres qui lui avaient été familiers dans sa jeunesse, Lomazzo entreprit la rédaction de l'*Idea del Tempio della Pittura* (1590), il ne pouvait pas savoir à quel point son entreprise était actuelle. Elle se situait, avec une précision vraiment remarquable, à la ligne de partage entre deux esthétiques.

Le *Trattato*, que Schlosser appelait la « bible du maniérisme », n'avait pas été reçu comme telle par le public. Les préceptes techniques de ce manuel, que l'on recommandait de confiance parce qu'il était le plus « complet », étaient trop confusément exprimés ou trop absurdement minutieux pour être consultés avec fruit; les notices historiques, auxquelles le livre dut plus tard sa célébrité, n'intéressaient pas beaucoup les contemporains; les jugements critiques, passionnants pour le lecteur actuel, paraissaient étranges, partiaux et, après quelques décennies, déraisonnables. Ainsi aucune des ambitions avouées du *Trattato* n'était satisfaite; les deux tentatives de traduction, en anglais et en français, ne dépassèrent pas le premier des sept livres, et furent des échecs commerciaux [1]; à Milan même, l'auteur fut bientôt un isolé sur lequel on faisait le silence [2].

1. Leurs auteurs respectifs, Richard Haydock en 1598 et Hilaire Pader en 1649, promirent tous les deux de donner la suite de l'ouvrage si ce ballon d'essai s'avérait un succès. Tous les deux renoncèrent.
2. L'opposition artistique et l'hostilité personnelle entre Lomazzo et les Campi a été mise en évidence par quelques belles pages de Roberto Longhi (« Quesiti caravaggeschi », II, *Pinacoteca*, I, 1928-1929, p. 310 sqq.), auxquelles le dépouillement de l'œuvre écrite de Lomazzo ne peut qu'apporter des confirmations. Une brouille entre Lomazzo et son élève Figino, intervenue entre 1587 et 1590, est attestée par quelques allusions claires de l'*Idea*. Comme Figino était en très bons termes avec les milieux cultivés et les amateurs lettrés de Milan, il sut leur imposer le silence sur les publications de son ancien maître.

Dans ces conditions, l'*Idea* — œuvre, par-dessus le marché, d'un critique aveugle — faisait un mauvais départ. Son importance réelle n'avait rien qui pût éclater à l'instant, car elle n'était ni historique, ni critique, ni technique : c'est dans l'histoire des idées sur l'art que ce livre compte, et moins par ce qu'il apporte de neuf que par la précision avec laquelle il soulève, formule et parfois résout les problèmes essentiels d'une époque de transition cruciale; et c'est pour son « système » qu'il est aujourd'hui le plus souvent cité [1].

Indiquons brièvement, avant d'isoler le thème des « sept gouverneurs », le plan et la structure de l'ouvrage [2]. Il devait constituer à l'origine, sous le nom de *Libro della discrezione*, la première partie du *Trattato della pittura*, qui aurait ainsi compté huit livres au lieu des sept actuels. Outre les généralités d'usage, cette introduction devait exposer et définir le cadre ou plan de l'œuvre, divisée selon les « sept parties ou genres de la peinture » : *proportione, moto, colore, lume, prospettiva, compositione* (arrangement) et *forma* (iconographie, invention, « vocabulaire » des formes des choses). Selon un usage ancien, emprunté notamment à la mnémotechnique et au *Teatro* de Giulio Camillo, ces « parties » étaient disposées en différents endroits d'un édifice allégorique, le « Temple » circulaire (sept colonnes soutenant une coupole à sept pans,

1. Anna-Maria Paris dans « Sistema e giudizi nell'Idea del Lomazzo », *Annali della Soc. Norm. Sup. di Pisa*, sér. II, 23, p. 187-196, s'est donné la tâche ingrate de revaloriser les jugements critiques de l'*Idea* aux dépens de la célèbre architecture du volume. De même D. Mahon (« Eclectism and the Carracci », *Journ. of the Warburg and Courtauld Inst.*, XVI, 1953) présente Lomazzo un peu unilatéralement comme étant *to some extent a fore-runner of the anti-rational protagonists of « taste »* (p. 320). Il est vrai que l'orientation critique de Lomazzo a été rarement jugée digne d'un examen approfondi, et que, lorsqu'on devait parler de ses écrits, on s'arrêtait volontiers à leur aspect le plus voyant, le cadre schématique. Mais on risquerait d'autre part de s'égarer si on voulait séparer critique et système, au lieu de montrer comment ils s'enchaînent.

La bibliographie sur Lomazzo théoricien, esthéticien et critique d'art est assez pauvre. Outre les articles cités plus haut et les synthèses connues de Panofsky, Schlosser, L. Venturi, on peut mentionner pour mémoire : G. L. Luzzato, « Dürer e Lomazzo », *L'Arte*, XXXI, mars-avril 1928, p. 49-58; M. L. Gengaro, « La teoria dell'arte di Giovan Paolo Lomazzo », *Arch. stor. lomb.*, sér. VI, LIX (1932), 4, p. 541-550; Eva Tea, « Un pittore tomista del 500 », *Riv. di filos. neoscolast.*, 1939, p. 408-419; Maur. Calvesi, « Contribution de Gian Paolo Lomazzo à la critique des " Fiamminghi " », *Les Arts plastiques*, sér. V, 2, 1951, p. 131-134. Nous revenons plus loin (p. 180, n. 1) sur l'article sensiblement plus important de E. Spina-Barelli dans *Arte lombarda*, III, 2.

2. Nous résumons ici, sans nous attarder aux preuves, quelques-uns des résultats d'un travail pour une édition critique de l'*Idea*, présenté comme mémoire pour le titre d'élève diplômé de l'École des hautes études, IVe sect. (Prof. A. Chastel), 1957. La publication annoncée par Eug. Battisti des manuscrits de Lomazzo récemment découverts par lui, pourra obliger à quelques révisions.

éclairée par le haut), de sorte que l'écrit en constituait comme l'« idée » ou l'« épure »[1] littéraire. (L'architecture symbolique affectionnait ce type de bâtiment, depuis le Temple de Vénus Physizoé dans le *Polyphile* jusqu'au Templa Artis, Intelligentiae, Sapientiae de la presque contemporaine *Civitas veri* de Bart. Delbene[2]). L'idée de faire correspondre les sept colonnes à sept maîtres canoniques ou « gouverneurs » de l'art dut venir à Lomazzo assez tard, quand le *Trattato* était déjà rédigé, car les rares passages où ce livre les mentionne ensemble sont tous visiblement interpolés[3]; mais on ne peut pas savoir si à ce moment l'auteur avait déjà décidé de retrancher toute l'introduction.

La partie ainsi sacrifiée devint, après de nombreuses amplifications, un livre à part, l'*Idea del Tempio della Pittura*. Il est seulement certain que, même dans ce nouvel ouvrage, les parties concernant les « gouverneurs » constituent un ensemble cohérent, tranchant sur le reste, si bien qu'on peut distinguer, pour la commodité de l'exposé, un « libro dei governatori » (comprenant les chapitres IX à XVII, XXXIII et XXXVII) d'un *libro della discrezione* proprement dit. Le plan de l'*Idea* finalement publiée peut maintenant se retracer en gros comme suit :

Chapitres I-VIII : Introduction générale, sans doute destinée au *Trattato* sous sa première forme.

Chapitres IX-XVII : Présentation du Temple et des Gouverneurs (caractères de chacune des « parties » de l'art chez chacun des Gouverneurs).

Chapitre XVIII : La Discrezione (manifeste de l'art comme discours mental et programme du livre I du *Trattato* primitif).

Chapitres XIX-XXV : Analyse des sept parties (en fait une table de matières du *Trattato*, un peu retouchée).

1. Le mot *idea* doit être compris ici selon Vitruve 1, 2 : *species dispositionis, quae graece dicuntur ideai* — ichnographie, orthographie et scénographie, ou plan, élévation et vue perspective. Dans les titres d'œuvres littéraires, *idea* est presque toujours accolé au nom d'un édifice; on peut cependant songer, à la rigueur, au sens plus général d'*image*, comme par exemple dans Cesariano, f° XLVIII v° : *perche le Ideae de le figure de li corpi humani... sono piu atractiue a la humana dilectatione.*

2. Paris, 1609. — Fr. A. Yates, *French Academies of the sixteenth century*, Londres, 1947, p. 112, n. 2, établit que la date de composition de cet ouvrage est de 1585 environ, et que les gravures ont vraisemblablement un modèle italien. — Le *Templum artis* comporte suivant le texte sept parties, comme chez Lomazzo (le dessinateur en a cependant représenté douze), mais il s'agit des arts libéraux.

3. Liv. I, chap. XXIX, et liv. VI, chap. I. — Sur les passages analogues du livre II, voir *infra* et p. 179, n. 6.

Chapitres xxvi-xxxii : l'exercice de la *discrezione* dans chacune
des sept parties (et, à propos de la première, la proportion,
une esquisse d'esthétique, autour du problème de la compa-
tibilité des trois critères rivaux : imitation, beauté et
convenance).

Chapitres xxxiii-xxxvii : l'exercice de la *discrezione* dans
l'union des sept parties (fragment), avec l'ébauche d'une
seconde esthétique, basée sur le *moto* et sur la musique au
lieu de la proportion; essai de rapprochement entre le livre
de la *discrezione* et le thème des gouverneurs, sous un angle
historique et critique (jugements sur les gouverneurs, classification des artistes selon leurs affinités avec eux). Cette
partie de l'*Idea* est une refonte hâtive de morceaux de
provenance diverse.

Chapitre xxxviii : Catalogue critique d'artistes contemporains.

La diversité des « perfections ».

La substitution de plusieurs maîtres canoniques, personnages
historiquement définis, à la place de la beauté « idéale » et
unique à atteindre, représente dans la théorie de l'art une
révolution d'une extraordinaire portée; elle renversait, en
principe, les plus solides parmi les dogmes traditionnels : la
doctrine de l'imitation, l'idée d'un canon de beauté, le mythe
de la peinture comme science; en germe, elle contenait la
reconnaissance de la *maniera* personnelle comme qualité positive, alors que, pour Léonard par exemple, elle n'était encore
qu'un défaut et un regrettable manque d'universalité. Entre
le pur rationalisme académique ou humaniste et l'idée baroque
du génie personnel, l'acceptation d'une pluralité de perfections « toutes égales et cependant différentes entre elles »
s'annonce comme une transition précaire, parfois teintée
d'éclectisme.

Lomazzo ne l'a pas inventée; les antécédents, surtout dans
l'histoire littéraire, sont nombreux. Mais quelques distinctions
s'imposent ici. A l'origine, il y avait un certain relativisme
psychologique naturel chez les pédagogues de toutes les disciplines, et dont on trouve déjà la trace chez Bernard de
Chartres[1]. Il y avait aussi, chez les orateurs et les poètes

---

1. Cf. Jean de Salisbury, *Metalogicus*, I, 11. — Une liste de « lieux »
anciens sur ce sujet, sans la référence à Bernard de Chartres, dans cap.
Bibliotheca selecta, I, 3, Rome, 1593, sous le titre *Varia esse hominum ingenia*.

depuis l'antiquité, l'observation facile que chacun réussit
mieux dans le domaine qui convient à son tempérament :
tu nihil invita facies dicesve Minerva, — non parce que la
personnalité est une valeur, mais parce qu'il est sage de se
limiter, sachant d'avance *quid valeant humeri, quid ferre
recusent.* Il restait entendu cependant que l'universalité serait
l'idéal : pour Cicéron, elle définissait même l'Idée platonicienne du parfait orateur (*Orator,* 29-32). Les grands peintres
grecs avaient chacun sa « spécialité » plutôt que son « style »,
et si le meilleur d'entre eux, Apelle, possédait une grâce universelle, il la payait, de son propre aveu, par son infériorité
relative devant les autres, dans les domaines respectifs de
leur excellence particulière (Pline, N.H., XXXV, 80).

Deux préjugés de principe s'opposaient ainsi à la valorisation positive de la *manière :* la conviction que l'universalité
incolore restait l'idéal, fût-il pratiquement irréalisable; et l'assimilation de la personnalité artistique à la simple aptitude
professionnelle particulièrement développée dans tel ou tel
genre ou problème de l'art. Si en critique littéraire, Politien
a fait de bonne heure justice de ces idées préconçues, l'évolution a été beaucoup plus lente dans les arts plastiques, plus
« fabricateurs »; et il faudrait suivre pas à pas chez les théoriciens l'aveu qu'il peut y avoir des perfections rivales; la
reconnaissance qu'il vaut mieux suivre son inclination naturelle, afin de ne pas « se fatiguer en vain »; la découverte que
cette soumission à la nature ne confère pas seulement plus
de chances de réussite, mais une « grazia » ou facilité spéciale,
qui est une qualité; la distinction entre l'aptitude pour tel
« genre » défini et le ton personnel indéfinissable; enfin la distinction parallèle entre la pure verve impersonnelle que peut
donner l'obéissance au tempérament natif, et la *maniera*
comme qualité inimitable. Toutes ces étapes ont été en effet
séparées, et on pourrait mettre un nom sur chacune d'elles;
mais cela n'est pas ici de notre propos.

Style et tempérament.

Le point de départ a été pour Lomazzo la formule la plus
simple et la plus timide, donnée par Castiglione (*Cortegiano,*
I, 37 en imitation de Cicéron, *De Oratore,* III, 7, 26-27) — un
de ces « secrets » courants dont l'énoncé dans la conversation
assurait facilement à quiconque le désirait un brevet de
connaisseur : que les différences entre maîtres très parfaits

ciascun nel suo stil ne diminuent en rien leur grandeur. Les artistes cités à l'appui : Léonard, Mantegna, Raphaël, Michel-Ange, Giorgione, sont certainement à l'origine du choix canonique de Lomazzo, qui n'eut qu'à remplacer Giorgione par Titien (ce qui allait de soi) et à compléter le nombre jusqu'à sept, en ajoutant deux Lombards, Gaudenzio et Polidoro [1]. Mais, allant plus loin que Castiglione dans son esthétique pluraliste, il reconnut la nécessité empirique d'un sceau personnel dans toute œuvre artistique de valeur : *Onde si vede che qualunque intelligente ha ordinato o fabricato cosa alcuna, sì per compositione come per dispositione e proportione, è stato differente e diverso dagli altri, ancora che l'opere loro siano e probabili, e buone, e belle* [2]. Alors que Dolce exploitait ce fait pour en tirer un libéralisme critique assez mordant [3], et que Vasari s'intéressait surtout aux conséquences pratiques concernant la *grazia* et la *facilità* générales du style [4], Lomazzo va tout de suite aux racines psychologiques de la « manière » personnelle, dans laquelle il voit tout d'abord une expression du tempérament, une fonction du *moto* [5]. Tout le « livre des gouverneurs » dérive en effet de la seconde partie du *Trattato*, consacrée aux *moti*, et où l'on trouve un classement astrologique des passions de l'âme et de leurs manifestations corporelles, précédé d'un chapitre (II, 2) qui vante longuement les sept maîtres pour leur puissance d'expression, et décrit leur art en des termes que l'*Idea* reprendra. Ces peintres n'y sont pas encore considérés comme canoniques, ils ne sont pas encore associés aux planètes, et rien ne dit que Lomazzo veut les mettre à part et au-dessus des autres, comme il le fera dans l'*Idea* [6]; mais l'essentiel y est déjà : l'apparition

---

1. La présence de Mantegna et l'absence de Correggio dans cette liste établie en 1584 sont des signes sûrs de l'emprunt à un texte antérieur.
2. *Trattato*, I, chap. XXII, p. 75. (Les citations du *Trattato* suivent le texte de l'édition de Milan, 1584 et 1585; pour l'*Idea*, celui de Milan, 1590.)
3. *L'Aretino*, Venise, 1557, f° 41 v° : *non è da credere... che ci sia una sola forma del perfetto dipingere.*
4. Cf. *Vite*, éd. Milanesi, IV, 7-11 et 378-379. Les textes de Vasari ne soulignent pas le caractère personnel de la *maniera* ainsi obtenue.
5. Le terme est intraduisible, car il couvre tout l'éventail des significations entre mouvement, geste, expression, passion et caractère; parfois même convenance et grâce. Voir *Trattato*, I, 2.
6. On peut préciser encore les étapes de la genèse du « livre des gouverneurs » en constatant que le passage du *Trattato*, II, 2, p. 112-113 sur les sept maîtres est une insertion tardive; il tombe en effet, tout à fait hors de propos, entre une protestation de modestie, sans aucun doute écrite très tôt (Lomazzo invoque sa jeunesse inexperte pour excuser les défauts de son ouvrage; plus tard, l'argument habituel sera la cécité), et l'entrée en matière du livre II, c'est-à-dire le chapitre III. D'autre part, dans le corps de ce livre, les passions classées astrologiquement ne sont pas mises en rapport avec les maîtres, et on trouve même, p. 124-125, l'affirmation que Michel-Ange

de la « personnalité psychologique » *à la fois* dans la théorie des styles et dans les préceptes de l'invention d'*istorie*[1]. Ainsi est posé le problème autour duquel gravite toute l'esthétique maniériste, et en particulier celle de Lomazzo : l'exigence impérieuse et irréalisable de concilier la conception aristotélicienne et humaniste de l'art comme fabrication scientifique et « régulière » d'objets beaux et conformes à la nature, avec la double infinité des tempéraments artistiques d'un côté, et des « cas » proposés à l'invention de l'autre. Le domaine du *moto*, narration dramatique et expression psychologique, est le lieu où la relation étroite entre ces deux « limites » de l'art, et la nécessité de les aborder d'une même manière, se manifeste le plus clairement; le cas « il faut être ému pour émouvoir » (ce lieu commun hérité d'Horace et des Rhétoriques était depuis longtemps appliqué, notamment par les théoriciens de la Contre-Réforme, aux arts du dessin), et le problème d'une clef universelle des *moti* rejoignaient ainsi la recherche idéale d'un peintre sans tempérament propre, sans *maniera*; question qui se compliquait encore redoutablement si on se rappelait que la valeur formelle était liée, elle aussi, à la *maniera* limitée de l'individu.

Maîtres et planètes.

La diversité des hommes et des tempéraments était un scandale pour l'esprit et une « limite » pour toute science et discipline en dehors de celles qui, précisément, en avaient fait leur objet : médecine humorale, physiognomonie, astrologie. Traditionnellement cette dernière avait la primauté,

---

excellait à rendre toutes les proportions humaines, ce qui est en contradiction formelle avec le principe du « livre des gouverneurs » (*Idea*, chap. xi) que chaque maître reproduit le canon de son propre type astral. Nous pouvons donc distinguer, sous les réserves inévitables qu'impose ce genre d'analyse, les étapes chronologiques suivantes :

a) Association entre les passions ou tempéraments et les planètes (corps du livre II du *Trattato*);

b) Association entre les passions ou tempéraments et les sept maîtres dont la liste dérive de Castiglione (interpolation dans le *Trattato*, II, 2, p. 112-113);

c) Association entre gouverneurs et planètes, et caractère « canonique » des gouverneurs (autres interpolations tardives dans le *Trattato*);

d) Élaboration du « livre des gouverneurs » comme partie de l'*Idea*.

1. Ce point a été parfaitement et pour la première fois mis en lumière par Emma Spina-Barelli, « Il Lomazzo o il ruolo delle personalità psicologiche nella estetica dell'ultimo manierismo lombardo », *Arte lombarda*, III, 2, p. 119-124. Nous n'aurons ici qu'à confirmer les vues de l'auteur sur la double fonction du pluralisme psychologique chez Lomazzo et sur son lien avec l'esthétique maniériste.

et la liste canonique des maîtres assimilés aux planètes pouvait ainsi s'appuyer sur une longue lignée de schémas « planétaires » analogues. Les sept arts libéraux avaient déjà eu, au Moyen Age, leurs inventeurs terrestres en même temps que leurs patrons sidéraux; mais l'affinité est plus précise entre le cadre astrologique de l'*Idea* et les « livres de bonne aventure »[1], notamment le *Triumpho di Fortuna* de Sigismondo Fanti (1526), qui groupait autour de symboles quelconques (planètes, mais aussi animaux, allégories, dieux antiques, etc.) des images constituant leur « roue » ou leur « sphère »; on y compte plusieurs portraits d'artistes antiques ou imaginaires, mais également des maîtres encore vivants (Peruzzi, Boccacino, Sodoma, Dossi) dans la « famille » de certains emblèmes centraux. Une liste canonique n'est cependant pas toujours une typologie, et une idéalisation symbolique ou même astrologique n'est pas encore un classement; Lomazzo, en se donnant cette dernière tâche, fit faire un grand pas à la réflexion critique de son temps.

Dans le détail, l'*Idea* oscille d'une manière qui n'est pas très heureuse entre l'effort de rendre justice à l'art personnel de chacun des sept maîtres, et la pure transcription de textes astrologiques empruntés surtout à Corneille Agrippa, le nom de l'artiste venant simplement remplacer celui de « sa » planète[2]. La distribution des planètes n'offrait aucune difficulté; la liste des « gouverneurs » une fois établie, il allait de soi que Michel-Ange devait être Saturne, Raphaël, maître de la *grazia*, Vénus, et l'universel Léonard le Soleil. Jupiter, planète de la religion, convenait à Gaudenzio, peintre de Varallo et de Saronno; l'association de Mars avec l'énergique Polidoro, illustrateur de la Rome antique, était toute naturelle; le besoin de symétrie aidant, on pouvait trouver des traits « mercuriens » à Mantegna, ingénieux perspectiviste, et quelque chose de « lunaire », comme la douceur « tempérée », la variété, la fécondité, chez Titien. Ce sont les points sur lesquels l'*Idea* revient avec une insistance parfois assez monotone[3].

---

1. Sur l'histoire de ce genre littéraire, voir notamment T. C. Skeat, « A note on *Books of Fate* in general » (en appendice à son article « An early mediaeval Book of Fate, ital. sortes XII Patriarcharum », dans *Mediaeval and Renaissance Studies*, III, 1954, p. 41-54).

2. Cf. *Idea*, chap. IX, XI-XVII, XXXIII. Voir *supra*, p. 166, n. 4.

3. Lorsqu'il veut illustrer l'aspect astrologique de son schéma des gouverneurs, Lomazzo se contente généralement de chercher dans ses manuels des caractères planétaires applicables tels quels aux maîtres de l'art, mais ne soumet pas l'œuvre de ceux-ci à une analyse critique particulière en vue de ce rapprochement. Il ne sort donc guère des banalités empruntées aux passages plus connus de Vasari, et des arguments tirés

Mais si les gouverneurs sont associés aux planètes, ils sont aussi, à leur tour, les « planètes » de la peinture des autres [1] : principes de classement, comme les astres dans le *Teatro* de Giulio Camillo et dans tant d'autres encyclopédies symboliques écrites ou dessinées, mais surtout principes actifs. C'est un des traits remarquables de l'*Idea*, que la théorie de l'art y est inséparable de l'histoire et de la critique ; les maîtres sont des « modèles », remplaçant dans cette fonction les préceptes abstraits de naguère, mais ils sont d'autre part les représentants symboliques de familles d'esprits, et sous cet aspect ils apparaissent comme l'incarnation de catégories critiques descriptives et non plus normatives. C'est pourquoi le *libro della discrezione* peut et doit, dans sa théorie de la beauté, rejoindre le livre des gouverneurs, bien que ceux-ci n'y soient jamais nommés.

Canons planétaires et tempéraments.

Un des objets précis du chapitre XXVI de l'*Idea*, le plus connu du livre, est de « déduire », à partir des propriétés physiques des planètes, les formes des types humains appartenant à leurs « familles » astrologiques respectives. Lomazzo mit à contribution des doctrines plus ou moins traditionnelles, se donnant seulement la peine de les enchaîner. Les « qualités primaires » des astres froids ou chauds, secs ou humides se communiquent à leurs sujets, déterminant à la fois le tempérament (par les qualités des quatre humeurs) et l'aspect physique (la chaleur du colérique dilate les membres, rougit le teint, brunit les cheveux, etc.) ; astrologie, médecine humorale et physiognomonie sont ainsi liées, et le peintre n'a qu'à s'y instruire pour savoir comment rendre « scientifiquement » un guerrier martial ou un roi solaire [2]. Ailleurs (chap. XXXIII-

soit de la biographie, soit du sujet des œuvres. C'est encore beaucoup si une phrase comme celle de Corn. Agrippa (*De occ. philos.*, II, 28) : *Luna enim crescendi et decrescendi vires regit*, est « adaptée » sous la forme : *Dalla* [Luna] *hebbe* [Tiziano] *la virtù di crescere, & scemare i lumi, & le ombre nelle carni, & in tutto quello che si può mostrare co'l penello* (*Idea*, p. 130).

1. Le nom « gouverneur » est en effet emprunté aux écrits hermétiques, où il a le sens astrologique de *planète*.

2. Lomazzo utilise ici des doctrines en général assez courantes, mais pas universellement reconnues ; elles vont de l'astrologie de Lulle à la physiognomonie de Michele Savonarola ou à la iatromathématique de Mizaldus, pour ne citer que des représentants typiques de différents aspects de sa théorie ; F. Georgi (*De Harmonia Mundi*, I, 6, 23-29) tente déjà une synthèse assez proche de celle de Lomazzo, mais moins complète ; ce n'est que chez G. B. della Porta, dans la *Fisionomia celeste* (1603), que l'on trouvera de nouveau tous ces éléments réunis.

XXXVII) Lomazzo ébauche une démonstration analogue basée sur le principe « musical » des harmonies des proportions : les rapports de grandeur entre les membres ont un caractère « modal » répondant aux accords de la *musica humana* (entre les facultés et les passions de l'âme), qui à son tour renvoie aux accords correspondants de la musique des sphères. Ce qui intéressait Lomazzo dans les deux cas, était la manière de concilier l'idée d'une beauté absolue et unique avec ce pluralisme des beautés « expressives » (car dans l'échelle « physique » du chapitre XXVI comme dans l'échelle « musicale » de la seconde esthétique, le tempérament ou la disposition de l'âme fournit toujours le chaînon central); mais pour nous, la remarque importante est que nous avons là un pendant *ex parte objecti* à l'esthétique astrologique « subjectiviste » des sept gouverneurs et de leurs styles personnels.

Il ne peut pas y avoir de doute, au fond, sur l'identité des deux relativismes. L'explication « physique » de la variété des formes, au chapitre XXVI, est expressément étendue à la diversité des goûts, des jugements, des sympathies; si les gouverneurs et les sept styles n'y sont pas nommés, ce n'est évidemment que par une négligence de Lomazzo dans le raccord des parties de son livre[1]. Il reste cependant, et ceci importe, une dualité irrésolue : d'une part la doctrine astrologique sert à introduire la *maniera* comme une donnée irréductible, d'autre part elle enseigne à combiner les beautés et caractères de toutes sortes en vue d'une « convenance » parfaite dans la représentation de l'histoire comme si l'artiste était libre de choisir et varier ses manières pour distribuer selon la raison les traits astrologiquement « chargés », afin de satisfaire en même temps les goûts variés des différents critiques et l'exigence supérieure du *decoro* motivé; sur ce point, Lomazzo ne raisonne pas autrement que le plus radical des adversaires de toute *maniera*, Léonard[2]. Nous aurons à revenir sur ce point; ici, il nous faut noter seulement que le

---

1. Rappelons que le chapitre XXVI fait partie du *libro della discrezione*, où il n'est jamais question des gouverneurs. Mais C. Sorte (*Osservationi nella pittura*, 1580; éd. utilisée : Venise, 1594; voir fo 21 vo) a employé des termes astrologiques lomazziens avant la lettre pour déduire la diversité des manières personnelles en art : *Et... questa naturale Idea, o vogliamo dire più tosto, celeste ammaestramento in noi da celesti corpi a questo proposito infuso, non solamente ci aiuta ad operare, ma nelle maggiori, e più perfette eccellenze con imprerio signoreggia; onde quella istessa libertà hanno i Pittori, che si suole concedere per ordinario a i Poeti, e come questi nelle inventioni, e nello stile differenti l'uno da l'altro si conoscano, cosi a quelli parimente aviene.*

2. Par exemple, Cod. Urb. 1270, 46 vo (éd. McMahon, n. 90) et Bibl. nat., Paris, 2038, fo 25 *b* (éd. Richter, n. 500).

	I	II	III	IV	V	VI	VII	VIII
Gouverneurs	Planètes (ch. IX)	Métaux (ch. IX)	Animaux (ch. XVII)	Sages (ch. XVII)	Poètes (*Trattato* VI, 21)	Artistes antiques (ch. II et XXXVII)	Parties de l'art	Artistes apparentés (ch. XXXVII)
Michel-Ange	Saturne	Plomb	Dragon	Socrate	Dante	Parrhasios	*Proportione*	Bandinelli et Dan. da Volterra Sébast. del Piombo Marco Pino Pellegr. Tibaldi
Gaud. Ferrari	Jupiter	Étain	Aigle	Platon	Livres de piété	Timanthe	*Moto*	Bern. Luini et Andrea Solari Bern. Ferrari Bern. Lanino
Polidoro	Mars	Fer	Cheval	Hercule	Virgile	Amphion	*Forma?*	Maturino et Fr. Salviati L. Cambiaso Lazzaro Calvi Aurelio Luini
Léonard	Soleil	Or	Lion	Hermès ou Prométhée	Homère	Protogène	*Lume*	Cesare da Sesto et Lorenzo Lotto

	I	II	III	IV	V	VI	VII	VIII
Raphaël	Vénus	Cuivre	Homme	Salomon	Pétrarque	Apelle	*Compositione?*	Parmegianino Perino del Vaga Il Fattore Rosso Primaticcio A. del Sarto Boccacino
Mantegna	Mercure	Mercure	Serpent	Archimède Alhazen	Sannazaro	Asclépio- dore	*Prospettiva*	Foppa Bramante et Zenale Buttinone Bramantino Bald. Peruzzi
Titien	Lune	Argent	Bœuf	Aristote	Arioste	Aristide	*Colore*	Giorgione Correggio et P. Veronese Tintoretto Les deux Palma Pordenone Les Bassani Fed. Barocci Peterzano

caractère esthétique et émotionnel d'une œuvre quelconque doit être fondé à la fois sur le tempérament du maître et sur les influx planétaires ou « appels » véhiculés par les formes et proportions objectives. Comme Ficin dans sa théorie musicale, Lomazzo admet un lien physique entre le tempérament qui s'exprime et le tempérament représenté, mais il est incapable d'intégrer ce lien dans son esthétique, où il conduit à d'inévitables contradictions [1].

L'image des gouverneurs.

Avant de conclure sur ce point, il est utile de résumer schématiquement les fonctions et les attributions des sept maîtres canoniques dans le système de Lomazzo :

Les trois premières colonnes de ce tableau n'appellent aucune remarque; ce sont des lieux communs astrologiques attestés par des textes en nombre suffisant, et transcrites telles quelles [2]. On passe ensuite progressivement vers des correspondances basées de plus en plus sur des réflexions critiques et historiques, généralement assez faciles à expliquer, et dont le commentaire détaillé peut être confié à une note [3].

1. Marsile Ficin, *De vita coelitus comparanda*, chap. XXI et XXIII, transposés en termes de peinture dans l'*Idea* de Lomazzo, chap. XXXIII et II respectivement : il s'agit d'une part de l'œuvre d'art comme une sorte de talisman ou d'amulette, dont les proportions objectives et les couleurs captent et communiquent les influx astraux correspondants, d'autre part de l'artiste déterminé par sa propre « étoile » et obligé de s'y conformer s'il veut produire des œuvres valables. Selon la première conception, l'art pourrait se réduire à une fabrication d'objets suivant des normes rationnellement déduites, et l'on ne voit pas très bien comment introduire alors l'« expressionnisme » de la seconde.
2. On aurait pu ajouter d'autres listes conçues dans le même esprit, par exemple les vices et vertus selon le chapitre IX de l'*Idea;* mais comme il s'agit là aussi de décalques de lieux communs occultistes, elles ne présentent aucun intérêt particulier.
3. *Sages* (col. IV) : Il n'y a pas de problème pour les correspondances Polidoro-Hercule (le héros combattant associé au peintre « martial »), Léonard-Hermès ou Prométhée (patrons des « inventeurs »), Mantegna-Archimède ou Alhazen (par l'identification de la perspective avec l'ancienne « optique »); Raphaël est sans doute Salomon parce que comme le rapporte Vasari, il réussissait toujours à maintenir l'harmonie entre ses disciples; Titien est Aristote pour la seule et bonne raison que Charles Quint est Alexandre; l'analogie entre Michel-Ange et Socrate est fondée sur leur conduite de sages parfaits; Gaudenzio, comparé à Platon sous prétexte qu'il était « modeste et affable dans ses mœurs », ne doit sans doute cet honneur qu'au fait qu'il fallait associer au peintre « jupitérien » le plus « religieux » des philosophes, et celui qui peut être considéré comme leur roi.
Poètes (col. V) : La liste s'explique presque entièrement par les lieux communs les plus courants : la « profondeur et obscurité » du « Dante peintre », la « dévotion » de l'artiste jupitérien, la « grandeur et fureur » du poète de la Rome antique, l'universalité et la parfaite convenance commune à Léonard et à Homère, maîtres « solaires », la « pure majesté » de Raphaël et de Pétrar-

Il suffit de relever la polyvalence du thème : d'un côté, il est comme un prolongement de l'ancien schéma des galeries d'« hommes illustres » : d'où le parallèle avec les sages et les poètes; d'autre part la correspondance typologique avec les

que (bien que non mentionnée, la « vénusté » ou le tempérament amoureux des deux hommes doit avoir contribué au parallèle). *Andrea Mantegna* [ha] *l'acuta prudenza del Sannazaro, Titiano la varietà dell'Ariosto* (un jeu de mots à demi conscient sur la lune « variable » peut être coresponsable de cet apparentement).

Artistes de l'Antiquité (col. VI) : Il faut comparer, pour comprendre cette liste, deux passages de l'*Idea*. Le premier, au chapitre II (p. 11), brode un peu sur des thèmes pliniens : *in Apelle era genio di grandezza, & venustà della quale egli stesso soleua molto gloriarsi, anco che confessasse che in altre cose, a molti cedeua. In Anfione era di collocar con grandezza le sue figure, in Protogine grandissima maestria. In Asclepidoro l'arte di situar le figure secondo il nostro vedere. In Parrasio di nascondere le linee dei contorni, per dimostrare maggior grandezza nelle figure. In Aristide di collocar tutti i moti, & affetti, & in Timante, dimostrare pietà, & religione.* Sur Apelle, cf. Pline, XXXV, 79; *praecipua eius in arte venustas fuit;* et peut-être aussi, pour expliquer la « grandezza » que lui attribue Lomazzo, la phrase *verum et omnes prius genitos futurosque postea superavit.* Amphion est, selon une leçon alors courante, le Melanthios du texte original; sur lui et sur Asclepiodore, voir Pline, XXXV, 80 : [Apelles] *Melanthio dispositione cedebat, Asclepiodore de mensuris, hoc est quanto quid a quoque distare deberet,* on comprenait toujours, et à juste titre, que ces « mesures » signifient la perspective. La *grandissima maestria* de Protogène est une traduction un peu libre de *cura supra modum anxia* (Pline, *ibid.*); la phrase sur Parrhasios est sans doute une explication maladroite du célèbre mot de Pline, XXXV, 68, sur la difficulté vaincue par ce seul maître : *ambire enim se ipsa debet extremitas et sic desinere ut promittat alia post se ostendatque etiam quae occultat,* c'est-à-dire, selon l'interprétation plus commune, le raccourci. L'art d'Aristide est défini d'après Pline, XXXV, 98, sans changement. Mais la notice sur Timanthe paraît injustifiable : tous les textes anciens parlent de son ingéniosité, de son art des effets dramatiques, et de son «invention» habile (cf. Y. A. Overbeck, *Die antiken Schriftquellen...*, Leipzig, 1868, 1734-1744), aucun ne mentionne le caractère religieux de son art.

La solution vient du chapitre XXXVII de l'*Idea*, où Lomazzo met en parallèle les sept anciens avec les sept modernes (p. 149-150) : la grâce d'Apelle s'applique naturellement à l'art de Raphaël, selon une formule déjà employée dans l'*Aretino* de Dolce (rééd. Lanciano, 1913, p. 7), le contour de Parrhasios au dessin de Michel-Ange, et la perspective d'Asclepiodore à celle de Mantegna. Protogène était comparé à Léonard, pour une raison tout extérieur, déjà trouvée jadis par Ugolino Verino (passage cité dans A. Chastel, *Marsile Ficin et l'art*, Genève, 1954, p. 195) :

> *Et forsan superat Leonardus Vincius omnes,*
> *Tollere de tabula dextram sed nescit, et instar*
> *Protogenis, multis vix unam perficit annis.*
> (*De illustr. Urbis Flor.*, éd. Paris, 1790, p. 130.)

Lomazzo lui-même avait repris l'idée, avec beaucoup moins d'élégance, dans les *Rime* (Milan, 1587, p. 91) :

> *Protogen che'l pennel da sue pitture*
> *Non levava agguaglio il Vinci divo*
> *Di cui l'opra non è finita pure.*

Les autres correspondances sont moins faciles à établir. Pour Amphion-Melanthios, Pline ne fournissait qu'un vague éloge de la *dispositio;* Lomazzo s'y réfère en trois endroits, accentuant toujours le glissement vers le parallèle avec Polidoro : p. 11 : *In Anfione era di collocar con grandezza le sue figure;* p. 146 : *Apelle... cedeua... ad Anfione* nella furia (il n'est plus question de disposition ou collocation); enfin p. 149 on lui trouve *quella grandezza e furia*

artistes de l'antiquité répond aussi à un souci de classification générale des styles et à une distribution de « qualités maîtresses » où le livre des gouverneurs rejoint celui de la *discrezione*, à l'ombre d'un lointain idéal pédagogique et éclectique présageant le système de Roger de Piles; enfin, l'idée des « familles » d'artistes apparentés introduit une orientation

pronta qui en font le peintre « martial » parfait. De la même manière, Aristide, peintre du « mouvement » selon Pline, obtient dans l'*Idea*, p. 150, « *la forza, & la prontezza de i moti* e la *leggiadria de i colori* » requises pour le titre d'un Titien de l'antiquité. Et on comprend ainsi pourquoi Timanthe avait été crédité au chapitre II d'un caractère particulièrement religieux : il était destiné à devenir au chapitre XXXVII le « parrain » de Gaudenzio.

Ce genre de parallèles n'était pas, en soi, une nouveauté; Lippi, Botticelli et d'autres avaient été considérés dès le XVᵉ siècle en quelque sorte comme des réincarnations d'Apelle, Zeuxis, etc.; voir André Chastel, *Marsile Ficin et l'art*, Genève, 1954, p. 194. Pline lui-même avait mis dans la bouche d'Apelle un éloge de ses principaux rivaux, reconnaissant à chacun une qualité maîtresse (XXXV, 80, cité par Lomazzo, II, p. 11, et XXXVII, p. 146); Quintilien avait ébauché un tableau analogue (*Inst. orat.*, XII, 10). Il ne restait à Lomazzo qu'à étendre, combiner et systématiser ces données.

Parties de l'art (col. VII) : Le parallèle avec les sept grands anciens entraîne presque nécessairement une distribution des sept parties de l'art parmi les modernes. Lomazzo n'a pourtant pas poussé le schématisme jusqu'à ce point; mais une phrase du premier chapitre semble indiquer qu'il a au moins envisagé cette possibilité : *i sette lumi dell'arte... nelle loro maniere sono tutti dissimili fra se, ma tali che in quella parte, cui da natura sono stati inclinati, & a cui hanno drizzato l'arte, & industria loro, non è chi possa maggior eccellenza desiderare.* (Il faut cependant reconnaître que *parte* n'a peut-être pas ici le sens technique précis que Lomazzo lui prête en général.) Quoi qu'il en soit, il est certain que cinq sur les sept «parties» de l'art étaient associées dans l'esprit de l'auteur à des « gouverneurs » déterminés; de nombreux passages de l'*Idea* et même du *Trattato* peuvent être trouvés à l'appui. *Forma* et *compositione*, les deux parties « pratiques », restent seules d'attribution douteuse.

Artistes apparentés (col. VIII) : L'examen de ces « familles » énumérées au chapitre XXXVII révèle une assez grande variété des critères d'attribution, pas toujours très satisfaisants. Bandinelli et Sebastiano del Piombo devaient être associés à Michel-Ange pour des raisons évidentes; les autres michélangelesques sont les peintres de Santa Trinità dei Monti, souvent cités ensemble par Lomazzo, sans doute parce que Marco Pino da Siena, son ami personnel et son informateur sur l' « école de Michel-Ange » en avait fait partie. Les disciples de Ferrari ou peintres religieux sont tous lombards et en effet plus ou moins proches du maître; mais Luini, le plus « vénuste » d'entre eux, est rapproché pour cette raison de la « manière » de Raphaël, caractérisée par ce trait. Le groupe autour de Polidoro n'est uni que par la nature des sujets traités ou par le genre cultivé (*istorie* avec allégories et cadres d'architecture feinte); le jugement sur Lazzaro Calvi repose nécessairement sur l'ouï-dire, et l'inclusion d'Aurelio Luini vise peut-être l'influence de l'académisme romain sur son style. A Léonard, Lomazzo n'associe pas ses disciples de fait (qu'il ignore pour la plupart), mais deux peintres qui figurent généralement dans l'*Idea* comme « luministes ». L' « école » de Raphaël est formée moitié d'anciens membres de son atelier, moitié par des maîtres « gracieux » choisis au hasard. Aucun problème ne se pose pour Mantegna, autour duquel sont groupés les « perspectivistes », surtout lombards (Peruzzi y figure à cause des fresques en trompe l'œil à la Farnesina et à cause de son travail de décorateur de théâtre). Les Vénitiens et les coloristes en général (parmi lesquels, selon Lomazzo, il fallait compter Correggio et ses imitateurs) figurent naturellement dans la suite de Titien; Peterzano, Vénitien d'origine, signait ses œuvres milanaises, à tort ou à raison, « élève de Titien ».

historique et critique, à laquelle appartiennent dans l'*Idea* les deux chapitres de la fin, et aussi peut-être le dernier mot dans l'esprit hésitant de l'auteur.

Les gouverneurs et la formation du peintre.

Nous avons trouvé trois propositions à la base de l'esthétique des gouverneurs : la pluralité des perfections et des beautés objectives, la différence irréductible des styles personnels, et l'explication simultanée de ces deux relativismes par le « tempérament » ou l'expression. Que faut-il déduire de là pour l'éducation du peintre ? Doit-il suivre son penchant naturel, au risque de la monotonie et de la pauvreté, mais avec l'avantage de s'assurer une expression « heureuse », ou doit-il s'efforcer d'étudier, et même d'imiter, des « manières » différentes ? Si l'idéal de la beauté unique et formulable, par exemple l'imitation de l'antique ou de Michel-Ange, semble irrévocablement abandonné, l'idéal éclectique peut encore concurrencer celui de l'expression personnelle.

La solution de Lomazzo est précise et très significative. Au chapitre II de l'*Idea*, il insiste longuement sur la nécessité pour le peintre de se connaître soi-même et de suivre ses aptitudes naturelles. Ce conseil, que Lomazzo a pu trouver jusque dans les écrits magiques de Ficin, est développé en toute une typologie des talents et même des carrières artistiques (génies heureux, vocations tardives, routiniers insatisfaits, etc.), et la conclusion pédagogique est claire : on doit étudier d'abord tout ce qui peut être théoriquement étudié, mais il faut choisir ensuite un maître ou modèle dont le génie s'accorde avec la vocation de l'élève, et sauvegarder toujours l'aisance qui est le signe de l'épanouissement du don inné.

Cela n'est cependant qu'un pis-aller, et Lomazzo n'a pas cessé de rêver d'une perfection idéale qui serait celle d'un éclectisme supérieur; son expression la plus connue est le passage du chapitre XVII de l'*Idea* sur « les deux tableaux les plus beaux qui puissent être au monde », l'*Adam* et l'*Ève* issus de la collaboration de Raphaël, Michel-Ange, Titien, et Corrège, — l'un fournissant le dessin, l'autre le coloris, le troisième les proportions, etc. En fait, une collaboration de ce type représenterait bien la solution désirée, car chaque maître travaillerait « suivant son génie », et d'autre part la « convenance » serait sauve, car chacun s'appliquerait à la

« partie de l'art » où son style serait le mieux à sa place [1].
Lomazzo n'a contre l'éclectisme courant qu'une objection
d'ordre empirique : il oblige l'artiste à aller parfois contre sa
nature [2]; mais la beauté idéale, pour laquelle il n'y a pas de
définition *formelle* possible (Lomazzo répète volontiers qu'elle
est « inaccessible aux sens seuls », intellectuelle, affaire de
jugement), réside précisément dans la « convenance » où
toutes les manières confluent, chacune à sa place. Ainsi l'idéal
humaniste d'universalité, avec son postulat aristotélicien,
l'art comme fabrication, survit au moins comme exigence à
côté du nouveau relativisme empirique [3].

Nous retrouvons là un trait déjà relevé dans l'esthétique
de Lomazzo : *l'union désormais indissoluble de la théorie de
l'art avec l'histoire et la critique.* Les sept gouverneurs sont
à la fois des modèles (partiels), des représentants de familles
d'esprits et des réalités historiques. En tant que modèles
différenciés, ils trouvent leur place fixée dans la théorie pure,
tout comme les cinq ordres d'architecture ou comme les
canons de proportions des corps de différents types; en tant
que représentants de familles d'esprits bien définies, ils sont
« éternels » dans l'histoire; en tant que réalités historiques,
ils s'imposent au pédagogue qui doit les dégager de leur
gangue contingente pour les proposer à l'élève [4].

En somme, l'esthétique des gouverneurs représente chez
Lomazzo une irruption de l'expérience, en ce qu'elle a d'ir-

1. Bellori, *Le vite de' pittori...*, Rome, 1672, p. 359, reproduit la lettre de
Dominiquin à Fr. Angeleri, protestant avec indignation contre le non-sens
artistique de cette idée de Lomazzo. A ce sujet, D. Mahon (*Studies in Seicento
art and theory*, Londres, 1947, p. 119-121, et « Eclectism and the Carracci »,
art. cité, *supra*, p. 175, n. 1) soutient que la seule intention de Lomazzo avait
été de présenter d'une manière « imagée » son jugement sur les qualités maîtresses des artistes qu'il rêvait ainsi d'associer. On peut admettre cette interprétation du texte, mais en tant que défense de l'auteur elle ne s'impose pas,
car d'une part les récits de Vasari sur la collaboration de Michel-Ange avec
fra Sebastiano et avec Pontormo autorisaient pleinement cet éclectisme
sui generis, et d'autre part toute l'orientation critique de l'*Idea* en appuie
le principe. La protestation de Domenichino prouve, au contraire, que la
valorisation de la *maniera* personnelle et de l'unité stylistique est devenue
au XVIIe siècle — mais au XVIIe siècle seulement — une idée généralement
admise. (Le cas du tableau « des trois mains », Cerano, Morazzone, G. C.
Procaccini, qui eut tant de succès une génération après Lomazzo, est différent, parce que le type de collaboration y était autre.)
2. Tout s'arrangerait si le tempérament « neutre » et universel était
possible. Mais Galien en avait nié l'existence, et les auteurs chrétiens,
comme le médecin Michele Savonarola, l'avaient réservé au seul corps de
Jésus-Christ. On ne doit évidemment pas prendre au sérieux l'éloge de
l'universalité de Figino par Lomazzo (*Trattato*, VI, 50, p. 438), où D. Mahon
a reconnu une des sources du lieu commun rhétorique sur l'éclectisme des
Carrache (art. cité, p. 306-308).
3. Il faudrait citer ici, trop longuement, un passage de l'*Idea*, chapitre XXVI, p. 89-90.
4. C'est précisément une des tâches du chapitre XXXVII de l'*Idea*.

réductible, dans la théorie de l'art comme science et fabrication : la psychologie, l'histoire, la valeur artistique de l'expression personnelle menacent de disloquer la position traditionnelle par un relativisme anarchique, déjà prôné, parfois, par les poètes. Tout en sachant que la convenance
rationnelle proposée comme remède est une solution utopique,
Lomazzo a transformé son *Trattato* en une énorme casuistique
de la peinture, comme pour conjurer le danger par la masse
des règles. Son entreprise est celle d'une *ars inveniendi* lul-
lienne : prévoir tous les « cas », toutes les « inventions »,
fournir les principes des solutions rationnelles et convenantes
pour tout problème possible; si le peintre veut bien « concevoir son œuvre dans l'esprit » avant de l'exécuter [1], et s'il se
sert du *Trattato* pour cette phase préparatoire essentielle, il
subsiste une chance de sauver l'universalité malgré la limitation de l'individuel [2].

Les gouverneurs et le maniérisme milanais.

Le projet d'une théorie critique complète et définitive de
tout art à venir devait donner d'abord sa mesure dans la
tâche de rendre compte de l'art contemporain. Le schéma
des sept gouverneurs est lié, en partie du moins, à la peinture milanaise telle que Lomazzo pouvait la connaître.
Michel-Ange, Raphaël, Léonard, Mantegna, ainsi que la
peinture vénitienne représentée provisoirement par Giorgione,
étaient imposés à Lomazzo par sa source, le *Cortegiano* [3];
mais Lomazzo a élargi leur signification, en faisant d'eux,
au-dessus de l'histoire, des représentants de courants déterminés. Du point de vue lombard, le Michel-Ange de l'*Idea*
se trouve traduit par Tibaldi, Raphaël par Giulio Romano,
Mantegna par Foppa ou Bramantino [4]. Au lieu de Giorgione,
Lomazzo dit Titien; pour son influence à Milan, Parme aurait

1. L'*Idea* et le *Trattato* reviennent sans cesse sur cette nécessité; Lomazzo
retrouve, pour vanter et recommander la « conception intérieure » contre la
routine ou l'imitation mécanique, le ton même sur lequel, cent ou cent
cinquante ans auparavant, on avait recommandé l'observation de la nature.
2. Lomazzo sait pourtant que les règles trop minutieuses doivent finir
par interférer et se contredire dans l'application. La casuistique du *Trattato*
est d'ailleurs beaucoup moins dirigée contre la pauvreté de la *maniera* que
contre l'anarchie de la *pratica*. Le combat d'arrière-garde livré par Lomazzo
sur ce deuxième front n'a pas à nous préoccuper ici, mais dans son esthétique
il est aussi important que le premier.
3. Voir *supra*, p. 178.
4. Voir p. 186, n. 3.

eu au moins autant de droits que Venise à figurer dans le palmarès, mais l'amitié personnelle de l'auteur pour le « titianesque » Peterzano, et surtout son hostilité envers les Campi, représentants de l'école de Parme, l'obligeaient à une injustice [1]; il eut pourtant une hésitation, ou des contradicteurs à convaincre, comme l'attestent quelques lignes de justification, où les partisans du Corrège sont crûment accusés d'ignorance. Polidoro est le représentant d'un genre à part, et comme tel il a sa place parmi les sept, surtout peut-être comme « patron » des peintres de grandes *istorie;* mais le choix plus significatif est celui de Ferrari, car pour tout ce qui ne relève pas chez Lomazzo peintre de l'académisme maniériste romain (ou issu de Rome), il s'insère dans la tradition lombarde qui va de Gaudenzio à Cerano et Morazzone. Comme l'influence de Léonard n'a jamais vraiment pénétré ce courant, Lomazzo se montre assez hostile à son école, et ne cite jamais Giampetrino, Ambrogio de Predis, Boltraffio, Marco d'Oggiono, Bernardino de' Conti ou Melzi, alors que Foppa, Zenale, Buttinone reçoivent ses compliments répétés; pour Lomazzo, les « disciples » de Léonard sont Cesare da Sesto et Lotto!

Le « pointage » des artistes cités ou loués par Lomazzo — surtout dans l'*Idea*, après vingt ans de cécité — concorde avec ses tendances personnelles beaucoup plus qu'avec la situation artistique réelle de Milan. Comme en outre il n'hésita pas à juger et même à condamner des œuvres qu'il n'avait pas pu connaître personnellement, on court certains risques si on veut l'invoquer aujourd'hui comme témoin du goût de son temps. Il est d'autant plus remarquable qu'on puisse l'utiliser avec pleine confiance comme témoin de l'évolution des idées sur l'art.

(1959)

---

1. Sur Lomazzo et les Campi, voir Roberto Longhi, art. cité, *supra*, p. 174, n. 2. Lomazzo reprochait surtout à ceux qu'il appelait disciples du Corrège l'emploi de la lumière frisante, qui les dispensait de modeler les formes des corps. La « bonne lumière » pensait-il, devait venir d'en haut et statufier les personnages (ill. 1 et 2). Son Christ dans le jardin des Oliviers est, sous cet aspect, une réponse directe à Correggio.

VII

LA BIBLIOTHÈQUE DE LA MIRANDOLE
ET LE CONCERT CHAMPÊTRE DE GIORGIONE*

On a déjà, à diverses reprises, fait remarquer que le *Concert champêtre* du Louvre (ill. 3) se rapporte certainement au processus de l'inspiration musicale ou poétique. Cela a été énoncé très clairement et de façon très convaincante dans un article de Patricia Egan [1], où l'on trouve quelques constatations essentielles. Cet auteur a, avant tout, attiré l'attention sur l'importance du contraste entre le joueur de luth — personnage de cour ou peut-être même de ville — et le chanteur campagnard, contraste qui domine toute la peinture jusque dans le paysage clairement « moralisé ». Elle a même fait remarquer les rapports existant entre les soi-disant nymphes et la « Poésie » des *Tarocchi* de Mantegna (série de gravures de Ferrare dont on situe la parution vers 1468) [2]. La Poésie assise et jouant de la flûte de la suite des *Tarocchi*, qui semble puiser de l'eau à une fontaine, réunit les caractéristiques les plus notables des deux figures féminines de la peinture (ill. 4).

La thèse de Patricia Egan peut être confirmée pour l'essentiel grâce à la description d'une peinture disparue, dans laquelle nous croyons reconnaître la source commune du programme aussi bien de la Poésie des *Tarocchi* que du *Concert champêtre*. La peinture, une représentation allégorique de l'art poétique, décorait la bibliothèque de la famille Pic de la Mirandole. La description en est due à un ami de

---

* Cet article a été traduit du texte allemand qui a été publié, après la mort de Robert Klein, dans *Zeitschrift für Kunstgeschichte*, XXX, 1967, p. 199-206. Il avait fait l'objet d'une conférence à l'Institut d'art de l'Université de Fribourg-en-Brisgau, en mars 1967.

1. « Poesia and the Fête champêtre », *The Art Bulletin*, XLI, 1959, p. 303-313.

2. Ce rapport, comme le souligne Patricia Egan, fut déjà remarqué par Philipp Fehl dans « The Hidden Genre : A study of the Concert Champêtre in the Louvre », *Journ. of Aesthetics and Art Criticism*, XVI, 1957, 2, p. 135-159.

longue date de la famille, hôte de son château, l'historien
littéraire et mythographe Lilio Gregorio Giraldi.

Le texte se trouve dans l'*Historiae poetarum... dialogi
decem*, paru à Bâle en 1545. A en juger par la dédicace à
René d'Este, il fut vraisemblablement écrit pendant le dernier séjour ferrarais de Giraldi, donc après 1533 [1]. L'auteur
fait une sorte d'histoire de la littérature qu'il transforma en
une véritable encyclopédie de la poésie grâce à de nombreuses digressions savantes. Sous la forme d'un dialogue
fictif avec ses amis, dont un jeune Pico non identifié, tenu
en 1503 hors de Ferrare, peut-être à Capri, Giraldi décrit
et commente la décoration de Mirandole, déjà disparue, mais
encore visible *ante cognatas discordias* [2]. Les six *tabulae* (et
non dix comme on l'a souvent dit d'après Venturi) dont il
s'agit ici sont de grands panneaux de bois rectangulaires,
surmontés de lunettes semi-circulaires. On prit comme
peintre un maître Cosmas contemporain, un *nostralis* travaillant au temps de « nos pères », certainement Cosimo Tura
que l'on attirait volontiers à Ferrare pour la décoration des
maisons ducales. On fixe habituellement son travail à Mirandole de 1465 à 1467, dates auxquelles il ne résida apparemment pas à Ferrare [3].

1. La source était connue des anciens historiens locaux et fut exploitée
par eux (cf. G. Campori, *Artisti italiani e stranieri negli stati estensi*, Vicence,
1854, p. 173), le mérite du premier usage de l'histoire de l'art revient de droit
à Adolfo Venturi (cf. « L'Arte a Ferrara nel periodo di Borso d'Este », *Rivista
storica italiana*, II, p. 689-749, voir surtout p. 713-715). Tous les extraits
pouvant aider à imaginer l'œuvre disparue ont été réimprimés et commentés par H. J. Hermann dans *Jahrb. d. Kunstsamml. der all. Kaiserhauses*
(Vienne), XIX, 1898, p. 207-217; nous utilisons l'édition de Gyraldus,
Opera, Bâle, 1580, liv. II (cf. p. 1-3 et 13-16).
2. Dans le troisième dialogue, on annonce la mort de Pontano, ce qui
permet de dater le dialogue fictif de 1503; la présence d'un jeune Pico,
vraisemblablement un membre de la famille de Giovanfrancesco, concorde
bien avec cette date. L'année précédente, ce dernier, ami intime et protecteur
de Giraldi, avait été chassé par ses frères. Les *Cognatae discordiae* étaient
endémiques dans la maison Pico depuis 1470, ce qui amena un bombardement de Mirandole en 1502 (« Diario ferrarese », *R.I.S.*, t. 24, p. 288,
nouvelle édition de Bologne, 1937).
Lorsque Giraldi dit que la peinture fut détruite par la guerre (ce qui
ne ressort pas clairement de son texte), cela ne peut s'être passé plus tôt.
Nous savons également que les livres de Giovanni Pico furent vendus en 1498
au cardinal Grimani, à Florence, et l'inventaire conservé (cf. P. Kibre,
The Library of Pico della Mirandola, New York, 1936) ne mentionne aucune
peinture. Donc les *tabulae* devaient encore se trouver dans le château
vers 1500, comme Giraldi les a vues souvent, ainsi qu'il l'affirme. Ces déductions seraient *a fortiori* valables si Hermann avait raison de penser que les
tabulae étaient en réalité des fresques.
3. Ces déductions faites par Campori et acceptées par Venturi et Hermann
ont été généralement reprises, autant que nous sachions. Elles conviendraient
aux vues exposées ici, mais on doit démontrer au moins une fois qu'elles
n'ont qu'une certaine valeur d'hypothèse : Giraldi n'avance le nom de Tura
qu'avec réticence, en se référant à Giovanni Manardi, ami de longue date et

On ne doit pas prendre très au sérieux la description des peintures perdues. L'auteur pouvait s'octroyer de nombreuses libertés qui convenaient à son propos didactique ou litté-raire, puisque l'original n'existait plus depuis longtemps. On ne doit surtout pas s'arrêter à l'énumération interminable et peu sûre des auteurs païens et chrétiens représentés, lorsque l'on pense à ce que la mode du Quattrocento des tableaux

médecin de la famille Pico, qui fut le mentor du jeune Giovanfrancesco et l'aida dans sa tâche d'héritier littéraire du grand Giovanni. Il n'est donc pas un mauvais garant, mais ne se montre pas, ici, certain de ce qu'il avance. Né en 1462, il appartenait aussi à la génération suivante. Il était peu intéressé par la peinture. Dans ces circonstances, « Cosmas » peut très bien avoir été un nom collectif pour des peintres célèbres du temps de Borso. La proposition d'Ortolani de rattacher les dessins de *La Charité* de Tura, à Berlin, aux peintures de la Mirandole est absolument dépourvue de fondements (*Cosma, Tura, Francesco del Cossa, Ercole de' Roberti*, Milano, 1941, p. 34). La date de Campori est pure conjecture. Campori interprète *ante cognatas discordias* comme se situant avant 1467, parce que les querelles successorales dans la famille Pico éclatèrent après la mort du vieux Giovanfrancesco I, survenue cette année-là. Pour Tura, il ne reste donc que les années 1465-1467, pendant lesquelles les actes de Ferrare ne relatent rien sur son activité. En 1470, il y eut à Mirandole une révolution de palais, en 1483 une première guerre, mais dans le milieu de Giraldi c'est seulement le conflit entre le jeune Gio-vanfrancesco et ses frères (1502) qui fut considéré comme vraiment sérieux. Même Guichardin mentionne les coups de feu de 1502 dans sa *Storia d'Italia* comme « le début des violences ». De toute façon, on ne peut avec Campori considérer 1467 comme l'année décisive. Ceci est important car les Pico, spécialement ceux de la génération de Giovanni, semblent avoir appartenu à une race de gens querelleurs et l'on aimerait attribuer à Giovanni Pico (né en 1463) plutôt qu'à sa famille l'idée du programme des peintures de Mirandole. Aussi démesuré et déformé que soit l'exposé de Giraldi, le pro-gramme de décoration de la bibliothèque avait un fond d'humanisme lettré extrêmement développé : la Poésie y apparaît en Théologie déguisée, Homère en prophète, les auteurs de l'Ancien Testament ainsi qu'Orphée et les sept Sages grecs sont comptés au nombre des poètes. On peut supposer que la *Theologia poetica* projetée ou perdue de Giovanni Pico a exprimé des idées de ce genre. En réalité, l'idée n'est pas néo-platonicienne; elle a pour fonde-ment la défense traditionnelle de la poésie, comme à peu près dans la *Genea-logia deorum* de Boccace. Ce qui est frappant, c'est l'orientation exclusive-ment poético-littéraire, qui fait créer une bibliothèque spécialisée.

Tout ceci convient parfaitement au jeune Giovanni Pico, dont les premiers intérêts semblent avoir été essentiellement littéraires. En effet il étudia de 1477 à 1479 (donc de quatorze à seize ans) le droit canon à Bologne, puis il revint à Ferrare, où Battista Guarini l'amena à l'humanisme et à la litté-rature. En 1479, il écrivit des élégies en latin (ses premières œuvres) que loua Politien. Il vécut à Ferrare jusqu'en 1481, la plupart du temps dans des milieux littéraires, puis il se retira à Mirandole, pour préparer le grand éclat romain de ses neuf cents thèses. Il est donc vraisemblable que c'est vers 1481 qu'il s'occupa de la bibliothèque et entreprit sa décoration. Tura également semble avoir été peu occupé cette année-là. Pour dater vers 1465-1467 la personnalité de la mère de Pico, proche parente du poète Boiardo, parlerait, par contre. Après la mort du père, elle avait pris en main l'éducation du jeune Giovanni, âgé de quatre ans, choisi ses maîtres, et peut-être favorisé son besoin précoce de littérature. On pourrait attribuer à un Boiardo l'inhabituelle glorification de la poésie, aux dépens de la formation humaniste et scientifique. Le programme reflète la tendance des Ferrarais cultivés au temps de Lionello, prédécesseur de Borso (ce qui parle en faveur d'une date antérieure). De plus, il peut y avoir déjà eu à Ferrare un élève du grand Guarino de Vérone, qui put faire le plaisir à la Dame de Mirandole de donner un programme au peintre.

uomini famosi pouvait produire [1]. Seule l'allégorie de la poésie dans la lunette au-dessus du premier panneau nous intéresse et, à ce propos, notre confiance modérée en Giraldi se voit confirmée par la version des *Tarocchi* et du *Concert champêtre*.

La Poésie apparaît comme une femme assise sur un char magnifique, rembourré de coussins, le visage voilé, tenant d'une main le globe terrestre et de l'autre un tableau où sont dessinés des types de vers et les symboles des figures de style. Elle porte un vêtement étroit (la prose) et posé dessus un large manteau (le style poétique). A ses pieds sont posées des couronnes de laurier, de lierre, de myrte, destinées au poète héroïque, lyrique, épique [2]. Différentes couronnes sont prévues pour les talents universels. Les mauvais poètes sans talent essaient de s'en saisir, mais ne reçoivent que des couronnes mal tressées et sans valeur. A côté, les muses dansent autour d'Apollon et les poètes choisis par elles reçoivent en récompense les plus belles couronnes. Peitho, déesse de la Persuasion, tend aux chanteurs de l'eau puisée à la fontaine des Grâces.

Giraldi explique le sens des différentes figures, attributs et actions de manière très détaillée, ce qui fait supposer qu'il a prêté à l'original des détails qui convenaient à son propos. Les mauvais poètes et les couronnes sans valeur constituent vraisemblablement une polémique contre l'abus du couronnement des poètes qui se répandit tellement au xvie siècle et fut parodié par Léon X, et en aucune façon un thème qui ait pu tenir à cœur en quelque manière à Cosimo Tura ou au seigneur de Mirandole. On ne peut naturellement pas déterminer le nombre des détails de ce genre. Il n'est pas impossible que Peitho et la Poésie de la lunette de Tura aient été fondues en une même personne, comme elles le sont dans les *Tarocchi*.

Le rapport entre la peinture disparue de la lunette et la gravure des *Tarocchi* qui parut à Ferrare dans l'entourage

1. Un bon exemple de description similaire, dont l'auteur n'avait absolument pas les mêmes connaissances littéraires que Giraldi, a été récemment publié par W. A. Simpson, « Cardinal Giordano Orsini as a Prince of the Church and a patron of the lost frescoes in Monte Giordano » (*Journal of the Warburg and Courtauld Inst.*, XXIX, 1966, p. 135-159). L'auteur remarquait à juste titre que les dessins du *Libro di Giusto*, ainsi qu'on le nomme, et la *Cronaca* de Leonardo da Besozzo peuvent donner jusqu'à un certain point une idée de ce genre de décoration.

2. Le terme « lyrique » était vague à la Renaissance; il se rapportait surtout à la forme strophique ou à toutes sortes de petites poésies. Ici, il est employé comme nom commun à tout ce qui n'est ni élégiaque ni héroïque. La seule poétique du Quattrocento, celle de Bartolommeo Fonzio, récemment publiée par Charles Trinkaus dans *Studies in the Renaissance*, XII, 1966, montre justement à ce sujet une confusion encore plus grande, si possible.

immédiat de Tura et, peu après la date présumée des peintures de Mirandole, est évident : le globe terrestre aux pieds de la figure des *Tarocchi*, sa toilette composée d'une robe et d'un manteau, la cruche tenue près de la source en sont une preuve évidente. Pour réduire la composition au format d'une grande carte à jeu, il fallait supprimer les figures accessoires [1].

Le tapis de lierre et la couronne de laurier sur la tête de la Poésie font partie de cette symbolique des plantes, telle qu'on la trouve à la même époque sous une forme simple même hors de Ferrare. Le médaillon du poète de cour des Este, Vespasiano Strozzi [2], par Sperandio présente le portrait entouré d'une couronne composée à moitié de laurier, à moitié de lierre, allusion bien sûr à la *Borseis* épique de Strozzi, d'une part, et de l'autre, à sa poésie lyrique écrite en latin qui renferme également des vers d'amour [3].

A première vue, le *Concert champêtre* apparaît comme une illustration du passage de Giraldi : *Pitho dea haustum liquidissimum quendam liquorem ex Orchomenio Gratiarum fonte nonullis canentibus propinabat.* Une radiographie [4] a permis de découvrir un premier état de la peinture, dans lequel le rapport avec la description de Giraldi était encore plus net. La femme debout à gauche (il est impossible de savoir s'il s'agit de *Peitho* ou de *Peitho-Poesia*) tournait à l'origine vers les musiciens la tête et le bras qui tient la cruche ; on voyait les jambes de profil [5]. Il en résulte que

1. La gravure des *Tarocchi* paraît déjà, à cause de cela, comme une simplification incompréhensible de la peinture de Mirandole, parce que le fait de puiser de l'eau reste sans fondements tant que personne ne reçoit à boire. Comme les *Tarocchi* parurent sans aucun doute avant 1468, nous aurions ainsi un nouvel argument pour la date trop ancienne proposée par Campori. Cela n'est pas tout à fait déterminant, car l'on ne peut éliminer la possibilité d'une autre source plus ancienne. Sur la gravure, la flûte qui se trouve près de Mercure, pour donner de la force au propos, paraît étrange. Cf. Egan, *op. cit.*, p. 309.

2. Hill, 394; avec la date, à notre avis trop récente « après 1487 ».

3. Du même Sperandio il existe deux médaillons du poète de Ferrare et courtisan Lodovico Carbone. Le premier, (Hill, 359), que l'on peut dater de 1462 ou d'un peu plus tard, montre au verso la fontaine des Muses et Calliope qui tend à Carbone une couronne : *Hanc tibi Calliope servat lodovice coronam.* Cette construction picturale n'a rien à voir avec la scène décrite par Giraldi, mais s'appuie sur Properce, III, 3, le couronnement du poète non épique. Sur le second médaillon l'inscription *Musis Gratiisque volentibus* (Hill, 360) fait peut-être allusion à la Poésie de Mirandole. Il est postérieur à 1467.

4. Cf. Mme Hours dans *Bolletino d'Arte*, XL, 1955, p. 310.

5. Ces radiographies dont Louis Hourticq avait supposé l'issue avec une justesse merveilleuse (*La Jeunesse de Titien*, Paris, 1919, p. 1-32), me furent accessibles dans la photothèque Berenson de la Villa I Tatti. L'eau de la fontaine des Muses ou des Grâces est une vieille allégorie de l'inspiration (Properce, *loc. cit.*) qui est représentée ici pour la première fois dans la Renaissance. Pour son développement ultérieur, cf. Panofsky, *A mythological painting by Poussin in the National Museum Stockholm*, Stockholm, 1960.

les trois musiciens, comme le montre très bien l'agencement du tableau, forment un tout et il est à peine possible d'opposer les deux musiciens aux deux nymphes ou muses inspiratrices [1], comme le font Philipp Fehl, Patricia Egan, Edgar Wind.

En essayant de rapprocher le joueur de luth de la « nymphe » debout et le chanteur campagnard de celle qui joue de la flûte, on fausse nettement le tableau, et pas seulement du point de vue « visuel ». L'espèce de groupe ternaire formé par les figures assises offre des contrastes significatifs : le musicien noble face au musicien campagnard, le luth face à la flûte [2]. La nymphe nue et l'élégant joueur de luth sont tous deux complètement tournés vers le chanteur du milieu et semblent tous deux s'occuper discrètement de lui [3], avec plus ou moins de succès. Luth, chant [4], flûte forment un ensemble plein de sens, on devrait dire une véritable trinité dans laquelle la voix humaine forme le lien, comme la poésie entre l'Héroïque et l'Érotique.

La première signification des trois figures doit s'appuyer sur la vieille classification de la musique de saint Augustin [5] : *harmonica* (voix humaine), *organica* (instruments à vent), *rythmica* (percussion et instruments à corde), ces derniers joués naturellement avec les doigts ou le plectre, non avec l'archet. Patricia Egan [6] soulignait déjà ce rapport. L'évo-

1. Pour Patricia Egan et Philipp Fehl, cf. p. 193, n. 1 et 2, Edgar Wind' *Pagan Mysteries in the Renaissance*, New Haven, 1958, p. 123, n. I. A. P. de Mirimonde considère comme fausse l'interprétation proposée par Egan, l'explication des deux silhouettes féminines en tant que Muses (« La musique dans les allégories de l'amour, I », *Gazette des beaux-arts*, LXIII, nov. 1966, p. 265-290), en se fondant sur le fait que les Muses doivent être habillées. Un exemple en sens contraire, le médaillon de Maffeo Olivieri (Hill, 485), vers 1519.

2. L'opposition entre luth et flûte est un aspect particulier de l'opposition traditionnelle entre instruments à vent et instruments à cordes. Elle est confirmée par une longue tradition mythique et morale que E. Winternitz, « The Curse of Pallas Athena », in *Studies in the hist. of art dedicated to William E. Suida*, Londres, 1959, p. 186-195, surtout 191, n. 20, résume très bien.

3. Hartlaub, « Zu den Bildmotiven des Giorgione », *Zeitschr. f. Kunstwiss.*, VII, 1953, p. 57-84) croit même que la femme assise veut donner sa flûte au jeune homme, pendant qu'il se tourne vers le joueur de luth sans faire attention à elle. Les gestes ne sont malheureusement pas très nets sur cette merveilleuse peinture. C'est un instant de calme extrême, la joueuse de flûte s'est arrêtée, l'accord du luth va decrescendo, l'attente du prochain retour de la voix domine toute la pause.

4. Cela a évité à Giorgione de représenter la bouche ouverte du chanteur. L'idée de la pause lui sert en l'occurrence. Bien entendu, toutes les descriptions ont considéré le jeune homme du milieu comme un chanteur. On pourrait certes interpréter le *Concert champêtre* dans un autre sens, mais en faisant violence au sujet et en s'éloignant de l'impression visuelle.

5. Saint Augustin, *De ordine*, II, cap. 14.

6. P. Egan, *op. cit.*, p. 310, n. 41.

lution de la musique a démenti la classification de saint Augustin, qui était entre-temps parvenue à la place prépondérante, et Giraldi lui-même, dans son *Syntagma de musis*[1], suppose que les trois muses originelles devaient représenter les trois genres de la musique instrumentale. Dans la Venise éprise de musique du temps de Giorgione, la classification de saint Augustin devait être passée depuis longtemps dans la conscience populaire[2].

Elle était toutefois pour Giorgione plus qu'un simple souvenir. Dans le groupe étudié, *Rythmica* a le premier rôle et non *Harmonica*. Il en ressort donc immédiatement qu'il s'agit moins des trois genres de la musique que des trois genres de l'art poétique, qui leur correspondent mais occupent entre eux un ordre différent. Si le rapport avec la Mirandole est direct, comme nous le supposons, les trois couronnes de la *Poesia* nous donnent une référence immédiate. Giraldi ne dit pas si les *nonulli cantantes*, auxquels *Peitho* offre l'eau, étaient les représentants des trois genres (ce qui en soi n'est pas impossible), mais le motif des trois couronnes était en fait assez significatif pour inspirer d'éventuels imitateurs. Le point de départ de ce motif fut vraisemblablement le privilège accordé à Pétrarque lors de son couronnement sur le Capitole *ubi et quoties sibi placuerit... huiusmodi atque alios actus poeticos, laurea vel myrtho vel hedera, si id genus elegerit, coronare*[3]. Les trois genres, d'ailleurs sans les plantes symboliques, sont représentés sur l'allégorie de la *Poésie* (Louvre) dédiée à Isabelle d'Este par Lorenzo Costa (ill. 5). Autant que je puisse en juger, certains détails de celle-ci ne sont pas bien interprétés : les gardiens du domaine réservé de la poésie, personnages du premier plan, cadrent parfaitement avec le schéma trinitaire dont nous parlons : à gauche se dresse la

1. Giraldi, *Opera*, éd. cit., I, 353.
2. Paola della Pergola (*Giorgione*, Milan, 1957, p. 48) suppose que les deux bergers musiciens de la galerie Borghese sont des fragments d'un Giorgione disparu de la collection Vendramin, qui sont décrits en 1567-1569 comme *tre testoni che canta*. En admettant que ce soit juste, le troisième, le berger manquant devait être un joueur de luth car les deux peintures conservées représentent, sans erreur aucune, le second et le troisième genre de la musique.
3. Déjà en 1315 Mussato reçut une couronne tressée avec les trois rameaux (cf. Novati, *Indagini e postille dantesche*, Bologne, 1899, p. 87-95 et 106-111. Le privilège est imprimé dans *Opera* de Pétrarque, Bâle, 1554, liv. III, p. 1255). Le symbole des trois couronnes fut vraisemblablement l'origine d'une description apocryphe de la cérémonie, parue en 1549 à Padoue sous le nom de l'ami de Pétrarque, Sennuccio del Bene, dans laquelle Pétrarque lui-même aurait reçu les trois couronnes sur le Capitole. Dans les travaux postérieurs de *L'Iconologia* de Ripa (cf. *Academia*, supplément de Giov. Zaratini Castellini), cette affirmation est prise pour argent comptant. E. H. Wilkins, « The coronation of Petrarch », *Speculum*, XVIII, 1943, p. 155-197, ne la remet pas en question.

poésie héroïque et guerrière, à droite la poésie érotique.
Celle-ci est symbolisée par un chevalier tuant un dragon,
celle-là par une nymphe avec son arc. Même le paysage à
l'arrière-plan avec ses scènes figuratives est composé pour
elles : à gauche on voit des bateaux et un combat (*L'Iliade*
et *L'Odyssée*), à droite des couples d'amoureux dans une
forêt. Au milieu se trouve la poésie champêtre, décomposée
en géorgique et bucolique : le bœuf et l'agneau. La séquence
héroïque-champêtre-érotique est celle du *Concert champêtre*.

Patricia Egan a démontré que l'opposition entre le musicien de cour et le musicien champêtre domine la composition du tableau [1]. Il reste encore à se demander si l'on doit
prendre l'arbre à gauche pour un laurier. Il fa_t encore souligner que la joueuse de flûte, en tant que troisième partenaire, est reliée au paysage au moins par un détail : derrière
elle pousse une vigne portant peut-être des grappes [2] (ill. 3),
ce qui est très visible sur la gravure de Nicolas Dupuy dans
le recueil Crozat.

La distinction des trois genres poétiques tout comme la
définition des symboles et instruments s'y rapportant étaient
vagues, aussi ne devons-nous attendre aucune illustration
d'un texte spécial. Le joueur de luth ne se trouve pas là
pour la poésie épique mais pour la poésie « élevée » en général;
la joueuse de flûte n'est pas la nymphe romanesque de Costa
mais un être dionysiaque. La symbolique végétale est banale :
le laurier et le myrte sont difficiles à reconnaître ou manquent
totalement. Le lierre apparaît autour de la fontaine de *Peitho*
en tant que plante poétique et non comme attribut spécifique de la poésie lyrique. Seule la vigne appartenant à la
poésie et nommée parfois en quatrième lieu se trouve à sa
place habituelle. On peut en dire autant du choix des instruments qui ne représentent que l'opposition entre l'art noble
et l'art insouciant et non la trilogie des genres canoniques [3].

1. L'interprétation peu concluante de G. M. Richter, *Giorgio da Castelfranco*, Chicago, 1937, p. 232-233, reprise par Eisler, selon laquelle le *Concert
champêtre* serait une illustration de l'églogue VII de Virgile, n'est pas valable.
Il ne peut s'agir de la dispute des deux bergers.
2. La vigne sur l'original n'est actuellement absolument plus visible,
même sur une photo détaillée aux rayons infra-rouges, sur la gravure de
Dupuy. Un buisson microscopique près de la joueuse de flûte pourrait
peut-être être un rameau de myrte. De toute façon, l'état de la peinture
ne permet plus d'émettre de telles hypothèses avec certitude.
3. Ripa, pour prendre un exemple courant, caractérise la poésie héroïque,
lyrique et champêtre par le tuba, la lyre et la flûte. Il ajoute à part *il poema
satirico*. Il est donc tout à fait dans la lignée du programme de la Mirandole
et de Costa. Pour les plantes symboliques, on se rapporte souvent à tort à
Virgile, *Églogue*, VII, 60-61, où la vigne remplace le lierre : ... *gratissima
vitis Iaccho | Formosae myrtus Veneri, sua laurea Phoebo*. Pétrarque énumère

Il ne s'agit en fait dans le *Concert champêtre* de rien d'autre que de l'antique classification, tirée de la *Rhetorica ad Herennium*, des trois niveaux de la diction : *sermo-humilis, mediocris, gravis*, qui, au Moyen Age, donna naissance à la *Rota Virgilis*; ce schéma où chacun des trois styles possédait ses attributs, son vocabulaire propre, son modèle chez Virgile [1]. Quoi qu'il en soit, la hiérarchisation et la tripartition existèrent de tout temps. Même dans la bibliothèque de la Mirandole, les auteurs ne sont pas groupés d'après les genres mais d'après différents critères matériels, grammaticaux, historiques, formels. Cependant, à l'intérieur de chacune des six *tabulae*, on peut distinguer, comme le fit Hermann à juste titre, trois degrés suivant parfois les classifications chronologiques mais toujours conformes à un certain ordre.

On ne pourra aller beaucoup plus avant dans l'interprétation des trois musiciens du *Concert champêtre*. Il faut remarquer en premier lieu que les instruments donnent le ton. Entre l'élégant joueur de luth et la joueuse de flûte, nue, reconnaissable à la vigne, se trouve le jeune villageois tout simple, par opposition au poète érudit, lié à la nature [2], ayant le chant pour instrument. Il ne faut pas voir en lui un Hercule à la croisée des chemins, mais l'heureux produit d'une éducation éthique et musicale.

*

A partir de cette interprétation il est possible d'apporter une contribution, qui n'est peut-être pas décisive, au problème si souvent discuté de l'attribution du *Concert champêtre*. La figure de *Peitho-Poesia* est, on l'a déjà dit, retouchée et même d'après la radiographie, sur une couche de peinture encore mal

dans l'*Oratio* prononcée à son couronnement le laurier, le myrte, le lierre et la vigne; le lierre y apparaît clairement comme le plus important, tout comme dans Horace (*Carm.*, I, 1 et 29), *doctarum hederae praemia frontum*, ce qui légitima cet usage (cf. J. B. Trapp, « The Owl's ivy and the Poet's Bay », *Journ. of the Warburg and Courtauld Inst.*, XXI, 1958, p. 227-255). Le tapis de lierre dans la *Poesia des « Tarocchi »*, comme la vigne à la fontaine du *Concert champêtre*, remplace le laurier. Cf. *Iconologia*, dans l'article cité plus haut « Accademia » : *di edera, e alloro si coronavano indifferentemente tutti li poeti*. La vigne a dans le *Concert champêtre* le même rang que la couronne de myrte dans la Mirandole.

1. E. Faral, *Les Arts poétiques du* XIIe *et* XIIIe *siècle*, Paris, 1958 (Bibl. de l'École des hautes études, 238), p. 86-89. Il n'existe bien entendu aucun rapport direct entre la *Rota* et notre tableau.

2. Il faut souligner qu'également, sur l'allégorie ci-mentionnée de Costa, la poésie champêtre se rapporte au moyen et non comme, très souvent, au style inférieur. Le troisième genre est également chez Costa la poésie passionnée symbolisée par la flûte.

sèche; la nouvelle couche se fendilla, comme on peut le voir
sur la reproduction (ill. 3). Giorgione avait l'habitude de changer
son programme en cours d'exécution. Les radiographies de la
Tempête et des *Trois Philosophes* en sont des exemples célèbres.
Il travaillait cependant trop lentement pour que l'on puisse
admettre une retouche sur peinture humide. Giorgio Castelfranco [1] remarque, à juste titre, que nulle part ailleurs on
n'observe chez lui de tels dommages de la surface. Les autres
parties du tableau furent apparemment peintes avec une couche
de peinture plus uniforme, plus fine, et plus fluide. Elles ne
soulignent aucune différence de technique. De toute façon
il faut tenir compte des dégâts graves soulignés par une vieille
photo et des nombreuses restaurations [2].

Pour les raisons techniques mentionnées plus haut, les corrections ne peuvent pas être attribuées à Giorgione, elles
rendent moins clair le rôle de Peitho et obscurcissent le sens
iconographique du tableau; ce fait parle en faveur de la thèse
des deux auteurs souvent formulée ces derniers temps, et spécialement par Castelfranco; la peinture serait parvenue inachevée entre les mains du Titien, après la mort de Giorgione
et terminée par ses soins avec une méconnaissance compré-
hensible du programme qu'il ignorait peut-être [3].

Que le Titien ait changé plus tard les motifs du tableau [4]
ou qu'il l'ait offert à Federigo Gonzaga de Mantoue en 1530 [5]
comme son œuvre propre, ne prouve nullement, comme le
dit Hourticq, qu'il soit de sa main. Les inégalités souvent
remarquées pourraient, d'une manière insuffisante et partielle,

1. Giorgio Castelfranco, « Note su Giorgione », *Boll. d'Arte*, 1955, p. 298-
310.
2. Photothèque du « deutsches Kunsthist. Institut » à Florence.
3. On peut difficilement supposer que le Titien ait trouvé dans l'atelier
de son ami mort de la peste (quelle qu'ait pu être cette peste pour la médecine
actuelle) une peinture encore humide, l'ait reprise et continuée selon un
nouveau plan. Il n'est pas impossible qu'après avoir reçu sa part d'héritage
il ait terminé la première version de *Peitho* d'après l'esquisse encore existante
de Giorgione, puis, mécontent du résultat, ait donné au *Concert champêtre*
son allure actuelle.
4. Cf. le dessin (*Br. Mus.*, 1895, 9, 15-17) et le commentaire de H. Tietze
et Tietze-Conrat, *The Drawings of the Venetian painters in the XVth and
XVIth centuries*, New York, 1944, n° 1928. Une gravure de Nicolas Lefèvre,
1680, fait croire à l'existence d'une peinture disparue du Titien, sur laquelle
on retrouve les joueuses de flûte du *Concert champêtre*. L'utilisation d'un
habillement identique de *Peitho-Poesia* dans le tableau du Titien à Londres,
Noli me tangere, remarquée par Hourticq, est presque sans importance,
et même tout à fait insignifiante si, comme nous le supposons, la silhouette
de *Peitho* est du Titien lui-même.
5. Hourticq, *op. cit.*, p. 22-26. En 1530, le Titien disait que la peinture
était presque terminée et qu'il y travaillait encore. Le *Concert champêtre*
n'offre nulle part la marque du Titien de cette année-là. Le Titien pouvait
évidemment, lorsqu'il disait cela, avoir l'intention de revoir encore une
fois le tableau, pour finalement le laisser tel quel.

s'expliquer par là : dans l'œuvre inachevée de Giorgione il y avait encore des traces juxtaposées de projets plus anciens et récents, et le Titien, dans ces conditions, ne put ou ne voulut pas comprendre. Finalement, l'attitude du personnage debout, qu'on lui attribuait autrefois, n'est pas une pleine réussite dans cette situation difficile, où tous les critères formels semblent impuissants, où l'on affirme en général que la *Peitho-Poesia* et l'ordonnance générale sont bien du Titien et que le paysage et le groupe assis sont de Giorgione, la constatation que cette *Peitho* rend difficile le déchiffrage iconographique du tableau peut apporter un peu de crédit à l'hypothèse « Giorgione et Titien[1] ».

(1967)

---

1. Ainsi L. Baldass et G. Heinze (*Giorgione*, Vienne-Munich, 1964, p. 163-164) ont spécialement insisté sur les tailles différentes des personnages. Si différentes parties du paysage font aujourd'hui l'effet d'un traitement trop sommaire, cela peut être facilement mis sur le compte du mauvais état; mais il n'en va pas de même pour certaines extravagances dans la composition, par exemple le jeune homme assis est tellement caché par la joueuse de flûte que son pied allongé à droite semble coupé.

VIII

LA « CIVILISATION DE LA RENAISSANCE »
DE J. BURCKHARDT AUJOURD'HUI

Le dessein.

L'influence presque sans exemple par sa durée et par sa profondeur qu'exerça *La Civilisation de la Renaissance en Italie* sur le public et sur les historiens a été parfois expliquée par ses qualités littéraires, et notamment par la parfaite unité de sa composition. Pourtant, comme on l'a d'autre part fait remarquer à ce propos, ce livre est un fragment. Burckhardt lui-même a nommé la plus importante des lacunes[1] celle qui concerne l'art; elle est d'autant plus fâcheuse que toute la vie de la Renaissance, ou presque, est considérée en fonction de cette idée : l'État, les fêtes, la conversation, l'économie domestique, la guerre, l'éducation et surtout la personnalité même de l'« homme de la Renaissance » sont pour Burckhardt autant d'œuvres d'art, c'est-à-dire, comme il l'explique, des « constructions conscientes et réfléchies, élevées sur des fondements tangibles et calculés ». Des raisons purement extérieures avaient obligé l'auteur à retrancher de son projet cette partie qui aurait dû être centrale. Il convient donc de ne pas trop nous fier à l'impression d'unité organique qu'il a su si magistralement éveiller, et de nous demander s'il a eu raison d'affirmer dans les lignes introductives de l'ouvrage, que son « essai » est demeuré partiel et subjectif.

Plusieurs lacunes, outre l'art, frappent en effet le lecteur d'aujourd'hui : il nous semble curieux qu'on puisse écrire une histoire de la civilisation *(Kulturgeschichte)* où manque à peu près complètement la technique et où il est tenu si peu de compte des institutions, de l'économie, des métiers, de la vie des classes laborieuses. Burckhardt ne semble jamais avoir songé que l'on puisse interpréter avec une assez grande

---

1. W. Kaegi, *Jakob Burckhardt, Eine Biographie*, t. III, Bâle-Stuttgart, 1956, p. 687 sqq.

vraisemblance sa « naissance de l'individualisme » en fonction
de l'opposition entre le capitalisme industriel ou financier et
les anciennes corporations; l'économie l'ennuyait et il ne
voulait pas s'en occuper. On a aussi relevé, avec plus de surprise, le peu de place que tient dans son livre la philosophie;
des phénomènes culturels d'importance capitale, comme le néo-
platonisme florentin et son contraste avec l'aristotélisme de
Padoue, ne sont cités qu'en passant et jamais analysés. Ils
sont pourtant aussi caractéristiques de la civilisation italienne
que la poésie, si amplement traitée.

Enfin, et ceci est peut-être la plus sérieuse des objections
contre le cadre que Burckhardt s'est choisi, toute la période
qu'il appelle Renaissance italienne, et qui va selon lui de la
chute des Hohenstaufen jusqu'à la domination espagnole en
Italie, est considérée comme un seul bloc; entre ces limites
si éloignées, il croit pouvoir assigner des caractères communs
à toute la poésie, à toute la vie religieuse ou à toute la politique italiennes. Autant Burckhardt s'attache, avec un génie
intuitif incomparable, aux différences individuelles, autant il
se montre sommaire quand il s'agit de retracer une évolution.
Sa première partie par exemple contient d'admirables galeries
de tyrans, de condottieri, de papes, classés en gros par siècles;
mais sur le passage des communes libres aux principautés,
sur la lente décadence de l'oligarchie patricienne à Florence
et sur la conversion de ses bases économiques, il a peu de
choses à dire. Burckhardt est, comme historien, un physio-
nomiste; il présente la Renaissance comme il décrirait le génie
d'un grand homme, et c'est pourquoi elle lui apparaît une
et indivisible, presque sans racines dans le Moyen Age, sans
prolongement dans le baroque, sans évolution intérieure, sans
influences de l'étranger et sans une vraie pluralité de tendances.

On pourrait, en juxtaposant ces remarques critiques, donner
l'impression que cet ouvrage, écrit sur un plan si bizarrement
découpé, n'a qu'une unité bien artificielle. Mais ce jugement
serait d'une injustice patente. *La Civilisation de la Renaissance*
n'est pas un tableau descriptif et encore moins explicatif[1].
Burckhardt a laissé de côté des domaines dont l'exploration
n'aurait pu, souvent, que lui être favorable; il a négligé l'économie et la sociologie, comme il a refusé de narrer les guerres,
parce que son but n'était pas de définir des causes et des
effets. Il a exagéré l'opposition avec le Moyen Age, mais de

1. On se rend compte ainsi de l'erreur des éditions augmentées par Geiger :
compléter minutieusement des chapitres choisis avec une telle liberté,
équivaut, comme disent les mathématiciens, à prendre π avec vingt déci-
males pour calculer la circonférence, quand on a mesuré le diamètre au jugé.

propos délibéré, comme il ressort des cours tenus dans les années mêmes où il rédigeait sa *Renaissance :* il y a reconnu que la chevalerie, par exemple, était dès le xiie siècle un facteur non négligeable de l'émancipation de l'individualité [1]. Il n'a pas craint, lorsqu'il s'agissait d'appuyer sa thèse, des coups de pouce assez peu déguisés [2]. Il sacrifiait volontiers quelque chose à l'exigence du relief, non dans le domaine des faits, bien sûr, mais dans celui du jugement et des appréciations ; c'était une nécessité du genre historique qu'il venait d'inventer, une condition de sa manière personnelle de concevoir la *Kulturgeschichte.*

Personne, en effet, n'avait encore eu l'idée d'écrire en historien sur « la prédominance de l'imagination dans la morale », sur les différentes manières de compter la population dans les statistiques, sur la gloire des poètes ou sur la manie des discours publics. Burckhardt a innové pour presque toutes ses têtes de chapitre ; il les a choisies, avec un bonheur inégalé, en vue d'un but précis et unique, qu'il a été le premier à prescrire à l'historien : définir *l'attitude des hommes d'une certaine époque devant le monde.* Une fois qu'on a compris cela, et quand on évite de se laisser induire en erreur par l'acception courante du mot *Kulturgeschichte,* on n'est plus gêné par les apparentes lacunes, on ne trouve plus arbitraire la distribution des accents, et, quitte à réserver son opinion sur l'hypothèse implicite du *Zeitgeist* (« l'esprit de l'époque », cette entité hégélienne qui, après avoir séduit un Taine comme un Spengler, finit maintenant ses jours dans l'ethnographie), on est en état d'examiner sans prévention les conclusions de Burckhardt.

La thèse.

On pourrait résumer à peu près comme suit l'ensemble des idées qui nous paraissent aujourd'hui caractériser l'apport personnel et les thèses de Burckhardt :

La Renaissance n'est pas, pour l'essentiel, la résurrection de l'antiquité, mais un renouvellement plus profond et plus large de la conscience humaine et de la vie. Elle envisage la

---

1. Werner Kaegi, *op. cit.,* pp. 687-700.
2. Ainsi dans le chapitre sur les guerres comme œuvres d'art, ou dans plusieurs remarques sur la satire en Italie, et dans les pays transalpins, sur la morale sexuelle, sur le prétendu déclin des superstitions au xvie siècle, ou, au début de la deuxième partie, la preuve que tous les aspects de la vie politique italienne durent contribuer à l'émancipation de l'individu.

réalité physique et sociale sans préjugés d'aucune sorte; elle
va à la découverte des choses avec un esprit neuf, positif,
et compte garantir à l'individu l'épanouissement, dans cette
tâche, de tous ses dons et capacités. L'homme de la Renaissance se sait maître d'organiser sa vie et celle de la société,
et il s'y emploie avec une énergie passionnée et une raison
froide. Le but à atteindre, dont l'antiquité classique lui semble
offrir un modèle parfait, consiste dans la réalisation d'un
maximum de beauté et d'harmonie, soit par la grandeur
morale, soit par la jouissance esthétique, soit par la perfection
du jeu politique. Ce mouvement était à l'origine, selon Burckhardt, spécifiquement italien. Face aux pays du Nord « encore
médiévaux », les Italiens ont pu, dès le xive siècle, instaurer
une Renaissance que le reste de l'Europe n'a eu ensuite qu'à
imiter. Les causes et conditions de cet épanouissement ne sont
pas bien définies, mais il faut sans doute y compter en premier
lieu la situation politique instable et anarchique, dans laquelle
ne pouvait survivre que l'individu résolu, doué, et capable
de voir les choses comme elles sont; républiques et principautés devenaient ainsi des créations volontaires des grands
artisans de la politique. Burckhardt n'aurait probablement pas
refusé d'admettre que les conditions économiques pouvaient
jouer dans ce processus d'émancipation un rôle analogue,
mais il n'a pas insisté sur ce point[1]. — Mais la Renaissance
possédait encore d'autres racines en Italie, plus profondes
parce que plus constantes : le caractère national surtout, à
qui l'on doit ce don incomparable d'organiser esthétiquement
à la fois le décor de la vie et le mode de vie lui-même. La
vivacité d'esprit, la perfection des réactions, la promptitude
à applaudir tout ce qui est « bien fait », bien réussi, quelle
qu'en soit la valeur morale, enfin la tendance à jouer son
propre personnage comme on tient un rôle dramatique,
paraissent à Burckhardt spécifiquement italiennes. — En
dernier lieu la survivance de l'antiquité classique, la présence
de ses vestiges, la conscience qu'avaient les Italiens d'être
eux-mêmes encore et malgré tout des Romains, permit à ce
pays l'essor précoce qui fascina l'Europe.

Cette image était frappante. Elle remplaçait la « Renaissance » par ce qu'il vaudrait mieux appeler le Réveil. On
n'oublie pas facilement ce portrait d'une civilisation qui est

1. Depuis, l'essai de construire une « sociologie de la Renaissance » dans
un esprit burckhardtien, et qui se réclame de lui tout en le complétant, a
été entrepris par A. von Martin (*Soziologie der Renaissance*, Stuttgart 1932;
trad. angl., New York 1944). L'élément moteur est trouvé, on s'en doute,
dans le capitalisme naissant.

comme une enfance — l'enfance de l'« homme moderne » selon
Burckhardt —, saluant avec une confiance et une ardeur
naïves le monde de beauté et de lumière qu'elle semble percevoir pour la première fois. Pétrarque sur le mont Ventoux
en est comme le symbole. La sympathie du lecteur est si
vivement sollicitée qu'elle s'étend souvent aux seigneurs qui
pratiquent « le crime considéré comme un des beaux-arts »,
et qu'on a pu faire de Burckhardt, par un contresens assez
grossier, l'ancêtre du sous-nietzschéisme qui se complaisait
dans l'admiration pour César Borgia. Burckhardt n'avait jamais
perdu de vue, en décrivant cette genèse de l'« homme moderne », que les acteurs de l'histoire dont il parle n'étaient
pas des enfants dont l'inconsciente vitalité excusait tout,
mais des personnalités dont le jugement fonctionnait dans
les mêmes conditions que le nôtre; il prenait acte de leur
conduite avec la sagesse d'un homme dont l'expérience était
immense, bien qu'elle soit acquise surtout par les lectures
(mais c'étaient les lectures d'un grand imaginatif), et qui ne
se berçait d'aucune illusion, fût-ce celle du cynisme « réaliste ».

Les objections.

Disons tout de suite pourquoi cette image de la Renaissance
comme un grand réveil n'est plus admise sans d'importantes
réserves; elle suppose une double opposition, démentie par
les faits, entre Moyen Age et Renaissance, et entre l'Italie
du xve siècle, « en avance sur son époque », et les pays retar-
dataires du reste de l'Europe. La vaine et interminable discussion sur les « origines » et les « limites chronologiques » de
la Renaissance vient en grande partie du fait que l'on a
découvert, sous des formes humanistes ou « modernes » du
Quattrocento, des structures de pensée et des types de conduite
qui ont leur racine loin dans le Moyen Age; la folie de Stefano
Porcari et des autres tyrannicides de la Renaissance, — sauf
peut-être le dernier, Lorenzino —, ressemble étroitement à
l'enthousiasme de certains croisés et à la folie de certains
vœux chevaleresques. La prétendue découverte du cadavre
de Tite-Live à Padoue est une histoire de reliques, comme
des centaines d'autres racontées dans les siècles précédents.
L'amour idéalisé, voué toujours à des femmes mariées (en
quoi Burckhardt voyait un signe d'individualisme), stylisé
à l'aide d'une casuistique subtile, de rites courtois développés
et de l'habitude des discours, et qui va de pair, à l'occasion,

avec une joyeuse et peu délicate sensualité, est exactement,
à quelques changements de convention près, celui des troubadours. Les condottieri, en qui l'imagerie populaire issue
de Burckhardt, mais regrettablement faussée, voit le type
même de l'« homme de la Renaissance », n'ont pris qu'assez
tard la relève des chefs étrangers des bandes ou compagnies
mercenaires, qui parcouraient l'Italie du xive siècle et chez
qui leurs émules italiens ont fait leurs premières armes.

Les exemples pourraient être facilement multipliés. Burckhardt n'en ignorait aucun, et il lui arrive de les citer lui-même ;
mais il ne leur accordait pas trop d'importance, parce que
son attention allait toujours d'abord aux différences. A ses
yeux, un monde séparait l'honneur chevaleresque de la gloire
renaissante ; pour beaucoup, aujourd'hui, ce sont deux aspects
légèrement différents d'une même chose [1].

La discussion est toujours possible et ouverte sur ces questions de point de vue ; elle ne l'est plus guère pour la deuxième
objection contre la thèse de Burckhardt, au sujet du prétendu
décalage entre l'Italie et les pays du Nord, notamment le
domaine franco-bourguignon, au xve siècle. Pour l'histoire
de l'art, la remarque s'impose surtout au sujet des premières
générations. On ne peut pas contester le « gothisme » de
Ghiberti ou de Gentile da Fabriano, ni la parenté spirituelle
entre le naturalisme de Masaccio et celui des van Eyck. S'il
y a priorité, elle appartient souvent au Nord : Sluter a précédé
Donatello. Quant à l'art postérieur et raffiné de la Florence
médicéenne, de Botticelli et de Filippino Lippi, certains n'ont
pas tardé à y trouver un caractère gothique, qu'il leur suffisait
d'affubler du préfixe *néo*. Le Quattrocento italien devenait
ainsi assez strictement parallèle au xve siècle des autres pays
occidentaux, et la question qui restait ouverte, s'il faut alors
reculer d'un siècle la césure dans les régions transalpines, ou
l'avancer d'autant pour l'Italie, se réduisait à une querelle
de mots d'autant moins intéressante que, parallèlement, on
tendait à enlever à la Renaissance, italienne ou non, tout
caractère de vraie nouveauté. Mais il y eut là des exagérations
qui ont perdu aujourd'hui beaucoup de leur crédit. Quoi qu'il
en soit, il semble acquis que l'Italie du xve siècle n'a pas créé
seule une renaissance qu'elle aurait ensuite apportée au reste
de l'Europe, mais qu'elle a trouvé pour des aspirations communes à tout l'Occident des formes plus neuves et plus riches,

---

1. La thèse de la continuité, où la Renaissance apparaît simplement
comme un dernier épisode du Moyen Age, avait été développée avec une
évidente exagération par Joh. Nordström (*Moyen Age et Renaissance*,
trad. franç. Paris 1933 ; l'édition originale, en suédois, Upsal 19 29).

que ses voisins ont ensuite adoptées. Et cela vaut, comme pour l'art, pour plusieurs autres aspects de la civilisation.

Dans le domaine politique et économique, le parallélisme entre les villes d'Artois ou de Flandre et les communes italiennes, depuis le xiiie siècle au moins, est frappant. Les brillants travaux d'Henri Pirenne sur les communes belges ont donné à penser qu'il y a une profonde analogie entre la classe patricienne de ces villes et celle de l'Italie, et qu'il était possible d'entrevoir par là une similitude plus profonde entre les civilisations artistiques et intellectuelles qu'elle suscita dans les deux pays[1]. On imagine aisément la place qu'auraient reçue dans le livre de Burckhardt les Artevelde, s'ils avaient été italiens. Rien d'essentiel ne distingue un Jacques Cœur de son cadet Cosme l'Ancien de Médicis; même le goût du mécénat leur est commun. La politique, et non seulement celle des villes commerçantes, s'inspire d'une mentalité dont on a ici les sources; si quelque chose dans le caractère et dans l'activité de Louis XI eût été impossible dans l'Italie de son temps, ce n'est certainement pas sa foi superstitieuse, mais l'envergure de ses vues : ainsi jugeait, dans un cours tardif, Burckhardt lui-même[2]. L'esprit nouveau, dont *La Civilisation de la Renaissance* fait un portrait si impressionnant, est en grande partie l'esprit du patriciat capitaliste à ses origines quel que soit le pays où il se développe. Il est vrai que les hommes qui ont créé la Renaissance n'étaient pas forcément des patriciens ou des gens de leur entourage, et que la parenté des structures économiques dans les villes peut aller de pair avec de profondes différences dans la physionomie culturelle : il suffit de comparer, sans quitter l'Italie, Gênes, Florence et Venise au xve siècle. Mais la conscience de l'homme d'affaires, à qui des possibilités matérielles et morales s'ouvraient comme à aucun type humain des sociétés antérieures, a incontestablement déteint sur la tournure d'esprit, si triomphalement réaliste, du Quattrocento tout entier.

Ce n'est pas seulement l'attitude réaliste qui rapproche la société italienne de celle des régions du Nord également développées. Lorsque Huizinga, dans un livre célèbre dont la méthode et le but sont très proches de ceux de Burckhardt, entreprit d'analyser le « décor de la vie » et la mentalité des hommes qui en France et en Bourgogne déterminèrent l'as-

1. Cf. sur ce sujet J. Lestocquoy, *Les Villes de Flandre et d'Italie sous le gouvernement des patriciens*, Paris 1952, un livre « à thèse » qui, il est vrai, ne couvre que le début de notre période.
2. *Historische Fragmente*, Stuttgart 1942, p. 75.

pect de la culture[1], il rencontra dans l'attitude esthétique, dans la manière de concevoir la vie comme jeu ou comme œuvre d'art, des traits qui rappellent l'Italie contemporaine. Mais il estimait, contrairement à Burckhardt, qu'il s'agissait là non d'un complément naturel du rationalisme réaliste, mais d'une évasion, et que sur ce point, l'esprit « chevaleresque », la pastorale et un certain aspect de l'humanisme se valaient[2]. Entre leurs créations, d'une fantaisie souvent délirante, et la réalité vécue, il y a cette stérile opposition à laquelle on reconnaît les époques de la décadence; c'est bien d'un « déclin » du Moyen Age qu'il faut parler, et non d'une Renaissance.

Il n'était évidemment pas question pour Huizinga d'appliquer telle quelle cette doctrine pessimiste, peut-être contestable même pour l'objet propre de son analyse, au Quattrocento italien; on peut pourtant en relever l'indication pour se demander dans quelle mesure la fonction esthétique était alors, chez les Italiens aussi, un besoin de chimère en même temps qu'une forme de la liberté.

Dans la partie consacrée à l'État, Burckhardt semble hésiter entre l'explication et la description des phénomènes. C'est sans doute pour pouvoir « expliquer » la Renaissance par l'histoire politique, que Burckhardt en a fixé les limites chronologiques entre deux hégémonies impériales : elle embrasse ainsi une époque marquée tour à tour par l'anarchie des particularismes, l'équilibre des grands États italiens et le combat incertain entre les deux conquérants étrangers. Dans cet interrègne, la diplomatie et l'administration devenaient une question d'astuce et de calcul autant que d'énergie. (C'est dans le sens d'*artifice* ou de *réalisation technique* qu'il faut comprendre, comme l'a fait remarquer W. Kaegi, le titre « Der Staat als Kunstwerk ».) Burckhardt, sage pessimiste, n'éprouvait aucune admiration d'esthète pour les César Borgia; sa vision des choses italiennes a plutôt quelque analogie avec la lutte pour la vie que Darwin venait justement de décrire, ou avec l'état de l'économie américaine de son temps; à une différence près, qui est essentielle : l'anarchie de la Renaissance est bien une sélection naturelle, mais elle est aussi créatrice de valeurs. Burckhardt s'efforce parfois de la considérer en homme de science « qui ne juge pas » (l'intro-

1. *Le déclin du Moyen Age*, trad. française, Paris 1932; édit. orig. en hollandais, Haarlem 1919. (Nouvelle édition française au Club du Meilleur Livre, octobre 1958.)
2. Pour l'humanisme, Huizinga n'a appuyé expressément cette thèse que sur l'exemple français (chap. xxii), mais il laisse entendre que le cas de l'Italie n'était pas tout à fait différent.

duction de la VIᵉ partie), sans parvenir cependant à maîtriser une imagination qui, là où les sources le permettent, va d'instinct vers le dramatique, voire le mythique. Il est catégoriquement séparé de tout darwinisme social par le fait qu'il s'efforce de tirer de la lutte pour le pouvoir un but qui la dépasse, le service de la culture. Mais aucun schéma théorique valable ne semble l'y aider, et la description reprend ses droits sur l'explication. On aurait attendu au moins un chapitre, que le programme et la méthode de Burckhardt exigeaient, sur la nature et la signification des mots d'ordre idéologique, guelfe, gibelin, « justice et liberté », républicanisme, césarisme. Ces questions, qui suscitent aujourd'hui beaucoup d'intérêt, auraient permis d'étudier l'insertion des forces spirituelles dans ce combat sans loi. Mais en matière de politique, Burckhardt était si fasciné par le côté humain concret, et d'autre part si attaché à sa conception de l'État comme création rationnelle, qu'il se borna, pour ces questions, à une page sur le patriotisme italien.

Notons toutefois qu'une des dernières théories sur la politique du Quattrocento et sur ses relations avec la culture est étrangement proche de Burckhardt : selon Hans Baron[1], la résistance victorieuse de Florence contre l'expansion milanaise dans les premières années du xvᵉ siècle, fit échouer pour toujours les tentatives d'unification italienne sous la puissance d'un tyran, et fixa les traits d'une nouvelle idéologie, celle de l'humanisme républicain, réconcilié maintenant avec le pouvoir civil et avec la culture du peuple, la poésie en langue vulgaire. Voilà donc reconnus, comme chez Burckhardt, l'origine politique de la civilisation renaissante, l'effet bienfaisant du morcellement de l'Italie, et l'accord de la culture humaniste avec l'esprit national. Mais il convient de garder quelque réserve en face de la construction historique de Baron.

Le « développement de l'individu » est peut-être la clef de voûte du système, ou du moins la notion qui en relie tous les aspects. Chez Burckhardt dont le véritable objet est l'étude d'une *conscience* des choses, rien ne sortirait d'un dénombrement des originaux bizarres ou des personnalités fortes; mais bien plutôt des autobiographies et des signatures d'artistes. Deux choses importent : que la singularité d'un homme — la « socratité » de Socrate, comme disaient les scotistes — compte avant l'appartenance à un groupe ou à un type, et qu'elle puisse être éventuellement considérée comme une

1. Hans Baron, *The crisis of the early Italian Renaissance*, 2 vol., Princeton, 1955.

valeur : ici la notion de gloire, par laquelle l'individu donne
à ce qui le différencie des autres une existence en quelque
sorte objective dans l'approbation extérieure, se distingue en
effet de l'honneur médiéval, qui est un certificat de conduite
en tout point conforme à certaines exigences impersonnelles,
auxquelles, dans la même situation, tous les membres d'une
classe auraient dû également satisfaire.

A l'arrière-plan, on trouve encore l'idée de libération. Pour
voir le monde et la société avec des yeux neufs, il faut rompre
avec les habitudes mentales inculquées par les nombreux
groupes auxquels on appartient ; et il suffit de s'être détaché
pour être « soi ». C'est pourquoi l'individualisme de la Renaissance n'a rien à voir avec l'affectation de singularité, mais
débouche sur l'universalité d'un Alberti ou d'un Léonard (la
réalisation, comme on l'a dit, des puissances de l'homme), et
engendre cette liberté d'esprit dont témoignent la moquerie
et le rire[1].

On a fait à ces pages de Burckhardt les objections habituelles sur la localisation chronologique et géographique du
renouveau, on a critiqué l'emploi, peu heureux en effet, de
l'expression « naissance de l'homme moderne », et les formules
célèbres, mais évidemment trop générales, qui dans les premières pages de cette section posent comme une thèse ou comme
une conclusion anticipée ce qui n'est en réalité que le cadre
de la recherche. La mise au point de W. Dilthey, en pleine
actualité scientifique de *La Civilisation de la Renaissance*, a
été sur ce point utile. Mais personne n'a jamais contesté
qu'avec cette idée centrale de son étude, Burckhardt a « vu
quelque chose » qu'il était indispensable de voir.

La découverte de l'homme et du monde — expression de
Michelet que Burckhardt a rendue fameuse — est l'évidente
contrepartie de l'émancipation de l'individu ; ce sont, plus
exactement parlant, deux faces d'un même phénomène.

Cette découverte est, comme on nous le laisse entendre
sans l'expliquer, le fait de curieux, amateurs, voyageurs et
observateurs plutôt que de scientifiques au sens actuel du
mot. Les historiens anglo-saxons des sciences, Lynn Thorndike
et George Sarton, parlent de la Renaissance italienne avec
un certain mépris ; partout où l'humanisme triomphe, la
recherche exacte est en recul. Les intuitions des derniers scolastiques dans ces domaines sont ensevelies pour longtemps :

---

1. Il est assez étonnant que Burckhardt n'ait pas tiré parti des discussions
sur l'originalité et l'imitation en littérature (Politien, G. Fr. Pico) : on y a
formulé le principe de l'individualité mieux que partout ailleurs.

leur mathématique et leur physique doivent attendre le
xviie siècle, leur logique le xxe. Léonard, que l'on invoque
souvent quand il est question des progrès scientifiques de
l'époque (Burckhardt ne pouvait pas en tirer suffisamment
parti, faute de publications des manuscrits) est souvent leur
débiteur, et plus d'une fois décevant dans la théorie. Sa science
était surtout visuelle; les lois qu'il cherchait n'étaient pas
numériques, mais qualitatives — ce que Gœthe appelait des
Urphänomene, les archétypes du fonctionnement de la nature.
Il pratiquait l'anatomie en intuitif, montrant l'analogie des
squelettes humains et animaux, suggérant par le seul dessin
le caractère végétal de la croissance des embryons, découvrant
la ressemblance des grimaces expressives chez l'homme, le
cheval et le lion; il représentait les montagnes comme les
plis d'une draperie, la chevelure comme un cours d'eau. Il
ne voulait pas établir des relations entre grandeurs mesurées,
mais, comme il l'a dit, *trasmutarsi nella mente di natura*, se
mettre à la place de la nature pour savoir comment elle procède; il lui arrive ainsi d'inventer, semble-t-il, comme on
inventerait une machine, un nouveau modèle de pied.

L'éloge des mathématiques, si on le formule à cette époque,
vise soit les techniques pures (l'essor de l'algèbre dans l'Italie
du xvie siècle est dû aux problèmes posés par des artisans,
armuriers, constructeurs de navires, etc., et non par des physiciens), soit l'« harmonie » pythagoricienne qui régit la beauté
« musicale » du monde. La jonction entre les sciences naturelles, restées vitalistes, magiques, « curieuses », et les mathématiques pures n'est pas opérée; une seule science est traitée
mathématiquement, la perspective. Mais c'est parce qu'elle
fait appel à une discipline visuelle, la géométrie, et qu'elle a
comme objet le visuel. Bien plus, elle est un symbole de la
nouvelle attitude de l'homme « en face » du monde : apprendre
à créer l'espace scénique dans l'image, c'est du même coup
se situer « devant » elle, « prendre sa distance », et définir avec
une rigueur parfaite son « point de vue ». Nulle part le réalisme et le rationalisme presque agressif des hommes du
xve siècle n'éclatent aussi fort que dans certains dessins qui
sont à la fois de la géométrie dans l'espace et de la perspective[1].

Les deux parties du livre où l'absence de chapitres sur l'art
se fait le plus durement sentir sont la IIIe, sur l'antiquité, et
la Ve sur la sociabilité et les fêtes. Burckhardt a été le premier

---

1. Cf. sur la signification profonde de la perspective pour les artistes de la
Renaissance : Dagobert Frey, *Gotik und Renaissance*, Augsburg 1929, et
E. Panofsky, *Die Perspektive als symbolische Form* (Vorträge der Bibl.
Warburg IV, 1924-1925).

à avoir attribué à l'antiquité son rôle principal, celui d'un modèle et d'un cadre de vie. Mais il faut se rappeler, plus peut-être qu'il ne l'a fait, le caractère protéiforme de ce modèle. Les dieux antiques, que l'on s'efforce de reconstituer, reçoivent des formes parfois bien étranges dans leur préciosité ou dans leur allégorisme saugrenu[1], qui n'a rien à voir avec ce à quoi nous ont habitués des siècles de classicisme académique. On croyait de même ressusciter un genre antique lorsqu'on inventa l'opéra. Les faux antiques, pour lesquels Padoue était l'officine principale, comprenaient souvent, naïvement reproduits, des fragments empruntés à des maîtres contemporains. La part du pastiche y était réduite au strict minimum — le gonflement circulaire d'un voile par exemple — et quelquefois, comme pour le fameux Cupidon enfant de Michel-Ange, on se contentait d'éroder la surface d'une œuvre moderne. Jusque vers 1540, on voyait l'Antiquité à l'image du présent plutôt que le contraire.

Burckhardt a curieusement négligé une des principales sources psychologiques de l'anticomanie dans la Renaissance, le pathétique du «retour aux sources[2]». La besogne des humanistes paraissait sacrée, parce qu'elle avait pour but de réincarner la grandeur antique dans l'Italie « re-naissante ». L'imitation des Anciens n'était qu'un des signes, et des moins probants, de cette conscience. Les peintres que l'on appelait « second Apelle » n'imitaient pas, et pour cause, les œuvres du premier; Florence, la « seconde république romaine » n'a adopté aucune des institutions de son prétendu modèle. La Renaissance n'était ou ne se concevait elle-même, que comme un processus de guérison : après la décadence des âges de barbarie, il fallait remonter le courant et retrouver la splendeur ancienne. En politique, c'était le rêve de Machiavel, peu débiteur des humanistes; en art, celui de Brunelleschi, plus proche de l'architecture paléochrétienne ou même romane que de l'antiquité. Parallèlement, c'était, en matière religieuse, le désir des croyants sincères, préoccupés du sort de l'Église : revenir à la foi primitive, remonter, là aussi aux sources, soit en appliquant la philologie et sa critique à la tradition et à l'Écriture, soit en prêchant la simplicité évangélique dans les mœurs.

1. J. Seznec, *La Survivance des dieux antiques*, Londres 1939, a montré que ces figures sont pourtant le produit d'un effort sincère pour atteindre l'image « authentique » que s'en faisaient les Anciens.
2. Les lignes qui suivent résument en partie la thèse soutenue avec quelque excentricité par K. Burdach. *Vom Mittelalter zur Reformation*, Halle 1893, et *Vom Sinn und Ursprung der Worte Renaissance und Reformation*, Sitzungsber. d. preuss. Akad. d. Wiss, XXXII, 1910.

Finalement, le mot d'ordre de la Renaissance religieuse est devenu, non par hasard, une des idées-forces de Luther.

Cette mystique à la fois humaniste et religieuse du « retour » apparaît avec une netteté presque naïve dans le néo-platonisme de Marsile Ficin. Il refait toute la théologie chrétienne sur la base de Platon, et rejoint en la creusant la religion occulte des « anciens sages » légendaires. Orphée et Zoroastre contiennent l'essence de l'Évangile éternel. C'est comme phénomène religieux que Burckhardt a choisi de classer la « théologie platonicienne », mais il aurait pu aussi bien en parler comme d'une résurrection de l'antiquité, tant ces deux choses se tiennent.

Les pages sur la religion sont parmi les plus justes et les plus vivantes de son livre. Elles réagissent contre la tradition séculaire qui avait présenté la Renaissance comme une période d'incrédulité, un peu à la manière du siècle des lumières. Après Burckhardt, et parfois sous couleur de le corriger, on renchérissait sur sa position; il y eut la mode franciscaine (Thode), qui fit de toutes les acquisitions importantes de la Renaissance des fruits de l'action spirituelle de saint François et des franciscains; il y eut ensuite la mode des sources mystiques, déjà indiquées d'ailleurs dans la dernière phrase de *La Civilisation de la Renaissance*; et alors que Hauser et Renaudet découvrirent la dette de la Réforme protestante et surtout française à l'égard des humanistes transalpins, on essayait d'autre part de prouver que leurs confrères italiens avaient été les défenseurs de l'orthodoxie catholique contre l'incrédulité « philosophique » des averroïstes (Toffanin). La discussion sur la foi des humanistes continue d'être menée, de part et d'autre, avec quelque prévention, et il y a peu de livres qui puissent aussi bien que Burckhardt faire sentir comment et pourquoi ce vaste mouvement, où il y a de tout, et toujours organiquement motivé — athéisme, paganisme, « lumières », superstition, « préréforme », orthodoxie, théisme et mystique — a pu alimenter tant de controverses.

L'art.

Toute la vie de la Renaissance en Italie, selon Burckhardt, gravite autour de l'art comme centre caché. Il faut comprendre cela dans le sens que la création artistique est le modèle idéal du comportement et que l'homme est avant tout *homo artifex*, quelle que soit son activité.

Comment intégrer dans ces conditions l'art dans la *Kulturgeschichte*? Tout d'abord, bien entendu, en le montrant comme cadre de la vie. Un admirable article sur les collectionneurs, fragment de la partie non écrite du livre, indique comment Burckhardt s'y serait pris [1] : étudiant moins les témoignages écrits que la manière dont la fonction échue à l'œuvre d'art dans la vie quotidienne influe sur les formats, le sujet, le style. C'est une méthode bien burckhardtienne : il fait parler l'art lui-même, comme il avait fait parler les chroniques et les poèmes.

Rares sont aujourd'hui ceux qui partageraient le goût artistique de Burckhardt, classique assez intransigeant pour se méfier de Michel-Ange et pour détester le naturalisme censé vulgaire de Donatello. C'était assez exactement le goût « de Weimar », l'attitude du vieux Gœthe : très aristocratique, très « connaisseur » (et par là classicisant), mais aussi très curieux des valeurs humaines et de la réalité historique dont l'œuvre est l'expression; d'où l'accueil fait au gothique, à Rubens. Burckhardt n'a finalement horreur que de ce qui lui paraît vide, théâtral, virtuose ou affecté; sa bête noire est le Bernin.

Décompte fait de l'énorme différence des appréciations critiques (comment, pensons-nous, Burckhardt n'a-t-il pas vu ce qu'il y avait de théâtral chez son ami Bœcklin, de vide dans certains antiques qu'il aimait?), l'orientation de ce gœthéen demeure actuelle; en réaction contre un certain formalisme, dont l'un des maîtres était d'ailleurs son élève Wölfflin, on aime de nouveau « lire » et non seulement regarder l'œuvre d'art.

Les nouvelles méthodes de cette « lecture »[2] eussent ravi l'auteur de *La Civilisation de la Renaissance*. La connaissance exacte d'un faisceau de facteurs historiques (concernant l'artiste, son milieu, la destination de l'œuvre, les circonstances de la commande) et de traditions (habitudes iconographiques, symbolisme religieux ou profane) doit aider non seulement à déchiffrer une image, mais à la *situer* dans l'histoire des idées. Les résultats de cette méthode, appliquée à la Renaissance, ont été surprenants. On ne sait pas seulement mesurer l'influence artistique du néo-platonisme ou du pythagorisme, mais on entrevoit toute une politique précise et compréhensive chez les mécènes, les papes ou les Médicis; les anciens traités ou manuels du peintre relient l'art aux sciences et à la philosophie et on s'aperçoit qu'il est reconnu comme une activité fondamentale de l'esprit, peut-être le type même de toute activité intellectuelle (c'est là une confirmation inattendue pour Burckhardt); on a pu trouver notamment dans

1. *Die Sammler*, éd. H. Trog dans le recueil posthume : *Beiträge zur Kunstgeschichte von Italien*, Bâle 1898.
2. Cf. l'exposé dans l'introduction du livre d'E. Panofsky, *Studies in iconology*, New York 1939.

la pensée de Marsile Ficin l'image complète, cohérente, à peine transposée et mythisée, d'une philosophie de l'art[1]. Et le cercle se clôt quand on réussit, ce qui est souvent le cas dans la Renaissance, à montrer que les formes et le style de l'œuvre répondent à sa place dans le mouvement des idées. On a fait ainsi admettre que les églises à plan circulaire ou central, créées autour de 1500 dans le milieu toscan et lombard, et dont le plus magnifique exemple aurait dû être Saint-Pierre de Rome, ont quelque relation avec une philosophie platonicopythagoricienne (« vertus » du cercle, de la sphère, du cube), avec une cosmologie « musicale » (l'église étant l'image du monde et reflétant son harmonie), et avec l'idée du christianisme catholique comme synthèse et couronnement de toute sagesse.

Une circonstance favorable explique le succès particulièrement frappant des nouvelles méthodes dans le cas de la Renaissance : la tendance générale de cette époque à identifier pensée et image. D'innombrables fois, les théoriciens de l'art ont dit que dessiner, c'est écrire : l'intérêt pour la pictographie, pour les hiéroglyphes (que l'on prenait pour des images parlantes), pour les emblèmes et pour l'allégorie souvent extravagante envahissait l'art de la littérature. On possède des « programmes » pour fresques ou décors de fête d'une complication fantastique. Derrière ces écarts, il y a l'archétype de Socrate peintre, le rêve ancien d'un mode de pensée idéal, non discursif, l'intuition intellectuelle. L'humanité a toujours cru le réaliser dans l'art.

Une dernière remarque au sujet de cette sociologie de l'art qu'ébauche la Ve partie du livre de Burckhardt. Pour être vraiment un « décor » de la vie, l'œuvre doit renoncer à se présenter isolément. Le tableau de chevalet, dont l'ère avait commencé avec le naturalisme naissant, perd sa primauté absolue en faveur de ces grands ensembles synthétiques que sont les résidences seigneuriales, les places publiques, les fêtes et les processions. Leur floraison commence avec le XVIe siècle, avec le Vatican de Bramante, la Farnésine, plus tard la place Saint-Marc de Sansovino ; l'habitude fut prise de confier la direction artistique des grands complexes à un seul maître, directeur à la fois des maçons, des sculpteurs et des peintres ; souvent, un thème minutieusement élaboré assure aussi l'unité du décor sur le plan iconographique. Mais la Renaissance classique n'est ici qu'un début ; l'œuvre d'art isolée reste à ses yeux trop semblable à un cosmos pour se subordonner sans

1. A. Chastel, *Marsile Ficin et l'art*, Genève-Lille 1954. — Voir, du même auteur, *Art et Religion dans la Renaissance italienne* (Bibl. d'Humanisme et Renaiss. VII, 1944, pp. 7-61).

heurt à l'ensemble. On aimait seulement « harmoniser » l'œuvre et l'entourage : la lumière peinte dans un tableau s'accordait presque toujours avec l'éclairage de la place à laquelle il était destiné, et souvent le choix du point de vue perspectif tenait compte de l'endroit d'où la peinture était vue. Pourtant le trompe-l'œil dans le décor ne devint la règle que plus tard, ainsi que l'hypertrophie de l'encadrement, à la fois illusionniste et destiné à enlever toute présence réelle aux figures représentées dans un grouillement confus ; sur une tapisserie d'après Bronzino, de l'époque post-classique (appelée aujourd'hui maniériste) les personnages vivants ont la même consistance que ceux qui sont sculptés dans le mobilier, peints sur le plafond ou insérés dans le cadre ornemental de la scène. A force d'être « plastique » et de mettre des accents partout, l'art redevenait décoratif, et l'œuvre se fondait dans la nouvelle orchestration du faste.

Réalisation et chimère.

Il y a incontestablement une certaine opposition entre les deux orientations de la Renaissance que Burckhardt, très gœthéen sur ce point, pensait pouvoir déduire d'une même racine, l'esprit positif et ouvert (« la découverte de l'homme et du monde ») et les fictions et les décors nouveaux dont on entoure la vie : l'anticomanie, l'idée de gloire, l'ésotérisme platonicien. Il est facile de relever les égarements innombrables d'une donquichotterie humaniste, pour les mettre en parallèle avec les folies d'un Charles le Téméraire, ou de comparer l'apparition de l'hermétiste Giovanni Mercurio da Correggio avec les extravagances du minnesænger Ulrich von Lichtenstein[1] ; au-delà des exemples pittoresques, il reste à souligner le fait que les schèmes et conventions qui présidaient à l'organisation esthétique de la vie étaient sujets à déclencher une sorte de délire schizoïde dont les divagations étaient sanctionnées par l'assentiment des cercles cultivés : le « style de vie » n'était donc pas toujours l'achèvement d'un triomphe sur le réel, mais souvent l'instrument d'une évasion.

1. Le dimanche des Rameaux 1484, le chevalier Mercurio da Correggio, étrangement costumé, fit une entrée solennelle à Rome, où il prêcha la venue prochaine d'un nouveau Messie, le Pimandre (personnage principal d'un des dialogues d'Hermès Trismégiste). Voir la relation de l'événement, réimprimée dans le recueil *Testi umanistici su l'ermetismo*! (Archivio di Filosofia, Rome 1955). — Ulrich von Lichtenstein raconte dans son autobiographie les exploits que lui inspira son grand amour, et entre autres le voyage qu'il fit, travesti en « Frau Venus », deux grosses nattes pendant sous son casque, pour provoquer en combat singulier tous ceux qui douteraient que sa dame fût la plus belle du monde.

On a bien étudié dans les dernières années les rapports changeants et complexes de l'humanisme avec la vie des cités. Les services rendus par les chanceliers humanistes à la ville de Florence étaient, autour de 1400, d'un poids réel, que Filippo Maria Visconti, le premier adversaire de la République, n'hésitait pas à reconnaître. Se mêlant ainsi à la « guerre psychologique » de l'époque, les érudits étaient conséquents avec eux-mêmes, car ils s'étaient faits alors les protagonistes d'un grand mouvement de réaction contre la pauvreté franciscaine et le désintéressement philosophique des choses de ce monde[1]. Leur historiographie et leur rhétorique, si creuses en apparence si on les compare aux chroniqueurs, étaient efficaces au point de susciter des conjurations et des tyrannicides; l'humanisme était alors en effet une aile marchante de la prise de possession intellectuelle du réel.

Mais cette situation était précaire. Dans la seconde moitié du siècle, et à Florence dès l'établissement des Médicis, l'humanisme devint « contemplatif », esthétique, mystique. Son influence reste capitale, et on n'a pas encore fini de dire tout ce que la Renaissance doit, même politiquement, à l'Académie néo-platonicienne. Mais son attitude était maintenant plus détachée; l'antiquité apparaissait pour la première fois comme un monde de rêve. L'essai de la revivre pouvait tourner à la comédie. Le cicéronianisme littéraire ou la politique et l'historiographie classicisantes contre lesquelles réagira Machiavel, l'éloquence latine et l'admiration pour les Anciens deviennent des conventions, et Burckhardt a décrit leur décadence et l'échec précoce des humanistes purs. Ce que la nouvelle spéculation idéaliste avait conservé comme esprit de découverte était tourné vers l'intérieur; rien de plus facile désormais que le glissement vers les bizarreries occultistes et le clinquant « pythagoricien » d'un Francesco Giorgi.

Ce processus est typique : le solide naturalisme du premier Quattrocento n'est pas toute la Renaissance. Dans l'art, dans la littérature, dans la conduite sociale comme dans l'humanisme, la forme qui doit organiser le réel tend à devenir convention, puis à se compliquer en renchérissant sur elle-même, emportée vers la chimère. Chez Mantegna, vers la fin du siècle, voisinent encore, également forts et inséparables dans leur opposition, le réel et le fantastique; et il est plus surprenant lorsqu'il joue, comme les surréalistes, sur des

1. Le régime qu'ils servaient par là était d'ailleurs, avec ses mots d'ordre de liberté, justice et égalité républicaine, une des ploutocraties les plus totalitaires que l'on ait jamais vues, solidement assis sur une idéologie officielle où il est impossible pour nous de distinguer la bonne conscience de l'hypocrisie et du cynisme.

rapprochements de formes minutieusement rendues, que lorsqu'il montre dans les nuages des profils qui s'affrontent. Chez son contemporain plus jeune, Filippino Lippi, la «reconstitution» d'un autel antique dévie, au mépris de l'archéologie cultivée jadis avec tant de ferveur, vers l'irréalité; les architectures dessinées, les projets délirants d'un Filarete montrent où va l'esprit quand aucune exigence pratique ne le retient. Le même plaisir de la « construction » imaginaire, de l'agglutination indéfinie, engendre aussi les monstres dans la peinture, de Piero di Cosimo à Ulisse Aldrovandi. Finalement la découverte dans les ruines antiques de ce décor mural que l'on appela « grotesque » libéra la fantaisie; on apprit à enchaîner les éléments selon des considérations purement formelles, où les fragments de réalité intervenaient, épars, au même titre que dans les collages des cubistes les matériaux étrangers appliqués sur la toile. Le décor grotesque n'est ni un simple coq-à-l'âne, ni du surréalisme avant la lettre, mais un exercice d'abstraction et aussi, accessoirement, d'humour.

Partout, le fantastique de la Renaissance est ainsi le résultat d'une activité de l'esprit travaillant à vide. Dans le naturalisme d'après 1400, la découverte et son organisation formelle étaient allées ensemble; mais le fait qu'elles ont pu se séparer si tôt et si bien, semble indiquer, encore une fois, que la situation de la Renaissance n'était pas radicalement différente de ce que Huizinga avait appelé le déclin du Moyen Age.

L'homme de la Renaissance.

Depuis le livre d'Ernst Cassirer qui, il y a trente ans, fournissait une clef nouvelle à la philosophie de la Renaissance[1], on a beaucoup écrit et discuté avec fruit sur ce domaine à peu près négligé par Burckhardt; il est d'autant plus étonnant que ses remarques incidentes se trouvent généralement validées par les nouvelles perspectives.

Burckhardt avait saisi avec une admirable intuition que le thème central de cette philosophie, et en même temps son point de contact avec l'humanisme, est la méditation des puissances de l'homme. Il a mis en relief, à la fin de son livre IV, le texte frappant de Pic de la Mirandole dans lequel elle culmine. On a appris depuis, que les origines de cet éloge de l'homme se trouvent chez les Pères de l'Église (Eug. Garin); mais on n'en est pas moins convaincu de la signification profonde de sa reprise fréquente depuis le début du xve siècle,

1. *Individuum und Kosmos in der Philosophie der Renaissance*, Leipzig, 1927.

avec des accents nouveaux, dont celui de Pic est le plus original. (Le rapprochement avec l'existentialisme actuel s'impose irrésistiblement : Pic dit sans équivoque, à sa façon, que l'homme est de tous les êtres le seul chez qui l'existence précède l'essence.)

La Renaissance italienne ne connaissait pas une philosophie confinée aux chaires des Universités; quelque chose répond, dans la civilisation commune, à tout courant profond de sa spéculation. C'est pourquoi Burckhardt pouvait, sans jamais considérer les systèmes et les écoles, donner dans son livre une image à peu près complète de l'anthropologie des deux siècles.

L'averroïsme padouan par exemple n'est en soi que le prolongement de courants médiévaux que Thomas d'Aquin avait déjà combattus. Mais il contenait une pensée vivante : l'essai de considérer l'homme comme un « produit de la nature » pareil aux autres, soumis au déterminisme universel, et dont l'âme individuelle pas plus que le corps n'échappe à la destruction. Cela s'insérait dans la conception renaissante de la nature, cette confiance presque panthéiste dans la vie du cosmos; et si Burckhardt ne parle que peu du philosophe de profession qui représenta ce mouvement, Pietro Pomponazzi, la place qu'il lui donne suffit pour prouver qu'il a vu le lien entre ces théories et les phénomènes qu'il étudiait : l'incroyance des érudits, la superstition astrologico-magique (qui suppose une théorie de l'univers comme « grand animal » où tout se tient, où tout est dans tout et où rien n'a d'existence isolée), et une science vitaliste. Du point de vue d'une histoire des systèmes philosophiques, il peut paraître superficiel de faire voisiner le déterminisme naturaliste ou magique aux sources aristotéliciennes et médiévales, avec le fatalisme antique et l'épicurisme critique des humanistes, sous prétexte que ces deux attitudes sont antireligieuses et nient la liberté humaine; en fait, ce rapprochement est une trouvaille : il laisse voir chez un Pomponazzi et un Valla, deux types d'érudits que tout un monde sépare, une même décision franche et radicale de reconduire l'homme à la raison et de ramener la raison à la nature.

En face de ces esprits diversement positifs, tout le courant spiritualiste florentin se présente comme une grande apologie de ce qui est au-delà de la nature, l'âme, les Idées, Dieu. Personne avant Sartre n'a eu aussi fortement que Pic le sentiment d'une opposition totale entre l'être de la nature et l'âme vue comme connaissance, liberté, possibilité de dégagement. Mais l'image du monde se complète chez les néo-platoniciens par une ordonnance plus vaste où le naturel et le surnaturel se complètent, et où l'homme, composé de toutes les puissances matérielles et spirituelles, trouve une place centrale et une fonction. Burckhardt ne discute, de cet ensemble imposant, que les « petits côtés », — universalisme religieux, démonologie, théorie idéaliste de l'amour ; ce sont pourtant des indications justes, bien qu'assez pauvres, du rôle de ferment joué par le néo-platonisme dans la civilisation de la Renaissance.

Entre l'homme de Pomponazzi et celui de Ficin se situe l'*homo faber*, l'artisan de la nouvelle époque. Il n'est ni assimilé à la nature au point de s'y confondre, ni libre en dehors d'elle ; il se singularise comme centre d'action dans le cosmos, et modifie la réalité qu'il rencontre. Cet être prométhéen, — mais sans la révolte — nous le voyons sous les traits de Brunelleschi et d'Alberti, de Sigismondo Malatesta, Francesco Sforza et Jules II, de Laurent de Médicis et Federigo da Montefeltro. Léonard et Machiavel, entre autres, en ont donné la définition.

Tout le livre de Burckhardt a été évidemment écrit en vue de ces figures. Ceux qui trouvent facile et mythologique la réduction d'une période de l'histoire à un « type » dominant, penseront que c'est un tort. Mais si on renonce à l'objection de principe, si on s'abandonne à ses impressions devant les œuvres des poètes et des artistes ou devant l'humanité pittoresque et fascinante que dessinent tant de témoignages, on sent qu'il y a une vérité dans cette vision de l'homme qui se réveille pour se rendre compte qu'il sait voir et qu'il sait faire. Nous ne saurions dire quelle est cette vérité, car des contestations, toujours partielles, toujours assorties de réserves, et souvent contradictoires, se sont accumulées et nous embarrassent ; mais nous ne saurions encore moins rejeter ce livre, si riche et si souple qu'il a toujours fallu le simplifier et le fausser pour le combattre. Nous ne sommes pas en possession d'une vérité historique, et même pas d'un système de référence assez certain pour qu'on puisse transposer la doctrine de Burckhardt en termes susceptibles de vérité et d'erreur ; le livre conserve le mérite de « donner à voir » une civilisation, avec une intensité et une force de suggestion qui ne sont pas encore en voie d'épuisement ; il a aussi ce prix indéfinissable que Burckhardt lui-même trouvait à l'*Histoire florentine* de Machiavel : « ... même si chaque ligne des *Storie fiorentine* pouvait être contestée, leur grande, leur unique valeur dans l'ensemble resterait intacte ».

(1958)

IX

NOTES ICONOGRAPHIQUES

I. SATURNE : CROYANCES ET SYMBOLES

Raymond Klibansky, Erwin Panofsky, Fritz Saxl, Saturn
and Melancholy. Studies in the History of Natural Philosophy,
Religion and Art, Londres, Nelson, 1964.

Le récent *Saturn and Melancholy* de Klibansky, Saxl et
Panofsky est plus qu'un cas limite d'étude iconographique ;
le livre déborde cette limite à bien des égards. L'histoire de
sa rédaction est peu commune et explique en partie cet assez
extraordinaire achèvement. Qu'il suffise de dire que le point
de départ en fut les papiers posthumes de Karl Giehlow sur
la signification de la *Mélancolie* de Dürer ; après quoi Panofsky
et Saxl publièrent, en 1923, une première étude, *Dürers
Melencolia I*. Les auteurs étaient alors en contact étroit avec
Aby Warburg, le fondateur de la Bibliothèque et de l'Institut
(aujourd'hui installés à Londres) qui édita leur livre. Je ne
crois pas que l'esprit « warburgien » ait jamais été mieux
illustré. Cet historien a créé une discipline qui, à l'inverse
de tant d'autres, existe mais n'a pas de nom, et qui repose
essentiellement sur l'étude des croyances scientifiques, para-
scientifiques et religieuses envisagée sous l'angle de la tradition
de leurs expressions symboliques et artistiques ; l'astrologie, et
en particulier le mythe de Saturne, ont toujours intéressé
vivement Warburg et ses amis. Ajoutons que Panofsky avait
fait sa thèse sur Dürer et qu'il devait, par la suite, jalonner
sa carrière d'études et de livres sur Dürer ; et que Saxl était
un connaisseur particulièrement averti des traditions ésotériques médiévales. On comprend que ce premier livre ne
fut pour les auteurs qu'une étape ; ils s'adjoignirent Raymond
Klibansky, un historien des idées qui avait étudié à fond
la transmission de la pensée philosophique et scientifique de
l'antiquité à la Renaissance ; ensemble, ils décidèrent d'élargir

le sujet en une histoire générale de Saturne et de la Mélancolie jusqu'à et au-delà de Dürer.

Ce fut ensuite, pendant quarante ans, une succession de malheurs — l'émigration, le bombardement d'une imprimerie, la mort de Saxl — et pour peu que l'on soit « saturnien », on est tout surpris de voir que ce livre, réécrit en anglais, tant de fois complété et devenu, à la fin, une sorte de légende, n'a pas succombé sous le poids de quelque fatalité. Le lecteur sait à quoi il doit s'attendre, quand il pense que les auteurs, prodigieusement érudits, se complètent à merveille, sont chacun bien informés des domaines particuliers de .leux autres, beaucoup plus attachés à leur sujet qu'il n'est commun dans ces travaux, disposent en outre d'un instrument extraordinaire, fait exprès pour ce genre de recherches, tel que l'Institut et la Bibliothèque Warburg, et qu'ils ont versé dans ce livre le résultat de dizaines d'années de travail.

Le sous-titre dit bien que la pure étude iconographique est ici dépassée; c'est une histoire de la Mélancolie depuis l'antiquité, selon les médecins, les naturalistes et les moralistes; une histoire de Saturne dans les textes et dans les images, à travers la mythologie, l'astrologie et la philosophie naturelle; un très bel essai sur la naissance de la mélancolie poétique et du génie mélancolique à l'âge de l'humanisme (comprenant aussi l'invention de la thérapeutique selon ce principe de magie naturelle qui allait devenir celui des techniques scientifiques : on ne commande à la Nature qu'en lui obéissant); enfin l'analyse de la *Melencolia I* de Dürer, avec, bien entendu, toute une guirlande de questions annexes, dont celle des transformations du type créé par Dürer, jusqu'au xixe siècle.

La difficulté, en tout cela, était de distinguer les filons et de localiser les confluences. Comment, par exemple, se relient et se séparent la doctrine médicale des quatre qualités (froid-chaud, sec-humide) dont les combinaisons expliquent les types physiologiques, et la doctrine des quatre « humeurs » (sang, phlegme, bile jaune, et cette « bile noire » qui, rappelons-le, n'existe pas)? comment différencier la mélancolie-disposition de la mélancolie-maladie? à quel niveau se situent les distinctions — lorsqu'on les fait — entre la mélancolie comme défaut et la mélancolie comme condition de performances intellectuelles exceptionnelles? L'histoire, ou plutôt l'ensemble d'histoires, est d'une complication extrême. Que l'on songe à la série de déformations par lesquelles le dieu grec Kronos — avec les sinistres détails œdipiens et autres de son mythe — fut amené à fusionner avec le latin Saturnus, dieu agricole, reçut une interprétation philosophique par confusion avec le temps, Cronos, fut identifié à la planète dite Saturne (chargée déjà de significations particulières par l'astrologie babylonienne recueillie par les Alexandrins); et comment la doctrine astrologique résultante fut intégrée à la science physique et médicale, les influences astrales étant rapportées aux qualités primaires (Saturne froid et sec) donc aux éléments (terre) et aux tempéraments (nature froide et sèche du mélancolique). Voilà pourquoi le mélancolique est saturnien; et une autre histoire commence : comment la mélancolie devint poétique.

(Ces contaminations se sont faites, semble-t-il, au hasard des associations d'idées, des mauvaises lectures de manuscrits, des voisinages de toute sorte. Pourtant le résultat présente, même dans les plus mauvais textes, une certaine *Gestalt* cohérente. Si l'on considère l'« écart probable » impliqué par cette genèse, on a l'impression que le mélancolique saturnien n'est pas trop loin de ce que les psychanalystes appellent le type anal. Mais les auteurs de cette étude se gardent bien de ce genre de rapprochements.)

Inutile de dire que notre résumé est d'un simplisme intolérable. Il faut avoir lu la centaine de pages sur « Saturn, star of Melancholy » pour avoir une idée de ce qu'est l'art de débrouiller les écheveaux. Il faut prendre garde à chaque point; tel astrologue qui écrit que Saturne gouvernait la bile noire n'a pas encore, pour autant, fait la découverte de la nature saturnienne du mélancolique, parce qu'à son époque on n'avait pas encore formulé la « caractérologie humorale » et donné au *melancolicus* l'acception devenue plus tard si populaire[1].

Ce qui vient d'être dit sur l'histoire des concepts et des doctrines, sur sa complexité et ses détours, pourrait être répété dans un autre registre à propos de l'évolution des images. La représentation du mélancolique et de la mélancolie, qui ne se confondent pas, comporte plusieurs types; quand elle fait partie d'un cycle des quatre tempéraments, l'image est calquée tantôt sur les représentations des vices et vertus, tantôt sur celles des âges de l'homme, ou des

1. Ces distinctions sont évidemment justifiées, mais difficiles à soutenir constamment. Où classer la mélancolie de Pétrarque — d'autant plus fuyante pour l'analyse, que la notion même lui semble faire défaut et qu'il utilise plutôt des concepts voisins, chargés d'autres significations? Les auteurs lui attribuent une « melancholia generosa » pré-humaniste; mais on s'attendrait aussi à le trouver dans la page qu'ils dédient au plaisir de la tristesse (232 sq.) — sentiment qu'ils font remonter à une date un peu trop récente.

saisons (car il y a aussi, je l'oubliais, des corrélations tempé-
rament-âge-saison de l'année). L'image astrologique traditionnelle des « enfants de Saturne », c'est-à-dire des « saturniens » caractérisés par leurs occupations, leur aspect ou leur
condition, ne peut pas ignorer les images du mélancolique
soit comme malade (voir les manuscrits médicaux), soit
comme sujet doué d'un certain tempérament (surtout dans
les cycles), sans oublier les images de « Dame Mérencolye »
dans les illustrations des poètes.

Quand nous arrivons enfin à la gravure de Dürer, nous
apprenons que tout cet arrière-plan historique est bien
insuffisant pour l'expliquer, parce que la grande femme ailée
n'est pas, iconographiquement, une Mélancolie, mais un Art
libéral, plus particulièrement la Géométrie, — ou, si l'on veut
être précis (et on doit l'être) une certaine extension de la
Géométrie, la *Messkunst* [1]. Mais c'est une Messkunst mélancolique — un *typus Geometriae* infléchi en *typus Melancoliae*,
disent les auteurs. La complexité iconographique de la gravure ne vient pas de la difficulté de lecture des attributs
(pour la plupart simplement des outils représentant le métier
dans lequel on les emploie) mais de cette superposition, qui
est une nouveauté. De même, le statut de l'image en tant
qu'allégorie est assez nouveau, par rapport à ses antécédents
dans les séries des Arts libéraux ou des Tempéraments : ce
n'est ni un exemple, comme le chevalier fuyant devant un
lapin, qui signifie le vice de Couardise, ni une personnification,
comme le serait une *Philosophia* avec ses attributs; mais une
image à la fois expressive et allégorique, un portrait imaginaire du Génie mélancolique de la Mélancolie.

Le rôle joué par cette gravure dans la cristallisation du
concept de l'artiste comme « mélancolique supérieur » est
sans doute capital, encore que l'apport italien soit ici peut-
être un peu négligé. La gravure de Dürer est certainement
en partie une confession, et le caractère qui s'est ainsi confessé
est devenu un paradigme pour les artistes, au même titre
que le caractère de l'autre grand saturnien, Michel-Ange.

*

La somme d'informations, de références, de rapprochements, de classifications et d'analyses qui composent ce livre

---

1. Le terme est de Dürer, qui a intitulé un de ses écrits *Instruction dans
l'art de mesurer*. Il s'agit des arts qui requièrent dans l'application le calcul
et le dessin.

défie l'imagination; il est peu probable qu'on voie de sitôt
autant d'intelligence et de travail dépensés dans un ouvrage
d'érudition de cette sorte. Pourtant les auteurs signalent et
déplorent, dans leur préface, quelques lacunes; et le domaine
couvert est si vaste — malgré l'apparence — que beaucoup
de lecteurs trouveront dans leur mémoire quelques pièces à
ajouter au dossier. On peut aussi s'offrir le plaisir de discuter
tel ou tel point, d'autant que la solidité de l'ensemble ne
fera de doute pour personne; nous choisirons ici un de ces
points, le moins insignifiant sur notre liste.

La *Melencolia I* de Dürer est incontestablement caractérisée comme « Messkunst », l'ensemble des arts qui utilisent
la mesure : l'art du charpentier, de l'orfèvre, de l'architecte,
du géomètre, de l'ingénieur, etc.; il n'en manque apparemment qu'un seul, celui que l'on s'attend le moins à voir oublié :
le dessin, considéré alors par tous comme le fondement
commun des arts visuels. Une seconde lacune, non moins
étonnante, apparaît si l'on accorde aux auteurs (comme je
crois qu'il faut le faire) leur découverte de la seule source
écrite, parmi les centaines que l'on pourrait invoquer, qui
explique intégralement toutes les particularités de la gravure,
y compris le fameux *I* qui suit le titre. Le texte illustré
par Dürer est donc un passage du *De occulta philosophia* de
Corneille Agrippa au sujet des mélancoliques imaginatifs.
Voici la phrase essentielle : *Mais si l'âme, rendue à elle-même
par l'effet de l'humeur mélancolique, se concentre tout entière
dans l'imagination, elle devient immédiatement l'habitacle d'esprits d'un ordre inférieur, dont elle reçoit souvent de merveilleuses instructions dans les arts manuels; on voit ainsi souvent
une personne tout à fait dépourvue de culture devenir peintre
ou architecte ou maître très ingénieux de quelque autre art du
même genre...* (Si le génie inspirateur ajoute à ces dons celui
de la prophétie, l'artiste « mélancolique » pourra prévoir les
calamités naturelles ou sociales, inondations, guerres, etc.;
c'est ce que signifie la comète dans le ciel de la gravure.)
Or l'interprétation que l'on nous propose de la *Melencolia I*
ne fait aucune place à l'« esprit d'ordre inférieur » (c'est-à-
dire pas trop élevé dans la hiérarchie des esprits purs) qui
occupe l'âme vacante du mélancolique imaginatif pour en
faire un artiste.

Il y a pourtant, tout près de la Mélancolie, juché sur une
meule [1], un petit enfant ailé qui manie un burin. Les auteurs

---

1. Meule de moulin ou meule à affûter? Les auteurs penchent pour la
seconde interprétation.

nous disent qu'il est la Pratique *(Brauch, Usus)* qui continue maladroitement la besogne manuelle de l'artiste, sans la direction de l'esprit qui devrait le guider et qui, en proie au découragement, laisse ses propres outils inemployés. On aura de la peine à admettre, si l'on connaît les traités artistiques de l'époque, l'existence d'une représentation de la Pratique avec des ailes — alors que tout le monde la dénonce comme aveugle et terre à terre. Il s'agit plutôt, comme l'indique déjà la seule position du *putto* près de la Mélancolie, d'un génie inspirateur, pareil à ceux qui accompagnent les Prophètes de la Sixtine. Son attribut, le burin, le caractérise plus précisément comme esprit du *disegno*, inspirateur des artistes. On comprendrait mal qu'il ne soit que la pratique, auxiliaire ou dégénérescence de l'art du dessin, alors que nul autre détail de la gravure ne nous dit que la Mélancolie ait quoi que ce soit à faire avec cet art. Ce *putto* occupe la place d'honneur dans la gravure, juste dans l'axe médian, à cheval sur les diagonales, dominant de haut les attributs des arts purement manuels, un peu au-dessus du bloc du géomètre-perspectiviste et du creuset de l'orfèvre; au-dessus, il n'y a que les symboles de *numerus, mensura, pondus* — l'ordre mathématique de la Création. Il s'applique à sa tâche d'une manière un peu scolaire, car l'art du dessin était tenu pour le « disciple fidèle » et « l'imitateur » de la Nature. Et il faut qu'on le voie travailler car, comme l'assure Corneille Agrippa, c'est lui qui, dans l'absence de l'âme « vacante » du mélancolique, donne à l'artiste son « art », son savoir professionnel[1].

(1964)

1. Saturne, le dieu patron des artistes, est devenu depuis sa redécouverte au début de ce siècle un sujet de prédilection, pour ne pas dire un dieu patron, des historiens de l'art intéressés par l'histoire des idées et de la civilisation. On a beaucoup discuté, à partir du néo-platonisme italien, sur la mélancolie florentine et sur le saturnisme de Michel-Ange; André Chastel y est revenu dans plusieurs articles (dont : « Melancholia in the sonnets of Lorenzo de Medici », *Journ. of the Warburg and Courtauld Inst.*, VIII, 1945; « Le mythe de Saturne dans la Renaissance italienne », *Phoebus*, III, 1948, et dans ses deux thèses : *Marsile Ficin et l'art*, Genève-Lille, 1954, et *Art et humanisme à Florence*, Paris, P.U.F., 1959. Mais il est rare qu'une étude sérieuse sur l'art et la personnalité de Michel-Ange   à commencer par celles de Panofsky lui-même — ne contribue à mettre en évidence chez lui, ou plutôt dans la conjonction Ficin-Michel-Ange, l'équivalent italien de ce que représentait au Nord la gravure de Dürer. Quant à l'usage immodéré de « mélancolie », « déchirement » et « saturnisme » dans la littérature actuelle sur l'art maniériste, on attend avec impatience le jour où il succombera enfin sous le ridicule.
Les études historiques de psychologie et sociologie de l'art ont fait une large place aux mêmes concepts. Un livre assez récent, qui est avant tout un excellent recueil de matériaux pour ces disciplines, et qui se signale par la rigueur de ses analyses hostiles aux théories abusives, s'intitule *Born under Saturn* (par R. et M. Wittkower, Londres, 1963).

II. LA MÉTHODE ICONOGRAPHIQUE
ET LA SCULPTURE DES TOMBEAUX

Pour les historiens de l'art, l'iconographie apparaît facilement comme un domaine extérieur, qu'il faut connaître au même titre que l'histoire du costume, quand on veut dater ou localiser certaines œuvres, indiquer leur destination primitive, etc. De bons iconographes s'accommodent volontiers de cette situation, et Guy de Tervarent, l'auteur d'un très savant et intéressant répertoire de symboles, n'entrevoit pour sa discipline d'autre méthode que la confrontation des œuvres entre elles et avec des textes, jusqu'à ce que le « sujet » cherché apparaisse [1]. Au Congrès de Bonn, Otto Pächt sembla se ranger du même côté, et se livra à un brillant exercice de démystification en montrant, par quelques exemples bien choisis, que l'on était toujours trop enclin, par préjugé, à porter les innovations iconographiques importantes au crédit des meilleurs artistes; il sous-entendait manifestement que la qualité d'une œuvre et l'invention iconographique sont sans rapport l'une avec l'autre [2]. On peut évidemment répondre par d'autres exemples, tel celui qu'a proposé Millard Meiss dans sa communication intitulée : *Sleep in Venice*, au cours de la même séance du Congrès [3]. Aucune source antique, écrite ou figurée, n'autorisait les peintres et graveurs vénitiens à représenter Vénus endormie, comme ils l'ont fait depuis environ 1500, avec une prédilection marquée. Cette innovation, surprenante chez des artistes généralement très orthodoxes en matière archéologique, et qui va changer la forme et le ton de l'« idylle mythologique », n'a d'autre explication que la personnalité de quelques maîtres et le goût d'une République qui se disait Sérénissime.

---

1. Guy de Tervarent, *Attributs et symboles dans l'art profane*, 1450-1600, 2 vol., Genève, 1958-1959; *De la méthode iconologique*, Bruxelles, 1961 (*Mém. de l'Acad. royale de Belgique*, Cl. des Beaux-Arts, t. XII, 4).

2. Voir : *Stil und Ueberlieferung in der Kunst des abendlandes* (Actes du XXIe Congrès international d'Histoire de l'Art, Bonn 1964), Berlin, 1967, vol. III, p. 262 et sq. Pächt a d'ailleurs dû laisser au maître de Flémalle le mérite d'une innovation plus importante qu'elle ne paraît : la Vierge de l'Annonciation est représentée si absorbée dans sa lecture qu'elle ne remarque pas l'entrée de l'ange qui la salue. Ce trait discret donne à la scène un caractère narratif et séculier, comme il était d'usage au XVe siècle, mais il l'intériorise en même temps étrangement : comme si l'ange avait pour seul rôle de manifester visiblement ce que la Vierge était en train d'écouter en elle-même.

3. *Op. cit.*, vol. III, p. 271 et sq.

La relation entre l'histoire de l'art et l'iconographie dépend naturellement de la manière dont on veut comprendre l'une et l'autre. Au temps des premières découvertes d'Aby Warburg, la tendance dominante en histoire de l'art était le formalisme de Wölfflin et de Riegl, — en fait un psychologisme qui s'ignorait à moitié. On définissait les styles par des types de perception (à prédominance « optique » ou « tactile », imitant la « vision proche » ou la « vision lointaine », etc.) et l'histoire de l'art comme une histoire de ces styles. Les écrits de Warburg coïncidèrent avec la réaction antipsychologiste ou plutôt antisensualiste du début de ce siècle — avec le cubisme entre autres, comme l'a rappelé encore, à Bonn, Th. Heckscher — tout en proposant, à leur tour, une curieuse psychologie des civilisations, destinée à expliquer la vie autonome et la fécondité des images-symboles.

Sur de pareilles bases, l'histoire de l'art et l'iconographie pouvaient s'entendre et s'aider; l'essentiel était seulement de ne pas se méprendre sur la corrélation « style et iconographie ». Soit, en face d'un Giorgione, un iconographe « maximaliste » enclin au délire de l'interprétation, et un historien de l'art « minimaliste » qui n'y voit qu'une rêverie poétique sans thème précis : les deux interprètes ne s'opposent pas nécessairement dans leurs vues sur les qualités formelles ou le style du tableau, mais bien dans leurs idées sur le style de la pensée symbolique de Giorgione. Toute interprétation iconographique suppose évidemment une « précompréhension » de ce que l'artiste a voulu dire, mais il n'est pas nécessaire — bien que ce soit très souvent le cas — que cette précompréhension doive porter aussi sur son art. En fait, il faut considérer la création de formules iconographiques ou de symboles comme une activité artistique *sui generis*, comme un acte d'expression (d'une pensée, d'un homme, d'un milieu social) analogue à certaines formes d'art, et dont les produits ont, tout comme les styles formels, une vie propre, une inertie, des évolutions. Cette manière de voir a inspiré, comme on sait, quelques-uns des principaux travaux iconographiques de Panofsky.

*

La dernière publication de Panofsky est une vue d'ensemble sur l'évolution de la sculpture tombale depuis l'art égyptien jusqu'au Bernin [1]. Nous nous bornerons ici à son aspect métho-

1. Erwin Panofsky, *Tomb sculpture. Four lectures on its changing aspects from ancient Egypt to Bernini*, New York, Harry N. Abrams, s. d. (1964). Le titre porte : *Edited by H. W. Janson*, ce qui signifie, comme l'explique

dologique, car le livre est d'une richesse dont il serait parfaitement vain de vouloir rendre compte. Il paraît presque
exactement deux cents ans après le grand ancêtre des études
iconographiques modernes, un autre livre sur la sculpture
funéraire : *Wie die Alten den Tod gebildet*, de Lessing. Panofsky
lui rend un discret hommage, sans le nommer : parmi toutes
les citations latines de son livre, une seule, un demi-vers de
Stace, est laissée sans références et sans traduction, parce
qu'elle figure en épigraphe à l'étude de Lessing. Bien des
traits, chez Panofsky, rappellent Lessing : le partage de ses
curiosités entre la philologie et l'art, la très large vision du
monde culturel pourtant toujours ramené à l'antiquité et ancré
en elle, la coexistence d'une esthétique vitaliste et d'une esthétique de l'harmonie, et jusqu'à la volonté, qui paraît si étrange,
de découvrir des « lois » iconographiques et historiques [1].

Le « scientisme » de Panofsky, sa prédilection pour des
règles de répartition géographique ou chronologique de certaines formes ou formules, pour les lois d'alternance, etc.,
n'est souvent qu'apparent. Qu'on nous permette un exemple.
Panofsky explique que les tombeaux du xvɪe siècle qui représentent le défunt agenouillé accompagné d'un saint (l'attitude
du *sponsored donor*) peuvent comporter aussi de « vrais
gisants », c'est-à-dire des images du défunt couché, mais représenté « au vif », dormant ou éveillé; tandis que là où la figure
agenouillée est seule, la figure couchée ne peut être qu'un
« transi », un cadavre décomposé. Cette étrange règle découle
d'une simple relation iconographique admirablement observée
par Panofsky : le défunt en *sponsored donor* n'est pas conçu
comme un portrait, mais comme substitut plus moderne du
symbole médiéval de l'âme introduite au Paradis; il ne fait
donc pas double emploi avec le gisant « au vif ». La statue
agenouillée seule, par contre, est un vrai portrait et dérive
du gisant « au vif », dont on a changé la position; elle ne peut
donc s'accompagner que de son double mort, le « transi ».

---

la cordiale préface de l'auteur, que Janson a donné au manuscrit des quatre
conférences sa forme actuelle, et qu'il y a contribué par de nombreuses
suggestions. — 471 ill. excellemment choisies.

1. Ainsi, p. 49 : « ... cette loi d'affinité suivant laquelle tout style donné
tend à ne réagir positivement qu'à un style avec lequel il a, pour ainsi dire,
un dénominateur commun ». La formulation de cette phrase est trompeuse,
et aucun positiviste ne l'accepterait, mais on voit bien comment Lessing la
ferait sienne. — Et, plus encore, p. 15, où Panofsky remarquant que les
statues funéraires égyptiennes ont généralement l'air d'attendre quelque
chose (que l'âme vienne habiter ce substitut du corps), développe un parallèle
entre arts égyptien, grec et gothique. Le passage semble inspiré par l'*Esthétique* de Hegel, mais à y regarder de plus près, on y retrouve le cadre de
pensée du *Laokoon*.

C'est cette évolution sémantique que Panofsky a résumée et confirmée par l'énoncé de sa « règle ».

Dans d'autres cas, l'arrière-plan méthodique des thèses du livre est très différent. Panofsky remarque, par exemple, que le tombeau égyptien était à l'usage de l'âme du défunt : les sculptures se trouvaient à l'intérieur, visibles seulement pour elle, comme aussi les objets et richesses enterrés. Chez les Grecs, au contraire, le tombeau devient en même temps un « monument » pour que les survivants se souviennent du défunt (Panofsky trouve la première trace de cette attitude dans la prière de l'âme d'Elpénor à Ulysse, *Od.*, XI, 71). Le passage du tombeau « prospectif » de l'Orient ancien au tombeau « rétrospectif » grec est une mutation brusque et capitale. Les stèles attiques — décrites ici dans une page vraiment digne de son objet — ne servent plus, mais commémorent. On perçoit dès lors le lien entre le désir grec de « vivre dans la mémoire des hommes », la forme des stèles faites pour s'inscrire dans le souvenir d'un lieu, et la singulière beauté, la dignité et la familiarité de ces sculptures tombales destinées à perpétuer un souvenir, à arrêter et attacher le passant.

Un autre cas de nouveauté radicale : les chrétiens admettent le cadavre dans l'église, alors que pour l'antiquité il était impur, à tel point que les dieux devaient fuir son voisinage. Ce retournement implique un sentiment nouveau à la fois du sacré et de la mort, qui modifie complètement l'iconographie des tombeaux : la dalle remplace la stèle. D'innombrables autres conséquences, et pratiquement toute l'évolution de l'art funéraire jusqu'à l'âge des cimetières, en découlent.

Dans ces deux cas (on peut en mentionner un troisième : la réapparition de l'attitude « rétrospective » à la Renaissance), les explications par l'évolution sémantique naturelle retardée ou stimulée sous l'effet de facteurs techniques ou autres, sont insuffisantes; une nouvelle civilisation crée une formule nouvelle, qui exprime son attitude propre devant la vie et la mort. Panofsky semble se référer ici tacitement à une certaine philosophie organiciste des civilisations, à laquelle il est resté assez fidèle pendant toute sa vie : les créations iconographiques, de même que les œuvres d'art et tant d'autres créations humaines, peuvent être lues comme des traits physionomiques et expriment soit une attitude humaine fondamentale, soit les caractères profonds de la civilisation qui les a produites. Le lecteur craint de voir apparaître ici l'« homme grec » ou le « caractère chrétien » en tant que principes explicatifs, et se munit d'objections [1]. Mais Panofsky évite soigneusement ces facilités; il sait et dit que les formes et symboles ont, une fois qu'ils existent, des conditions propres de vie et d'évolution; il ne suppose même pas, *a priori*, un parallélisme étroit entre l'art funéraire et les croyances dans l'au-delà. Le fait de l'expression collective subsiste évidemment, et n'est pas une pure apparence; mais « ce qui s'exprime » n'a jamais valeur de cause et n'intervient pas comme principe explicatif dans le travail de l'historien.

L'interprétation « physiognomonique » des iconographies funéraires et des œuvres où elles apparaissent ne conduit pas aux « esprits » de telle ou telle civilisation, mais plus volontiers à des attitudes humaines fondamentales, à des *Weltanschauungen*. Aucun lecteur ne peut ignorer que c'est là le centre de gravité du livre — d'une « gravité » au sens moral aussi bien, car il s'agit d'une méditation sur la mort. Panofsky retrace l'évolution complexe des symboles de la mort et de la survie, sachant bien que l'histoire des symboles déborde celle des croyances, et restant toujours prêt à citer un *negro spiritual* à propos d'un tombeau paléochrétien, ou à commenter quelques mesures de Mozart à propos de la différence entre *requies aeterna* et *lux perpetua*. Il se refuse à compter les attitudes possibles et à les enfermer dans un système clos, comme il se refuse à définir positivement les caractères des civilisations et sociétés qui sont censées s'exprimer dans ces formes. L'allure exagérément « diagnostiquante » de quelques écrits antérieurs de Panofsky semble dépassée; la modeste philosophie de ce dernier livre — une philosophie « en acte » dans le récit méditatif, s'adressant à chacun et à l'auteur lui-même, insidieusement pratique, à la fois respectueuse et libre dans le survol des imprévisibles créations humaines — semble quelque peu participer de cette très vieille *Weltanschauung* que notre siècle appelle existentialisme.

(1965)

---

1. La distinction entre tombeau prospectif et rétrospectif n'est pas rigoureuse, ni en fait — les pyramides égyptiennes sont sans doute aussi des monuments — ni en droit, puisque se souvenir d'un mort et lui accorder une pensée pieuse est, au moins virtuellement, rendre service à son âme; de ce point de vue, la stèle est encore « utilitaire ». De même, quoique, dans l'Antiquité, temple et tombeau fussent séparés, certaines tombes avaient cependant un caractère sacré, ce qui a pu préparer la coutume chrétienne de l'enterrement dans l'église. — Panofsky sait naturellement ces choses mieux que quiconque, et ne passe outre qu'à bon escient.

Perspective et spéculations scientifiques
à la Renaissance

X

POMPONIUS GAURICUS ET SON CHAPITRE
« DE LA PERSPECTIVE » *

I

Dans les milieux scientifiques et parmi les intellectuels conservateurs du xve siècle, les arts plastiques étaient surtout jugés dignes d'être placés au rang des disciplines libérales en raison de leur rapport avec la perspective [1]. Tandis que les humanistes étaient frappés par l'analogie entre la peinture et la poésie et les témoignages de Pline, les professeurs de philosophie et de science, dont l'opinion se rapprochait naturellement davantage de la culture médiévale, admettaient que le système des « sept arts » laissait une place à la perspective et que les arts du dessin avaient le droit de la revendiquer. Le *quadrivium* comprenait alors l'application des mathématiques à l'étude du cosmos et au domaine de la musique; il n'y avait pas de raison de ne pas l'appliquer au domaine visuel, c'est-à-dire à la perspective, habituellement définie comme la « science de la transmission des rayons lumineux ».

On s'explique ainsi que, depuis le xiie siècle, de nombreuses

* Cette étude a été écrite à l'occasion d'un séminaire de l'École pratique des hautes études, IVe section, où fut abordée l'étude du chapitre « De perspectiva ». R. Klein s'attacha à résoudre les graves difficultés de construction inhérentes à ce texte obscur. Nous fûmes ainsi amenés à préciser la notion de « perspective artisanale », qui est brillamment développée ici.

Depuis lors, l'édition complète du *De sculptura*, à laquelle Robert Klein ne cessa de collaborer activement, a pu être élaborée : elle vient de paraître dans la collection de la IVe section, éd. Droz, 1969.

L'article de l'*Art Bulletin*, XLIII (1961) ayant paru en anglais et le texte français original n'ayant pu être retrouvé, la version anglaise a été retraduite en français par les soins de Mlle Sabine Codet.

1. L'essentiel de cet article repose sur les conclusions d'un groupe d'études travaillant, sous la direction du professeur André Chastel à l'École pratique des hautes études à Paris en 1958-1959, à une édition critique du *De sculptura* de Gauricus. Je suis particulièrement redevable au professeur Jean Rudel de ses précieuses indications.

encyclopédies et « sections de philosophie » aient introduit
la perspective avec la musique dans le système des sciences
sans penser d'abord aux arts du dessin. Cela fut aussi le cas,
semble-t-il, avec la *divisio* du jeune Ficino [1]. Mais dans plusieurs autres documents du xvᵉ siècle, on voit que les peintres
ont repris la discussion. Vers 1445, dans le *Commentariolus
de laudibus Patavii*, Michele Savonarola éprouve le besoin de
s'excuser, auprès des musiciens de la ville, d'avoir cité les
« disciples de la perspective », c'est-à-dire les peintres, avant
les musiciens; son petit-fils Jérôme, le prêcheur, allait adopter
la même attitude mais avec moins de courtoisie [2]. On trouvait à Padoue toute une tradition favorable aux discussions
sur la perspective. A l'époque où Michele Savonarola enseignait la médecine, on se souvenait encore du célèbre Biagio
Pelacani (Biagiod a Parma) qui avait fait quelques cours sur
les sciences entre 1377 et 1411 et dont les *Quaestiones perspectivae*, écrites en 1390, faisaient alors autorité. Paolo
Toscanelli en avait une copie quand il retourna de Padoue
à Florence en 1424; quant à la *Perspective* anonyme du
manuscrit Riccardianus 2110, d'abord publiée comme une
œuvre d'Alberti, elle provient certainement de Biagio [3]. Enfin
le Vénitien Giovanni da Fontana parle à plusieurs reprises de
Blaxius Parmensis olim doctor meus et lui doit les études d'optique qu'il insère dans son *Liber de omnibus rebus naturalibus*;
il en tirait sans aucun doute parti dans son traité de peinture
dédié à Jacopo Bellini et qui est perdu [4].

Biagio da Parma ne semble pas avoir pensé à l'art du
dessin lorsqu'il exposa, d'après John Peckham, les principes

1. Ses deux manuscrits : *De divisione philosophiae*, ont été publiés par
Paul O. Kristeller, *Studies in Renaissance thought and letters*, Rome, 1956,
p. 56, 95 sqq. Un traité d'optique, écrit quand il avait trente ans, n'a pu
être identifié avec certitude. Sur le parallèle entre la « perspective » et la
musique considérées comme des applications du *quadrivium*, voir Thomas
d'Aquin, *Summa theol.*, I, 1, 2, 3.

2. Le texte de Michele Savonarola est cité dans l'ouvrage de Muratori,
Rer. ital. Script., XXIV, 15, col. 1170 : *Cumque de pictoribus commemoratio
tam gloriosa a me facta fuerit... cum perspectiva picture mater habeatur...
nonnisi egro cum animo ferre musica visa est, eos videlicet sic obticuisse illustres
musicos, qui et urbi nostre non parvo accesserunt ornamento.* Sur Girolamo
Savonarola, voir *infra*, p. 239, n. 3, 4.

3. Sur Pelacani et Brunelleschi, voir A. Parronchi, « Le fonti di Paolo
Uccello », *Paragone*, 89 et 95, 1957, et « Le due tavole prospettiche del
Brunelleschi », *ibid.*, 107 et 109, 1958-1959. L. Thorndike, *A history of
magic and experimental science*, IV, New York, 1934, p. 72, signale qu'on
faisait encore des copies des *Quaestiones* de Biagio en 1428, 1445 et 1469.

4. *Liber de omnibus rebus naturalibus* parut sous le nom de Pompilius
Azalus, Venise, 1544, voir fº 74 vº. Voir sur ce livre et son véritable auteur,
Thorndike, *op. cit.*, p. 150-182. Les quelques mots de Fontana sur le traité
perdu renferment une remarque (que l'on trouve de nouveau chez Léonard)
sur les phénomènes atmosphériques et lumineux.

de la perspective; mais une génération plus tard le rapport entre l'optique et le dessin était établi. Il y avait sans aucun doute un pas à franchir de Biagio aux artistes florentins en passant par Toscanelli et de Biagio à Jacopo Bellini en passant par Giovanni da Fontana; on retrouve le même écart entre le *De musica* d'Augustin et la *practica* des compositeurs de la Renaissance, mais un véritable effort fut accompli en ce sens [1]. Sans parler de l'influence effective de l'optique sur les artistes, nous pouvons dire, selon une opinion largement répandue, qu'il y avait un rapport étroit entre ces disciplines et même une identité. Ghiberti copie les écrits des maîtres de la perspective; Michele Savonarola réunit peinture et philosophie dans une « perspective » qui figure dans son système comme la cinquième science du *quadrivium* [2]; son petit-fils Girolamo semble même confondre peinture et perspective dans un raisonnement qui est — aussi curieux que cela puisse paraître — identique à certains passages du Paragone de Léonard [3]. Quand Antonio Pollaiuolo donne à l'allégorie de la *Perspectiva* la place du huitième art libéral sur le tombeau de Sixte IV, il la caractérise par des traits qui s'expliquent à partir de Peckham, mais on ne peut douter qu'il pensait à son propre métier quand il associait cet « art » à l'hommage rendu au défunt pape par les autres disciplines [4].

1. Par exemple — pour rester dans le milieu padouan du XVe siècle — un élève de Biagio, Prodoscimo de Beldomandi, bien qu'astronome et mathématicien, écrit aussi des traités techniques sur la musique : *De contrapuncto, libellus monocordi...*

2. Éd. cit., col. 1181 : *Neque parvi facio pictorie studium, quod singulare decus urbis existit, cum ad studium litterarum et bonarum artium pre celeris artibus adhaereat, cum pars sit perspectivae que de proiectione radiorum loquitur. Hec enim philosophiae pa est.*

3. Girolamo Savonarola, *Opus perutile... de divisione scientiarum* (ou *Apologeticus*), Venise, 1542, p. 9 : *Inter mathematicas autem et naturales scientias quaedam sunt scientiae mediae ut... perspectiva quae de linea et magnitudine visuali tractat. Et Musica de numeris sonoris et eorum proportionibus considerat;* p. 17 : *At perspectiva simpliciter videtur esse dignior musica, et quia obiectum visus est nobilior obiecto auditus, et quia stabilius est.* Léonard, aussi, qualifie la peinture de « science semi-mathématique » et plaint la musique dont les sons périssent aussitôt nés. La façon dont Savonarola définit la perspective et parle de ses objets « solides » montre qu'il ne pensait ni aux rayons lumineux ni aux images dans les miroirs, mais à l'art.

4. L. D. Ettlinger, « Pollaiuolo's Tomb of Sixtius IV », *Journal of the Warburg and Courtauld Institutes*, XVI, 1953, p. 258-261. L'auteur conteste ce point, car la figure est caractéristique de la science physique. Cependant les deux significations ne s'excluent pas l'une l'autre (voir ci-dessus, n. 2 et 3 et *infra*, p. 241, n. 2). La figure de couverture d'*Antiquarie prospettiche Romane*, dédiée à Léonard, tient un astrolabe, ainsi que la Perspective de Pollaiuolo; cependant c'est un symbole de l'archéologie. La scénographie apparaît comme une subdivision de la perspective physique chez de nombreux encyclopédistes (Politien, *Panepistemon;* R. Maffei, *Comm. Urb.*, I, xxxv. Gauricus serait peut-être le premier à séparer cela complètement (voir *infra*, p. 240, n. 2).)

Les artistes étaient toutefois conscients du fait qu'à mesure de la codification de la perspective en formules, elle apparaissait de moins en moins comme une partie de la philosophie naturelle. Alberti et Piero della Francesca suivaient des méthodes substantiellement identiques et s'accordaient à définir la peinture comme n'étant rien, en fait, qu'une perspective; mais, dans le système d'Alberti, cette définition utilise encore les termes et les idées de l'optique ancienne (« intersection de la pyramide ») pendant que Piero éliminait de son système les derniers vestiges de physique et se contentait de la géométrie pure : *la pictura non è se non demostrazione de superficie de corpi degradati o acresciuti nel termine* [1]. En 1504, Gauricus exposait à Padoue, réputée pour son conservatisme, une théorie de la perspective « artificielle » (graphique) qui excluait radicalement les considérations des philosophes de la nature [2]; une seule vague allusion rappelle les arguments du siècle précédent : la sculpture n'est pas regardée comme un des arts libéraux, mais comme « le huitième ». Bien plus, si l'on peut croire Rafaello Maffei, la science antique d'Alhazen et de Vitellio comprenait des applications artistiques et était presque identifiée avec les beaux-arts [3]. Il ressort de ces indications que les études médiévales sur la perspective optique, dont Padoue était naturellement le

1. *De prospectiva pingendi*, éd. G. Nicco Fasola, Florence, 1942, p. 128.
2. *De sculptura*, éd. H. Brockhaus, Leipzig, 1886, p. 192. La perspective des philosophes ne l'intéressait pas : *Que quoniam plurimos nacta est graecos et latinos scriptores, estque aliquando ab hae nostra remotior, non est mihi propositum vos edocere.* La perspective était déjà traitée de science « nouvelle » dans la *Cronaca* de Giovanni Santi (écrite entre 1482 et 1496) :

   né in terra in altro secol più veduta (liv. XXII, C. 96, str. 108)
   è invention del nostro secol nova (*ibid.*, str. 111)

(éd. Holtzinger, Stuttgart, 1893, p. 188). Cela ne peut que signifier la perspective artistique. Dans la vision de Mattioli sur les arts libéraux (*Il Magno Palazzo del Card. di Trento*, 1539; éd. Melzi d'Eril, in *Ateneo Ligure*, 1889, voir p. 17), la Géométrie est suivie de l'Architecture et de la Perspective qui gouvernent respectivement la Peinture et la Sculpture; l'Optique est une fois de plus oubliée.
3. R. Volaterranus, *Comm. Urb.*, I, xxxv, cap. « De optice et catoptrice » : *Optice quoque, quam nostri Perspectiva communi vocabulo appellant, Geometricae subjicitur arti... Usus huius disciplinae nimirum in plerisque rebus elucet. In metiendis aedificiis. In architecturae picturaeque ratione. In umbrarum corporumque positione, cum saepe sit non rationi partium neque harmoniae, sed aspectui sit inserviendum. Postremo ad deprehendendam coelestium, tum aliorum corporum varietatem, veritatemque, tum reflectiones, refractionesque eorundem.* On ne mentionne qu'à la fin les miroirs et la réfraction, si importante autrefois dans les perspectives, et c'est l'intérêt artistique qui est dominant (*In metiendis aedificiis* concerne le relevé des ruines des monuments anciens, voir *Antiquarie prospettiche Romane* du « Prospectivo Milanese »). Maffei donne une liste des grands maîtres de la perspective du passé, liste qui ne contient que des Grecs et des Romains, et un seul moderne qui est un artiste : *Petrus e Burgo Sancti Sepulchri*, comme si Alhazen et Vitellio n'avaient jamais existé.

centre en Italie, n'agirent sur la théorie de l'art que durant une courte période, sous l'influence de Pelacani, mais continuèrent à servir d'argument dans les querelles sur la dignité de l'art presque jusqu'aux environs de 1500. La perspective « artificielle » ou graphique était séparée des sciences physiques et allait trouver, chez Piero, une nouvelle dignité de l'art par l'intermédiaire des mathématiques platoniciennes et surtout pythagoriciennes[1]. L'ancienne perspective elle-même en fut à son tour affectée. La responsabilité de tous ces changements repose évidemment sur l'humanisme et sa conception de la culture et il peut être intéressant de considérer le point culminant de cette évolution dans le *De sculptura* de Gauricus, écrit en 1504 à Padoue même.

L'auteur avait une formation humaniste et aristotélicienne, fortement marquée par les habitudes intellectuelles des grammairiens et des pédagogues : il a donc tendance à ne rendre justice aux arts plastiques qu'en fonction de la littérature, et à ne pas faire bénéficier les modernes des honneurs dus aux Anciens[2]. Pendant qu'il écrivait son traité, la réflexion sur l'art entrait dans une nouvelle phase que l'on peut appeler la « vulgarisation distinguée », dont les pages sur l'art du *Cortegiano* sont le meilleur exemple. Léonard et Dürer couronnaient les minutieuses recherches techniques d'un siècle, mais la théorie de l'art, comme celle de l'amour, allait faiblir et rester pendant cinquante ans au niveau du sujet de conversation, des *domandi*, que rassemblèrent et codifièrent, vers 1550, Francisco de Hollanda, Varchi, Pino, Doni et Dolce. Ce ne fut pas une période tout à fait stérile, car on lui doit la naissance du sens historique et l'aube de la critique d'art, mais il n'était plus possible alors pour un élève de perfectionner, comme Alberti l'avait fait, des techniques artistiques : seuls les humanistes hantaient les ateliers en « curieux » ou en conseillers littéraires.

Gauricus qui était lui-même sculpteur, occupait une position intermédiaire. Une grande partie de son traité est consa-

1. L'article lumineux de R. Wittkower, « Brunelleschi and proportion in perspective », *Journal of the Warburg and Courtauld Institutes*, XVI, 1953, souligne l'importance théorique et esthétique de l'idée de proportion à partir des traités sur la perspective de Brunelleschi et d'Alberti mais sans insister sur le fait qu'on avait déjà pensé avant Piero à rattacher cette idée à des spéculations géométriques d'une plus large portée.
2. De ce point de vue, une comparaison avec ses prédécesseurs est significative. Le biographe de Brunelleschi met en doute la science de la perspective des Anciens; Alberti et Filarete la nient franchement; Gauricus, au contraire, les propose comme modèles (Alberti, *Della pittura*, éd. Mallè, p. 74; Filarete, *Traktat über die Baukunst*, éd. W. v. Oettingen, Vienne, 1890, p. 619-621; Gauricus, éd. cit., p. 196-198).

crée aux questions techniques, mais dans un esprit plutôt
semblable à celui de Pline l'Ancien, parfois rhétorique, parfois carrément descriptif. Ses critères de jugement sont ceux
de l'humanisme traditionnel, et l'intérêt du chapitre sur la
perspective réside en grande partie dans le fait qu'il montre
comment cette science, privée de ses racines dans les sciences
naturelles pendant le siècle où elle fut appliquée à l'art, est
maintenant intégrée dans un nouveau contexte plus littéraire
et n'apprend plus désormais à peindre le *mazzocchio* mais
plutôt à composer l'*istoria*.

La fonction artistique de cette perspective humaniste ressemble plutôt à ce que la dramaturgie héritée d'Aristote appellera plus tard « vraisemblance » : un principe de clarté, de
rationalisation, d'unité, et en somme d'évidence plus que
d'illusion. Mais pour Gauricus, c'est là simplement le point
final, le sommet du système traditionnel d'organisation en ce
domaine :

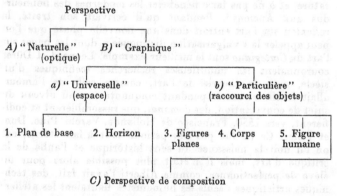

Perspective

A) " Naturelle "   B) " Graphique "
(optique)

a) " Universelle "   b) " Particulière "
(espace)   (raccourci des objets)

1. Plan de base   2. Horizon   3. Figures   4. Corps   5. Figure
                                  planes   humaine

C) Perspective de composition

Ce schéma doit être suivi point par point si nous voulons
comprendre la portée de sa disposition. La perspective « naturelle » (A) a été, nous l'avons vu[1], écartée dès le début; c'est
le premier point gagné par la position « littéraire »[2]. Les sub-
divisions de la perspective « graphique » (B) en construction
de l'espace (a) et raccourci (b) ne sont qu'un préjugé philosophique comme l'indique la manière « padouanne » dont Gau-

1. P. 240, n. 2.
2. Cette innovation, bien que négative, est d'autant plus remarquable
que, comme on sait, le frère de l'auteur Luca Gaurico, « physicien » de
métier, a édité la *Perspectiva communis* de Peckham l'année même de la
publication du *De sculptura*.

ricus justifie la priorité donnée à l'espace[1]; puisque en perspective il n'y a pas de différence théorique ou pratique entre la construction de l'intérieur d'une pièce et le raccourci d'un objet de même forme. C'est pourquoi Piero della Francesca, par exemple, ne s'intéresse jamais à l'« espace scénique ». Mais si les théoriciens commencent par un plan de base en damier, c'est parce que cela leur permet de placer correctement les objets, la mesure des distances, etc. Gauricus expose maintenant comment dessiner un dallage sans dire comment on peut l'utiliser pour unifier l'espace scénique et il semble ignorer complètement ce problème et même l'idée d'un point de fuite central. Les quelques lignes qu'il consacre à l'échiquier[2] marquent, à cet égard, un terme.

Il est beaucoup plus à l'aise dans la discussion, entièrement qualitative, sur le rôle de l'horizon (2) parce que le sujet lui permet d'introduire les problèmes de la perspective composée. La vue à vol d'oiseau, avec un horizon élevé, représente l'*istoria* avec clarté; la vue « par en-dessous », avec un horizon bas, est propre à représenter les apparitions célestes, les guetteurs sur les tours, etc. (mais, chose assez singulière, Gauricus ne pense pas à appliquer cela au plafond). Une esthétique de la perspective, rudimentaire, bien sûr, apparaît pour la première fois ici avec des règles de manuel. Imaginons quelque part sur un plan (le texte propose le sommet d'un pupitre) la bataille de Zama. On ne distingue rien si l'œil est au niveau du plan. On saisit plus de choses à mesure que l'œil s'élève ou que le plan s'incline, et enfin, à vol d'oiseau tout est perçu. La distance apparente entre les gens est liée à la hauteur relative du point de vue : cette simple affirmation est la clé des relations entre perspective et *istoria*[3]. On ne donne aucun autre critère exact pour distinguer les trois

1. *Omne corpus quocumque statu constituit, in aliquo quidem necesse est esse loco. Hoc quum ita sit, quod prius erat, prius et hic nobis considerandum...* (p. 192). On peut noter en passant que, pour Hans Kauffmann (dans une discussion sur la communication de H. Siebenhuener, « Die Entwicklung der Renaissance-Perspektive », *Kunstchronik*, 1954, p. 129-131), Gauricus aurait été le premier à concevoir l'espace préexistant comme objet de la perspective, avant le raccourci des volumes. Il fut, en fait, précédé par Filarete (liv. XXXII, début) et par Alberti qui traitait, dans son premier livre, le plan de base de *disegno* et, dans le second, le raccourci de *componimento*.

2. Sur le système de construction employé, voir *infra*, p. 259 260.

3. *Constat enim tota hec in universum perspectiva dispositione, ut intelligamus, quacunque ratione spectamur, quantum ab alio aliud distare aut cohaerere debeat...* (p. 200). Les *rationes spectandi* de ce texte sont les trois points de vue : à vol d'oiseau, horizontal, et par en dessous. La formule de Gauricus est dérivée de celle de Pline (*N. H.*, XXXV, 80) qui définit, comme suit, les *mensurae* d'Asclepiodorus : *hoc est quanto quid a quoque distare debeat ;* on l'interprète toujours comme synonyme de perspective.

244   *La forme et l'intelligible*

façons de voir curieusement identifiées par des termes qui
subsisteront : *katoptike* (vue à vol d'oiseau), *anoptike* (vue
par en dessous) et *optike* (vue horizontale). Peut-être Gauricus
ne veut-il pas parler de la position de l'horizon par rapport
au cadre mais des positions des objets présentés par rapport à l'horizon : tout ce qui est au-dessus de l'horizon est
perçu en *anoptike* et ce qui est en dessous en *katoptike* [1]. Afin
de déterminer la perspective d'un tableau, la disposition de
ses éléments (qu'Alberti appelle composition) a été substituée au système géométrique (C). Gauricus n'offre pas de
règle au peintre pour la vue horizontale au niveau du plan
de base, et il rappelle soudain qu'il traite de la sculpture de
manière à établir un principe pour créer l'espace à travers
les volumes — la perspective plane des bas-reliefs. Ce refus
de conclure l'amène à une définition plutôt surprenante :
*Constat enim tota hec in universum perspectiva dispositione, ut
intelligamus... quot necessariae sint ad illam rem significandum
personae, ne aut numero confundatur, aut raritate deficiat
intellectio* [2]. On voit facilement comment Gauricus arrive à
cette opinion plutôt étrange : les intervalles entre les gens
dépendent de la perspective; la clarté de l'*istoria* dépend de
ces intervalles; c'est pourquoi le nombre des personnages est
un souci de perspective. Ce raisonnement n'est évidemment
pas très solide, mais Gauricus n'exprime là qu'une relation
intuitive. La « perspective dramatique » existe indubitablement dans l'art du XVe siècle et au moins un de ses préceptes
entre même dans la littérature artistique quand Alberti
conseille d'ajouter à l'*istoria* un personnage dominant qui se
tourne vers le public. G. C. Argan a rappelé à ce propos
comment l'ange de la *Vierge aux rochers* isole, comme sur
une scène imaginaire, le groupe qu'il désigne.

La preuve que la terminologie de Gauricus n'est pas
dépourvue de sens est sa survivance. Paolo Pino juge qu'il
y a « fausse perspective » quand *le figure sono tanto disor-
dinate, ch'una tende all'Oriente, l'altra all'Occidente voglio dir
che per ragione alcune scopren la schiena, che dovrebbon dimostrare il petto* [3]; et Lomazzo, d'une manière plus verbeuse :

1. Voir p. 202 : *Hanc vero triplicem rationem spectandi a pictore quisquis
ille fuerit animadvertimus semel perbelle adservatam; ita enim Danaen
composuerat ut si prospiceres, avaram ipsam puellam stupescentem videres.
Sin suspiceres, Iovem iamiam e nubibus descensurum impluvio putares, sin
vero despiceres, proximas regiones aurea conspersas grandine mirare.*
2. P. 200. Les mots qui manquent dans cette citation sont donnés plus
haut, p. 243 dans la n. 3.
3. *Il disegno*, éd. Pallucchini, Venise, 1946, p. 74.

« La perspective universelle est celle qui montre comment disposer une figure isolée selon son emplacement et avec l'accompagnement nécessaire : ainsi disposer un Roi dans l'attitude de majesté convenant à sa condition, sur un lieu élevé ou prédominant, ne placer personne où il ne peut être et le mettre en contact avec une figure qui ne le permet pas ou lui faire faire un geste qui supposerait qu'on le situe à la place d'un autre. »

L'idée d'une « perspective de composition » n'était pas la simple fantaisie d'un grammairien [1].

Son maniement de la « perspective particulière » ou raccourci montre une progression continue depuis les préceptes élémentaires du dessin jusqu'à l'invention de l'*istoria*. Gauricus parle d'abord de figures géométriques planes (3), puis de corps réguliers (4), enfin du corps humain (5). Ce dernier chapitre est très logiquement articulé : tout d'abord le procédé pour dessiner un buste en raccourci; puis une classification des attitudes suivie de notes sur l'équilibre et sur les positions physiquement impossibles [2]; et finalement une liste des principaux mouvements du corps humain avec une remarque sur le repos *(otium)* qui peut être noble ou, comme parfois chez Mantegna, humoristiquement vulgaire. L'exposé s'interrompt de nouveau au seuil de l'*istoria*.

La page suivante, qui constitue le sommet de tout le chapitre sur la perspective, confirme de nouveau et plus nettement encore l'orientation littéraire du *De sculptura* (C). L'adaptation des catégories de la rhétorique et de la poétique aux arts plastiques est une des caractéristiques constantes du traité [3], mais à aucun autre endroit ce trait n'est aussi frappant. Séduit par l'analogie entre la perspective et la *perspicuitas* — terme rhétorique — Gauricus cherche à décou-

1. *Idea del tempio della pittura*, début du chapitre xxiii. Sur l'idée de perspective créée par l'*istoria*, voir les dernières pages de l'article de G. C. Argan, « The architecture of Brunelleschi... », *Journal of the Warburg and Courtauld Institutes*, IX, 1946, p. 96-121. Après avoir montré que l'architecture de Brunelleschi illustre les notions d'espace formulées par ailleurs grâce à la perspective, l'auteur explore également son analogie avec les règles de l'*istoria* dans l'opinion du xvᵉ siècle.

Les textes précédents de Gauricus, Pino et Lomazzo permettent d'étendre cette indication au Cinquecento.

2. Une observation au sujet des marcheurs sur la corde raide rappelle ici les préoccupations analogues de Léonard. La théorie des mouvements « possibles » est aussi conçue comme un chapitre de « perspective » par P. Pino (*op. cit.*, p. 73) dont l'opinion sur cette partie de l'art est en général très proche de celle de Gauricus.

3. Notre édition du *De sculptura* devra en offrir la preuve, comme l'a fait celle de L. Mallè pour le *Della pittura* d'Alberti.

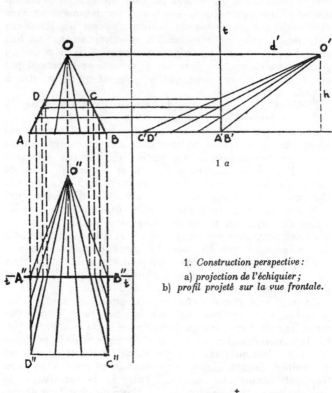

1. *Construction perspective :*
a) *projection de l'échiquier ;*
b) *profil projeté sur la vue frontale.*

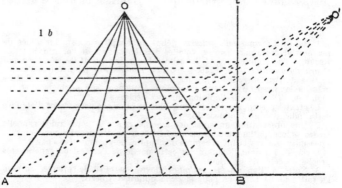

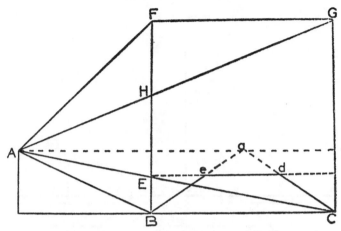

2. *Vue en raccourci d'un carré* (d'après Piero della Francesca).

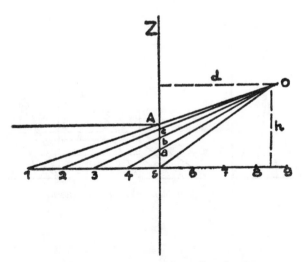

3. *Construction du plan de base selon Gauricus*
(d'après D. Gioseffi).

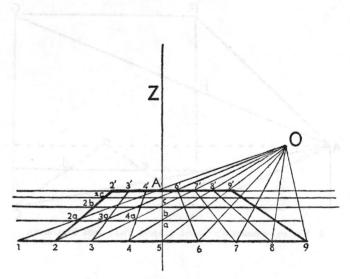

4. *Construction du plan de base selon Gauricus*
(d'après D. Gioseffi).

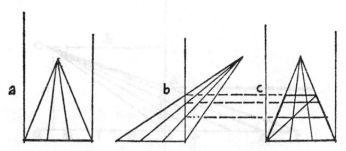

5. *Construction du plan de base d'après Alberti.*

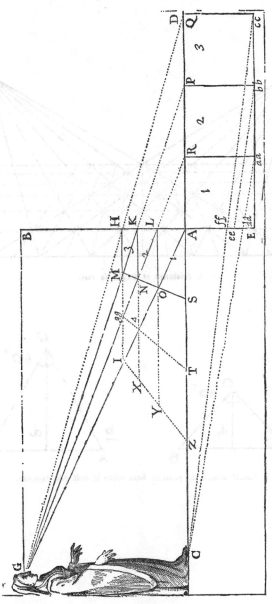

6. *Établissement du point de distance* (d'après Vignole).

La forme et l'intelligible

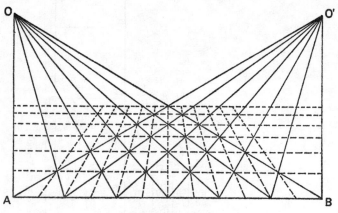

7. *Distance et angle de vue.*

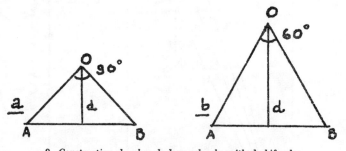

8. *Construction du plan de base selon la méthode bifocale.*

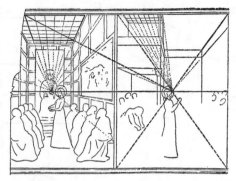

9. *Masolino,* Scènes de la vie de sainte Catherine d'Alexandrie, *Rome, Saint-Clément: schéma montrant le système perspectif qui unifie deux compositions voisines* (d'après Oertel).

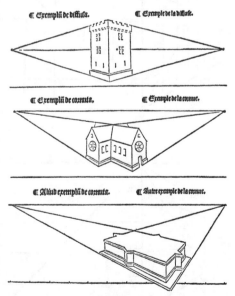

10. *Prismes vus par l'angle et construits selon la méthode bifocale* (d'après Viator).

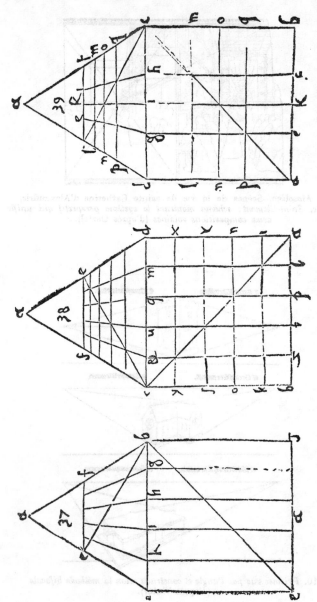

11. *Vues en raccourci d'un échiquier* (Daniele Barbaro reprenant un dessin de Piero della Francesca).

1. Lomazzo, *Chute de Simon le Mage,* Milan, Saint-Marc (après restauration). Photo Perotti.

2. Lomazzo, *Stigmates de saint François et autres saints,* Milan, S. Barnaba (sacristie).

Photo Perotti.

3. Giorgione, *Le Concert champêtre,* Paris, Louvre (toile : 1,10 × 1,38).
Photo Giraudon.

4. *Poesia,* « Tarocchi » de Mantegna. Photo Institut d'Art, Paris.

6

5. L. Costa, *Allégorie de la Poésie* (ca 1505), Paris, Louvre (toile : 1,58 × 1,93). Photo Giraudon.

6. Anonyme siennois, *Jésus parmi les Docteurs*. Assise, église inférieure (fresque). Photo Giraudon.

7. N. Pizzolo, *Saint Grégoire*, Padoue, Eremitani (fresque). Photo Alinari.

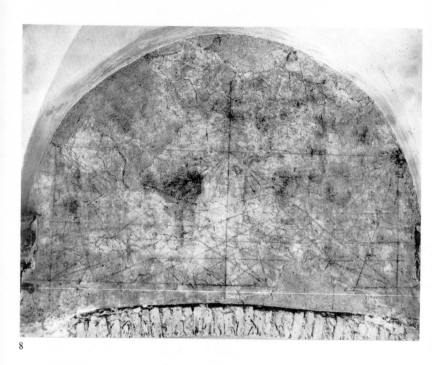

8

9

8. P. Uccello, sinopia, *Schéma de construction en perspective de la Nativité,* Florence, San Martino alla Scala.

9. P. Uccello, schéma restitué de *La Nativité* de San Martino alla Scala (d'après Paatz).

10. P. Uccello, *Predelle de la Communion des Apôtres* (détail) : *La Profanation de l'hostie,* Urbino. Photo Sopraintendenza, Florence.

11

12

11. Masolino, *Fondation de Sainte-Marie-Majeure*, Naples, Musée National.
Photo Alinari.

12. Andrea di Giusto (?), *Le Christ et les apôtres au temple*, Philadelphie (coll. Johnson). Photo Bazzecchi.

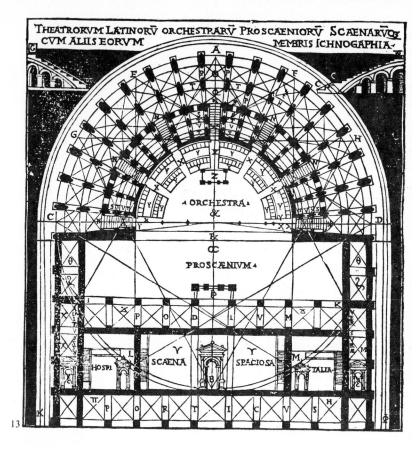

13. *Plan du théâtre latin* (traduction de Vitruve par Cesariano), Milan, 1521, f° 81.
14. S. Serlio, *Projet pour une scène*, dans « Tutte le opere d'architettura », L. III. Photo Institut d'Art, Paris.

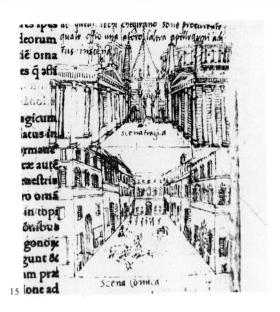

15. *Page du Livre V de Vitruve*, éd. S. Verulanus avec notes et dessins marginaux de G.B. da Sangallo, Rome, bibl. Vaticane.

16. Antonio da Sangallo il Giovane, *Etude de la scène de Vitruve et de l'utilisation des Periactes*, Florence, Offices.

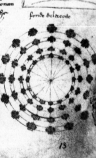

13

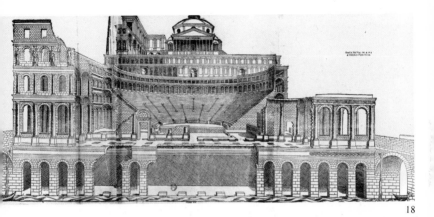

18

17. Francesco di Giorgio, *Théâtre antique*,
manuscrit, Florence, Bibl. Laurentienne.

18. Giovanni Caroto, *Théâtre antique avec
galerie pour spectacle antique,* dans T.
Sarayna, « De Civitatis Veronae amplitu-
dine », Vérone, 1540.

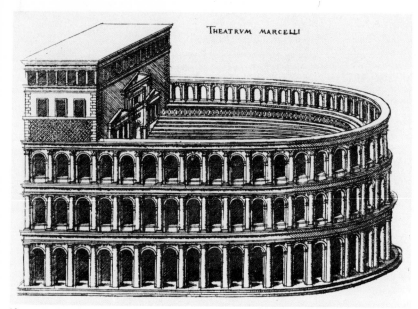

THEATRVM MARCELLI

19

19. Pirro Ligorio, *Théâtre de Marcellus*, gravure. Paris, Bibl. Nationale.

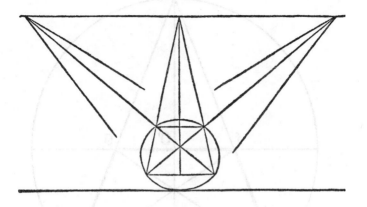

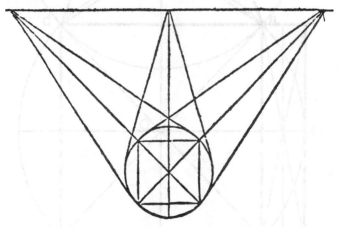

12. *Projections en perspective d'un carré et d'un cercle* (d'après Viator).

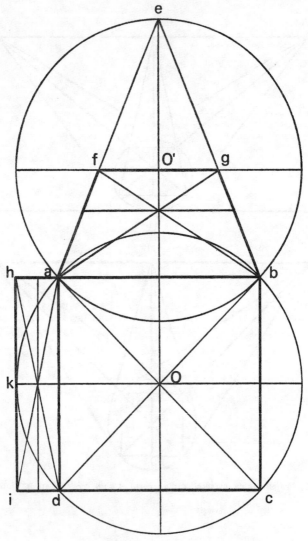

13. *Vue en raccourci du* **carré** *d'après Gauricus.*

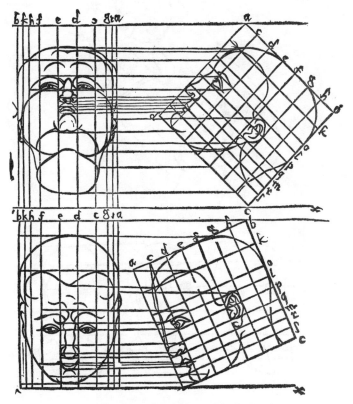

14. *Tête inclinée* (d'après Daniele Barbaro).

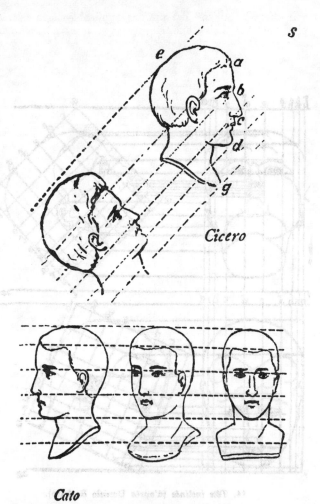

15. *Tête inclinée et tête déplacée* (d'après l'exposé de
P. Gauricus, schéma de Brockhaus).

vrir chez Quintilien [1] des notions applicables à la narration picturale et il choisit habilement : *sapheneia, eukrineia, enargeia, emphasis, amphibolia* et *noema* — noms évocateurs pris ici dans une acception plutôt surprenante. Au moment d'illustrer ces qualités par des travaux, Gauricus rejette dédaigneusement les artistes *(non quid apud sculptores nostras invenias?)* et prend ses exemples chez Virgile.

Nous n'avons pas à discuter ici son choix de catégories, mais à souligner la nouvelle interprétation du *ut pictura poesis*. Un tel transfert d'idées critiques d'un art à un autre n'a pas d'équivalent avant 1504. Jusqu'alors l'analogie entre les arts et les lettres concernait leur statut (légitimité de l'imitation) ou leur but (apprendre, émouvoir, etc.), mais jamais leur structure ou leur esthétique. Les textes que l'on peut trouver sur le caractère « musical » des proportions sont abstraits ou techniques. L'esprit entièrement critique dans lequel Gauricus travaille ne peut être nourri que par certains passages d'Aristote ou de Quintilien qui concernent les similitudes de style et de tempérament artistique entre les maîtres des différents arts; on peut aussi citer une expression courante : « les couleurs de la rhétorique ». Mais il fallait évidemment quelqu'un qui se trouvât dans la fausse position du *litteratus* et eût la prétention d'être artiste, pour que ces vagues allusions fussent dégagées.

Vu dans son ensemble, le chapitre que nous venons de considérer est remarquablement audacieux et opportun. Si ce ne sont pas toujours des nouveautés, le refus explicite de la perspective physique, l'orientation parallèle des deux sections (espace et volume) vers une perspective de composition qui les unit, et finalement l'analogie avec la rhétorique constituent des confirmations très nettes de la pensée humaniste courante. Or, si l'on considère ces mêmes pages du point de vue de la technique, leur caractère est tout autre et, même, en fait, exactement à l'opposé. Dans l'exposé des méthodes ou l'explication des formules, le *De sculptura* ne fait, on peut le dire, que présenter des « fossiles », mais ces éléments fossiles peuvent, il est vrai, apporter une information intéressante sur les débuts de l'histoire de la perspective.

---

1. Gauricus nous assure qu'il a emprunté les termes à Hermogenes (p. 214); en fait, ils viennent de Quintilien, VIII, 2-5 (voir aussi IV, 2; VI, 2; VII, 9-10; IX, 2 et 4) où se retrouvent la plupart des exemples de Virgile illustrant les termes. Hermogenes ne fournit que le mot *eukrineia*, employé par Gauricus, on se demande pourquoi, à la place de ce que Quintilien appelait *ornatus*.

II

Nous ne trouvons, dans les textes du xve siècle, qu'une présentation unilatérale de l'évolution des démarches techniques de la perspective pratique. Négligeant les méthodes employées réellement dans les œuvres d'art, ils se limitent presque toujours à expliquer les variantes d'un seul type de construction.

Cette méthode a pour principe de reconstruire l'apparence d'un corps par deux « projections parallèles » — plan de base et profil. Prenons comme objet la pyramide visuelle se dressant sur un dallage en échiquier. La combinaison du plan horizontal et de son profil donne un damier raccourci; et le point de fuite principal se trouve sur l'horizon (texte fig. 1*a*).

Il est clair qu'en fait, dans la mesure où l'on se limite au modèle du damier, le plan horizontal peut être supprimé sans aucune difficulté. C'est ainsi qu'Alberti se contentait du profil quand il lui fournissait les hauteurs des transversales (texte fig. 5). On peut introduire facilement quelques simplifications supplémentaires, en déplaçant notamment la construction auxiliaire qui peut être ainsi dessinée entièrement ou partiellement sur le tableau (texte fig. 1*b*). C'est ce que fait, entre autres, Filarete qui superpose la base du profil à celle de la vue *de face*[1]; le système de Piero della Francesca peut être défini par la superposition des trois éléments du diagramme (*De prospectiva pingendi*, théorème XIII; fig. 2). Les sources écrites antérieures à Gauricus, ne mentionnent pas d'autres méthodes correctes pour construire l'échiquier[2].

1. *Tractat.* éd. cit., p. 603-607.
2. Des essais avaient été faits, cependant, dans une direction différente : un point de fuite principal fut mis à la place choisie, et une hauteur arbitraire fut fixée pour la première transversale (correspondant, en principe, à la profondeur apparente d'un « petit braccio » de la base); puis on chercha une clé arithmétique pour la diminution des intervalles entre les transversales successives. En ce qui concerne ce système, manifestement inexact, puisqu'il ne tient pas compte de la distance du spectateur (en général il brise la diagonale du damier), voir : Wittkover, *op. cit.* Ce moyen fut peut-être employé quelquefois pour des *cassoni*, à en juger par la seule indication facilement vérifiable en photographie, le fait que les diagonales brisées tendent à constituer une courbe régulière.
Il est connu qu'Alberti dénonça comme inexacte une de ces clés arithmétiques, c'est-à-dire la diminution consécutive des intervalles dans la proportion 3/2 (en passant, nous signalerons que dans toutes les éditions italiennes du *Della pittura* il y a une petite erreur qui déroute encore les commentateurs et les traducteurs : les termes *superbi partenti* qui n'ont

Le schéma explicite (texte fig. 1*a*) permet la compréhension immédiate du rôle de tous les éléments impliqués : la correspondance entre l'œil (O′ ou O″) et le point de fuite O; l'importance de l'horizon (si le point C′ du profil se déplace vers l'infini, sa projection sur le plan *t* du tableau aura la hauteur *h*); le rôle de la distance de construction (si l'œil est très près du plan *t*, les intervalles entre les transversales varient d'une manière plus brutale, comme s'ils étaient vus de profil; et l'on voit d'après le plan de base que l'angle de vision exigé par la construction prend trop de développement).

Le système de Gauricus est généralement considéré comme une variante de cette méthode. La question doit être reconsidérée depuis que, dans un travail récent, Decio Gioseffi a fourni une explication convaincante du texte très obscur de notre auteur [1].

Gauricus trace d'abord un axe vertical au milieu du panneau, puis une horizontale qui le coupe et forme la ligne de base *(aequorea)*; on choisit un point O à une distance quelconque de l'axe médian Z (texte fig. 3), avec *d* et *h* comme coordonnées : ce sera l'œil du spectateur. La base est alors divisée en segments égaux (les *piccolae braccia* d'Alberti). Voici le texte :

Ex… vertice (O) ducatur ad extremum aequoreae linca sic (O 1) itidem ad omnium harum porcionum angulos sic (O 2, O 3), ubi igitur a media aequorea perpendicularis hec (Z 5) cum ea que ab vertice ad extremum ducta fuerit (O 1) se coniunxerunt (A), plani finitricis lineae terminus heic esto.

Ce *finitrix plani*, l'horizontale qui passe par *A* n'est pas la ligne d'horizon mais le bord de l'échiquier obtenu par un nombre de transversales égal à celui des *porciones* de la

pas de sens sont lus pour *super-bipartienti*, qui dans l'arithmétique de Boethius signifie la proportion 5/3. Alberti exprime la relation entre deux intervalles successifs, *a* et *b*, par la formule (*a* + *b*)/*a* = 5/3, ce qui implique *b* = 2/3 *a*. Le texte latin avait *proportio subsesquialtera*, soit 2/3 ou *b*/*a*, ce qui est une autre manière de définir la même succession).

1. *Perspectiva artificialis*, Trieste, 1957, p. 89-93; voir Gauricus, p. 194-196. Panofsky (« Die Perspektive als symbolische Form », *Vorträge der Bibliothek Warburg*, 1924-1925, p. 320-323) a réfuté la première explication de ce passage par H. Brockhaus, qui croyait avoir trouvé dans les fresques de Mantegna aux Eremitani une illustration pratique de la solution qu'il proposait. Panofsky lui-même voyait dans le texte de Gauricus une description confuse mais fidèle, du procédé d'Alberti, ce qui l'amenait à supposer que Gauricus avait compris sans l'avoir énoncé l'emploi du principal point de fuite. L'interprétation de Gioseffi à l'avantage de se passer de cette hypothèse. Gioseffi reste convaincu, cependant, que le procédé qu'il décrit peut être expliqué comme un développement à partir d'Alberti; cette vue, qui nous paraît erronée (voir *infra*, p. 261-262), provient de son refus à reconnaître une tradition artisanale indépendante d'Alberti.

demi-base. Gauricus n'explique pas comment aller plus loin, bien que ce soit assez facile.

La figure 3 du texte montre ainsi la pyramide de profil superposée à la base de la pyramide vue de face. Le vieux *taglio* ou plan *t* du tableau coïncide ainsi avec l'axe médian *Z*, et les intersections (*a*, *b*, *c*, *A* sur cet axe) définissent naturellement les transversales. Mais le texte de Gauricus ne prescrit pas de limiter les opérations au côté gauche. Il faut relier le point O de la même manière avec le *porcionum anguli* 5-9, et prolonger l'horizontale vers la droite en passant par *A* (texte fig. 4). *Quod si ab aequorea ad hanc finitricem* (6-6', 7-7'...) *ab laterali ad lateralem* (les transversales par *a*, *b*, *c*) *absque ipsarum angulos ad angulos* (2-2', 3-3'... à travers les *anguli* ou les intersections 2*a*, 3*a*...) *plurimas hoc modo perduxersis lineas, descriptum etiam collocandis personis locum habebis.*

Le quadrillage est alors prêt. Une démonstration géométrique élémentaire peut prouver que les orthogonales obtenues par la méthode de Gauricus, convergeraient en un point situé sur l'axe médian à la hauteur de O, le principal point de fuite classique. Le procédé peut être justifié par intuition de différentes façons; Wieleitner a montré que l'on trouve la plus simple dans un dessin de Vignole (fig. 6).

Il est singulier que cette construction ait été réalisée sans aucune mention du point de fuite central ou de l'horizon; Gauricus semble décrire un procédé tout à fait mécanique, sans s'inquiéter des démonstrations mathématiques. Cependant le point de distance est correctement interprété, puisque Gauricus remarque que *h* représente la hauteur d'un homme et *d* la distance à laquelle on voit l'échiquier. Ce fait est digne d'attention, car il montre que ce système est, selon toute probabilité, historiquement indépendant du système d'Alberti. Alberti, inversement, semble ignorer la signification réelle (et presque l'existence) du point de distance, mais il connaît et comprend très bien le point de fuite central et l'horizon. Une brève comparaison des deux méthodes confirmera leur disparité.

Alberti avait divisé la base du tableau en *braccia* réduites (texte fig. 5); choisi arbitrairement un point de fuite central et la hauteur de l'horizon; réuni ce point avec les divisions de la base (*a*); puis à plus petite échelle et sur un morceau de papier différent, tracé le profil de la pyramide, situant le *taglio* à une distance choisie (*b*); et recopié finalement sur le bord inférieur de l'image les intervalles obtenus sur le *taglio* de l'autre dessin reporté à l'échelle initiale. Cela lui fournit la hauteur des transversales. Le damier étant alors terminé, Alberti traçait une diagonale de contrôle qui devait couper les angles de tous les carrés qu'elle traversait (*c*).

La différence avec Gauricus ne se limite pas aux implications théoriques des deux méthodes, elle est surtout manifeste dans les possibilités qui sont offertes à l'artiste. Le damier normal d'Alberti est d'un format $A \times A$ (autant d'orthogonales que de transversales), alors que le damier de Gauricus serait de $2\,A \times A$ (les divisions de la moitié de la base déterminent seules les transversales). Il en découle une assez fâcheuse conséquence : il doit y avoir un même nombre de *braccia* à la base et le point de fuite central sera au bout de l'orthogonale centrale comme on peut le voir, par exemple, sur le *cassone* de Bartolomeo di Giovanni représentant *Joseph et la femme de Putiphar* (Cambridge, Fitzwilliam Museum). Dans le système d'Alberti d'autre part, le point de fuite principal peut garder sa place centrale sans qu'on tienne compte du nombre de *braccia* à la base; et, ce qui est encore plus important, il ne doit pas obligatoirement être situé sur l'axe médian; c'était là une liberté nécessaire, du moment que, en règle absolue, toutes les orthogonales convergeaient vers l'extrémité des rues donnant sur l'arrière-plan, même si leur position est excentrique. (La première exception notable se voit, je crois, dans le *Saint Marc libérant l'esclave* de Tintoret). La distance du point de vue, dont le choix est libre dans le système d'Alberti, ne s'étend pas chez Gauricus à plus de la moitié de la largeur du tableau; ceci entraîne un point de vue assez fermé, un angle de vue d'au moins 90⁰ et une diminution de la perspective qui est trop rapide (texte fig. 1*a* et 7). Finalement, la dernière orthogonale à gauche (qui devrait partir de 1, texte fig. 4) est très difficile à tirer tant qu'on ignore le point de fuite central; et d'une façon générale toute la partie gauche (au-delà du point de distance) est assez difficile à dessiner, car les trajets des orthogonales sont définis par des points qui sont trop près les uns des autres. Pour s'en tirer, il devient alors tentant de supprimer cette moitié et de faire les carreaux en format $A \times A$, avec le point de fuite central sur l'un des bords et le point de distance de l'autre côté : « solution trapézoïdale » dont il y a beaucoup d'exemples et dont la fréquence serait inexplicable à l'intérieur du mode de construction d'Alberti.

On ne peut donc affirmer, comme on l'a fait parfois, que le système de Gauricus est un développement de celui d'Alberti,

amélioré par l'adoption du point de distance. L'évolution
naturelle d'un procédé technique n'a jamais fait un pareil
pas en arrière. Gauricus doit être placé dans une autre tradition où le point de distance est donné d'emblée et où le
point de fuite central reste seulement sous-entendu : c'est
ce que l'on appelle parfois la construction bifocale (texte
fig. 8). Cela consiste à placer simplement deux points de distance symétriques à gauche et à droite et de les unir aux
divisions en *braccia* de la ligne de base du tableau. Le damier
oblique ainsi obtenu peut servir à mettre directement en
perspective les objets prismatiques; mais il peut aussi facilement être transformé en système orthogonal (les lignes en
pointillé dans le texte fig. 8) et le rectangle primitif $2\,A \times A$
peut être étendu sans dommage dans toutes les directions.
Dans la peinture de chevalet, la tendance naturelle et générale des peintres est de placer le point de distance sur la
marge, c'est-à-dire d'utiliser la distance la plus large possible
(la moitié de la largeur du panneau) sans avoir recours aux
constructions auxiliaires et aux translations compliquées.
Quand plusieurs scènes sont juxtaposées latéralement dans
une fresque, le point de distance peut être choisi n'importe
où sur le mur; on peut enfoncer un clou au point choisi
et le réunir aux divisions de la ligne de base à l'aide d'une
ficelle : cela permet de tracer aisément les diagonales ou le
réseau bifocal (Panofsky).

Nul texte n'atteste l'existence de ce système avant le livre
de Viator en 1505, mais il est à peu près certain aujourd'hui,
selon la vieille hypothèse de Panofsky, qu'on l'employait au
niveau artisanal bien avant cette date; et l'on comprend ainsi
l'apparition de la recette de Gauricus, en 1504, qui n'en est
qu'une variante [1].

On peut partir de *Jésus parmi les docteurs* du « Maestro
Seneseggiante » dans la chapelle basse d'Assise (ill. 6). On a
souvent remarqué la construction régulière des caissons du
plafond. Cette régularité découle sans aucun doute de l'utilisation du système bifocal, car les deux points de distance
ne doivent pas être localisés au hasard sur les marges exactement à l'endroit où les taquets ronds sont encore fixés
dans les murs. Le dessin des coffres eux-mêmes (séparés par
une transversale) confirme l'usage d'une corde dans le tracé
du schéma. La *vue urbaine* du musée de Berlin, d'abord
attribuée à l'école de Piero della Francesca, comporte au

1. La transition du système bifocal au système de Gauricus se fait très
facilement en remplaçant le second centre par un axe médian.

premier plan une loggia tout à fait semblable et dessinée à l'aide de la même méthode.

Avant l'apparition du livre d'Alberti, vers 1428, Masolino (soit par goût d'un jeu géométrique ou pour s'épargner du travail) emploie, dans la scène de sainte Catherine d'Alexandrie (Rome, Saint-Clément), le point de distance d'une scène voisine (fig. 9)[1]. La marque laissée dans le mur par le clou peut — semble-t-il — être encore identifiée. Aucune de ces deux scènes ne se passe dans un espace rigoureusement unifié mais on peut voir que les artistes — en vertu de la seule tradition d'atelier — disposaient au moins d'une méthode correcte pour établir le raccourcissement du damier.

Niccolo Pizzolo, dans la chapelle des Ovetari aux Eremitani de Padoue, a peint dans un tondo saint Grégoire vu d'en bas d'une manière plutôt convaincante (ill. 7). Seul, le plafond à caissons est construit à l'aide d'un point de distance situé sur la circonférence; tout le reste est régulier — les intervalles entre les orthogonales aussi bien que les transversales. Nous avons ici en 1449 une survivance d'une méthode d'atelier absolument opposée aux principes d'Alberti.

Dans tous ces cas, le système bifocal ou le simple point de distance n'est appliqué qu'à la construction du damier sans veiller à l'unification de l'espace. Cette indifférence était sans doute, aux yeux des théoriciens, la principale faiblesse du système. Procédant sans ligne d'horizon, et même en principe sans point de fuite, il ne semblait pas apte à se prêter à la création d'un espace complet et rationnel. Ce que, nous l'avons vu, Gauricus n'a pas compris.

C'est incontestablement Paolo Uccello qui se chargea d'étendre le système bifocal à la représentation de l'espace unifié. Dans sa fresque de la Nativité à San Martino alla Scala, il place les deux points de distance sur les bords, comme l'a révélé la récente photographie de la *sinopia* (ill. 9), mais par opposition à ce qui a été fait dans *Jésus parmi les docteurs* à Assise, par exemple, il trace l'horizon au niveau du point de fuite central qui résulte du schéma perspectif[2],

---

1. R. Oertel, « Die Frühwerke des Masaccio », *Marburger Jahrbuch für Kunstwissenschaft*, VII, 1933; Parronchi, « Le misure dell' occhio secondo il Ghiberti », *Paragone*, 133, 1961, affirme que Ghiberti utilisait le même procédé pour deux reliefs voisins de la Porte du Paradis; les petites reproductions du *Paragone* ne permettent pas à l'auteur d'offrir au lecteur une preuve visuelle convaincante de sa thèse.

2. Dans la fresque d'Assise, le raccourci des voûtes des bas-côtés du temple est sans rapport avec la perspective du plafond à caissons. L'unification de l'espace au moyen d'un point de fuite principal semble avoir été essayée au début indépendamment du système de point de distance. Maso-

et — bien que cela ne soit pas visible dans la *sinopia* — il traite les parties qui sont au-dessus de l'horizon, ainsi que le toit de l'étable, exactement comme il traite les objets à terre. La seule « erreur », plus apparente que réelle, est que les points de distance servent chacun dans une partie de la fresque de point de fuite central (ill. 8). Uccello utilise là, pour une seule scène, la méthode dont Masolino se servait à Saint-Clément pour relier deux scènes juxtaposées [1]. Mais cette liberté peut très bien être interprétée comme une protestation contre le postulat arbitraire des maîtres de la perspective, que l'œil du spectateur doit avoir un point fixe. Cette fresque qui date de 1446 environ peut être interprétée comme une réponse à Alberti : Uccello a pu vouloir montrer que le point de distance, ignoré dans le *Della pittura*, peut aussi engendrer un système cohérent, avoir l'avantage de créer une construction auxiliaire et enfin de tenir compte de la mobilité de l'œil dans la mesure du possible. L'œil devrait voir partout sur l'horizon des points de fuite « centraux »; la construction bifocale le suggère, du moins, en en produisant trois [2]. Est-ce une réponse à Alberti et, si c'en est une, vient-elle de la part d'un défenseur des méthodes d'atelier, ou bien d'un disciple de Brunelleschi [2]. Les deux hypothèses, nous allons le voir, sont possibles.

Dans un panneau souvent cité, la Prédelle de *la Profanation de l'hostie* d'Urbin, la deuxième scène (la tentative de destruction de l'hostie) a un point de fuite directement sur le bord droit, à l'endroit où, selon une marque plus ancienne, aurait été situé le point de distance (ill. 10) [3]. Est-ce là autre chose qu'une disposition nécessaire à la clarté du sujet et faite pour mieux nous faire voir les soldats qui frappent à

lino plantait un clou au centre de ses peintures et considérait comme une orthogonale chaque ligne droite qui le reliait aux côtés. Dans la chapelle Brancacci, il réalisa d'abord que ce clou définissait l'horizon et vit l'avantage de le placer au-dessus du centre (R. Longhi, « Fatti di Masolino e di Masaccio », *La Critica d'Arte*, IV-V, 1939-1940).

1. L'analyse de la fresque à San Martino alla Scala a été faite par Paatz, *Rivista d'Arte*, XVI, 1934, et corrigée par John Pope-Hennessy, *Uccello*, Londres, 1950, p. 152-153; *La sinopia* a été pour la première fois reproduite par Parronchi, « le Fonti... », art. cité, et interprétée par Gioseffi, « Complementi di perspettiva », 2, *Critica d'Arte*, XXV-XXVI, 1956, p. 105-108. Théoriquement la construction de San Martino alla Scala est irréprochable et il n'y a pas, en fait, plusieurs points de fuite principaux, mais l'effet déconcertant, dû à l'orientation des objets vis-à-vis des points de distance, suggère une volonté de polémique anti-albertinienne (voir aussi la *Nativité* gravée par le maître Na. Dat.).

2. C'est aussi ce que voulait dire Hieronymus Rodler quand il suggérait la multiplication des « principaux » points de fuite (*Eyn schön nützlich büchlin und underweisung der kunst der messens*, Simmern, 1531, f° FIII).

3. Voir la preuve dans Gioseffi, *loc. cit.*

la porte? Mais cette oscillation entre la distance et les points de fuite peut aussi démontrer des possibilités de la perspective bifocale.

L'ensemble des caractéristiques qui résulte de l'utilisation de deux points de distance : le format $2 A \times A$, la préférence pour les corps prismatiques vus dans des positions obliques (voir texte fig. 10), une distance de vue égale ou inférieure à la moitié de la largeur du panneau, nous permet d'affirmer en gros que le système était utilisé avant 1435 d'une manière assez répandue pour influencer un style et qu'après cette date il perdit de l'importance [1]. Mais si la perspective albertinienne est devenue dominante (avec ses damiers orthogonaux de format $A \times A$, ses ouvertures de vues plus grandes, ses points de fuite placés de façon variable et ses corps prismatiques vus *en face*), cela ne veut pas dire que le vieux procédé soit pour autant désuet; on peut le détecter de façon pratiquement infaillible en plaçant les points de distance exactement sur les bords du tableau. On peut encore le voir employé dans la *vedute* architecturale d'abord attribuée à Piero della Francesca (Berlin et Urbin) et même selon Sanpaolesi dans l'*Annonciation* de Léonard des Offices.

Nous l'avons dit, la formule de Gauricus était sans aucun doute dérivée de cette première méthode; mais il est difficile de savoir à quel moment s'est effectué le passage, car nous manquons d'éléments formels caractéristiques pour distinguer les étapes. Le damier de format $A \times A$ dans un trapèze rectangle (« demi-pavement ») et les orthogonales centrales, si peu esthétiques et parfaitement verticales (suivant le nombre pair des divisions de la ligne de base), ne constituent que des indices incertains. Chez les théoriciens qui précèdent Gauricus, seul Filarete décrit une méthode semblable mais plus rationnelle et qui aurait pu être déduite d'Alberti. Parmi les réalisations artistiques, on ne peut guère citer que la *Nativité* (Philadelphie, coll. Johnson) attribuée par Berenson

---

1. Pour l'oblique extrême partant du prisme, voir la remarque de John White, *Birth and rebirth of pictorial space*, Londres, 1957, p. 129. Le goût pour les courtes distances a souvent été remarqué et expliqué de différentes façons; les raisons pratiques sont claires, si l'on admet la prépondérance du système bifocal avant Alberti; dans ce système seules les distances plus petites que la moitié de la largeur du tableau se passent de constructions auxiliaires. Il ne faut pas en tirer des conclusions trop hâtives; une très petite distance, comme dans la *Fondation de Sainte-Marie-Majeure* de Masolino (ill. 11) découle de la construction décrite dans la note 2, p. 263; en général, une œuvre construite à l'aide du système bifocal, telle que *Le Christ et les Apôtres au Temple* attribuée à Andrea di Giusto (Philadelphie, collection Johnson) ofre, malgré tout, une « distance » supérieure à la moitié de la largeur de la peinture (ill. 12).

à un peintre de la suite de Niccolo di Buonaccorso [1]. Dans ce tableau, l'espace n'est pas correctement unifié et les deux surfaces en échiquier, le dallage et le dessus de lit, sont construits indépendamment avec des « horizons » différents. Mais, ce qui est encore plus curieux, chacune des deux surfaces est de nouveau composée de deux secteurs également disparates, bien qu'ils soient en principe continus (ils sont en fait séparés par la colonne du milieu du cadre). Il semble donc que l'artiste connaissait le moyen de mettre en perspective la « moitié du dallage », mais sans savoir comment l'étendre à un format $2\,A \times A$ ou comment coordonner les parties juxtaposées. La méthode de Gauricus est la seule dans laquelle les deux moitiés du tableau ont une construction différente; elle est donc la seule qui rende compte de la situation de ce peintre peu doué pour la géométrie [2].

Il reste encore un problème à résoudre, si on le peut, en retraçant l'évolution dans laquelle le *De sculptura* trouve sa place. Quelle est la relation entre la tradition d'atelier du point de distance, et la perspective développée par Brunelleschi et Alberti? Les sources de Brunelleschi ont été puisées dans la pratique architecturale, dans les perspectives médiévales, dans les *Optiques* d'Euclide et de Ptolémée et même dans la *Géographie* de Ptolémée; il est nécessaire d'ajouter à cette liste la peinture du Trecento [3].

Le seul point que nous connaissions avec quelque certitude est la description assez détaillée des deux *vedute*, qui servaient à Brunelleschi à exposer sa méthode. Son biographe, anonyme,

---

1. B. Berenson, « Quadri senza casa. Il Trecento senese », 2, *Dedalo*, VI, 1930, p. 342 sq.

2. La déduction n'est pas certaine. Le peintre construisait son schéma avec une limande ou à la ficelle mais il peignait avec la main en modifiant la construction de base. De plus, il y a peu de surfaces nues : les vêtements et le phylactère recouvrent une grande partie du dallage sans doute pour cacher les imperfections. Il ne me semble pas toutefois que l'irrégularité de la construction puisse être attribuée à d'autres tentatives non orthodoxes, comme celles dont parle M. S. Bunim pour les damiers du XIVe siècle *Space in Mediaeval painting and the fore-runners of perspective*. New York, 1940.

3. Outre les travaux de Panofsky, Siebenhuener, Parronchi, Gioseffi, voir aussi Krautheimer, *Lorenzo Ghiberti*, Princeton, 1956, p. 24, et Sanpaolesi, « Ipotesi sulle conoscenze matematiche... del Brunelleschi », *Belle Arti*, 1951, p. 25-54. J.-G. Lemoine, « Brunelleschi et Ptolémée », *Gaz. des Beaux-Arts*, mai-juin 1958, n'est pas convaincant. Pour l'influence des maîtres de la perspective du Moyen Age, voir aussi l'excellent chapitre de White sur le troisième *Commentaire* de Ghiberti, *op. cit.*, p. 126-130. En fait, nous ne pouvons pas douter du rôle prépondérant de la science architecturale et archéologique de Brunelleschi ni de l'influence de l'optique et de la géométrie (pour les notions de proportions, de pyramide visuelle, d'intersection); nous essaierons seulement de montrer, suivant Sanpaolesi et Parronchi, que l'invention de Brunelleschi comporte le système bifocal des peintres.

s'y étend largement [1] et Vasari ajoute quelques détails de valeur incertaine. La compilation de toutes ces données a permis à Panofsky de reconstruire un schéma dont la ligne générale est encore valable.

La première *veduta* représentait le baptistère de San Giovanni vu de l'intérieur de la cathédrale; le peintre se tenait à une distance du seuil de la porte égale à la moitié de la largeur de la porte. Supposant, comme cela semble naturel, que le panneau représente tout l'espace vu à travers l'ouverture, l'angle de la pyramide visuelle doit être de 90 degrés et le point de distance doit être placé sur le bord de la peinture. Le deuxième panneau représente la place de la Seigneurie vue par un angle; les deux rangées de maisons près du spectateur apparaissent juste au bord du panneau; ainsi de nouveau l'angle est de 90 degrés ou légèrement plus grand, comme cela est normal dans le système bifocal. On remarque l'utilisation de ce système à un autre indice : dans chacun des deux panneaux, le centre est occupé par un volume régulier avec des plans faisant un angle de 45 degrés avec le plan du tableau; on peut donc facilement obtenir l'image du baptistère qui est octogonal en partant de ce que White appelle un prisme disposé selon le maximum d'obliquité [2].

Le biographe de Brunelleschi donne une description détaillée du mode de présentation adopté pour le premier panneau : le spectateur doit se tenir au point choisi par le peintre, face à la porte; d'une main, il tient un miroir, à une distance égale à celle de construction, avec l'autre il appuie sur son visage le dos du panneau. Brunelleschi avait percé un trou à l'endroit exact du point de fuite central, et en regardant à travers ce trou on voit la peinture réfléchie dans le miroir. Mieux encore, le ciel argenté du tableau réfléchit les nuages qui se reflètent sur le miroir. Ce dispositif enlevé, on avait sous les yeux — à travers la porte de la cathédrale — exactement ce que l'on voyait à travers le trou du panneau.

Cette démonstration nous permet de conclure que Brunelleschi, contrairement à ses prédécesseurs, connaissait l'existence et la signification du point de fuite central ainsi que

---

1. *Vita di Filippo di ser Brunellesco*, Florence, 1927, p. 10-13 (le texte est généralement publié sous le nom de son auteur probable : Antonio Manetti). Le long passage qui nous intéresse ici est reproduit par Gioseffi, qui en donne d'autres interprétations (*Persp. artificialis*, p. 74 et 83), Parronchi (« Le due tavole... », art. cité) et White (*op. cit.*, p. 113-121).
2. Gioseffi essaie d'interpréter la description du biographe du second panneau dans le sens de la vue frontale du Palais, mais il semble impossible de le suivre sur ce point.

du point de distance, puisqu'il savait calculer la distance entre le miroir et le spectateur. Il faudrait normalement en conclure qu'il a employé le système bifocal (imposé à la fois par sa position et par la routine), mais qu'il fut amené par un raisonnement logique à étendre ce principe à un espace unifié, tandis qu'avant lui on ne l'avait appliqué qu'à la construction des damiers. Nous pouvons faire un pas de plus et nous demander pourquoi il utilisait un miroir. Parronchi fournit une réponse satisfaisante à cette question : en utilisant un plan de la Piazza pour situer les maisons sur le panneau, Brunelleschi a inversé les côtés de l'image dans sa reconstruction (voir les diagonales des carrés de Barbaro, fig. 11); le miroir corrigeait cette erreur. Cette explication confirme ce que Vasari disait sur l'utilisation des plans (et des élévations) des bâtiments par Brunelleschi, mais cela n'exclut pas l'hypothèse que le plan du sol ait été préalablement tracé selon la vieille pratique de la bifocale.

Un problème plus sérieux surgit : puisque, selon le biographe, le premier plan est un carré d'un demi *braccio* de côté, la distance devrait être extrêmement courte, le quart d'un *braccio*, de façon à faire un angle de 90 degrés. On ne peut éviter cette difficulté qu'en rejetant la double hypothèse, d'une part que le *taglio* a été choisi sur le plan de la porte et d'autre part que le panneau représente tout l'espace visible à travers l'ouverture. Mais même si nous abandonnons cette hypothèse (Krautheimer et Parronchi n'admettent que des *tagli* que l'on supprime ensuite), le problème demeure : pourquoi Brunelleschi a-t-il choisi un emplacement qui demande l'angle traditionnel et commode de 90 degrés, s'il n'en exploitait pas les avantages?

La solution, qui est de toute façon difficile, devient franchement impossible quand nous nous souvenons que la *veduta* devait apparaître à deux fois la distance du miroir. Il aurait donc été nécessaire de tenir le miroir à 1/8 de *braccio*, de l'œil de façon à avoir une représentation correcte. Il existe évidemment une compensation subjective pour cet effet optique, mais cela complique encore le problème, car la compensation ne peut pas être déterminée quantitativement et l'artiste ne peut pas en tenir compte.

De plus, quelle que soit la distance choisie pour le *taglio*, il est impossible de mettre le miroir à une distance telle que l'image coïncide avec la vue réelle offerte au spectateur de tout point pris à l'intérieur de la cathédrale. Il y aura toujours désaccord, soit avec la manière dont la porte encadre la vue, soit avec le rythme auquel obéit la diminution transversale [1].

Il est donc clair que, contrairement à l'affirmation du biographe, la première expérience n'était que partiellement réussie; et l'on comprend que Brunelleschi ait pris des précautions pour la seconde. S'il avait pris garde à ne pas inverser les côtés, il aurait pu se passer de miroir; il n'assignait plus une distance fixe au spectateur et donnait à la pyramide visuelle une ouverture de 90 degrés (cette fois formellement attestée par Vasari), avec le motif central placé en oblique. Tout nous amène alors à supposer, avec Sanpaolesi et Parronchi, que Brunelleschi a utilisé le système bifocal rationalisé; cette rationalisation présuppose une information exacte sur le rôle de tous les éléments mis en jeu.

L'étape suivante, bien qu'attribuée à Alberti, est plus facile à comprendre depuis qu'il a lui-même décrit sa méthode en des termes qui, grâce à Panofsky, sont devenus parfaitement intelligibles. En un mot, Alberti a écarté la formule artisanale du système bifocal en construisant le damier par la méthode *legittima*, exactement comme tout autre volume. Ce fut une conquête théorique essentielle, même si cela a impliqué apparemment un retour en arrière : l'oubli du point de distance. Pour le développement du style des vues en perspective, Alberti y gagna en même temps la liberté complète pour le choix du point de fuite principal et une plus grande facilité dans le cas de la position frontale; il condamna les artistes, *felix culpa*, à rechercher la « proportion dans la perspective », c'est-à-dire la loi de la succession en série des transversales équidistantes.

En résumé, le système bifocal connu depuis le xive siècle comme pratique d'atelier, est à l'origine du développement de la perspective; il apparaît sous plusieurs formes : un des points de distance peut être omis (Pizzolo) ou remplacé par un axe médian (Gauricus); il peut y avoir fusion du point

---

1. En d'autres termes : l'illusion complète, telle qu'elle est voulue par Brunelleschi, dépend de trois conditions :
— pour la distance : il faut peindre l'image pour qu'on la voie sous un angle égal à celui sous lequel les objets apparaîtront au spectateur;
— pour l'échelle : le tableau doit avoir exactement la taille de la distance qui sépare l'intersection de la pyramide de la distance de construction;
— pour le cadre : la peinture doit représenter la même portion de champ visuel que celle que le spectateur appréhende du point choisi.
Ces trois conditions sont incompatibles dans la première expérience de Brunelleschi telle que la décrit son biographe. Arrivé à ces conclusions négatives, je devrais peut-être expliquer pourquoi je n'approuve pleinement aucune des reconstructions proposées jusqu'à maintenant. Malheureusement je crains que ce ne soit pousser le jeu trop loin et j'espère que ma dette envers les auteurs cités plus haut, p. 266, n. 2, ne peut échapper au lecteur.

de distance et du point de fuite principal (Masolino, Uccello).
L'espace unifié était construit empiriquement autour du point
de fuite central par Masolino[1]. Dans la perspective rationnelle
et claire de Brunelleschi, le vieux système bifocal continuait
probablement à être utilisé pour le raccourci du dallage.
Alberti, étranger au travail d'atelier ignore cet usage. En dépit
de la tentative d'Uccello d'unifier l'espace dans une construction bifocale, Alberti occupa longtemps la scène avec les
théoriciens; aucun autre système que le sien n'était jugé
digne de l'attention d'un érudit. Seul Gauricus n'avait jamais
entendu parler d'un point de fuite central. La réconciliation
des deux systèmes a peut-être été entreprise par Filarete;
Serlio les considérait comme également valables; Vignole
prouva finalement qu'ils étaient essentiellement identiques.

Un bref examen des méthodes de raccourci dont dérive
la « perspective particulière » de Gauricus (*b*), conduit aux
mêmes conclusions sur sa préparation théorique. Il ramasse
au hasard des formules qui sont souvent anachroniques ou
enfantines[2]; et il ne semble pas soupçonner que la perspective globale dont il a une vague intuition, demande aussi de
nouvelles solutions techniques. Dans les premières lignes du
chapitre correspondant, on rencontre un très curieux « fossile »:
inscrit dans un cercle, il est présenté comme la première opération de toute construction raccourcie : *Rotundas igitur
omneis rerum formas concisione praestabimus* (p. 204). Cette
phrase est proche de Filarete et de Viator qui se servent de
carreaux raccourcis de façon à « creuser » les cercles circons-
crits (fig. 12). Ces procédés supposent une origine sphérique
de toute perspective géométrique[3] et font appel aux textes
médiévaux sur la propagation des rayons lumineux[4]. Ainsi,
Gauricus inscrit son carré dans un cercle et dessine à l'inté-

1. Voir *supra*, p. 263, n. 2.
2. Il confirme involontairement p. 202 leurs caractères primitifs : *Altera
vero perspectivae pars, que singulas considerat rerum pariciones, est quidem
illa vulgaris, pictorumque pueris usitalissima...*
3. Viator, chap. v: *Omnes* [figurae quae ponuntur pre elementis] *a spherica
tamquam a matre originem trahunt. Nam trigonus et tetragonus (qui maxime
perspectivae deserviunt) ab ea deducuntur, semper eam instificantur.* Pour la
figure 12, voir Viator, chap. viii; pour Filarete, voir *Tractat.*, éd. cit.,
p. 582 (fig. 10) et aussi p. 615 (fig. 13 et 14), montrant différentes applications de la méthode.
4. Par exemple Roger Bacon, *Multiplicatio specierum*, II, 8, cité (dans
un but différent) par Parronchi, « Le fonti... », 2, p. 7. Bacon discutait la
diffusion sphérique des images visuelles émanant d'un objet : *Quoniam vero
in sphaera possunt omnes figurae corporales et regulares intelligi..., atque licet
proprie inscribi aliae* [quam regulares] *non possunt per definitionem inscrip-
tionis, tamen valent figurari in sphaera omnes. Quapropter... omnis multiplicatio speciei secundum quamlibet figuram potest reperiri in multiplicatione
sphaerica quam facit.*

rieur les diagonales et les axes sans aucun but constructif discernable (texte fig. 13). *Deinde productis ab hoc uno latere* (ab) *duabus his lineis* (ae, be), *eodem spacio circuli* (o'e = oa) *fiat hic triangulus, quo ex dimidia parte dissecto* (fg) *totidem rursus ducuntur et heic quot in primo circulo lineas* (diagonales et axes) *simili racione*[1]. La ressemblance avec un dessin analogue de Piero della Francesca (fig. 11) est évidente, de même que la différence sur le plan scientifique. Cette différence devient encore plus frappante dans ce qui suit : pour trouver le raccourci du carré *abcd* « vu de côté », il suffit de prolonger parallèlement *ab* et *cd* jusqu'à ce que la perpendiculaire qui les unit devienne tangente en *K* au cercle *O*[2]. Le fait de penser que le raccourci latéral du carré puisse être essentiellement différent du raccourci « supérieur » aurait paru ridicule au plus médiocre des artistes padouans. Gauricus est vraiment là au niveau des *pictorum pueri*, des apprentis, dont il admet presque avoir emprunté les méthodes. Cependant, le rectangle *bhic* qui peut être considéré comme la projection oblique, peut servir de dessin auxiliaire pour une construction complète ; on trouve de tels exemples chez Piero et c'est peut-être le point de départ de Gauricus ou sa source.

Les autres préceptes sont du même ordre. Ce sont pratiquement toujours des méthodes courantes mal comprises ou mal expliquées. La façon de dessiner une tête inclinée est décrite d'une manière absurde, fidèlement illustrée par les dessins de Brockhaus[3], alors que les gravures de Dürer et de Barbaro (fig. 14), qui imitaient sans doute Foppa ou quelque autre Italien, montrent le but réel de Gauricus (cf. aussi fig. 15).

Un tableau exécuté selon les principes de Gauricus donnerait l'effet spatial des tableaux du Trecento : correct, l'échiquier ne serait d'aucun secours pour disposer les objets ; il man-

---

1. Gauricus, p. 204. Une comparaison avec Filarete et Viator explique que les axes et les diagonales dont on se sert le moins sont ici de nouveau des « fossils ». Viator a pressenti leur relation avec les trois pyramides et Filarete les utilise comme guide pour tracer les cercles aplatis.

2. P. 204 : *Esto praeterea si voluerimus idem in latus spectari sic : Ducantur de iisdem ambobus lateribus* [ab, cd] *diametri spatio* [au niveau de K] *in directum lineae* [bh, ci], *nam heic tanquam compressura cogetur, hoc modo.*

3. Gauricus, p. 208-210 : *Esto hic M. T. Ciceronis vel C. Caesaris facies ad perpendiculum discriminatrice linee nullam declinans in partem... Punctus autem quo terminatur frons, aristotelico more sit* a [allusion à l'usage des lettres dans l'*Organon*], *in interciliis ocularum heic sit* b, *in extremis heic naribus* c, *heic in mento sit* d, *vertex* e, *gula inferior* g. *Mutetur inde prospectus, et ad medium usque horizonta* [zenith?] *tollatur, dirigaturque acies in signum hoc ubi sit littera* s, *hoc modo. Ducatur nunc linea directa a* b *ad* s, *sic, reliquae ibidem hae, suo intervallo, similiter sic. En ut perpendicularis que modo fuerat nunc obliqua. Quin et caeterae partes intra suas continebuntur lineas sic.*

querait un point de fuite central et le raccourci serait arbitraire, sans considération du point de vue. Si l'échiquier de
Gauricus présente un intérêt pour l'histoire de la perspective,
ses instructions anachroniques pour le raccourci n'ont qu'une
valeur de document pour une histoire sociologique de l'art.

III

Le défaut de Gauricus s'explique plus par son éducation
que par une difficulté inhérente au problème qui était de
replacer la technique de la perspective dans une théorie
générale des relations entre le spectateur, l'espace et la représentation plastique. Cette tâche se présentait à tous les
niveaux, aux théoriciens comme aux peintres. Il reste à voir
quels en étaient les problèmes concrets et comment ils étaient
envisagés.

Le premier problème est l'éternel dilemme de toute représentation illusionniste et scientifique de l'espace; c'est la
Renaissance qui, la première, en a été consciente. On peut
le formuler ainsi : si l'apparence visible présuppose la transformation subjective des impressions, doit-on, en art, rendre
fidèlement les résultats de ce processus — les illusions optiques,
par exemple — ou doit-on peindre les « causes » reconstruites
par le raisonnement en laissant à l'œil le soin d'opérer sur
les éléments ainsi dégagés les mêmes transformations que sur
les données sensibles provenant du modèle? La première solution est plus positive, la deuxième plus réaliste; et les partisans des deux points de vue s'opposent sur plusieurs points
précis depuis le xve siècle.

La perspective atmosphérique est le meilleur exemple de
cette difficulté. Parmi les philosophes de la nature, les auteurs
de traités de perspective ont souvent écrit que la distance
assouplissait les contours et adoucissait les formes [1]; et dans
le même esprit, Alberti notait que les rayons de couleur « fai-
blissaient » à mesure de la distance parcourue, d'où lui était
venue, entre autres, l'idée que les objets allongés paraissaient
più foschi [2]. Ce n'est pas la peine de rappeler les innombrables
remarques de Léonard à ce sujet, mais il faut souligner que
ses exposés résolvent rarement la question de savoir s'il faut

1. Par exemple, l'auteur anonyme de la *Perspectiva*, ms. Riccard,
2110; cf. Alberti, *Opere*, éd. Bonucci, Florence, 1847, IV, p. 101-102.
2. *Della pittura*, I, 10.

peindre les effets décrits ou non. Léonard penchait évidemment en faveur de l'affirmative, mais moins fortement qu'à l'ordinaire. Zenale a écrit un traité polémique consistant et méthodique, en faveur du point de vue opposé; selon lui, on doit peindre les détails de l'arrière-plan le plus clairement possible, afin que l'œil puisse spontanément les fondre comme il convient [1].

On retrouve le même conflit dans la perspective linéaire et cela constitue une fois de plus un sujet de controverse pour les historiens. Un travail décisif de Panofsky [2] pose le problème de la « perspective courbe » à la Renaissance, opposée à la *costruzione legittima* et à ses systèmes dérivés ou proches. Si nous regardons un très grand plan — par exemple un échiquier — posé verticalement en face de nous avec son centre au niveau de nos yeux, les parties qui sont le plus à l'extérieur subissent une déformation plus grande parce qu'elles sont plus loin de l'œil et vues sous des angles plus petits; une perspective qui veut tenir compte de cet effet doit se soumettre aux déformations « riemaniennes ». Panofsky a pu donner des preuves claires de l'attention portée à ce phénomène dans les carnets de notes de Léonard et dans les notices du *Codex Huygens;* John White a apporté depuis des confirmations frappantes tirées des œuvres de Fouquet. Mais D. Gioseffi a élevé là contre une objection [3] : le panneau lui-même est un objet dont les marges apparaissent plus petites à l'œil que les parties centrales. Quand le spectateur se tient au point exact qui lui est assigné par la perspective classique, l'erreur implicite sera compensée par la déformation contraire qui résulte de la perception des différentes parties de l'œuvre, et l'effet sera « normal »; mais une image construite en perspective courbe apparaît doublement déformée

1. Cf. le témoignage de Lomazzo qui a vu le manuscrit, dans *Idea*, chap. xxx (Milan, 1590, p. 107) : *Nel qual proposito mi sovviene del Zenale, il qual accennava diversi fatti, dicendo contra l'opinione d'alcuni pittori valenti del suo tempo* [évidemment Léonard] *che tanto le cose finte lontano vogliono essere finite, et proportionate quanto quelle dinanzi, per questa ragione, che la distanza che si piglia di tutta l'opera essendo troppa per le cose più picciole che vi son dentro, fà che s'ingrossa l'aere; e però le più picciole figure manco si scorgono che le più grandi, e tanto più andando avanti niuna cosa benche finitissima non si può vedere se non gli si và appresso, secondo la sua ragione. Diceva ancora che in una distanza di dieci braccia, sopra un foglio di carta scritto d'un medesimo inchiostro, non si potrebbe vedere la lettera minutissima che pur è negra in sua proportione, e se ben si scorgerà alquanto non pero si potrà leggere, per l'abbagliamento. Ma una più grande che pure non è più nera dell'altra, vederassi bene, et una maggiore di queste si leggerà. Il che tutto avverrà per la multiplicatione del negro, che per essempio viene a servire in tutti i colori.*

2. Cité p. 259, n. 1.

3. Où l'a précédé J. White, *op. cit.*, p. 125.

et donc incorrecte, même pour une position correcte du spectateur [1]. Fort de cette donnée, Gioseffi tente de prouver qu'aucun peintre ni théoricien de la Renaissance n'était capable de concevoir une « perspective courbe ».

La véritable question est en fait la même que pour la perspective atmosphérique. Les phénomènes subjectifs une fois connus, doit-on les copier tels quels ou devons-nous retourner aux « causes » et laisser aux yeux le soin de reproduire le résultat subjectif à partir de ces données? La perspective aérienne est théoriquement « incorrecte », car elle ne respecte pas la proportion entre la distance d'un objet et sa hauteur apparente; Piero della Francesca et Léonard l'avaient incontestablement remarqué [2]. Piero, après avoir vérifié la construction classique dans un exemple particulièrement frappant, pense qu'il n'y a pas lieu de se tourmenter : *Si che io intendo de dimostrare cosi essere e doverse fare.* Léonard, au contraire, propose plusieurs solutions pour annuler l'erreur : augmenter de trois fois la largeur de l'image (solution extrême dont il y a peu d'exemples), peindre sur des surfaces courbes, peindre des anamorphoses. Il semble surtout avoir réfléchi à une perspective courbe plus « vraie ». En d'autres termes, inconsciemment ou non, Piero et les partisans de la perspective aérienne classique souhaitaient, comme Zenale, produire un double de l'*intersegatione* telle qu'elle existe, *per se*, et non un double de la perception. Léonard a rêvé de doter l'image peinte d'une perspective intrinsèquement vraie — aussi vraie que la perception — dût-elle être « fausse » pour le spectateur. Puisque l'artiste doit « se mettre à la place de la Nature », en raisonnant à partir des causes, il ne doit pas se contenter de rester au seuil de la cornée : la « nature » continue à opérer à l'intérieur de l'œil puis dans l'esprit et le peintre doit suivre.

---

1. *Perspectiva artificialis*, p. 6-14 et *passim.* Voir M.-H. Pirenne, *Art Bulletin*, XLI, 1959, p. 213-217, p. 213 est d'accord avec les parties physiologiques de la thèse de Gioseffi. Une remarque annexe en révèle cependant la faiblesse : *The important fact that the spectator as a rule looks at the painting with both eyes and from the « wrong " position does raise problems of great psychological interest. There seems to be an unconscious psychological compensation for the » incorrect » manner in which paintings are almost invariably looked at* (p. 216). Puisqu'on domine habituellement les déformations de la perspective en peinture, il ne paraît pas possible, contrairement à ce qu'en pense Gioseffi, que l'artiste utilise consciemment la déformation précise qui correspond au « point de vue » correct; ce point de vue est en effet souvent au-delà de la portée de l'œil du spectateur, par exemple dans les fresques situées en haut des murs, etc.

2. Piero della Francesca, éd. cit., II° partie, th. XII et fig. XLIV prend l'exemple d'une colonnade parallèle au plan du tableau : *che le colonne più remote da l'occhio venghino di più grossezza che non sono le più propinque, essendo poste sopra de equali base.* Sur Léonard, voir Richter 90, 107 et 109. Les textes de Piero et de Léonard ont été mis en parallèle par Panofsky, art. cité.

Zenale et Piero veulent un spectateur « placé dans de bonnes conditions », à la distance qu'il adopte; le spectateur de Léonard n'est situé nulle part (comme l'a vu Gioseffi, sa perspective ne peut en effet paraître correcte d'aucun point), mais il est aussi partout, puisque le tableau occupe la place de l'œil. La question ne peut être résolue puisque chaque parti aboutit nécessairement dans le camp de l'adversaire. L'attitude objective et scientifique qui refuse de reproduire les aberrations et la faiblesse de la vision est obligée de compter sur elles pour la perception de l'œuvre; l'attitude analytique qui les incorpore à l'œuvre doit nier l'existence du spectateur. Ce dilemme révèle la profonde ambiguïté de toute perspective en art et non pas· seulement dans les arts du dessin.

L'intégration de la perspective achoppe ainsi sur le problème de l'illusion; elle se heurte d'un autre côté au problème de la « participation ». Dans ce domaine, les deux partis opposés s'affrontent sur la question du rapport entre l'espace fictif et l'espace du spectateur. Plus la continuité est parfaite, plus la perspective devient un facteur d'illusion dramatique bien plutôt qu'un facteur de composition formelle.

A la Renaissance, on tend en principe à une harmonisation entre l'espace peint des fresques et celui de l'intérieur qu'elles décorent, mais ce principe n'était pas immuable. Tous les théoriciens qui depuis Cennini se sont intéressés à la direction de la lumière et tous les artistes depuis la chapelle Brancacci avaient maintenu la relation. Pour le choix des distances, les divergences sont considérables et en dépit d'un ou deux exemples qui se ramènent à la « manière » de Brunelleschi comme la *Trinité* de Masaccio à Sainte-Marie-Nouvelle [1], il y a rarement au XVe siècle identité entre l'*occhio* de la construction et l'œil du spectateur. La tendance n'était pas à la « participation ». Alberti donnait aux peintres les moyens de subordonner le choix des éléments de la perspective à la composition formelle et traitait la peinture comme une fausse fenêtre indépendante de l'intérieur, plutôt que comme une fausse porte ouverte sur une chambre voisine. Une perspective qui veut être « probable » doit cependant prolonger l'intérieur; de même, dans le drame la règle des trois unités signifie que le temps de l'action sera identique au temps de la pièce et que l'espace de la scène se rapprochera du lieu

1. Kern, " Das Dreifaltigkeitsfresko des Masaccio ", *Jahrb. d. preuss. Kunstsamml.*, XXVI, 1913, p. 36. On ne peut même pas affirmer qu'un seul artiste entre Léonard et Masaccio ait connu la véritable signification du point de distance (pour Léonard, ms. A, fo 42 ro, voir Ivins, *The Rationalization of sight*, Metropolitan Museum of Art Papers, 8, 1938).

de l'action. L'échiquier d'Alberti et son système de relation entre les objets serait impropre à une peinture plus théâtrale. Vignole et le Père Pozzo se sont débarrassés dans leur méthode de tous les éléments superflus; la différence a disparu entre le plan de base, l'espace qui sert de réceptacle et les volumes vus en raccourci. Chaque objet visible est mis directement en perspective à l'aide des lignes qui l'unissent au point de distance et au point de fuite principal. Techniquement, c'est une perspective « compositionnelle » à l'intérieur de laquelle à la fois objet et espace sont immédiatement reliés à l'œil : en un mot c'est la solution aux aspirations confuses de Gauricus.

Le but ne fut pas atteint d'un seul coup. Les opinions se heurtèrent pendant deux siècles. Quand Alberti conseille la vue horizontale (l'*optike* de Gauricus) de façon à placer idéalement le spectateur au même niveau que l'*istoria* (même quand la peinture est placée en hauteur), et quand Gauricus conseille de faire le contraire au nom de la clarté, l'enjeu est évidemment la « vraisemblance ». Il en était de même dans la discussion de la vue *di sotto in sù*, que l'on attaquait pour son manque de beauté et qu'on louait pour stimuler l'illusion « dramatique »; de même encore dans l'enquête de Martino Bassi en 1562 sur le point de vue à choisir pour un relief placé à un niveau élevé, question déjà discutée auparavant, par Serlio et reprise ensuite par d'autres, comme Lomazzo. Le camp de la « participation » théâtrale et panillusionniste ne devait triompher qu'au XVIIe siècle.

L'anamorphose inventée par Léonard marque une étape décisive dans la longue histoire de ces mouvements alternés. Elle sortit d'un problème technique soulevé par les distances trop courtes des premières constructions. La vue était faussée pour les personnes qui se déplaçaient trop loin du panneau, mais l'amateur docile risquait de loucher[1]. La réforme d'Alberti, en permettant des distances plus grandes, atténuait les défauts de la perspective plane. Léonard pensait, parmi d'autres remèdes, à une solution amusante et ingénieuse qui rappelait à la fois le premier panneau de Brunelleschi et la chambre noire d'Alberti. Il forçait le spectateur à regarder l'œuvre par un trou percé à travers une cloison au « point

1. Il semble en effet qu'on attend du spectateur qu'il se tienne à la distance voulue par la construction. Le biographe anonyme de Brunelleschi, après avoir expliqué pourquoi, selon lui, la seconde *veduta* n'oblige pas le spectateur à se mettre dans la « bonne » position, continue : *Lasciollo nella discrezione di chi guarda, come interviene a tutte l'altre dipinture negli altri dipintori, benchè chi guarda ogni volta non sia discreto.*

de vue » précis de la construction. Il créait ainsi les trois conditions idéales de la perspective plane : la vision monoculaire, l'œil immobile et un point de vue déterminé; ainsi l'image peinte selon le procédé classique semblerait conforme à la perspective « naturelle », c'est-à-dire « courbe ». L'idée, une fois conçue, invitait à un curieux développement; on pouvait l'appliquer à n'importe quelle intersection de la pyramide, même si cette intersection était dans un plan oblique par rapport à l'axe central et tout proche de l'œil; les images qui en résultaient, impossibles à reconnaître en vue perpendiculaire, se trouvent correctement reconstruites quand on les regarde du « sommet de la pyramide ». Ainsi, l'anamorphose était née [1].

C'est la forme la plus radicale de la perspective de « non participation ». La distance reçoit un pouvoir presque magique. La « fausse fenêtre » devient un trou de serrure et l'espace de l'image est plus que jamais étranger à celui du spectateur. C'est aux antipodes de la *mise en scène* peinte et du dialogue avec le public tel qu'il fut créé à la Farnésine et à la Villa Barbaro et prolongé par le P. Pozzo. L'anamorphose nie le spectateur, puisqu'elle n'offre qu'un gribouillage dépourvu de sens, mais d'un autre côté elle le requiert pour créer son propre espace en projetant sur un plan perpendiculaire l'image qu'il reçoit d'un plan oblique. Nous avons de nouveau, cette fois en terme de « participation », le paradoxe fondamental de la perspective.

Il y a une regrettable différence de niveau entre cette perfection intellectuelle et la pauvre « perspective humaniste » de Gauricus, mais l'apparition simultanée des deux formules est significative. L'anamorphose résume et même, si c'est sous la forme d'une sorte de jeu, résout facilement tous les problèmes techniques de la perspective linéaire. Le schéma donné par Gauricus de la « perspective de composition » manque de bases techniques et hésite entre les formules incompatibles de clarté et de participation; il était cependant franchement orienté vers l'*istoria* narrative ou dramatique. On pourrait tirer de l'opposition de ces deux conceptions de la perspective un ensemble de concepts fort utiles pour classer les différentes tendances du naturalisme à la Renaissance.

(1961)

1. Voir J. Baltrusaitis, *Anamorphoses ou perspectives curieuses*, **Paris**, 1955, et C. Pedretti, *Studi vinciani*, Genève, 1957, p. 68 sq.

XI

ÉTUDES SUR LA PERSPECTIVE
A LA RENAISSANCE
1956-1963

Comme au temps où Donatello se moquait des exercices stériles d'Uccello, et où Antonio Manetti accusait Alberti d'avoir plagié Brunelleschi, ou encore comme plus tard, lorsque Abraham Bosse se battait contre l'Académie des Beaux-Arts, il y a aujourd'hui une « querelle de la perspective ». Cette discipline inoffensive a le don de stimuler les imaginations et de passionner périodiquement les esprits. Mais la querelle, aujourd'hui, met aux prises les historiens et non plus les inventeurs.

La traduction italienne (1961) d'un ouvrage ancien de Panofsky, *Die Perspektive als symbolische Form* (Vorträge der Bibl. Warburg, 1924-1925; Leipzig-Berlin, 1927) a permis à Marisa Dalai d'exposer en très peu de pages, mais avec beaucoup de clarté et de justesse, les problèmes de la perspective tels qu'ils se posent actuellement à l'historien, et l'état de la question avant et après le mémorable article de Panofsky[1]. Pour qui veut simplement savoir de quoi il s'agit dans cette dispute active et plutôt vive, il n'y a pas de meilleure source de renseignement. Sa revue s'arrête vers la fin des années 50, à peu près là où commence notre enquête; deux auteurs seulement parmi ceux qu'elle discute, John White et Decio Gioseffi, devront figurer à nouveau ici, parce qu'ils dominent dans une large mesure le débat actuel.

---

1. Voir Bibliographie, n° 2. L'introduction à cette édition par Guido Neri insiste sur le rôle de la philosophie de Cassirer, et à travers elle de l'épistémologie kantienne, à l'arrière-plan des idées de Panofsky; mais l'auteur a le tort d'appliquer ensuite assez mécaniquement à Panofsky les objections de la phénoménologie actuelle contre le kantisme en général. Le lecteur français s'apercevra peut-être que les emprunts avoués de Panofsky à Cassirer ne sont pas indispensables à l'économie de son article, et qu'en fait de « kantisme » il y a plutôt un certain accord avec les vues de Brunschvicg.

Les différents thèmes qui le composent ont été souvent mêlés, et certains auteurs sont revenus à plusieurs reprises sur les positions une fois formulées. Pour le compte rendu, le plus facile sera de traiter autant que possible séparément les questions qui se laissent séparer, et de mettre en avant, pour toutes références, la liste des ouvrages considérés (cités dans la suite d'après leur numéro dans la bibliographie). Nous omettons, quoique non sans regret, les écrits parfois très originaux et suggestifs qui portent soit sur l'aspect stylistique de la perspective ou des différents systèmes de perspective, soit sur la signification psychologique et philosophique de ce qui peut être un instrument d'illusion.

1. L. Brion-Guerry, *Jean Pèlerin Viator. Sa place dans l'histoire de la perspective*, Paris, 1962.

2. Marisa Dalai, « La questione della prospettiva », dans : E. Panofsky, *La prospettiva come « forma simbolica » e altri scritti*, Milan, 1961, p. 118-141.

3. Decio Gioseffi, *Perspectiva artificialis*, Trieste, 1957.

4. Id., « Complementi di prospettiva », dans *Critica d'Arte*, XXIV, 1957, 468-488, et XXV-XXVI, 1958, 102-139.

5. Timothy K. Kitao, « *Prejudice in perspective, A study on Vignola's perspective treatise* », dans *The Art Bulletin*, XLIV, 3, sept. 1962, 173-194.

6. Robert Klein, « Pomponius Gauricus on perspective », dans *The Art Bulletin*, XLIII, 3, sept. 1961, 211-230.

7. Richard Krautheimer and Trude Krautheimer-Hess, *Lorenzo Ghiberti*, Princeton, 1956.

8. Corrado Maltese, « Per Leonardo prospettico », dans *Raccolta Vinciana*, XIX, 1962, 303-314.

9. Alessandro Parronchi, « Le fonti di Paolo Uccello », dans *Paragone*, 1957, n° 89, 3-32 et n° 95, 3-33.

10. Id., « Le due tavole prospettiche del Brunelleschi », *ibid.*, 1958, n° 107, et 1959, n° 109, 3-31.

11. Id., « Le " misure dell'occhio " secondo il Ghiberti », *ibid.*, 1961, n° 133, 18-48.

12. Id., « Paolo o Piero? » dans *Arte antica e moderna*, 1961, 138-147.

13. Id., « Il " punctum dolens " della costruzione legittima », dans *Paragone*, 1962, n° 145, 58-72.

14. Id., « Una Nunziatina di Paolo Uccello », dans *Studi urbinati*, XXXVI, 1, 1962, 1-38.

15. Carlo PEDRETTI, « Leonardo on curvilinear perspective », dans *Bibliothèque d'Humanisme et Renaissance*, XXV, 1963, 69-87.

16. Piero SANPAOLESI, « Studi di prospettiva », dans *Raccolta vinciana*, XVIII, 1960, 188-202.

17. Id., *Brunelleschi*, Milan, 1962 (v. p. 41-53).

18. John WHITE, *Birth and rebirth of pictorial space*, Londres, 1957.

L'article ci-dessus mentionné de Panofsky reste, avec les compléments et prolongements que l'auteur lui a donnés [1], le point de départ auquel on se réfère toujours. Il affirmait la pluralité des systèmes de perspective et montrait comment chacun d'eux reposait sur une conception particulière de l'espace et de la vision; il formulait avec clarté les postulats de la perspective albertienne ou classique (vision monoculaire, œil immobile situé en un point déterminé en face de l'objet, abstraction des déformations latérales et verticales du champ visuel), et il montrait ce que ces principes ont d'arbitraire et même, pour le troisième, de contraire aux principes affirmés par les inventeurs. Il reconstituait avec une extrême sagacité les méthodes employées par les artistes ou proposées, en termes souvent très obscurs, par les théoriciens; et il soulignait les conséquences stylistiques de chacune, les tabous spatiaux qu'elles respectaient ou enfreignaient, les contraintes qu'elles exerçaient sur le spectateur. L'article, d'une richesse vraiment inépuisable, embrasse l'histoire de la perspective depuis l'Antiquité jusqu'au XVIIe siècle, au nord et au sud des Alpes; nous n'avons à nous occuper ici que d'un épisode, il est vrai central, l'Italie de la Renaissance.

I. « L'INVENTION DE LA PERSPECTIVE »
ET LES DEUX PANNEAUX DE BRUNELLESCHI

Un biographe tardif de Brunelleschi, probablement Antonio Manetti, assure que la perspective géométrique avait été inventée par son héros et publiquement démontrée par deux

1. « The Friedsam Annunciation and the problem of the Ghent altarpiece », dans *The Art Bulletin*, XVII, 1935, 433-473; « Once more the Friedsam Annunciation », *ibid.*, XX, 1938, 418-442; « The Codex Huygens and Leonardo da Vinci's Art theory », *Studies of the Warburg Institute*, XIII, Londres, 1940; *Early Netherlandish painting*, Cambridge, Mass., 1953, 1-21; *Renaissance and Renascences in Western art*, Stockholm, 1960, p. 118-145.

petits tableaux, — le Baptistère vu à travers la porte centrale du Dôme, et le Palais-Vieux vu de biais, d'un coin de la place de la Seigneurie[1]. La description que nous en donne le présumé Manetti, et que Vasari reprend avec quelques détails supplémentaires, est très précise, de sorte qu'on a pu assez bien reconstituer l'aspect des deux panneaux[2]; mais elle ne dit malheureusement rien sur le procédé lui-même. Nous apprenons seulement que le premier panneau présentait un petit trou à la place du point de fuite principal, et qu'on devait le regarder à travers ce trou dans un miroir, ce qui implique sans doute que l'image avait les côtés inversés. Ajoutons que la première formulation théorique d'une méthode de perspective, le *Della pittura* d'Alberti, date de 1435, et qu'elle doit représenter un progrès notable face au procédé de Brunelleschi, puisque l'auteur, qui dédie le traité en termes de chaleureuse admiration à son ami Brunelleschi, revendique néanmoins la paternité de la méthode qu'il expose[3].

La première hypothèse et peut-être la plus solide sur la nature du procédé brunelleschien est due à Krautheimer (7). Brunelleschi, dit-il, était avant tout architecte, et avait fait longtemps des relevés de ruines romaines; il n'avait pas de préoccupations de peintre, et il n'a pas dû se pencher beaucoup sur les traités médiévaux de *perspectiva*, c'est-à-dire d'optique. Il a simplement reconstitué le Baptistère ou le Palais de la Seigneurie en visant les points caractéristiques avec les instruments gradués d'usage, en notant les cotes de chaque point, et en se servant ensuite de plans et d'élévations pour la mise en place des éléments obtenus. Graphiquement, ce n'est guère autre chose que le procédé employé par les dessinateurs qui obtenaient le raccourci d'un chapiteau ou d'une tête en partant de leurs projections orthogonales. Aucune connaissance théorique de la nature du point de fuite ou du point de distance ou de la pyramide visuelle, etc., n'était nécessaire. (Rappelons que, dans la théorie de la

---

1. La *Vie de Brunelleschi* est de 1480 environ; l'auteur assure avoir vu et touché le premier des deux panneaux. Une phrase de Filarete, vers 1463, confirme la tradition qui faisait de Brunelleschi l'inventeur de la perspective. La date des deux panneaux peut être située vers 1418-1419 (Sanpaolesi, 17) ou au plus tard 1424-1425 (Parronchi, 10), en tout cas avant la *Trinité* de Masaccio à Santa Maria Novella, qui applique le système.
2. Surtout White (18), Krautheimer (7), Sanpaolesi (« Ipotesi sulle conoscenze matematiche, statiche e meccaniche del Brunelleschi », dans *Belle Arti*, 1951); et 17, et Parronchi (10). — Gioseffi (4) propose à tort une autre interprétation du second panneau, selon laquelle le Palais-Vieux apparaîtrait de face.
3. Sanpaolesi et Parronchi ne voient pourtant en Alberti guère plus qu'un plagiaire; Gioseffi (3) pense au contraire que le premier tableau, au moins, ne suppose aucune méthode géométrique de mise en perspective.

perspective géométrique, l'image s'identifie à la « coupe », en un point quelconque, de la « pyramide » des rayons qui vont de l'objet représenté à l'œil du spectateur. Elle dépend donc de la position relative de l'objet, de l'œil et de la coupe ou *taglio*.)

Cette vue est très plausible, et Krautheimer la fait ingénieusement cadrer, par un calcul simple, avec ce que nous savons sur les dimensions et sur le contenu du premier panneau. Elle ne rend cependant pas compte de l'artifice du miroir[1]; et elle sous-estime sans doute les connaissances théoriques de Brunelleschi : car la *Trinité* de Masaccio, dont le cadre d'architecture feinte est sans doute dessiné, sinon par Brunelleschi lui-même, du moins selon sa méthode, suppose une conscience exacte du rôle du point de distance, marqué d'ailleurs par un clou dans le mur où elle est peinte.

Cette seconde objection est implicitement contenue dans les écrits de Sanpaolesi (surtout 17), historien très favorable à Brunelleschi et enclin à lui prêter le maximum de connaissances et d'inventions. Sanpaolesi, qui est lui-même architecte et ingénieur, accentue volontiers le côté pratique, les nouveautés techniques et les astuces de son héros. Il s'accorde avec Krautheimer à comprendre sa perspective comme une méthode de détermination visuelle des distances et des dimensions plutôt que comme un artifice de peinture illusionniste. Mais il attribue à Brunelleschi à la fois toute la *costruzione legittima*, telle qu'elle est décrite par Alberti, et les germes de la méthode du point de distance, qui ne sera codifiée qu'au xvie siècle, et même l'idée du raccourci vertical et latéral, qui n'est attestée, sous sa forme théorique, que chez Léonard.

Parronchi, de son côté (10), a souligné le rôle des « perspectivistes » médiévaux, dont il a cherché partout, avec une grande dépense d'hypothèses audacieuses l'influence sur les artistes du Quattrocento[2]. Il a ainsi proposé, pour la petite

1. Si Brunelleschi voulait simplement contraindre le spectateur à regarder le panneau de la distance et de la position voulues, une sorte de chambre obscure aurait mieux fait l'affaire, sans interversion des côtés, et sans la fâcheuse diminution due au fait que l'image spéculaire apparaissait à une distance double de celle du miroir.

2. Cf. aussi 9. — On sait que Ghiberti était lecteur de ces traités de perspective; d'autre part, le meilleur professeur d'optique médiévale en Italie, Biagio Pelacani, qui enseignait à Padoue, était bien connu par Toscanelli, le conseiller scientifique de Brunelleschi. Un autre élève de Pelacani, Giovanni da Fontana, a même écrit un traité de peinture, perdu, dédié à Jacopo Bellini, dont on sait l'intérêt pour la perspective linéaire. Sur Pelacani, voir les publications documentées de G. Federici Vescovini, « Problemi di fisica aristotelica in un maestro del XIV secolo : Biagio Pelacani da Parma » (*Rivista di Filosofia*, LI, 1960, 179-182 et 201-204) et surtout « Le questioni di ʻ Perspectiva ' di Biagio Pelacani da Parma » (*Rinascimento*, XII, 1961, 163-243).

énigme du miroir, une solution tirée d'un théorème de Witelo sur la réflexion de la lumière, — qui n'était pourtant pas l'objet des recherches de Brunelleschi — mais il a lancé en même temps une autre explication, tout à fait convaincante et satisfaisante : l'inversion des côtés résulterait du report des éléments du plan quadrillé de la place du Baptistère sur le pavement raccourci de cette place peinte sur le panneau. Le miroir a dû être employé comme un expédient pour corriger l'erreur ainsi introduite [1].

Dans le même article, Parronchi a proposé des reconstitutions graphiques des méthodes utilisées par Brunelleschi dans les deux panneaux. Dans le cas du *Baptistère*, il faut en retenir l'usage du plan pour le report des éléments sur le pavement raccourci; mais Parronchi ne tient pas compte de toutes les données du biographe, notamment en ce qui concerne la distance du *taglio*; et il suppose gratuitement, pour la construction des transversales du pavement raccourci, une méthode abrégée, plus avancée même que celle décrite dix ou quinze ans plus tard par Alberti.

Un essai d'harmoniser, pour ce premier panneau, toutes les données du biographe et toutes les conséquences valables déduites par White, Krautheimer et Parronchi, a abouti à une conclusion négative (6) : la place du spectateur idéal, l'angle de la vision par la porte ouverte, les dimensions du panneau et la distance du miroir ne sont pas compatibles avec l'illusion complète que vante le présumé Manetti. C'est à cause du miroir, surtout, que le *Baptistère* a dû être un demi-échec [2]. Brunelleschi a pu prendre sa revanche avec la *Vue du Palais-Vieux*, où il n'a pas eu recours au miroir.

II. PERSPECTIVE BIFOCALE, VISION BINOCULAIRE ET MÉTHODE DU POINT DE DISTANCE

On s'accorde assez généralement à penser que ce deuxième panneau utilisait, pour sa construction perspective, deux points latéraux au niveau de l'horizon, les « points de dis-

1. Mentionnons encore l'hypothèse de Gioseffi (3), selon laquelle Brunelleschi aurait peint sa vue du Baptistère directement sur un miroir, sans « règle » ou construction géométrique d'aucune sorte. Cela expliquerait, entre autres, la nécessité du second miroir, pour redresser l'image. Pour les objections, cf. 10 et 16.

2. T. Kitao (5) a cherché une issue en supposant que le panneau ne représentait qu'une partie de la vue encadrée par la porte du Dôme; hypothèse plutôt contraire au texte du biographe, mais plausible dans la mesure où le trou du panneau rétrécissait en effet l'angle de vision. Sa conclusion est pourtant la même : ou bien le biographe s'est trompé, ou bien l'expérience de Brunelleschi n'a pas été une réussite complète.

tance »; chacun d'eux était réuni avec toutes les petites
divisions équidistantes marquées tout le long du bord inférieur du panneau, les *piccole braccie*, qui servaient de base
au carrelage du pavement. On obtenait ainsi un réseau formé
de deux faisceaux pyramidaux obliques et croisés; il était
facile d'en ajouter au besoin un troisième de même hauteur,
isocèle et médian, qui représentait alors les orthogonales
convergeant vers le point de fuite principal.

Ce système, dit bifocal, repose sur une tradition artisanale
dont la première trace fut trouvée (6) dans une fresque du
XIVᵉ siècle à Assise. On s'en servait à l'origine pour représenter en perspective un plan quadrillé quelconque, pavement, couverture ou plafond. La recette, très simple, eut la vie
longue, puisque Sanpaolesi la reconnut dans l'*Annonciation*
de Léonard aux Offices [1], et que Viator la publia en 1505.
Elle se prête facilement à la construction de volumes prismatiques vus de biais, et explique sans doute la fréquence de
cet *oblique setting* (White) dans toute la peinture avant Alberti.
Si les deux points de distance sont choisis exactement en marge
de l'image — qui est la solution la plus commode pour la
peinture de chevalet — il en résulte un raccourcissement assez
brusque, correspondant à une distance petite du spectateur
et à un angle de vision très ouvert, de 90 degrés. C'est exactement l'angle employé par Brunelleschi pour les deux panneaux,
d'après la reconstitution de White; si l'on ajoute que tous les
deux représentaient au centre un grand volume prismatique
avec deux faces fuyantes à 45 degrés (*extreme oblique setting*)
on est amené à conclure que Brunelleschi a dû se servir dès
le premier panneau de la méthode bifocale (6) [2].

John White (18), toujours très attentif à la portée stylistique des différentes méthodes de perspective, s'est rendu
compte que le système décrit par Alberti, la *costruzione
legittima*, coïncidait avec un changement dans la manière
habituelle d'implantation du décor architectural; il y eut
une assez soudaine préférence pour les volumes prismatiques
vus de face et pour les orthogonales filant droit au point de
fuite principal. Chez Alberti, en effet, il n'y a pas de pyramide oblique dessinée sur le panneau, mais seulement un
faisceau orthogonal et des transversales (parallèles à la ligne
de terre) dont les intervalles étaient déterminés par une

1. Pietro Sanpaolesi, « I dipinti di Leonardo agli Uffizi », dans le recueil
Leonardo. Saggi e ricerche, Roma, 1954, p. 27-46.
2. Une réserve s'impose seulement du fait, signalé plus haut, que la
première expérience n'est pas claire. L'angle de vision pouvait être plus
petit que 90°. Sur une seconde difficulté, voir plus loin, p. 285, n. 2.

construction auxiliaire [1]. Le *Della pittura* a imposé ainsi pour longtemps un certain goût et une certaine idée de la perspective ; le procédé qu'il préconise, théoriquement très clair et transparent, a servi en même temps à codifier les postulats de la perspective dite classique — l'œil fixe, la vision monoculaire, etc.

Mais c'est la perspective bifocale, inofficielle si l'on peut dire, et toujours en marge de la théorie, qui permettait les développements les plus intéressants, et sur laquelle on a fait de nos jours le plus d'hypothèses. On ne sait pas à quel moment précis les deux points latéraux, simples expédients du dessinateur, ont reçu leur explication théorique comme « points de distance ». Brunelleschi a sans doute étendu leur usage du plan à l'espace ; mais savait-il aussi que leur distance au point de fuite central représentait, à l'échelle du tableau, la distance entre le point de vue du spectateur idéal et le plan de l'image ? Il est admis aujourd'hui qu'Alberti n'a pas connu cette propriété des points latéraux ; mais il est également difficile d'admettre et de douter que Brunelleschi l'ait connue [2]. Il semble toutefois qu'on assiste, au cours du xve siècle, à une lente évolution du système bifocal, devenu, au xvie siècle, la méthode du point de distance [3].

Le système de Gauricus (1504), très ingénieusement expliqué par Gioseffi (3), représente à notre avis un moment de transition : pratiquement et historiquement, il est une construction bifocale simplifiée (6) ; théoriquement, on peut l'envisager soit comme une forme un peu encombrée de construction avec point de distance (3), soit comme un cas particulier de

---

1. Cette interprétation du texte d'Alberti remonte à Panofsky. Elle a été contestée, à tort, par Parronchi (13).

2 Sanpaolesi et Parronchi acceptent sans discussion l'affirmative, Krautheimer et sans doute Gioseffi sont pour la négative. Si Brunelleschi a connu la propriété en question, ce qui revient à dire qu'il avait pleine conscience de la méthode du point de distance et qu'il la pratiquait au moins dans le deuxième panneau, d'où vient le succès de la méthode tellement plus compliquée d'Alberti, et d'où vient le retard de plus d'un siècle jusqu'à sa progressive redécouverte ? S'il l'a ignorée, tout en pratiquant le procédé bifocal, comment pouvait-il tenir compte de la distance ? Et s'il en tenait compte en se servant de la *costruzione legittima*, où est l'originalité d'Alberti ?

3. T. Kitao (5) nie que le système bifocal soit à l'origine de la méthode du point de distance ; il n'y voit qu'un *minor factor* dans l'élaboration de cette méthode. Étant admis — ce dont personne n'a jamais douté — que cette élaboration suppose une clarification théorique, et donc la connaissance du point de fuite central, nous avouons ne pas voir sur quoi se fonde l'objection de Kitao. Il propose comme ancêtres plus probables de la méthode du point de distance les « méthodes artisanales du Nord ». Or si quelque chose est clair dans le procédé de Viator, c'est qu'il dérive — Viator lui-même a montré comment — de celui que nous trouvons chez Uccello, c'est-à-dire le système bifocal « enrichi ». Les méthodes artisanales étaient bien les mêmes, au nord comme au sud.

la *costruzione legittima*, le *taglio* étant reporté sur l'axe médian (5). La pleine justification des deux méthodes sera cependant plus tardive; elle viendra avec Serlio et avec Vignole.

On a revendiqué pour plusieurs artistes du Quattrocento le mérite d'avoir utilisé le système bifocal ou des procédés apparentés — plus généralement : la pyramide oblique — en faveur d'une perspective plus souple et plus ouverte que celle d'Alberti, enfreignant plus ou moins l'un ou l'autre de ses postulats. La découverte de conceptions anti-albertiennes dans la perspective est devenue chose courante, et on veut trouver la vision binoculaire, l'œil mobile, la « vision dans le temps », etc., chez Ghiberti (11), chez Uccello (4, 9, 12, 14) et chez Viator (1).

Parronchi surtout, s'appuyant ici encore sur les schémas des perspectivistes médiévaux, a tenté de rattacher la méthode bifocale à la vision binoculaire. Les extraits de Witelo, Roger Bacon et Peckham, dont Ghiberti remplit son troisième *Commentaire*, serviraient une polémique consciente contre les postulats de Brunelleschi et d'Alberti. Trois reliefs de la *Porte du Paradis* — les seuls qui témoignent de l'usage de la perspective géométrique (cf. 7) — seraient très subtilement calculés pour l'œil droit et l'œil gauche, respectivement, d'un spectateur situé quelque part en face de l'auto-portrait de Ghiberti (11). L'affirmation est pratiquement invérifiable, compte tenu de l'ordre de grandeur des mesures qu'elle suppose.

Tout le monde est d'accord, depuis White, à voir dans la perspective d'Uccello un développement original, plus souple dans l'application que le système classique. Uccello emploie le réseau bifocal, ou plutôt trifocal (deux pyramides partant des points de distance, la troisième du point de fuite principal) avec une liberté notable et certainement calculée. Parronchi (9) pense à la vision binoculaire, les points latéraux représentant les deux yeux écartés, dans un « strabisme idéal », en fonction de la distance du plan du tableau. Gioseffi a très bien montré de quoi il s'agit en réalité : un jeu de bascule entre les fonctions du point de fuite principal et des points de distance, chacun pouvant être pris pour l'autre. Dans l'exemple le plus réussi, la *Nativité* de San Martino alla Scala, cela aboutit à une sorte de vision panoramique, qui traduit, avec quelque approximation, le fait que tout point de l'horizon devient, dès que l'œil s'y arrête, le point de fuite « central » où convergent les orthogonales. Gioseffi souligne fort bien qu'il n'y a pas de contravention aux règles de la perspective albertienne, ni invention d'une perspective différente; son tort est seulement de se dédire aussitôt, prêtant à Uccello d'assez invraisemblables anamorphoses, et surtout une extraordinaire expérience de stéréoscopie par une sorte d'anaglyphe approximatif — c'est-à-dire bel et bien une perspective binoculaire (4).

Pour Mme Brion-Guerry (1), le bref traité de perspective de Viator est une « aventure spirituelle » qui renverse tous les postulats albertiens, introduit l'activité et la mobilité de l'œil, considère la vision « dans le temps » et affirme même le principe de la perspective curviligne. Il est vrai que la méthode pratique de Viator, sommaire, maladroitement exposée (identique au fond à celle de la *Nativité* d'Uccello), ne confirme aucun de ces points : Mme Brion-Guerry le reconnaît et n'appuie ses conclusions que sur quelques phrases du texte, qui cependant nous paraissent susceptibles d'interprétations beaucoup plus simples.

C'est en analysant les « deux règles de la perspective », traité tardif de Vignole (publicat. posthume en 1583) que T. Kitao reprend à son tour l'idée du système non albertien (5). Dans l'exposé de la « première règle » (la *costruzione legittima*) Vignole avait combattu ceux qui « ont cru qu'il fallait deux points », sous prétexte que l'homme avait deux yeux. Vignole répondait que la pyramide visuelle a, dans la vision réelle, une pointe unique, et que par conséquent il faut un seul point pour géométriser la perspective. Ce qui ne l'empêchait pas d'exposer ensuite la « deuxième règle », celle du point de distance, et de prouver, avant tout autre, qu'elle concorde dans le principe comme dans les résultats avec la première. Kitao lui reproche néanmoins d'avoir, par son « préjugé », freiné l'évolution de la perspective vers un système bifocal, et celle du style vers l'implantation de biais du décor architectonique.

On est en droit de se demander, tout d'abord, si les théoriciens attaqués par Vignole parce qu'ils préconisent « deux points » sont bien les partisans de la règle bifocale [1]; ensuite si des clauses verbales, comme la subordination du point de

---

1. Le contexte de Vignole indique assez clairement le contraire. Une phrase de Caporali commentée par Pedretti (15) laisse penser qu'il s'agirait plutôt des partisans de la perspective curviligne. On ne voit d'ailleurs pas pourquoi les partisans du système bifocal auraient invoqué, pour se justifier, la vision binoculaire; et Vignole lui-même n'avait aucune raison pour combattre ici une méthode, binoculaire ou non, dont il dira, quelques pages plus loin, qu'elle était parfaitement monoculaire, légitime, et substantiellement identique à la « première règle ».

distance au point de fuite principal, suffisent pour freiner une évolution de style, surtout si la méthode qui place graphiquement ces deux points sur un plan d'égalité est en même temps clairement exposée et justifiée [1]; enfin, si le « préjugé » de Vignole en est bien un, c'est-à-dire si la méthode du point de distance implique vraiment une conception perspective différente de la « légitime ».

C'est ce qui nous conduit au centre de la discussion : y a-t-il eu, chez les artistes ou théoriciens que nous venons de considérer, un vrai courant « anti-albertien »? Théoriquement, il faudrait pour cela prouver qu'ils ont voulu enfreindre les postulats de base, surtout, en l'espèce, la vision monoculaire; or il ne nous semble pas que la preuve en ait été apportée. Mais il y a une manière plus subtile de « non-albertianisme » : tout en se conformant, dans la construction géométrique, aux trois postulats, ou en se permettant des libertés minimes, on peut suggérer, par le choix et la disposition des objets, ou du *taglio*, ou par la distance, etc., quelques-unes de ces réalités que les postulats interdisent de représenter — la mobilité de l'œil par exemple. Mais c'est une affaire d'art plutôt que de système. La question « une ou plusieurs perspectives? » est en ce sens oiseuse : il y en a, si l'on veut, autant qu'il y a d'artistes ou de styles; et si l'on veut, il n'y en a qu'une, plus ou moins élargie ou modifiée par chacun selon sa conception de la vision [2].

---

1. Les vues de l'auteur sur la tendance stylistique « oblique » du maniérisme et « frontale » du baroque sont un peu rapides.

2. Il est intéressant de voir comment Gioseffi, parti avec la conviction ferme qu'il n'y a qu'une perspective — la vraie, l'albertienne — arrive sous la pression des faits, et emporté par ses hypothèses, à reconnaître des licences et des recherches marginales où interviennent la mobilité de l'œil, le *taglio* oblique, la vision binoculaire, etc. — toutes propres à satisfaire n'importe quel anti-albertien. Sa conclusion (4) n'est pas très éloignée de ce que nous disons ici.

Notons encore une tentative qui aboutirait à ranger Alberti lui-même parmi les non-albertiens. Le jeu uccellesque entre les fonctions du point de fuite principal et du point de distance a dû certainement apparaître dans les fameux « panneaux Barberini », si on les considère — ce qui est plus que vraisemblable — comme volets d'un retable dont la partie centrale, manquante, aurait tout naturellement le double de leur largeur. Cette remarque repose sur des constatations de Parronchi, dans un article qui attribue les deux panneaux à Alberti. L'auteur, tirant parti d'une légère irrégularité du dessin du volet droit, arrive d'ailleurs à des conclusions toutes différentes sur le schéma perspectif et sur les dimensions de l'ensemble (Al. Parronchi, « Leon Battista Alberti as a painter », dans *Burlington Magazine*, juin 1962).

III. LA PERSPECTIVE CURVILIGNE ET L'ANAMORPHOSE

Cette conclusion sans danger ne vaut cependant pas pour la perspective curviligne, autour de laquelle Decio Gioseffi a suscité une vive controverse. Les principes élémentaires de la perspective euclidienne demandent qu'on représente une convergence apparente des parallèles non seulement dans le sens de la profondeur, comme dans la méthode d'Alberti, mais aussi en largeur et en hauteur ; les verticales et les transversales « fuient », elles aussi, et un échiquier vertical assez grand, vu de face, doit paraître courbé, comme projeté sur une sphère ; d'où le nom de perspective curviligne.

Panofsky avait attiré l'attention des historiens sur ce défaut de la cuirasse du système traditionnel ; il a relevé les lapsus ou sophismes inconscients des théoriciens anciens qui esquivaient la difficulté, et il a noté, chez Léonard, la première formulation claire du problème [1]. Plus tard, il a étudié, dans le *Codex Huygens*, qui repose certainement sur des manuscrits de Léonard, l'ébauche d'une perspective curviligne systématique [2]. John White a découvert enfin, chez les artistes transalpins du xve siècle et notamment chez Fouquet, des traces indubitables de déformation latérale et verticale, dans le sens exigé par cette perspective.

L'ouvrage de White (18) est fondamental sous plus d'un aspect : ses analyses, menées à l'aide de quelques catégories simples et bien choisies, mettent en lumière, mieux qu'on ne l'a fait jusqu'à lui, le lien concret entre les systèmes formels, les conceptions spatiales et les méthodes de perspective de chaque artiste ou époque ; elles débouchent sur des rapports historiques plausibles et parfois nouveaux. C'est White aussi qui a réuni presque tout le matériel illustratif autour duquel on discute depuis sept ans. La critique a vu en lui avant tout le champion de la perspective curviligne.

Contre celle-ci, Decio Gioseffi s'est érigé vivement en défenseur des postulats albertiens (3 et 4). Une peinture exécutée selon le système curviligne ne répond à rien de ce que l'œil perçoit réellement — ne serait-ce que parce que cette peinture serait elle-même objet de vision et recevrait comme telle dans la vision les déformations latérales et verticales qu'elle

---

1. Il a tenté de retrouver une perspective curviligne dans un texte de Vitruve, et des confirmations assez systématiques dans les fresques romaines. Ces propositions ont ouvert un autre débat, à peine moins complexe, où nous ne hasardons pas d'opinion.
2. Voir la référence à la n. 1, p. 280.

doit représenter; il y aurait alors double déformation, ou interférence de déformations différentes. Gioseffi reprend donc les textes de Léonard sur la perspective curviligne, et trouve qu'ils définissent cet exercice, mais pour le déconseiller : quant aux peintures de Fouquet et d'autres, alignées par White, il s'agirait là simplement d'études d'après le miroir convexe.

Gioseffi a bien vu que son argumentation suppose une condition précise, un *purchè :* la représentation des déformations curvilinéaires devient superflue, parce que l'œil du spectateur s'en charge, si et seulement si cet œil est immobile et placé à la distance et à l'endroit voulus par le peintre. Marisa Dalai a très bien répondu : *Il senso di tutte le indagini e le ricerche sin qui ricordate, il senso suprattutto della sottile analisi condotta dal Panofsky sulla specificità dello spazio prospettico e sul concetto di spazio che vi trova espressione, stanno precisamente al di là di questo « purchè »* (2, p. 133). Il est vrai que, par un sacrifice délibéré, la peinture peut vouloir n'être qu'une « machine optique » (A. Chastel), un instrument d'illusion; dans ce cas il est loisible qu'elle mette le spectateur en condition, et qu'elle se fie au mécanisme de la vision trompée. Le cas pur de cette conception extrême est l'anamorphose, où un dessin déformé jusqu'à devenir illisible — une projection sur une surface oblique ou courbe — devient clair si on le regarde d'un point de vue particulier ou à travers un appareil redresseur. Au fond, la perspective albertienne devient, dans la justification que lui donne Gioseffi, une sorte d'anamorphose, parce que ses « erreurs » marginales, indéniables, se corrigent d'elles-mêmes pour le « bon » spectateur placé à l'endroit que l'on lui désigne. On peut répondre à cela en considérant la perspective albertienne, avec Sanpaolesi (16), comme un simple théorème de géométrie projective, qui n'a pas de privilège et pas d'« erreurs », puisqu'elle ne rivalise pas avec la perception; ainsi, au moins, des systèmes différents ne sont pas exclus et condamnés. Ce serait seulement oublier que la perspective a été étudiée par et pour des peintres qui prétendaient bien « imiter la nature » et même tromper l'œil — Brunelleschi autant que les autres. Il est donc historiquement justifié de définir cette invention plutôt comme un essai de rendre le résultat de la vision, sans se préoccuper excessivement du résultat de ce résultat, c'est-à-dire de ce qui arrive dans la vision du tableau lui-même (6). Dans cette troisième hypothèse, la perspective curviligne est supérieure à celle d'Alberti. Et Léonard a dû l'entendre ainsi, à en juger d'après son attitude dans un débat analogue :

il donne aux objets éloignés une teinte bleuâtre uniforme et des contours effacés, malgré Zenale, qui prétend, un peu comme Gioseffi, que l'œil se chargera lui-même de cette opération, si on les peint suffisamment petits. Il faut, non pas provoquer par des détours une vision juste, mais fixer le résultat de la vision. L'artiste fait de la science plutôt que du théâtre.

La discussion des historiens s'est surtout concentrée sur Léonard. Personne ne doute que Léonard a envisagé la perspective curviligne; l'a-t-il pour autant recommandée aux peintres? White répond oui, Gioseffi (3) non; en fait, s'il a très probablement écrit un traité sur ce système, il ne l'a appliqué dans aucune peinture. Pedretti, dans un article paru ici même, et plein comme toujours de renseignements nouveaux et de rapprochements ingénieux (15) cite ce verdict : *Cosa più disputativa che da usarsi.* Léonard a conseillé aux peintres d'esquiver la difficulté en choisissant des distances assez grandes; pour lui, de toute évidence, la peinture n'était pas une machine optique à regarder par un trou. Mais s'il adopte ce compromis, c'est pour des raisons esthétiques, comme lorsqu'il déconseille les figures trop vivement raccourcies; cela n'affecte pas le principe. A Caporali, il racontait qu'il utilisait une perspective *con due vederi* [1]. Pedretti, qui a exhumé cette phrase, part de l'hypothèse avouée qu'il s'agissait de la perspective curviligne, qu'il essaie de reconstituer graphiquement *con due vederi*. Il rattache ensuite la perspective curviligne de Léonard à ses expériences avec des miroirs paraboliques et à ses observations et mesures d'astronomie; ce point est important, car il montre comment dans l'esprit de Léonard les représentations de mesures à coordonnées angulaires (utilisées aussi bien dans les relevés topographiques ou archéologiques) conduisaient naturellement au système curviligne. Un dernier témoignage apporté par Pedretti en faveur de l'existence réelle de ce système n'est pas moins intéressant : l'ingénieur Baldassare Lanzi d'Urbino avait construit un appareil viseur pour projections de perspective sur une paroi cylindrique. Or ce Lanzi est connu d'autre part comme scénographe, et le seul texte important de l'antiquité sur la peinture de perspective est précisément celui de Vitruve à propos des décors de théâtre — texte qui, comme l'avait noté en son temps Panofsky, devait être presque inévitablement interprété en faveur du système curviligne.

Une difficulté pour ce système surgissait du fait que, jus-

---

1. Est-ce celle que combat Vignole en l'appelant binoculaire?

tement comme chez Lanzi, il supposait la projection sur une
surface courbe — calotte sphérique ou, à la rigueur, paroi
cylindrique. Fallait-il la transformer en tableau plat, et si
oui, comment? Corrado Maltese a pu prouver (8) que le *Codex
Huygens* a envisagé deux méthodes : ou bien dérouler la surface (s'il s'agit d'un cylindre, comme le tambour de Lanzi),
ou bien reprojeter l'image sur une autre surface, plane. Maltese
note justement que c'est le problème de Mercator et des
cartes géographiques à grande échelle. Maltese essaie aussi
d'interpréter un texte de Léonard lui-même (E, f° 16 v°)
comme une proposition de projeter des surfaces étendues, vues
selon la perspective curviligne, sur un système d'orthogonales
« en arête de poisson ».

On sait, surtout depuis Pedretti[1], que Léonard avait été
l'initiateur des anamorphoses. Si la perspective curviligne est
la seule qui refuse d'assigner au spectateur un point de vue
fixe (la vision définie par le point de la construction étant,
comme l'a vu Gioseffi, fausse), l'anamorphose représente l'extrême opposé, car le point de vue désigné d'avance y devient
absolument impératif. Or c'est cette seconde direction qu'ont
prise les perspectivistes après la Renaissance : non seulement
avec les anamorphoses proprement dites, dont Baltrusaitis a
reconstitué l'extraordinaire histoire[2], mais avec les peintres
de plafonds, de voûtes, de scénographies, etc. — avec tous
ceux, au xviie siècle, pour qui Circé et le paon résumaient
l'essence de l'art.

P.-S. — Il convient d'ajouter à cet exposé l'article de M.
Boskovits, « Quello ch'e dipintori oggi dicono prospettiva »,
dans *Acta historiae artium Academiae scientiarum Hungaricae*,
t. VIII (1962), p. 241-260, et IX (1963), p. 139-162. C'est le
résumé d'une thèse, écrit en anglais, et remarquablement
informé tant sur les sources que sur la bibliographie récente.
L'auteur semble très à l'aise dans les rapprochements de
textes et les observations de vocabulaire, parfois justes et frap-
pants (il relève par exemple ce fait, qui donne à réfléchir,
qu'Alberti n'emploie pas le terme de *prospettiva*). La méthode
du dessin perspectif serait dérivée de pratiques d'atelier et,
chez Brunelleschi, de la géométrie de l'architecte; les Optiques
médiévales n'ont eu qu'un rôle secondaire et tardif. La période
de mathématisation, qui va de pair avec une esthétique de
l'harmonie et de la clarté, dure jusqu'à Piero della Francesca;

1. *Studi vinciani*, Genève, 1957.
2. *Anamorphoses ou perspectives curieuses*, Paris, 1955.

puis la perspective change de caractère, devient plus picturale, psychologiste et illusionniste. — Les questions techniques
ne sont traitées ici que fugitivement et en termes plutôt généraux; l'auteur ne propose pas de solutions nouvelles et s'abs-
tient souvent de juger les anciennes. On lui reprochera surtout
d'amalgamer trop rapidement les recettes artisanales de
perspective, la géométrie d'atelier et les *misure* en général,
ce qui fausse sensiblement sa vue de l'évolution.

(1963)

XII

VITRUVE ET LE THÉÂTRE
DE LA RENAISSANCE ITALIENNE
(en collaboration avec Henri Zerner)

Les constructeurs de théâtre et les metteurs en scène disposaient à la Renaissance de deux registres et presque de
deux langages nouveaux, la perspective et la reconstitution
archéologique. Le préjugé humaniste voulait que ces deux
novations soient compatibles, et on a fait beaucoup d'efforts
pour qu'elles le deviennent; en réalité elles ne l'étaient évidemment pas, et on peut même dire qu'elles s'adressaient à
deux couches du public et à deux milieux différents, qui
essayaient chacun de tirer le théâtre à soi : d'un côté les
simples amateurs de spectacle, gens plus ou moins cultivés,
et avec eux la plupart des mécènes, qui applaudissaient à
l'illusion réussie; de l'autre les humanistes et les artistes
archéologues, qui bénéficiaient d'un grand prestige, mais qui
passaient aisément pour pédants. On connaît la lettre d'Isabelle d'Este à son mari, lors des représentations de Plaute
pour le mariage de son frère Alphonse avec Lucrèce Borgia :
la comédie l'ennuyait, elle ne trouvait du plaisir qu'aux inter-
mèdes. C'était en 1502, encore assez loin de la scène vitruvienne comme de la scène en perspective; le document n'intéresse que comme un témoignage du conflit entre l'amateur
et le théoricien, qui remplit toute la Renaissance, et dont nous
allons retracer ici un aspect concernant le théâtre.

I. LE THÉÂTRE A L'ANTIQUE AVANT LE VITRUVIANISME

C'est vers le milieu du XVe siècle que l'on commence à
projeter la « résurrection » du théâtre antique parmi tant
d'autres choses que l'on s'occupait à faire resurgir. Alberti
(*De re aedif.*, VIII, 7) parle du théâtre comme d'une chose
disparue, mais reprend, avec dirait-on quelque nostalgie, la

description vitruvienne de l'édifice, et souligne l'utilité de l'institution. Le pape Nicolas V se fait dessiner un projet [1], et peu après Filarete réserve une place pour le théâtre derrière son palais imaginaire de Sforzinda, *benchè oggi non s'usano quelle magnificenze. Ma forse, che io ce lo faro pure a memoria de quegli antichi* [2].

On sait que l'Académie romaine de Pomponio Leto et son protecteur, le cardinal Raffaele Riario, élevèrent la prétention d'être *primi hoc aevo* qui aient passé aux réalisations. La fameuse préface de Giov. Sulpizio da Veroli à son édition princeps de Vitruve, vraisemblablement de 1486, parle de comédies antiques représentées par les « pomponiens » et d'une mise en scène (sans doute l'*Hippolyte* de Sénèque, avec Tommaso Inghirami dans le rôle de Phèdre) qui fut trois fois montrée en public — la dernière dans la cour du palais de Riario, transformée pour l'occasion en *cavea* et couverte d'une tente. C'est alors qu'on put admirer, « pour la première fois » bien entendu, la *picturatae scaenae facies* qui était, comme l'a prouvé Krautheimer, un décor de fond [3]. Mais quelle était la nature de ce décor; une *frons scaenae* à l'antique? une colonnade ou suite d'arcades, surmontée peut-être d'un étage supérieur de peintures ou de camaïeux, comme au théâtre du Capitole en 1513? ou une vue urbaine en perspective? Rien ne nous le dit, mais la deuxième hypothèse nous semble la plus probable. En effet Alberti, qui vécut à Rome entre 1443-1472 et qui fut la grande autorité en matière d'architecture humaniste, avait correctement paraphrasé Vitruve *(loc. cit.)*, en dotant la scène classique d'un décor d'architecture à colonnes étagées [4] avec des portes au fond pour les entrées des acteurs (une peinture plus circonstanciée des lieux devait être laissée, selon lui, aux périactes), et nous n'avons aucune raison d'admettre que la scène de Riario en avait [5]. Un panorama illusionniste s'excluait de lui-même pour des metteurs

1. H. Leclerc, *Les Origines italiennes de l'architecture théâtrale moderne*, Paris, 1946, p. 67, renvoie à E. K. Chambers, *The Mediæval Stage*, 1903, t. II, 214.
2. Filarete, *Traktat über die Baukunst*, éd. W. v. Oettingen, Vienne, 1890, p. 93.
2. R. Krautheimer, « The tragic and the comic scene of the Renaissance; The Baltimore and Urbino panels », *Gazette des Beaux-Arts*, CLIV, 1948, p. 327-346.
4. ... *ornabatur... columnis et contignationibus alteris in alteram positis, ex domorum imitatione* (*De re aedif.*, VIII, 7).
5. Sulpizio da Veroli suggère pourtant dans sa Dédicace qu'il pourrait fort bien montrer au Cardinal comment faire une scène avec décor soit *versatilis* (avec périactes), soit *ductilis* (coulissant) — distinction que plusieurs vitruviens ultérieurs semblent avoir oubliée.

en scène humanistes, et plus particulièrement vitruviens. Nous savons d'ailleurs que Riario fit jouer plus tard chez lui (1492-1493) deux tragédies en latin à sujet moderne, sans unité de lieu et avec quelques scènes se déroulant en Enfer : cela rappelle une mise en scène médiévale, les arcades d'un cortile se prêtant naturellement aux mansions. La mesure exacte dans laquelle la science archéologique de Giovanni Sulpizio et des « pomponiens » permettait une reconstitution de la *frons scaenae* antique reste pour nous mystère; tout porte à croire, de toute façon, qu'il y avait derrière le proscenium une loggia ou un portique, surmonté peut-être d'un étage dont les décorations justifiaient le nom de *scaena picta*. Ce schéma demande le moindre effort d'imagination à des hommes habitués à la scène médiévale, et il est effectivement attesté par le théâtre du Capitole, lors des fêtes du 13 et du 14 septembre 1513 où Julien et Laurent de Médicis reçurent le titre de citoyens romains [1].

Le théâtre du Capitole a été manifestement conçu à l'antique. Palliolo décrit un *proscenio* énorme (31,28 × 6,70 m) et une *scena* qui n'est rien d'autre que la *frons scaenae* composée de cinq arcades contenant chacune une porte et, au-dessus, d'une série de frises peintes. Deux grandes portes latérales, sans doute des arcs, conduisaient « au forum » (Vitruve avait parlé de deux issues latérales, l'une vers le *forum*, l'autre vers l'*ager*). En somme un compromis entre l'*aula regia* vitruvienne et les mansions [2].

Le rez-de-chaussée d'arcades régulières comme fond de scène reste quelque temps une marotte des vitruviens. Cesariano (ill. 13), en 1521, dessine un tel portique tout le long de la *frons scaenae* de son théâtre romain; Battista da Sangallo « il gobbo », qui laissa des fragments d'une traduction de Vitruve, commit la même erreur dans ses croquis en marge de son texte [3]; Serlio, au Livre III, reconstitue d'après

1. Descriptions de Paolo Palliolo da Fano, éd. *Scelta di curiosità letterarie*, Bologne, 1885; et d'Ant. Altieri, éd. Loreto Pasqualucci, Rome 1881. Cf. Éd. Flechsig, *Die Dekoration der modernen Bühne in Italien* (Diss. Leipzig), Dresde, 1894.

2. Le rapprochement entre les mises en scène de l'Académie romaine, les éditions de Térence et le théâtre du Capitole a été fait entre autres par H. H. Borcherdt, *Das europäische Theater im Mittelalter und in der Renaissance*, Leipzig, 1935.

3. Rome, Bibl. Corsiniana, 50 F 1, Vitruve, liv. V, f° 1 v° à 3 r°. Toutes communications sur ces dessins nous ont été aimablement faites par M. W. A. Simpson, Rome. Sur l'auteur, voir G. Clausse, *Les Sangallo*, 3 vol., Paris, 1900-1902, t. III, p. 281-288. L'identification du dessinateur est due au professeur Homberg, selon Bjurström, *Giacomo Torelli*, Stockholm, 1961, p. 17. Les croquis s'inspirent assez étroitement de Cesariano et ont des rapports évidents, mais difficiles à préciser, avec Serlio.

Peruzzi un plan du théâtre antique de Marcellus, qu'il dote également d'un imaginaire *portico della scena*. Plus en marge, ajoutons les illustrations vénitiennes de *Plaute* (1518) et de *Térence* (1545, bois imité dans l'illustration du *Pellegrino*, 1552), où le fond de scène est constitué par une loggia ou rangée d'arcades, mais les côtés par des maisons conçues apparemment pour le relief en trompe l'œil comme chez Serlio.

Le motif si l'on peut dire protovitruvien du portique qui supporte ou longe ou remplace la *frons scaenae* a été cependant vite oublié dans le conflit entre la scène en perspective et la scène vitruvienne correcte.

II. LA SCÈNE EN PERSPECTIVE

Comme l'a justement remarqué Eugenio Battisti [1] le *Philodoxus* d'Alberti (1436-1437) est la première pièce écrite avec une idée cohérente du lieu de l'action; ce lieu est unique, et les acteurs désignent sans se contredire les édifices à droite, à gauche et derrière. Cela ne veut sans doute pas dire qu'Alberti ait nécessairement pensé à une représentation devant un fond de scène illusionniste [2], mais il est significatif que l'un des inventeurs de la perspective du dessin à point de vue fixe soit aussi l'auteur de la première comédie dont le lieu soit imaginé avec précision et maintenu avec conséquence.

Cependant, comme théoricien de la scène, Alberti ne semble pas avoir conçu un décor illusionniste unifié. Selon le *De re aedificatoria*, les périactes qui doivent nous dire si le lieu de l'action est *atrium seu casa seu etiam sylva* (tragédie-comédie-pastorale) peuvent être placés n'importe où — *non deerat ubi*... Le singulier de *atrium* et *casa* exclut, selon Krautheimer, le panorama; il doit s'agir d'indications en quelque sorte symboliques. Le décor de fond en perspective illusionniste n'a pas pris naissance dans le milieu humaniste, mais aux cours de Ferrare, Urbin et Rome, devant un public moins docte et plus amateur de faste et de spectacle pur.

L'histoire de ces représentations a été souvent faite [3], et ses

1. « La visualizzazione della scena classica nella commedia umanistica », in E. Battisti, *Rinascimento e Barocco*, Turin, 1960, p. 96-111.
2. Battisti songe, en avouant le caractère hypothétique de sa reconstruction, à une vue urbaine comme celle des panneaux de Baltimore et Urbin; mais comme il a, d'autre part, très bien vu et souligné avec des arguments nouveaux le rôle nécessaire du « portique humaniste », il imagine que ce décor de fond est perçu, comme sur le panneau analogue de Berlin, à travers une colonnade.
3. Toujours commode et sûr : E. Flechsig, cité *supra*, p. 296, n. 1.

grandes lignes sont assez claires. On sait comment la tradition ferraraise des grands spectacles avec ballets, animaux
fabuleux, costumes pompeux et les sempiternelles quatre ou
cinq maisons crénelées sur la scène s'enrichit en 1508, lorsqu'on
représenta la *Cassaria* de l'Arioste, d'une peinture de fond
avec « vue d'un paysage » *(prospettiva d'un paese)* et de multiples éléments urbains. C'est l'adoption d'une perspective
unifiée qui devait alors frapper les spectateurs; il n'est pas
encore question de combiner cette peinture avec du bas-relief
en trompe l'œil, comme ce fut le cas cinq ans plus tard à
Urbin, avec la *Calandria* de Bibbiena mise en scène par
Castiglione dans un décor de Genga. Genga était urbinate
et il venait alors de travailler à Rome avec son compatriote
Bramante; on en a déduit avec vraisemblance que l'idée
remontait à Bramante, qui avait réalisé à Milan, à Santa
Maria presso S. Satiro, son fameux chœur aplati en trompe
l'œil.

Un dessin conservé à la Biblioteca Civica de Ferrare doit
manifestement être rapporté à une représentation des *Suppositi*
de l'Arioste, soit celle de Ferrare en 1509, soit celle de Rome
1519, dans un décor de Raphaël. Le dessin représente, selon
un schéma bientôt archi-banal, une place bordée de chaque
côté par deux maisons, et fermée au fond par la vue panoramique d'une ville stylisée et réduite à ses caractères essentiels,
en l'espèce Ferrare. Les maisons des côtés devaient être,
comme chez Peruzzi, Serlio, etc., en relief illusionniste, et la
toile de fond simplement peinte. S'il s'agissait de la représentation de Ferrare 1509, il faudrait enlever à Urbin et à
Genga (1513) la priorité pour ce type de décor. Mais la description que nous possédons du spectacle ferrarais ne mentionne pas la scène, alors que la lettre de l'ambassadeur de
Ferrare à Rome, en 1519, insiste au contraire sur la « perspective » de la ville. A une telle date, la simple perspective
dessinée n'étonnait plus personne, et c'est sans doute le raccord de la toile de fond avec les volumes raccourcis des maisons latérales qui a dû frapper l'ambassadeur. Il est normal
de rattacher ce décor au milieu romain de Bramante et Peruzzi,
qui avaient inspiré Genga.

Le prince des décorateurs-perspectivistes était à ce moment
Peruzzi; sa mise en scène de la *Calandria* (1514 ou 1515) fut
célèbre. Nous possédons de lui plusieurs dessins de scènes,
avec des références romaines, mais sans aucun rapport avec
le théâtre antique; du point de vue du genre, ce sont des
vedute d'architecture.

Peruzzi fut aussi, comme on sait, le maître et la source de Serlio, le grand vulgarisateur de la scène en perspective. Serlio est le principal et, à côté de Battista da Sangallo dans ses dessins en marge de Vitruve [1] (ill. 15), le premier témoin de la systématisation des trois types de scène, tragique, comique et satyrique. Ils n'ont évidemment pas été les premiers à la concevoir; Alberti y avait déjà pensé, associant comme Serlio le décor satyrique au genre pastoral, et imaginant comme plus tard Barbaro que les trois faces des périactes représentaient les décors des trois genres. Krautheimer, dans l'article cité plus haut, a essayé d'interpréter les panneaux d'Urbin et de Baltimore comme la réalisation visuelle du décor comique et tragique. La date des panneaux est incertaine (proche de 1500), ils n'ont pas été conçus comme pendants, et nous n'avons pas leur équivalent pour la scène satyrique. Ainsi, quoi qu'il en soit de l'hypothèse, nous ne pouvons pas nous en servir pour dater l'apparition d'un décor théâtral différencié selon les genres, d'autant plus qu'il n'est pas prouvé que ces présumés décors répondaient à des représentations effectives [2].

Jusqu'à preuve du contraire ce sont donc Serlio et Battista da Sangallo qui ont, les premiers, systématisé « à la Vitruve » les trois décors de la scène en perspective. On peut interpréter cela comme une tentative de leur part, faible il est vrai, de trouver une caution antique à une formule théâtrale qui, par son origine, n'a rien de classique [3]. Serlio (ill. 14) le sait, puisque au livre III il donne des relevés de théâtres romains, assez corrects d'ailleurs, et manifestement incompatibles avec le système qu'il préconise au livre II; le théâtre pour amateurs et le théâtre pour archéologues sont chez lui nettement séparés. Il faut d'ailleurs souligner que la scène « tragique » de Serlio emprunte tous ses éléments à l'antiquité, alors que la scène

1. Ms. cité *supra*, p. 296, n. 3. Le travail de Battista da Sangallo était fort avancé en 1548, date de son testament, et le livre II de Serlio, qui traite du décor de théâtre, fut publié en France en 1545. Il faut sans doute admettre, comme d'habitude, que la plupart des ressemblances s'expliquent par une source commune, Peruzzi et son cercle.

2. Mentionnons cependant la tentative d'Al. Parronchi, « La prima rappresentazione della Mandragola », *Bibliofília*, 1962, qui suppose que les trois panneaux d'architecture en discussion remontent tous aux fêtes de 1518, à Florence, et qui prétend identifier, sur des indices légers, les trois pièces jouées (alors que, selon toutes les sources, on n'en joua que deux) ainsi que les auteurs des décors et des panneaux.

3. Le théâtre en bois construit par Serlio lui-même à Vicence en 1539 comprenait une cavea assez fidèlement antique, mais sa scène était faite exprès pour les jeux de sa perspective à deux et trois dimensions. Par la suite, à l'abri du texte vitruvien sur les trois genres de scène, les dessins de Serlio ont été admis dans le Vitruve allemand de Rivius et dans le Vitruve français de Jean Martin.

comique comprend des bâtiments gothiques ou modernes; le texte de Serlio recommande expressément cette manière de distinguer les genres. A une époque où les auteurs antiques les plus joués étaient justement des comiques, et où la tragédie de sujet moderne, écrite en latin, n'avait rien de choquant (Raphaël Riario en avait fait représenter deux dans son palais), la distinction introduite par Serlio peut surprendre et ne répond à rien, sinon au sentiment vague que l'antique est plus noble que le moderne — un peu comme le théâtre de Marcellus surpasse l'édifice en bois construit par Serlio à Vicence. C'est pourtant la scénographie en perspective, attestée par Serlio, qui donne lieu à l'expérience la plus intéressante et qui ouvre la voie au théâtre du xviie siècle.

L'intérêt technique des artistes pour la scène serlienne est motivé par le problème du raccord entre le décor de relief en trompe l'œil et la peinture de la toile de fond. La formule apparaît avec Genga à Urbin en 1513, et il faut la rattacher, avec Flechsig, au cercle romain de Bramante et Peruzzi [1]. De toute façon, ce relief en trompe l'œil devient bientôt indispensable pour la mise en scène alors moderne [2].

Les traités de perspective ont dès lors presque régulièrement un chapitre de « scénographie » consacré au raccord de la perspective plane du fond avec les volumes traités en trompe l'œil [3]. Le principal moyen utilisé est, comme chez les fresquistes du temps de Masolino, un fil attaché à un clou planté au point de fuite des orthogonales sur la toile du fond (Serlio, Barbaro); plus tard on plante un second clou muni d'un autre fil au point de vue du spectateur privilégié, supposé en général assis sur les gradins à hauteur moyenne

1. Le lien Bramante-Genga-Peruzzi-Serlio est très fortement attesté. Serlio parle souvent et avec grande admiration de chacun des trois autres; sa scène tragique, proche par ailleurs d'un dessin connu de Peruzzi aux Offices, présente à droite un arc de triomphe vu de profil, avec bas-reliefs sur le petit côté visible, et plusieurs autres traits qui se trouvent dans la description que donne Castiglione du décor de la *Calandria* de Genga, en 1513.

2. D'Ancona, *Le origini del teatro italiano*, 2 vol., Turin, 1891, t. II, p. 432 sq., résume une lettre du châtelain de Mantoue se plaignant, en 1532, de ce que Giulio Romano, inexpert en scénographie, s'était contenté de brosser une vue perspective au fond de la scène. Pour pouvoir procéder à la représentation, il a fallu alors trouer le mur, et le décorateur a masqué les trous par du carton peint. Il faut sans doute comprendre que la mise en scène supposait que les acteurs entrent et sortent des maisons du décor; c'est pourquoi Giulio a dû ouvrir de vraies portes (avec battants en carton peint) dans les fausses maisons qu'il avait dessinées sur le mur.

3. L'histoire des inventions techniques successives a été excellemment écrite par G. Schoene, *Die Entwicklung der Perspektivbühne von Serlio zu Ferd. Galli-Bibiena*, Leipzig, 1933 (Theatergeschichtliche Forschungen, 43). Elle concerne surtout, dans l'intervalle qui nous occupe, Serlio, Barbaro, Egnatio Danti, Sirigatti, Guido Ubaldo.

dans l'axe médian de la salle (Danti 1583; Guido Ubaldo, 1600). Le premier fil sert à concrétiser les orthogonales, le second les rayons visuels; on peut alors par des visées diverses ou en déplaçant les bouts libres des fils résoudre toutes sortes de problèmes de perspective. Guido Ubaldo surtout a élaboré un nombre considérable de procédés à cet effet. A mesure que le système se précise, on observe que sa corrélation au spectateur privilégié devient plus consciente. Serlio, le premier théoricien, avait encore choisi son point de fuite central à la hauteur de l'œil de l'acteur debout sur la scène, et non en fonction de la salle; il ne tient pas compte explicitement du lieu du spectateur privilégié. Barbaro sait qu'un tel spectateur existe, mais il le place « quelque part dans la salle » et semble croire qu'il n'y a pas dommage à changer sa place selon les opérations de visée; Danti et Sirigatti (1596) déterminent une fois pour toutes à l'aide du second clou l'emplacement de ce spectateur, mais Sirigatti s'est fait encore critiquer par des successeurs parce qu'il croyait que la vue perspective ainsi obtenue était valable pour tous ceux qui seraient assis dans l'axe médian à la hauteur du rayon principal, alors qu'en fait elle n'est pas indépendante de la distance. Comme l'a bien remarqué Kernodle, la loge du souverain (jadis au fond de l'orchestre, maintenant à la hauteur de l'horizon feint du décor) est devenue le centre idéal de toute la construction [1].

Ainsi, de Serlio à Guido Ubaldo, la scène en perspective devient de plus en plus explicitement un simple tableau pour un spectateur. Cette évolution est capitale; elle est ce qu'il y a de plus antivitruvien dans le théâtre du Cinquecento. Elle n'est pas contredite, mais plutôt soutenue et confirmée par la conquête successive de la profondeur : l'acteur, jadis toujours devant la *frons scaenae*, commence à pénétrer dans le décor. En 1532 déjà, la mise en scène comptait sur cette possibilité [2]. La partie plate du proscenium nu et la partie montante couverte de praticables en trompe l'œil, encore séparées chez Serlio, se confondent lentement, et en 1583 Danti écrit expressément que les acteurs se trouvent sur la place trapézoïdale délimitée par les maisons feintes. Le décor des côtés gagne donc en importance; Danti mentionne deux spectacles où des périactes avaient été plantés aux côtés de la scène, et on évolue ainsi vers la coulisse plantée dans le

1. G. Kernodle, *From art to theatre; form and convention in the Renaissance,* Chicago, 1944, voir p. 179.
2. Voir p. 300, n. 2 : Sur l'erreur de Giulio Romano, décorateur de théâtre.

sens des orthogonales, dont Guido Ubaldo fait la théorie.
Ainsi, à Sabbioneta.

Mais plus cette scène gagnait en profondeur, plus elle devenait tableau, car les spectateurs mal placés perdaient au fur
et à mesure l'illusion donnée par un décor planté dans le
sens des orthogonales. Ainsi l'aboutissement de la scène en
perspective et de sa forme serlienne est l'opposé exact de
ce qu'avait voulu le théâtre antique.

III. LE THÉATRE DES VITRUVIENS :
ADAPTATIONS ET MALENTENDUS

La dédicace du Vitruve de 1486 suppliait le cardinal Riario
de construire enfin un vrai théâtre permanent, qui serait le
premier depuis l'Antiquité. Depuis, cette idée est restée chère
aux vitruviens. Sauf exceptions (parmi lesquelles, il est vrai,
le théâtre construit par l'Arioste à Ferrare en 1531) les édifices spécialement affectés aux représentations s'efforçaient
à une bonne orthodoxie vitruvienne [1]. Avec Serlio à Vicence
1539, Bertano à Mantoue 1549, Palladio à Venise 1565 et à
Vicence 1562 et 1580, Scamozzi, après l'Olimpico, à Sabbioneta 1588-1589, sans parler de scènes permanentes dans les
palais, comme celle d'Aristotile da Sangallo à la Farnésine
1545, c'est partout le règne de vitruviens chevronnés. Mais
leur archéologie, si elle impose en général l'amphithéâtre à
gradins, n'était sans doute guère à l'abri de compromis, dont
on trouve la trace jusque dans les reconstructions théoriques
qui se prétendaient rigoureuses.

La première en date, récemment révélée par un article
d'Agne Beijer, est due à l'humaniste Pellegrino Prisciano, qui
surveilla la construction du théâtre ferrarais de 1486 [2]. Il
s'agit d'un manuscrit de caractère archéologique, dont les
passages consacrés au théâtre sont essentiellement tirés du
traité de Vitruve, assez mal compris. La *scaena*, qui présentait un front vertical, montrait des « maisons » (arcades à

---

1. Rien ne peut être dit sur ce qui fut probablement le premier des théâtres
stables, celui que Cornaro s'était fait construire à Loreo, dans les années 1520.
2. A. Beijer, « An early XVIth century scenic design in the National
Museum, Stockholm... » dans *Theatre Research*, IV, 1962, p. 85-155. L'article
a paru dans les jours mêmes où se tenait le Colloque de Royaumont; M. Beijer
a bien voulu nous en avertir pour nous permettre de mentionner ici ce texte
important.

rideaux? peintures de façades?); devant elle, une bande
étroite, le proscenium où l'on jouait. L'orchestra était comprise
comme une plate-forme rectangulaire collée au proscenium
et occupée par les notables; le public ordinaire remplissait
les gradins d'un amphithéâtre en demi-cercle.

M. Beijer est enclin à croire que le spectacle effectif monté
par Prisciano en 1486 — et tous ceux qui en dérivent jusqu'en
1509 — devait s'inspirer des principes du classicisme vitruvien de Prisciano et s'apparenter par là d'avance à l'Olimpico,
au-delà de la grande parenthèse illusionniste du type serlien.
Quoi qu'il en soit de cette hypothèse, il reste que la scène
« romaine » du manuscrit de Prisciano, dont la largeur ne
dépasse pas l'espace compris entre les gradins inférieurs, et
qui s'étale en front uni devant les spectateurs, fait toujours
« tableau », même si ce n'est pas un tableau en perspective.
Elle ferme l'amphithéâtre au lieu de le compléter. Par là,
cette reconstitution « vitruvienne » est plus proche, d'avance,
de la scène illusionniste en perspective que du vitruvianisme
authentique de Palladio. Nous allons voir qu'au xvie siècle
presque toutes les reconstitutions soit philologiques, d'après
Vitruve, soit archéologiques, d'après les ruines, témoignent
d'infléchissements analogues, sous l'influence directe, cette
fois, de la scène illusionniste.

Nous l'avons signalé, la *frons scaenae* est précédée, chez
Cesariano, chez Fra Giocondo (éd. consultée : 1522), chez
Serlio dans sa reconstruction du théâtre de Marcellus, chez
Battista da Sangallo et enfin chez Jean Martin (qui copie
Fra Giocondo, en 1547) d'un portique à arcades ou à colonnes,
souvenir du motif « proto-vitruvien » (fig. 13). Significativement,
les portes de la *frons scaenae*, décrites par Vitruve (*valvae regiae*
au milieu, deux portes *hospitalitia* aux côtés, et aux extrémités deux autres espaces où l'on mettait les périactes) sont
placées par Cesariano derrière la scène et donnent sur un
portique postérieur qui servait en quelque sorte de foyer.
Cela permettait de laisser à la *frons scaenae* l'apparence
intacte d'une façade-tableau, arrière-plan neutre et immuable.
Le portique sur le proscenium se comprend ainsi mieux, une
erreur appelant l'autre, par les nécessités de la mise en scène.
(Fra Giocondo et Battista da Sangallo avaient, eux aussi,
placé les cinq ouvertures vitruviennes à l'arrière de la scène,
mais sans fermer complètement la *frons scaenae* ; Fra Giocondo
masquait cependant l'ouverture frontale par le portique.)

L'emprise du modèle de la scène en perspective avec proscenium nu et décor purement optique se manifeste surtout,

chez les vitruviens, par leur répugnance à admettre, malgré
les textes et l'archéologie, l'élément appelé par Vitruve *versurae
procurrentes* — les retours d'angle aux extrémités de la scène,
qui aboutissaient à enfermer le proscenium des trois côtés
dans une architecture cohérente, et à en faire presque un
intérieur complémentaire de la salle. C'était une conception
par excellence antiperspectiviste, dans la mesure où la perspective implique un « plan du tableau », une distance fixe et
un point de vue assigné à l'avance. Or le goût des architectes
et celui du public étaient plutôt favorables à une perspective
du type pictural, et il semble bien que le Teatro Olimpico
soit le seul cas, au XVIᵉ siècle, où les *versurae procurrentes*
aient été pleinement acceptées.

Pellegrino Prisciano n'en tient pas compte; Fra Giocondo
les refuse d'emblée : un simple mur ferme le portique qui
longe la *frons scaenae*. Cesariano interprète les *versurae* comme
des chambres renfermant des machines, et masquées pour
les spectateurs. Battista da Sangallo les nie tout à fait.
Philander (1544-1550) confond *versurae* et *machinae versa-
tiles*, c'est-à-dire périactes. Barbaro enfin, guidé par Palladio,
imagine un simple mur très bas et très laid, percé d'arcades
et coupant un bout du proscenium à chaque côté, entre la
frons scaenae et la *cavea :* guère autre chose qu'une petite
barrière perpendiculaire, appuyée contre la *frons scaenae* [1].

Peu de documents sont aussi éloquents que l'esquisse vitruvienne d'Antonio da Sangallo le jeune (ill. 16), conservée aux
Offices et publiée dans *The Mask*, XI, Oct. 1925, où on la
situe entre 1515 et 1530 [2].

C'est une synthèse très primitive de la scène de Serlio et
des indications de Vitruve. Le milieu de la *frons scaenae*,
appelé *aularezio* (*aula regia*, comme chez Vitruve), est en
réalité une perspective urbaine ouverte, une place publique
à la Serlio; il n'y a, bien entendu, aucune porte ouverte dans
ce décor. A droite et à gauche, là où Vitruve place les chambres
des hôtes du Palais royal, les *hospitalia* avec leurs portes,
Sangallo montre deux espèces de maisons ou tours, l'une vue
de l'extérieur, l'autre avec un mur ouvert, selon la plus désuète
des traditions. Vitruve avait placé les périactes *secundum ea
loca*, c'est-à-dire au-delà des *hospitalia*, aux extrémités de la

1. C'est sans doute par ses relevés ultérieurs d'amphithéâtres romains
que Palladio a été conduit à changer d'avis et à comprendre les *versurae*
comme il l'a fait à l'Olimpico.
2. M. I. Lavin nous signale qu'il y a aux Offices un croquis attribué à
A. da San Gallo Jr. (nº 1094 A, Gab. Fot., nº 114873) qui montre certainement une scène avec un périacte placé comme dans le dessin discuté.

scène; il avait ajouté qu'on les utilise pour les changements de décor, par exemple lorsque les dieux apparaissent, accompagnés de tonnerre. Sangallo montre un périacte portant sur une face l'image d'une apparition divine, et naturellement il situe cet élément en haut, au sommet d'un des *hospitalia*. Les *versurae*, inutile de le dire, n'existent pas; le portique arrière est bien indiqué et s'appelle *forum*, ce qui explique peut-être pourquoi le théâtre du Capitole en 1513 portait sur les deux issues latérales l'inscription identique *via ad forum*. Jamais sans doute Vitruve n'a été aussi mal compris (et par un architecte qui passait pour docte, ce qui donne à réfléchir sur le rôle d'éminence grise que jouait auprès de lui, selon Vasari, son frère Battista!); jamais aussi les erreurs n'ont été si parfaitement orientées pour masquer la structure propre du théâtre antique et pour y introduire à tout prix la scène-tableau.

Les relevés des théâtres antiques confirment l'impression que nous laissent les interprétations de Vitruve : refus de la *frons scaenae* à trois ou cinq ouvertures, en faveur d'un portique; refus, sinon des *versurae*, du moins de tout ce qui peut leur donner un caractère de murs latéraux d'une scène complémentaire de la *cavea*.

Serlio, dans sa reconstitution du théâtre de Marcellus, remplace les *versurae* par une paire de *loggie*, qui donnent directement sur les gradins et prolongent en quelque sorte les cornes du théâtre; *si usavano per passeggiare, et si dicono versure*. La même interprétation est maintenue dans sa reconstitution, par ailleurs plus correcte, de l'amphithéâtre de Pola.

Les *versurae* manquent tout à fait dans le théâtre de Vérone vu par Caroto (1540) (ill. 18); mais elles apparaissent, pleinement développées, dans le théâtre de Marcellus selon Piero Ligorio (1558) (ill. 19) La scène s'y présente en effet comme une cour bordée des trois côtés par un portique surmonté d'un étage (les ailes orthogonales sont cependant curieusement appelées *proscenia* et non *versurae*) Mais toute cette construction n'a que la largeur de l'orchestre, ce qui oblige les acteurs, s'ils ne veulent pas rester invisibles pour les deux tiers des spectateurs, de jouer sur la mince plate-forme qui s'avance dans l'orchestre et qui n'a pas de murs latéraux. Autrement dit, cette cour n'est qu'une sorte de fond de scène, un « tableau » à trois dimensions — assez proche, tout compte fait, de la scène à la Serlio avec son relief aplati et illusionniste.

IV. L'ESPACE SCÉNIQUE VITRUVIEN
ET LE THÉATRE EN ROND

L'opposition de la scène pour amateurs et de la scène pour archéologues s'est cristallisée, nous l'avons vu, en une opposition de la scène-tableau et de la scène comme espace encadré par une architecture abstraite. L'orthodoxie vitruvienne avec les *versurae* et le rapport complémentaire salle-scène excluait le tableau. Vitruve explique longuement comment le théâtre s'inscrit dans un cercle ou plutôt dans un dodécagone, où les escaliers des gradins correspondent aux portes de la *frons scaenae*; c'est un ensemble bien fermé, et même sa perspective n'est pas celle du *taglio* de la pyramide, familière aux hommes de la Renaissance. Les deux passages sur la perspective (I, II et VII, Praef.) ne parlent pas de l'œil du spectateur, mais d'un assez mystérieux « centre du cercle » auquel doivent « répondre » toutes les lignes [1]. Nous n'en ferons pas ici l'exégèse; il suffit que le lecteur de la Renaissance ait eu l'impression d'une perspective panoramique sans « tableau », et qui excluait la scène-image.

La perspective circulaire et la scène comme espace complémentaire ou comme partie de la salle — ces traits devaient être familiers aux amateurs de spectacles autant ou plus qu'aux théoriciens, mais familiers grâce à des spectacles souvent différents du théâtre : le tournoi et toutes les productions, scéniques ou non, auxquelles on assistait dans les *cortili*, penché aux fenêtres ou sous les arcades. La conception spatiale du théâtre antique trouvait sur ce point une référence, sur laquelle André Chastel nous a éclairés dans l'architecture des palais et des villas. La tradition du « théâtre en rond » constitue, avec la scène illusionniste et le vitruvianisme plus ou moins orthodoxe, une troisième ligne d'évolution du théâtre à la Renaissance.

L'affinité naturelle entre l'archéologie du théâtre antique et le spectacle en rond amène, chez Francesco di Giorgio, une

---

1. Praef. VII : *Quemadmodum oporteat ad aciem oculorum radiorumque extentionem certo loco centro constituto lineas ratione naturali respondere, uti de* [in-]*certa re certae imagines aedificorum in scaenarum picturis redderent speciem et, quae in directis planisque frontibus sint figurata, alia abscendentia, alia prominentia esse videantur.* — Ce qui pourrait se rendre par: ... comment, un endroit central étant fixé pour le regard et la divergence des rayons visuels, les lignes doivent, suivant un principe naturel, se répondre en telle sorte que des images définies d'objets définis [ou, avec la var. *incerta* : d'objets imaginaires] reproduisent les apparences des édifices dans les peintures des scènes, et que ce qui est dessiné sur des surfaces planes et verticales paraisse soit reculer, soit avancer.

Le temps de la réflexion

1983

Paraît
une fois l'an

———— ■ ————

Gallimard

tr

NUMÉRO IV, OCTOBRE 1983

I. RÉFLEXION

CIVILISATION

JEAN STAROBINSKI Le mot « civilisation ».

FRANÇOISE FRONTISI-DUCROUX Chemins grecs de la civilité.

CARLO OSSOLA La civilisation des cours
comme art de la conversation.

AUGUSTIN BERQUE Paysages d'une autre civilité.

JEAN STAROBINSKI L'ordre du jour.

HENRI GOUHIER Civilisation et progrès : Rousseau et Comte.

ANTOINE BERMAN *Bildung* et *Bildungsroman*.

FRANÇOIS HARTOG Le passé revisité.

EVELYNE PATLAGEAN La civilisation en la personne
du souverain. Byzance, Xe siècle.

BRONISLAW BACZKO Le complot vandale.

MICHEL DEGUY A la recherche du culturel.

MARC AUGÉ Héros téléculturels.

II. RECHERCHE

JULIAN PITT-RIVERS Le sacrifice du taureau.

MICHEL IZARD Engrammes du pouvoir.

GÉRARD JORLAND Remarques sur la question de l'ontologie.

III. CRITIQUE

ANDRÉ GREEN L'homme machinal.

JACQUES BOUVERESSE La vengeance de Spengler.

FLORENCE DELAY Civilisation de l'aube.

J.-B. PONTALIS Permanence du Malaise.

IV. LECTURE

par H. CIXOUS, D. DAMMAME, B. GÉRARD
L. JENNY, J. LÉVI, C. VIDAL.

confusion naïve entre le théâtre et le cirque (ill. 17). Sur un dessin de son manuscrit de la Laurentienne (Ashb. 361), exécuté avant ou en 1490, il présente sous le nom de « théâtre » une sorte de Colisée, avec les fameux vases résonateurs sur les gradins; au milieu de l'arène s'élève une espèce de grand socle triangulaire aux faces décorées de reliefs ou de peintures, appelé « orchestra » : un produit bâtard du périacte et de ce que nous appelons la scène. (Un autre exemple de cette confusion se trouve dans le manuscrit de reconstitutions archéologiques publié par Ch. Hülsen, *La Roma di Ciriaco d'Ancona*, Rome, 1907.)

L'idée antique et vitruvienne d'un théâtre construit sur le plan circulaire et qui suggère le cercle, mais où le spectacle occupe un segment périphérique et non plus le milieu, est réalisée dans le Teatro Olimpico. La réalisation est approximative, et nous ne savons pas dans quelle mesure elle est unique, car les prédécesseurs possibles, les théâtres de Bertano et de Palladio lui-même nous sont trop peu connus [1]; mais la seule comparaison entre le commentaire vitruvien de Barbaro, terminé en 1556 avec l'aide de Palladio, et le Teatro Olimpico de 1580, indique la nouveauté de ce dernier; l'apparition des *versurae* est, en ce qui nous concerne, le trait décisif. Barbaro avait eu le tort de placer les périactes derrière les portes de sa *frons scaenae;* l'idée palladienne peu orthodoxe et en apparence non antique de les remplacer par des rues divergentes en relief serlien est, en fait, un pas de plus, et des plus habiles, pour consolider le rapport complémentaire salle-scène — les rues répondant aux escaliers des gradins — et pour concrétiser le rapport établi par Vitruve entre les cinq ouvertures de la scène et les angles du dodécagone circonscrit au plan du théâtre [2]. Palladio réalisait

1. M. Irving Lavin nous a suggéré que la forme ovale de l'amphithéâtre de l'Olimpico peut dériver des dessins de Vignole pour le Palazzo Farnese de Parme (cf. Terzaghi, dans *Arte antica e moderna*, 1958) : un théâtre ovale y était prévu dans une cour intérieure. La source est possible; mais il ne faut pas oublier le théâtre romain de Vérone gravé par Caroto en 1540.

A cela M. Lavin ajoute : « Le théâtre de Vérone n'est pas ovoïde en réalité (voir bibliographie citée par Margarete Bieber, *The History of the Greek and Roman theatre, Princeton*, 1961, p. 164 et n. 1, p. 301) et Palladio savait bien qu'il ne l'était pas (G. Zorzi, *I disegni delle antichità di Andrea Palladio*, Venise, 1959, p. 93 sqq., fig. 218). Pourquoi Palladio (et Vignole par la même occasion) ont-ils préféré une reconstitution fausse à l'original? Il serait très intéressant de savoir où Caroto a trouvé cette idée, car je doute que ç'ait été une simple faute (il semble que les dessins originaux de Caroto soient conservés). »

2. M. Lavin nous fait remarquer que la vue urbaine que l'on devine à travers les ouvertures de la *frons scaenae* dans le dessin de Palladio pour Barbaro montre encore des rues convergentes selon la perspective illusionniste et unitaire du décor à la Serlio. — Les discussions que nous avons eues

ainsi l'étoile complète et — pouvait-il croire — cette *frontis et laterum abscendentium adumbratio ad circinique centrum omnium linearum responsus* qui est la définition de la *scaenographia* (représentation perspective) selon Vitruve (1, 2).

V. ILLUSION ET PROFONDEUR

L'idée d'une *frons scaenae* qui déborde le fond de la scène et embrasse les deux côtés de sorte que l'acteur joue vraiment dans le décor était apparue aussi dans le développement de la scène serlienne, et se renforce lorsque, comme par exemple dans les illustrations du *Térence* de Venise 1545, le fond n'est plus une peinture panoramique, mais une façade parallèle à la rampe. Par ce biais, la scène serlienne devenait en apparence assez proche de l'Olimpico — à cette différence capitale qu'elle refusait nécessairement tout raccord avec la salle et qu'elle était incompatible avec l'étoile vitruvienne.

Dans le parti illusionniste-perspectiviste, la conquête de la profondeur, loin d'aboutir à quelque chose qui ressemble à l'Olimpico, ne fait que souligner le caractère de la scène-tableau. Danti rapporte qu'Aristotile da Sangallo avait imaginé pour Pierluigi Farnese à Castro en 1543 (c'est-à-dire au temps où écrivait Serlio) une scène bordée des trois côtés de périactes : deux dans chaque rangée latérale, et un, plus grand, au fond — ce qui est l'ordonnance même de la scène serlienne type, avec ses deux maisons de chaque côté et une perspective urbaine derrière. Danti avait vu une mise en scène semblable en 1569 à Florence, œuvre de Baldassare Lanci.

Cet arrangement appelait le passage à la coulisse, qui s'est fait cependant attendre, bien qu'il fût théoriquement préparé par les érudits : dès 1486, Sulpizio da Veroli avait rappelé la différence entre *scaena versatilis* et *ductilis*, et dès 1544 Philander les avait correctement décrites. Mais le préalable nécessaire pour le développement des coulisses parallèles au bord de la scène manquait encore — l'arc du proscenium, une hérésie trop caractérisée pour un vitruvien, et une invention dangereusement proche des habitudes médiévales.

Le décor de la *Calandria* d'Urbin en 1513 était vu à travers une porte de ville flanquée de deux tours; puis cet archaïsme (qui concrétise si bien, pour les besoins de l'illusion picturale,

---

avec M. Lavin et les suggestions qu'il nous a faites pendant le Colloque de Royaumont, nous ont été d'un grand secours pour mettre au point la dernière partie de cette communication.

le « plan de production » de la scène-tableau), disparut à peu
près complètement [1] jusqu'à ce que le maniérisme réussît à
se débarrasser du complexe anti-médiéval : à partir de la
représentation de l'*Ortensio* à Sienne vers 1560 (gravure par
Andreani), l'arc du proscenium entre en force et devient,
avec la scène en profondeur et la salle lourdement ornée, une
des caractéristiques du théâtre vasarien. L'arc souligne, mais
en même temps neutralise la profondeur, en la retransformant
en image; et il semble bien que la pratique des coulisses
parallèles à la rampe, dont la fonction illusionniste est manifestement du même ordre, ait eu besoin de cet encadrement
comme appui.

La position très singulière de l'Olimpico peut être ainsi
définie à nouveau : c'est le théâtre le plus fidèle à l'esprit
de Vitruve, plus vitruvien même que Vitruve, en ce sens
qu'il souligne, mieux que le théâtre antique, l'emboîtement
de la salle avec la scène et l'importance de l'étoile du plan.
Il se sert pour cela d'un moyen moderne, emprunté à la technique serlienne du décor illusionniste; et stylistiquement, la
façon dont il emploie ce moyen est tout à fait conforme au
goût de son époque maniériste, qui aime jouer des percées
brusques dans les plans frontaux. Mais cette modernité des
formes et des moyens cache, dans la conception fondamentale,
une opposition résolue à l'illusionnisme des perspectivistes :
alors que tout, autour de Palladio, tendait vers la scène-
tableau (et d'autant plus « tableau » qu'elle était plus profonde), alors que l'arc du proscenium concrétisait le plan de
projection des profondeurs, et que les décorateurs apprenaient
pas à pas, à tenir compte exactement de la loge du prince,
« œil » idéal du théâtre — Palladio, lui, construisait un théâtre
à perspective panoramique et imaginaire : le « centre du
cercle », là où selon Vitruve doivent se répondre toutes les
lignes, et où convergent les vues libres dans les cinq rues,
n'est occupé par personne — il est quelque part dans l'air,
au-dessus de l'orchestra vide. Ainsi chaque spectateur n'a
qu'une vue partielle, et le point de vue idéal doit être imaginé
par tous.

(1964)

___

1. On n'en signale qu'un exemple, sur un dessin de Stockholm, début
XVIᵉ siècle; cf. Bjurström, *op. cit.*, p. 18.

XIII

L'URBANISME UTOPIQUE DE FILARETE
A VALENTIN ANDREAE

Le rapport entre urbanisme et utopie est si évident et banal qu'il suffira de rappeler ses raisons et ses principaux aspects : organisant dans le détail le cadre de la vie urbaine collective et jusqu'à un certain degré privée, on est amené à en matérialiser en quelque sorte la structure sociale, soulignant ou modifiant les données; et lorsque, comme si souvent à la Renaissance, la ville en question est un État, le projet d'urbanisme intégral prend un caractère à la fois social et politique. Inversement, l'utopiste qui règle la vie des citoyens de sa république est amené à en régler aussi le cadre, et il y a relativement peu d'utopies authentiques qui ne s'accompagnent d'une carte géographique ou d'un projet de cité.

Sous cette parenté inscrite dans la nature des choses, l'urbaniste et l'utopiste sont liés par une affinité psychologique. Ces grands imaginatifs ont en commun le postulat qu'on peut changer les hommes en organisant l'espace où ils se meuvent. Il y a trop d'exemples de cette croyance dans l'histoire pour qu'il vaille la peine de les citer. Mais il sera permis d'insister, pour n'y plus revenir ensuite, sur une des principales raisons qui confèrent aux projets de villes cette vertu un peu magique : ces projets sont aussi, sous un de leurs aspects, des symboles. Depuis les mandalas qu'un disciple de Jung ne manquerait pas de citer ici, jusqu'aux étranges paysages urbains de Klee, les variations sur les formes élémentaires avec lesquelles on fait les plans des villes idéales servent aussi de support à la transfiguration du dessinateur en mage. On peut difficilement s'empêcher de penser que le labyrinthe discipliné de Christianopolis avait pour Andreae une vertu, fût-elle inconsciente, d'exorcisme, et que Campanella, transposant sa République avortée dans la vision plastique de la Cité du Soleil, réalisa sur lui-même l'opération bénéfique que le cadre de cette cité devait exercer sur tous ses habitants.

Descartes avait voulu que les villes expriment « la volonté de quelques hommes doués de raison »; il n'aura pas empêché qu'elles expriment aussi leur imagination. Et c'est ce point que nous voulons discuter ici. Il est vrai que les inventions d'espaces urbains et de rapports sociaux qui leur correspondent sont psychologiquement conditionnés d'une manière qui semble, jusqu'à nouvel ordre, constante dans l'histoire; mais dans le « projet » urbaniste-utopiste, l'image « projetée » du moi est recouverte par d'autres symboles, plus directs : modèles du cosmos, traductions visuelles du « plan » d'une société, sans parler de l'empreinte du style artistique de l'époque. Il y a là des couches de chiffres et de significations qui n'échappent plus à l'histoire.

Le premier caractère géographique des Utopies est leur isolement; ce sont des îles perdues, des presqu'îles coupées de la terre par un canal ou par une chaîne de montagnes. Les lois tirent parti de ces conditions, les aggravent ou se substituent à elles, au besoin. Les étrangers amenés par l'habituel naufrage sont isolés ou soumis à un examen d'admission; on s'arrange pour qu'ils restent de plein gré définitivement chez leurs hôtes; on prend des mesures pour obliger les rares insulaires envoyés à l'étranger à revenir chez eux. Les nécessités de la fiction (expliquer l'existence de merveilleuses civilisations inconnues) ne sont pas seules en cause : Agostini, qui projette une cité future dans sa propre contrée de Pesaro, y fait régner une solide méfiance des métèques; Zuccolo, dans une description idéalisée de la république bien présente et bien vivante de San Marino, lui prête des lois quasi secrètes et écarte les étrangers [1]. Une situation en vase clos et le recul dans l'espace ou le temps sont les conditions fondamentales du rêve utopique. L. Firpo a montré en prenant le cas de Filarete comment ces conditions transfor-

---

1. *Dialoghi*, Venise, 1625, p. 168 (*Della città felice*): *Qui non vengono forestieri a corrompere nostri costumi...* P. 172 : la république de San Marino *desidera di stare oscura... vuole che le regole del suo governo stieno occolte*. — Cf. *ibid.*, p. 214 (Evandria) : *I vagabondi stranieri non si lasciano entrare in Evandria.* — Limitations de voyage et difficultés d'entrée chez Morus, Andreae, Bacon. Dans l'*Histoire des Sevarambes* de Vairasse, œuvre tardive (1675), le citoyen envoyé en mission doit laisser trois enfants comme otages.

Presque toutes les utopies insistent longuement sur les enceintes multiples de murs, canaux, fossés, terrains déserts, etc. Voir par exemple Antonio Brucioli, Della Republica, dans *Dialogi*, Venise, 1526, f° 36 r° et 37 r°-v°.

ment l'urbaniste en utopiste [1]. Le récit de la construction de Sforzinda, ville idéale, comprend l'épisode du livre d'or qui décrit l'ancienne capitale Galisforma; ville utopique. Ce passage à la fiction déchaîne la rêverie de l'auteur : les édifices deviennent monstrueux, la manie hydraulique (une constante depuis l'Atlantide de Platon) s'aggrave, et surtout : l'architecte devient législateur. Dans les chapitres précédents Filarete avait commandé en imagination au duc de Milan et aux meilleurs artistes florentins (sauf Brunelleschi, malheureusement décédé); dans le livre d'or, c'est un débordement de fantaisies schizoïdes et sadiques, qui s'orientent comme spontanément vers les thèmes fondamentaux des utopies de toujours : pédagogie, justice, lois somptuaires et annonaires; il ne manque que la réglementation du mariage et l'eugénique. Platon et Diodore y sont sans doute pour quelque chose; mais on est pourtant frappé de voir comment l'architecte, étendant à la matière humaine ses habitudes de réglementation urbaniste, se conforme aussitôt aux lois du genre utopique tout en leur imprimant la marque de son tempérament personnel.

I. VILLE UTOPIQUE ET IMAGE DU COSMOS

Les royaumes imaginaires s'érigent naturellement en « mondes » parallèles au nôtre — à tel point, que l'« autre monde » par excellence, le pays des morts, a pu servir de modèle à une utopie littéraire de l'antiquité. Ce monde utopique est le produit d'une Nature *sui generis*, fantastique ou philosophique ou les deux à la fois, mais toujours révélatrice [2].

Le climat de ces pays est bon et sain; Zuccolo reprend gravement Morus pour avoir doué l'île d'Utopie d'un air nocif [3]. Ce préambule sur le site n'est pas seulement la reprise d'un lieu commun vitruvien, indéfiniment répété dans les traités d'architecture, mais le reflet d'un naturalisme fort poussé : le pieux Agostini lui-même semble croire qu'un

1. L. Firpo, « La città ideale del Filarete », in *Studi in memoria di Gioele Solari*, Turin, 1954, p. 11-59.
2. Ces traits apparaissent dans la littérature hellénistique, où l'utopie participe du mythe, du pays de Cocagne et du philosophème; voir J. Bidez, « La Cité du Monde et la Cité du Soleil chez les stoïciens », *Bull. Acad. Royale de Belgique*, cl. Lettres, V^e sér., t. XVIII (tiré à part, Paris, 1932), et L. Gernet, « La cité future et le pays des morts », *Rev. des Études grecques*, XLVI, 1933.
3. L. Zuccolo, « Della Republica d'Utopia », dans *Dialoghi*, cité p. 244. Morus avait voulu laisser aux hommes la gloire de vaincre au moins une condition naturelle défavorable.

climat propice « produit » des hommes physiquement, intellectuellement et moralement supérieurs [1]. Les lieux de bonheur, Macaria, Città felice, Evandria, Insula Eudaemonensium s'accordent presque toujours des conditions physiques qui font l'homme « bon sujet » par complexion — bien que le pessimisme moral soit assez courant, comme il se doit, chez les utopistes de la Contre-Réforme. Les Utopiens de Rabelais sont « naturellement » loyaux à Pantagruel [2]; et San Marino, dit Zuccolo, est un état plus solide que Sparte, parce que la nature y dicte les conditions que Lycurgue avait dû imposer à ses concitoyens par artifice; l'aiguillon inné, qui dispense les Thélémites de lois et de codes, dispense les Évandriens de la raison d'État [3]; les navigateurs portugais mis en scène par Bonifacio [4] trouvent les conditions propices d'un État idéal *(governo democratico d'una Republica aperta, e commune)* dans une île dont les habitants sont d'un naturel assez heureux pour vivre paisiblement dans l'anarchie politique et dans la religion astrale.

Rien d'étonnant à ce que les cités ou États produits d'une Nature parallèle (et idéale) prennent l'aspect extérieur d'un monde parallèle. La ville idéale ou utopique est facilement une réduction du cosmos; l'astrolâtrie des utopiens — trait fréquent, traditionnel, et bien explicable dans cette perspective [5] — fournit un prétexte commode. Les sept enceintes et les quatre portes de la Cité du Soleil de Campanella se passent de commentaire; le Temple central, avec la coupole peinte en firmament, les deux sphères sur l'autel, les girouettes, les prêtres astrologues qui ont le nombre des heures du jour, développe et combine des traditions dont l'histoire de l'architecture est remplie [6]; depuis qu'on sait faire des coupoles sur les églises, on y voit des images du ciel. Le temple d'Alberti, où tout « doit sentir la pure philosophie », anticipe la voûte peinte et même les girouettes de Campanella. Le dôme de

---

1. L. Agostini, *La repubblica immaginaria*, éd. L. Firpo, Turin, 1957, p. 83 : *L'aria di questi paesi suole per natura produrre uomini temperati ne' vizi, docili in ogni sorti di scienza, civili nella pace, amici d'ogni uomo... ben avezzi all' obedienza.*

2. *Tiers Livre*, chap. I. — C'est pourquoi, d'ailleurs, l'expérience d'une colonisation de Dipsodie réussit à Pantagruel, alors qu'une mesure analogue avait eu pour Charlemagne des résultats désastreux.

3. L. Zuccolo, « Della Republica d'Evandria », dans *Dialoghi*, cité p. 238 : *Non conoscono Ragion di Stato, senon quella, la quale detta loro l'honestà e la giustizia.*

4. *La republica delle api*, Venise, 1627.

5. La relation à la fois traditionnelle et logique entre utopie et culte astral a été mise en relief par J. Bidez, art. cité.

6. C'était l'objet de l'exposition : *Symbolisme cosmique et monuments religieux*, Paris, Musée Guimet, juillet 1953.

Sforzinda est un cosmos : sur le pavement, il y a, incrustée en marbre, une carte de la terre, entourée des douze mois; aux croisillons répondent les Saisons et les Éléments. Dans la coupole, en mosaïque, Dieu symbolisé par un soleil rayonnant, et les neuf chœurs d'anges. Le Temple païen de Galisforma est entièrement météorologique et astral : coupole en hémisphère éclairée par des « yeux » semblables aux étoiles, quatre tours dans la direction des vents principaux, vingt-quatre chapelles autour de l'édifice.

On ne doit pas systématiser ce genre d'interprétation; la division d'une ville idéale en douze peut très bien être un souvenir de Platon (*Lois*, V, 745*be*) ou un rappel des douze tribus (comme dans la *Nova Solyma* de Samuel Gott, qui date, il est vrai, de 1648), ou une commodité quelconque; la forme circulaire, si elle est symbolique, peut être une allusion à la Jérusalem circulaire dont parle Tacite, et dont se souviennent les planificateurs [1]. Il est cependant tout de même curieux de constater que les douze rues principales de Vitry-le-François, ville forte créée après 1545 par un architecte militaire sur un plan en échiquier, ont reçu les noms des mois, et les axes principaux (d'ailleurs orientés), les noms des points cardinaux; la place centrale est « rayonnante », c'est-à-dire accessible seulement par les milieux des côtés [2]. Et il arrive aussi qu'un ingénieur des fortifications, inscrivant dans un cercle le contour d'une place forte parfaite, se souvienne soudain de la forme du monde archétype [3].

Mais l'obsession caractéristique des urbanistes-utopistes était, dans l'ordre qui nous occupe ici, l'image du soleil [4]. Lieu censé réel de la fable, simple nom donné au pays où elle se passe, ou métaphore à peine indiquée, le soleil (ou le rayonnement) hante les imaginations de Iamboulos à Cyrano,

1. De Marchi, ingénieur des fortifications (*Della architettura militare*, Brescia, 1599, mais écrit vers 1540) s'excuse de ne pas adopter ce tracé; *secondo lo stile moderno*, dit-il, le polygone est préférable.
2. Lavedan, *Histoire de l'urbanisme*, t. II (Paris, 1941), p. 80.
3. Giac. Lanteri, *Due dialoghi... del modo di disegnare le pianti delle fortezze...*, Venise, 1577 (cité par H. de la Croix, « Military architecture and the radial city plan in XVIth century Italy », *The Art Bulletin*, XLII, 1960, voir p. 281, n. 74). *Oltre di cio,* (*come vogliono i Filosofi*) *era di mestiero, che il mondo havesse una forma simile al mondo archetipo, quale era la idea della divina sapientia, prima che questo creasse che noi vediamo ; onde non essendo in Dio principio né fine, convenevole cosa era, che il cielo parimente havesse una forma senza principio e senza fine, quale è la forma circolare. La onde dico che* (*al parer mio*) *tutte le fortezze, o città che più s'avicinano a questa forma nel recinto delle loro mura siano piu perfettamente forte, che quelle che si discostano* (*Dial. Primo*, p. 27-28).
4. Sur la relation dans l'antiquité grecque et hellénistique entre l'autre monde utopico-élyséen et le pays du Soleil, voir les nombreuses indications de l'article cité de Gernet.

de Campanella à Le Corbusier. Il suffisait en 1564 qu'au moment où fut posée la première pierre d'une forteresse le ciel s'éclaire un instant, pour qu'aussitôt les autorités toscanes aient songé à faire de cette place forte une utopique Città del Sole [1]. Mais douze ans plus tôt, Doni avait déjà décrit, dans ses *Mondi*, une ville qui dessinait le soleil sur le sol : un temple central, cent rues radiales, une enceinte circulaire, pas de voies transversales ou de rues concentriques à l'intérieur. Pour peu qu'on se représente à l'échelle cette agglomération, on s'aperçoit de son absurdité : l'élargissement des rues vers la périphérie (car il n'y a que des files de maisons, pas de pâtés), les détours qu'il faut faire pour arriver d'une rue à l'autre... Mais Doni n'était pas l'homme à faire attention à cela; et ce qui est plus curieux, il n'est même pas le premier auteur de cette fantaisie. Un dessin du début du xvie siècle, jadis attribué à Fra Giocondo, et dont l'auteur s'appelle aujourd'hui l'Anonyme Destailleur, présente le même schéma : un temple à coupole entouré d'un nombre indéterminé de rues rayonnantes; une double enceinte qui embrasse tout. (Les difficultés pratiques, forcément les mêmes que dans la description des *Mondi*, sont assez habilement camouflées sur le croquis.) Selon une notice manuscrite sur la couverture, le cahier qui comprenait cette feuille avait été jadis en possession de Palladio; il n'est donc pas matériellement exclu que Doni en ait pris connaissance.

Il est manifeste que ce dessin ne voulait pas représenter une ville idéale, mais illustrer une utopie; le seul fait qu'il n'y a pas d'autre édifice public que le temple central fait immédiatement penser à une république théocratique ou à une religion d'État. Un détail complètement absurde, les maisons collées contre l'enceinte extérieure et formant rempart, indique, je crois, une source précise : les *Lois* de Platon [2], car aucun homme du xvie siècle n'aurait conçu des

---

1. G. B. Adriani, *Istoria de' suoi tempi* (éd. Venise, 1587, II, p. 1292) raconte la cérémonie de la pose de la première pierre et l'apparition du soleil au moment du service divin; *onde stimandosi che cio non fosse senza il favor del Cielo, la terra si chiamo Città del Sole.* — L. Firpo, *Lo Stato ideale della Contro-Riforma*, Bari, 1957, p. 247, précise qu'il devait s'agir d'une ville « paradisiaque et érudite », dont la langue officielle aurait été le latin.

2. *Lois*, VI, 778 *d* : « En fait de remparts, Mégillos, j'accorderai à Sparte qu'il faut les laisser reposer et dormir dans la terre, sans les relever... » 779 *ab* : « Néanmoins, si les hommes ont pour quelque raison besoin de murailles, il faut dès le début jeter les fondements des habitations particulières de façon que toute la cité ne soit qu'un rempart, en alignant toutes les habitations sur le même plan du côté de la rue pour en assurer la défense, sans compter que l'aspect d'une ville n'est pas déplaisant quand elle ressemble à une seule maison et que, si elle facilite ainsi la garde, elle l'emporte du tout au tout sur les autres pour la sécurité. » — Cf. *Critias*, 117 *de* : « Quand on

murailles où l'on ne pouvait pas circuler, ni approvisionner les défenseurs. La magnificence du temple-palais, la double enceinte, et quelques traits de plume qui pourraient suggérer des cours d'eau font penser aussi, mais vaguement, à d'autres caractères de l'Atlantide. De toute façon, l'utopie du dessinateur se présente comme une variation sur Platon, non comme le commentaire d'un texte déterminé.

Campanella avait lu Doni; mais le détail des maisons-remparts, qui figure dans la *Cité du Soleil*, est absent des *Mondi* et a dû être emprunté directement par l'auteur aux *Lois* ou au *Critias*. La filiation des utopies solaires de la Renaissance se présente donc comme une lignée Anonyme Destailleur-Doni-Campanella, avec influence directe des mêmes textes de Platon sur le premier et sur le troisième [1].

II. LA VILLE UTOPIQUE IMAGE DE LA SOCIÉTÉ

L'épanouissement de la vie « naturelle » dans les utopies ne suppose pas nécessairement des conditions d'existence « conformes à la Nature ». Il suffit qu'un auteur se refuse une

---

traversait les ponts extérieurs, au nombre de trois, on trouvait un rempart circulaire... Et ce rempart... était tout entier couvert de maisons nombreuses et serrées les unes contre les autres. »

Avec quelque bonne volonté, on peut aussi soutenir que le nombre des rues sur le dessin incomplet devait être de douze, à en juger d'après les tours de l'enceinte extérieure, qui leur correspondent. Dans les *Lois*, VI, 745 *bc*, on trouve ce nombre de douze, en une règle du lotissement qui impose la division radiale du territoire de l'État : « Le fondateur de la cité... distinguera douze parties, en réservant d'abord pour Hestia, Zeus et Athéna une enceinte qu'il nommera acropole... et à partir de laquelle il divisera en douze parts la cité elle-même et tout le territoire... On fera 5 040 lots, mais on les coupera chacun en deux et on accouplera deux fractions, en sorte que chaque lot ait une partie rapprochée et une éloignée du centre : une partie attenante à la ville constituera un seul lot avec une autre située à la frontière, la seconde en partant de la ville avec la seconde en partant des frontières, et ainsi de suite. »

1. H. Geymüller, *Les Du Cerceau*, Paris, 1887, a été le premier à signaler le dessin de l'Anonyme. C'est lui qui, p. 115, rapporte la phrase *fu di Andrea Palladio* et soutient l'attribution à Fra Giocondo, tout en admettant un modèle italien que l'architecte aurait imité à Paris peu après 1502. Jacques Androuet I Du Cerceau a copié à son tour, vers 1567-1568, le dessin de fra Giocondo. — L'attribution a été discutée par H. de la Croix, art. cité, qui pense qu'un ingénieur militaire comme Giocondo n'aurait pas pu dessiner des murailles aussi désuètes; l'auteur n'a pas vu qu'il s'agissait d'une absurdité d'utopie et non d'un projet dépassé par la technique de l'époque. La culture classique bien connue de Fra Giocondo rend vraisemblables à la fois l'attribution de Geymüller et l'hypothèse de l'emprunt à Platon. — Le rapprochement avec Doni s'impose, mais il faut remarquer, contre l'idée de l'influence directe, que la première édition des *Mondi*, bien que richement illustrée, ne comporte pas d'image de la cité idéale. Je n'en connais qu'une, dans l'édition française de 1578, visiblement inspirée du texte même et non du dessin anonyme ou de sa copie par Du Cerceau.

des prémisses optimistes de Rabelais, par exemple la bonté
foncière du matériel humain, pour que l'État idéal, tout en
restant « Nature », exigeât pour sa réalisation des artifices
savants. Le cas est particulièrement net chez Stiblin : d'une
part, l'identité vertu-nature-bonheur est pour lui un axiome,
et ses Eudémoniens, tous sains et beaux, vivent « selon la
nature [1] »; d'autre part il sait que les hommes sont plus
enclins au mal qu'au bien, et que la plèbe mérite méfiance [2].
Cela n'est pas très cohérent, mais fort clair; et Stiblin construit son État naturel à force de prescriptions pédagogiques
et de règlements. — *La Città felice* de Patrizzi, parue la même
année 1553, permettrait facilement des remarques semblables.

L'utopie du xvie siècle n'évolue pas régulièrement d'un
optimisme initial, humaniste ou « renaissant », au pessimisme
de la Contre-Réforme. La Nature de Thomas More a besoin
de beaucoup de coups de pouce — le professeur Mesnard a
souligné jadis le contraste entre son libéralisme de principe
et l'organisation assez totalitaire de son État; un Zuccolo,
en 1625, a bien plus de confiance dans l'homme que la plupart de ses prédécesseurs. Le contraste entre les maisons
d'Utopia, larges, ouvertes, avec jardins, et celles de la Civitas
Solis, luxueuses mais fermées et serrées contre l'enceinte, ne
traduit pas une différence de structure sociale (c'est More
et non Campanella qui conserve l'esclavage), mais une conception différente de la vie en commun, due à l'apparition
du principe de l'autorité — camouflé, ici, en scientisme. Je
crois suivre les conclusions de L. Firpo en disant que, pessimiste ou non, vexatoire ou non, hiérarchisée ou non, l'utopie
ne s'écarte de l'humanisme que dans la mesure où elle devient
paternaliste. Dans l'ambiance de la Contre-Réforme, la
Nature, s'il en est encore question, ressemble à la famille
romaine. Les signes extérieurs de la constitution totalitaire
(uniforme, repas en commun, réglementation du mariage,
religion politique) n'ont pas vraiment valeur de symptômes;
ils font partie d'un stock traditionnel où tout le monde puise,
les libéraux comme les autres. Mais le principe du respect
de l'autorité, remplaçant l'exigence du consentement et de
l'accord, mesure exactement la « modernité » contre-réformiste. Rien de plus révélateur que le parallèle, cher à Ludo-
vico Agostini, entre les autorités civiles et religieuses, entre
les prêtres et les médecins — tous ceux, en somme, qui ont

---

1. *De Republica Eudaemoniensium*, éd. Firpo, Turin, p. 79 sq.
2. *Perspiciunt prudentissimi viri, omnes promptiori ingenio esse ad nequi-
tiam, quam ad virtutem* (p. 108). Sur la plèbe, voir p. 110 sq.

la charge et le pouvoir de nous prescrire ce que nous devons faire pour notre plus grand bien.

Les plans des villes ne peuvent pas très bien traduire ces nuances d'ordre moral. L'urbaniste sera matériellement obligé de tenir compte des différences de classes, et il trouvera en général le moyen de faire dire à son projet qui est le maître du lieu ; on ne peut guère lui en demander plus. Mais il dispose de peintres et de sculpteurs à son service, et les statues d'hommes illustres, notamment d'inventeurs, n'apparaissent pas au hasard dans ses villes. Depuis qu'on savait par Pline à quels exercices spirituels s'étaient adonnés les Romains de la bonne époque devant les portraits de leurs ancêtres, on était prêt à passer de la glorification des héros à la religion d'État (ou de l'Humanité). L'éducation par la peinture — image allégorique, « histoire » morale, emblème, représentation didactique des objets du savoir — emboîtait le pas. Moralistes et scientistes se trouvent donc ensemble dans les rangs de ceux qui ont préconisé ces ornements de la Cité : Filarete, Stiblin, Campanella, Andreae, Bacon.

Pour exprimer la hiérarchie sociale, les utopistes n'avaient qu'à emprunter aux théoriciens de l'architecture et aux villes réelles sous leurs yeux la spécialisation par quartiers selon les fonctions (travail, administration, religion, résidence) et selon les métiers. Sur ce point les idées nouvelles sont rares, parce qu'inutiles ; on n'en voit guère qu'une : la distinction d'un rez-de-chaussée plébéien et d'un étage noble dans chaque maison (Léonard [1], Agostini). Il y a moins d'originalité dans l'idée d'habitations-type par classe sociale (Filarete) ou dans les lois somptuaires réglant les embellissements des demeures privées (Agostini). Les utopies égalitaires ont bien entendu des appartements uniformes, que les locataires doivent parfois échanger, sans doute par mesure de pédagogie anti-individualiste (Campanella, Andreae).

Les villes à plan central ont un moyen simple de signaler extérieurement leur système de gouvernement : le siège de l'autorité principale est placé au milieu. C'est pourquoi l'utopie libérale laisse le centre vide. L'île de Thomas More

---

1. On connaît l'idée de Léonard (ms. B, f° 16 r°) : deux niveaux de circulation, correspondant, plutôt qu'à deux classes sociales, à deux fonctions de la rue. Une autre esquisse du manuscrit B (f° 37 v°) dote la ville idéale d'une canalisation souterraine qui permettait à des barques de desservir directement les maisons, cave par cave. — Il est évident que Léonard ne s'intéresse ici qu'au système des conduites ; ce sont pour lui des problèmes du même ordre que les escaliers à double vis, les couloirs de maison close et, à la limite, les fameux « nodi ». Voir en dernier lieu L. Firpo, *Leonardo architetto e urbanista*, Turin, 1953.

est circulaire, mais un grand port naturel en occupe toute
la partie centrale, et l'entrée est très étroite, hérissée de
récifs, gardée par deux forts : Utopia est un croissant, mais
qui tend beaucoup à la forme de l'anneau, de la Table ronde
au sens du roi Artus; politiquement, c'est presque une Table
ronde de villes égales, avec une capitale à peine distincte de
ses « sujettes ». Les villes elles-mêmes, qu'il serait évidemment absurde de construire en anneau, ont reçu faute de
mieux la forme assez démocratique du rectangle divisé en
échiquier. Mais Rabelais a été plus loin que More : l'abbaye de
Thélème est un hexagone fermé, avec un jardin intérieur :
version poétique et « gentille » de l'anneau ou de la Table ronde.

Là où il faut meubler le centre, on n'a que le choix restreint entre un édifice religieux ou profane, ou un groupement des deux. — La cité régulière autour d'un Temple est
de toute évidence la variante urbanistique de l'église à coupole et à plan central. Filarete, qui avait une prédilection
pour ces églises, était aussi le premier inventeur de la ville
radio-concentrique [1], — avec, il est vrai, un centre composite.
Si le temple central domine la ville, c'est qu'elle est gouvernée
par des prêtres, et que l'autorité de l'État y est sainte. Doni
et Campanella montrent à quel point une telle utopie doit
être totalitaire. Andreae plante un temple-prytanée circulaire
au milieu de sa place centrale carrée, bordée par un collège
hypertrophique. Mais le symbolisme est différent, malgré la
structure analogue : car Christianopolis n'est pas un soleil
mais un labyrinthe — à peu de chose près, le labyrinthe des
cathédrales médiévales, déjà utilisé sous cette forme carrée
par Filarete pour la citadelle de Sforzinda. Les quatre rues
axiales de Christianopolis sont, en outre, couvertes de voûtes
et d'étages habités : la circulation est en quelque sorte souterraine. On pense inévitablement aux canaux de l'Atlantide,
entourant les trois enceintes et reliés souterrainement entre
eux : c'est presque le même dessin. Mais l'idée qui prime est
sans doute le labyrinthe des cathédrales, dont on disait que
les fidèles suivaient les méandres à genoux, pour arriver au
centre, au cercle de la Jérusalem céleste (cela dit sans vouloir
nier l'horreur que cette cérémonie papiste devait inspirer au
pasteur Andreae, si du moins il en avait connaissance).

Dans les villes réelles, il fallait tenir compte de l'existence
de deux centres, religieux et administratif (avec parfois un

---

1. L'élaboration du type « bramantesque » d'église est en grande partie
le fait de Florentins venus à Milan : ce furent, après Filarete, Léonard et
Sangallo, qui rencontrèrent Bramante à la cour de Ludovic le More.

troisième, commercial, qui pouvait être distinct). Au Moyen
Age, le plan bifocal qui en résultait était assez courant; mais
les cités « régulières » de la Renaissance, surtout radioconcen-
triques, supportaient mal ce schisme topographique; chez
Filarete, la convergence des rues radiales est brusquement
stoppée par le noyau central, un complexe tripartite. La règle
générale, bien représentée par la ville idéale de Scamozzi, est
de créer au centre une sorte de place d'armes, que bordent
d'un côté les édifices « politiques » (Palais du gouvernement,
tribunal, prison, monnaie), de l'autre la cathédrale, l'évêché,
le chapitre. Cela commande en principe une forme quadran-
gulaire du noyau central, assez difficile à concilier dans un
plan radioconcentrique avec les tracés polygonaux préférés
par les ingénieurs militaires pour les enceintes; c'est peut-
être une des raisons pour la persistance, peu rationnelle, du
plan en échiquier dans les forteresses.

Les architectes militaires plantaient une tour-observatoire,
servant de P.C., dans les places inoccupées du centre (Maggi,
Castriotto, Lorini, les architectes de Palmanova...). Les civils
ne savent trop qu'en faire; Filarete avait annoncé une tour
centrale pour Sforzinda, mais il l'a oubliée dans sa description. Les autocrates et leurs architectes pensent naturellement au château princier; Peruzzi essaya, dans un croquis
de combiner une *rocca* centrale rectangulaire avec des rues
rayonnantes et un contour polygonal — mais le dessin est
barré, et pour cause. Le château rectangulaire au milieu
demande soit un contour de même forme (Dürer, 1527), soit
du moins, si la ville est polygonale, des rues en échiquier
(Vasari le j., 1598). En fait, le château seigneurial avait été
presque toujours excentrique à la ville réelle; Dürer n'est
qu'une exception apparente, car son dessin représente un châ-
teau-fort qui abrite aussi du personnel civil, et non une ville
proprement dite. La proposition de Vasari le jeune de mettre
le palais princier au centre correspond à la bureaucratisation
de l'État et à la décision prise par Cosme Ier de Médicis d'aller
habiter le Palazzo Vecchio. Lorsque Schickhardt avait proposé à Frédéric VI de Wurtemberg un plan de Freudenstadt
avec château excentrique, le prince refusa et fit entreprendre
la construction d'une ville destinée à recevoir le palais princier sur son énorme place centrale.

Rarement les utopies proprement dites ont placé un bâtiment purement civil en position dominante au centre [1]. Les

1. L'exception notable est l'hérétique Brucioli, démocrate radical, qui
groupe tous les édifices publics autour d'une Assemblée du peuple en
position centrale (*Della Republica, op. cit.*, 1526).

villes idéales proposées à des seigneurs réels s'en accommodaient; mais la monarchie bureaucratique engendre des formes d'utopies autres que le projet citadin.

III. FORME ET STYLE

Les « modèles » cosmiques ou sociaux ne sont pas seuls à déterminer la forme d'une ville utopique; il faut compter avec les servitudes d'ordre pratique et avec les traditions de l'urbanisme : l'exemple toujours présent des villes médiévales, l'idéal classique brandi par les humanistes. Reste-t-il de la place pour une évolution stylistique autonome, qui permettrait de parler d'utopies « maniéristes », par exemple, comme on parle d'utopies de la Contre-Réforme?

Écartons d'abord les ingénieurs militaires. La Cité parfaite est défendue, disait Platon, par les poitrines de ses habitants. L'effort d'imagination des utopistes, s'ils voulaient en dire plus long, se limitait à la multiplication des enceintes; aucune trace des recherches des architectes militaires, leurs contemporains.

Dans un article récent, H. de la Croix [1] a soutenu cependant que le plan polygonal et radial, quoique inventé par des artistes et appliqué par eux à l'urbanisme civil et militaire, fut monopolisé après 1540 par les ingénieurs, qui se voulaient distincts des architectes civils; et ce schéma en toile d'araignée, que l'on dirait « naturellement » utopique (cf. Stiblin) s'avéra si bien adapté aux besoins de la défense, qu'on pourrait le croire créé pour elle; les « praticiens » en firent leur cheval de bataille, laissant vers la fin du siècle les artistes et les civils revenir à l'échiquier. — Cette thèse, claire et convaincante, doit être un peu assouplie, comme il apparaît notamment si l'on quitte le domaine italien, choisi par l'auteur : Dürer opta en 1527 pour le plan carré (peu pratique, nous dit-on) et pour les rues perpendiculaires, et son modèle fut longtemps imité par les spécialistes. Mais on peut surtout noter que les soi-disant praticiens, Italiens ou étrangers, qui dessinent dans leurs traités de beaux polygones radiaux (leurs « villes idéales » à eux), reviennent, lorsqu'il faut élever des forteresses, au carré et aux rues perpendiculaires, plus commodes pour la circulation, pour le lotissement et pour l'architecture. Autour de 1600, c'est un compromis qui s'institue : ville polygonale avec rues perpendiculaires (projets

1. Cité *supra*, p. 314, n. 3.

de Vasari le jeune et de Scamozzi, villes de Livourne, entre 1575-1606, de Nancy, depuis 1607, et de Charleville, 1608-1620).

Rien de tout cela ne concerne les utopies et n'influe sur elles. Elles regardent paradoxalement vers l'urbanisme du passé plutôt que vers l'avenir. Le Moyen Age occidental ne leur avait pas laissé beaucoup d'exemples de villes régulières, mais un solide idéal de régularité [1], ainsi que les deux types principaux, l'échiquier et la toile d'araignée, dont on s'inspire à tour de rôle. L'influence du plan de Bagdad au VIIIe siècle, bel exemple d'invention spontanément urbaniste-utopiste, et le souvenir de Jérusalem, ville circulaire selon Tacite, ont dû être plutôt négligeables pour les cités régulières du Moyen Age comme pour la naissance de l'utopie au XVe siècle [2]. Le plan radioconcentrique parfait a pu venir à l'esprit de Filarete comme il est venu à l'esprit du calife Al-Mansour. Il eut tout de suite un succès considérable : Cesariano et Caporali le « retrouvèrent » aussitôt dans un texte de Vitruve dûment torturé, et Francesco di Giorgio s'aperçut de son utilité militaire, désormais un de ses grands atouts.

On s'explique aisément cette réussite : la ville radiale n'est que la variante urbanistique du plan central de l'architecture religieuse. C'est une forme de la Renaissance, valable comme telle.

La deuxième novation formelle d'un utopiste sera, comme la première, l'œuvre d'un artiste, l'Anonyme Destailleur, dont

1. Le contraste est frappant avec les villes musulmanes aux rues tortueuses et aux impasses multiples. Les Espagnols de la reconquista étaient fiers de leur opposer des villes régulières. Cf. R. Brunschvig, « Urbanisme médiéval et droit musulman », *Rev. des Études islamiques*, 1947, 127-155 ; E. Lambert, « Les anciens quartiers musulmans dans le plan de la ville de Lisbonne », *Compte rendu du XVIe Congrès international de géographie* (Lisbonne, 1949), Lisbonne, 1951, 297-299 ; E. W. Palm, *Los origenes del urbanismo imperial en América* (Istituto Panamericano de Geogr. e Hist., 1951), p. 7.

2. On les cite habituellement depuis le tome I de l'*Hist. de l'urbanisme* de Lavedan. Mais Bagdad était loin et Tacite pratiquement inconnu avant Boccace. La notice de Lavedan sur l'ancienne ville de Bagdad est du plus grand intérêt comme illustration des modèles cosmique et social de la ville idéale : ... « Parfaitement circulaire, entourée de trois enceintes et percée de quatre portes orientées sur les points cardinaux. Le palais du khalife avec les édifices publics occupait, au centre, la majeure partie du terrain. Ils étaient défendus par la plus petite enceinte. Les habitations particulières étaient étroitement tassées entre celle-ci et la suivante. Puis, l'espace restait libre entre les deux dernières » (p. 276). Le calife bâtisseur, Al-Mansour, croyait avoir inventé ce type, et lui donnait une justification significative : « Une ville ronde a cette supériorité sur une ville carrée que, dans cette dernière, lorsque le roi habite au milieu, certains quartiers en sont plus approchés que d'autres, tandis qu'une ville ronde, quelles que soient les divisions adoptées, est partout équidistante. Il n'y a d'excédent ni d'un côté, ni de l'autre » (Chronique d'Al-Khatib, citée par Lavedan, p. 277).

le truchement littéraire fut Doni, une quarantaine d'années plus tard : la création de la place en étoile, régulière, avec monument central. — Aucune invention importante n'est à noter chez nos auteurs, depuis cette date, jusqu'au début du XVIIᵉ siècle, lors du plan de Freudenstadt-Christianopolis, à propos duquel il faut nommer un autre couple artiste-écrivain (le troisième, si l'on compte aussi Filarete, chez qui les fonctions sont réunies) : Schickhardt et Andreae [1].

C'est peu pour constituer une évolution stylistique, un urbanisme utopique formellement « maniériste » ou « baroque ». Mais on peut constater chez les utopistes du XVIᵉ siècle un certain parti pris formel qui ne contredit pas l'histoire des autres arts.

Le premier point est la persistance des utopies urbaines. Elle n'est pas entièrement imputable aux sources antiques, puisque l'exemple de Diodore pouvait, à la rigueur, dispenser de la tyrannie du modèle platonicien; elle n'est pas non plus un fruit de l'expérience politique : le XVᵉ siècle connaissait assez d'états qui n'étaient pas des cités, et le sol était bon pour les utopies de la monarchie universelle — certaines, on le sait, se développèrent. Le paysage allégorique, l'utopie à clef, le roman politique, formes fréquentes au XVIIᵉ siècle, auraient tout aussi bien pu être cultivés un siècle plus tôt. La vision citadine, plastique, statique, à laquelle on tient, n'est donc pas sans exprimer un style [2].

Cette vision est, en second lieu, « régulière » : idéal sinon spécifiquement classique, du moins conforme aux exigences du classicisme. La ville est rarement en échiquier : Morus adopte ce tracé pour des raisons égalitaires; Agostini semble le sous-entendre, puisqu'il veut des lots de même dimension pour les habitants de sa ville, et des rues droites. A part cela, la forme radiale est de règle, et elle implique un détail qui peut être stylistiquement révélateur : la configuration des places publiques, centrales ou non.

1. Schickhardt reçut la commande de Freudenstadt en 1599, mais fit d'abord des projets différents de celui qui fut accepté et qui est presque identique à Christianopolis. Le livre de Andreae ne parut qu'en 1619, mais la paternité du plan doit rester indécise entre l'architecte ducal et le pasteur utopiste, qui comptaient tous les deux parmi les notables de Stuttgart et ont bien dû échanger des idées.

2. Le chancelier Bacon, dont la *Nova Atlantis* semble dater d'environ 1623 (elle parut en 1627, après la mort de l'auteur), fournit une sorte de contre-épreuve : il insiste sur les rites, les cérémonies et les costumes, mais se contente d'adjectifs vagues pour les bâtiments et n'a pas un mot sur l'urbanisme. Son imagination n'adhère qu'aux mouvements; ainsi, même la division du travail entre les savants de la Domus Salomonis ne se fait pas selon les sciences, mais selon les phases successives de l'élaboration scientifique de l'expérience : *mercatores, depraedatores, venatores, fossatores...*

Il était exceptionnel, dans les villes relativement régulières du Moyen Age, d'« embrocher » les places principales sur un axe routier; les rues de grande circulation étaient tangentes. Seules les *terre murate* de la Toscane adoptaient en général l'autre type[1]. Il y avait là, surtout si les façades étaient uniformes, une sorte d'assimilation de la place à une cour intérieure; mais sauf quelques exceptions (Castelfranco di Sopra en Toscane; Tournay, H.-P.; Bergues, N.) on ne songeait pas à compléter cette impression en fermant les angles de la place. — L'idée classique, née peut-être dans l'esprit de Bramante, a été de fermer complètement la place en l'entourant d'une galerie qui masque les débouchés de toutes les rues (Vigevano, depuis 1492; projets pour la place devant la basilique de Lorette; projet pour la place autour de S. Pietro Montorio; voir aussi la cour du Vatican)[2] — ce qui crée un pseudo-*cortile* et répond, dans l'organisation de l'espace vide, à l'organisation des volumes dans l'édifice à plan central.

La mode change à l'époque maniériste; des brèches s'ouvrent de nouveau, mais au milieu des côtés. Si dans ce type, que l'on pourrait nommer place embrochée à angles fermés, les façades se conforment à un programme unique[3], le visiteur situé au centre aperçoit quatre (ou plusieurs) fronts réguliers, percés de brusques trouées au débouché des rues perpendiculaires. Cette disposition, que P. Lavedan a justement comparée aux jardins du xvie siècle, est tout à fait caractéristique; elle est systématiquement employée dans les plans de Vasari le jeune et de Scamozzi; elle est réalisée, entre autres, à San Carlo alle Quattro Fontane; les ingénieurs militaires l'adoptent parfois, malgré les principes, pour leurs places centrales[4]. Artistiquement, ce contraste entre le dessin régulier déployé sur un plan et la fuite subite d'une perspective a été reconnu depuis longtemps comme un des traits dominants de l'« espace maniériste »[5].

1. G. Münter, *Idealstädte;* ihre Geschichte vom 15ten zum 17ten Jhdt., Berlin, 1957 (édition revue de « Die Geschichte der Idealstadt », dans *Städtebau*, XXIV, 1929). Lavedan omet les *terre murate*.
2. Un antécédent médiéval : Montauban.
3. Un exemple un peu précoce à Gattinara, 1524-1526; mais la place en question, un rectangle très allongé, fait plutôt l'effet d'un élargissement de la rue principale.
4. La place centrale reprend généralement le contour polygonal de la forteresse. L'intérêt de la défense est de rendre les bastions immédiatement accessibles à partir du centre, pour les renforts et l'approvisionnement. Il faudrait donc, puisque les bastions se trouvent aux angles des murailles, que les rues rayonnent à partir des angles de la place; or dans plusieurs cas (dessins de Bonaiuto Lorini, réalisations de Vitry-le-François, de Palmanova on les a tracées comme des apothèmes et à la façon « maniériste », en partant du milieu des côtés.
5. H. Hoffmann, *Hochrenaissance, Manierismus, Frühbarock*, Zürich-

Il suffit de multiplier les côtés « troués » du polygone pour arriver à la forme de l'étoile. Forme plus classique d'aspect et moins choquante; ainsi déjà Francesco di Giorgio avait pu utiliser l'octogone « embroché » par quatre axes. Mais sur le terrain, l'étoile a quelque chose de subtilement déconcertant qui n'apparaît pas sur le papier : quelle que soit la direction où l'on se tourne, on a devant soi un front perpendiculaire au regard et une rupture « maniériste »; ce motif accompagne l'œil et rappelle toujours le *cortile*, alors qu'on se trouve dans le plus ouvert des carrefours.

C'est l'époque maniériste qui a pratiquement inventé la place « embrochée » à angles fermés et l'étoile régulière. La stylisation de la ville dans les entrées princières pouvait comporter le motif du carrefour régulier ou de la « patte-d'oie »[1], — fragments de places de l'étoile. Le groupe de trois rues symétriques qui convergent sur une place fait partie du vocabulaire de l'urbanisme idéalisant : on connaît les exemples tardifs de la Piazza del Popolo à Rome ou de la place devant le château de Versailles, mais le décor de Florence pour l'entrée de 1589 en crée déjà l'apparence, fournissant ainsi le modèle d'un fond de scène plusieurs fois utilisé dans le théâtre : car théâtre, fête et ville idéale se tiennent[2]. Au Teatro Olimpico de Vicence, le décor qui ferme trois côtés de la scène rectangulaire est percé par cinq rues radiales dont les deux extrêmes débouchent sur les petits côtés; ce parti très maniériste incite à voir la scène idéalement comme une portion de cercle, complémentaire à l'amphithéâtre des spectateurs.

L'Anonyme Destailleur et Doni, qui ont introduit l'étoile dans l'utopie, et Schickhardt-Andreae, qui ont donné la formule de la place centrale « embrochée », se conforment donc

---

Leipzig, 1938. Des idées semblables avaient été exprimées par Pinder et par M. Hoerner.

1. Peut-être le premier exemple est-il celui des noces de Francesco de' Medici, 1566, où Vasari masquait le rétrécissement d'une rue par un grand décor à deux arcs symétriques : sous l'un, le cortège passait pour s'engager dans la rue des Tornabuoni; l'autre était aveugle et peint d'une rue symétrique en trompe l'œil. Le commentaire exalte longuement cette finesse pour *intendenti* (Vasari, *Opere*, éd. Milanesi, VIII, 539).

2. Le volume *Les Fêtes de la Renaissance*, Colloque international du C.N.R.S. (Paris, 1956) en apporte une quantité de preuves. La contribution de T. E. Lawrenson est intitulée « Ville imaginaire, décor théâtral et fête »; celle de A. Chastel « Le lieu de la fête ». On trouve dans les textes et dans les discussions des phrases comme : « Le caractère ambigu du lieu de la fête est dû au fait qu'elle mettait en présence d'un espace vrai transfiguré » (Chastel, p. 421). [Dans plusieurs entrées] « on voit clairement que la cité antique se superpose à la vraie ville » (Fr. Yates, p. 422). « Il y a superposition du lieu réel et du lieu imaginaire » (Lawrenson, p. 423).

au style artistique des villes idéales, des forteresses, de l'architecture des fêtes ou du théâtre régnant à leur époque; et
lorsque la forme citadine de l'utopie disparaît, après 1619,
c'est peut-être aussi un peu parce que le baroque instaure
une nouvelle manière de penser les formes.

(1964)

XIV

LES HUMANISTES ET LA SCIENCE

La stagnation relative des sciences de la nature au xve et dans la première moitié du xvie siècle ne fait de doute pour personne; on soupçonne généralement que ce fait a un rapport quelconque avec l'humanisme, sans qu'on puisse très bien dire lequel. Une simple relation causale est exclue pour des raisons chronologiques évidentes dans le cas d'Oxford et de Paris; quant à l'Italie, où l'humanisme s'est implanté plus tôt, les sciences exactes y marquent un net progrès. L'action directe de l'humanisme ne pouvait d'ailleurs guère être que propice; il a en effet des mérites indiscutables par la découverte et le rétablissement critique des sources antiques, surtout grecques, par le soin de la propriété du langage, par la vulgarisation des livres de base; Zilsel, qu'on ne peut pas accuser de partialité pour les humanistes, a fait commencer l'essor des sciences modernes par le contact entre les « académies » et les techniciens [1]; on a même signalé quelques anticipations humanistes des concepts sur lesquels les physiciens du xviie siècle établiront leur philosophie de la nature [2].

Il est vrai que l'humanisme favorisait les sciences qu'on appelle, aujourd'hui encore, « humaines »; et la protestation de Léonard, *omo sanza lettere*, n'a pas fini de nuire à la réputation des lettrés de son siècle. Mais il ne faut pas exagérer l'importance des querelles académiques de préséance entre les disciplines. Des mathématiciens comme Peurbach, Regiomontanus et dans une certaine mesure Pacioli, des naturalistes

---

1. E. Zilsel, « The sociological roots of science », in *Amer. Journ. of Sociol.*, 47, 1941-1942, p. 544-562. Cf. aussi ses « Problems of empiricism » (*Internat. Encyclop. of Unified Science*, II, 8) et « The origins of William Gilbert's scientific method », in *Journ. of the Hist. of Ideas*, II, 1941. — Une bibliographie de la littérature sur l'origine technique de la science moderne dans A. C. Crombie, *Robert Grosseteste and the origins of experimental science*, Oxford, 1953, p. 290, n. 1; ajouter P. Rossi, *Francesco Bacone*, Bari, 1957.

2. H. Baron, « Towards a more positive evaluation of the XVth century Renaissance », in *Journ. of the Hist. of Ideas*, IV, 1943, 21-49. La thèse n'est pas inattaquable, car les découvertes humanistes signalées par l'auteur peuvent souvent être reculées au xive siècle.

comme Agricola, la plupart des astronomes, dont Copernic,
la plupart des médecins, dont Symphorien Champier, et vers
la fin du xvi⁰ siècle les Cardan, Scaliger, Mercati, Gesner,
Aldrovandi, étaient des humanistes parfois excellents; Alberti,
Pontano, Bouelles, que l'on cite toujours comme humanistes,
ont des mérites scientifiques; Ficin était médecin. Le mépris
pour les praticiens et le savoir pratique caractérisait bien
plus les Facultés, auxquelles s'opposent Ambroise Paré ou
Palissy, que les humanistes : c'est l'humaniste Nicolas de Cuse
qui exalte l'*Ydiota*, humble artisan, aux dépens de l'*Orator*[1];
avant Rabelais, Alberti, puis Vivès, intègrent l'enquête auprès
des praticiens dans l'éducation humaniste; l'appel à l'union
entre les lettres et les sciences de la nature est formulé par
Barbaro et par Pontano[2] à une époque où l'on s'était encore
à peine aperçu de leur divorce.

L'énumération des exemples ne nous conduira pas loin,
sans une considération d'ensemble. On peut dire, en gros,
que la recherche scientifique de la Renaissance a trois sources
assez nettement distinctes : 1⁰ la tradition médiévale, arabe
et chrétienne; 2⁰ les textes antiques nouvellement découverts
ou rétablis; 3⁰ les besoins pratiques des artisans, des militaires, du commerce. Les deux premières rendent compte
de l'aspect magique de la science renaissante; les deux dernières de l'activité de vulgarisation. Mais la distinction qui
vaut pour les sources ne vaut pas pour les personnes; on ne
peut pas attribuer séparément la culture de la tradition
médiévale aux Universités, la résurrection des textes aux
humanistes libres, et les inventions pratiques aux auto-
didactes : les interférences sont trop nombreuses. D'autre
part, vouloir distinguer dans l'activité d'un auteur entre un
secteur humaniste et un secteur qui ne l'est pas, c'est souvent
risquer le cercle vicieux. Nous serions bien embarrassés de
dire si la médecine de Servet est humaniste comme sa théologie, et si la traduction d'Archimède par Regiomontanus l'est

1. Il est vrai que cette attitude de Nicolas de Cuse est « socratique » et
non empiriste; mais du point de vue strict de la « dignité » de l'artisan, la
différence importe assez peu.
2. *Barbari Epistolae et orationes*, éd. Vitt. Branca, Florence, 1943, II,
p. 90-93 (lettre à Girolamo Donato); Pontano, « Aegidius » (*Dialogi*, éd.
Florence, 1520, 173 v⁰-174 r⁰). — L'Académie napolitaine était particulièrement ouverte à tout ce qui touchait aux sciences de la nature. Pour la compa-
tibilité entre l'orientation humaniste et les sciences à Florence, voir E. Garin,
« La cultura florentina nell'età di Leonardo », in *Belfagor*, 1952, p. 272-289.
— On prétendait également « réconcilier » l'éloquence et la théologie :
P. Cortese, *Comm. Sent.*, Rome, 1504, dédicace (ainsi que le sous-titre de la
seconde édition. 1513); de même, dans le milieu de Pontano, fra Mariano
da Gennazzano et le cardinal Gilles de Viterbe.

autant que la traduction de Strabon par Guarino. Dans la controverse au sujet de Pline, commencée en 1492, l'attaquant, un médecin, Leoniceno, s'est montré selon Thorndike plus « humaniste » et moins naturaliste que le défenseur, Pandolfo Collenuccio, juriste de profession[1]. Quant aux philosophes, où passe la ligne de séparation? Entre aristotéliciens et platoniciens? On objectera Barbaro. Entre ceux qui usent du commentaire et de la *quaestio* et ceux qui usent de l'épître et du dialogue? On objectera Pic.

La méthode la moins mauvaise sera peut-être de rappeler d'abord l'attitude de l'humanisme en face des sciences de la nature et en face de la « pratique » en général, et de voir ensuite sur quels points et dans quelle mesure l'évolution de l'esprit scientifique pendant la Renaissance a pu être infléchie par l'influence humaniste.

*

On a reconnu depuis longtemps l'importance symptomatique de la *disputa delle arti;* peut-être l'a-t-on même exagérée[2]. La querelle entre juristes et médecins, déjà qualifiée d'ancienne par Salutati en 1399, et prolongée pendant tout le xve siècle, est en tout cas instructive sur l'idée que l'on se fait du rapport entre sciences humaines et sciences de la nature[3]. Il apparaît, paradoxalement pour nous, que les sciences de la nature passent pour « incertaines »[4] et spéculatives (du moins dans ce qu'elles ont de meilleur) et les sciences humaines, en particulier le droit, pour « pratiques » et sûres. Les conclusions pouvaient varier, selon que les auteurs reconnaissaient ou non à la jurisprudence la représen-

1. Lynn Thorndike, *A history of magic and experimental science*, t. IV, Columbia Univ. Press, 1934, dernier chapitre.
2. Il est assez curieux, en effet, que Politien dans son *Panepistemon* ait pu qualifier les marchands et les banquiers de lie de la société humaine, sans songer que cela pourrait blesser son patron Laurent de Médicis. Le prestige d'un Giotto, d'un Brunelleschi, montre clairement qu'il n'y avait aucun rapport entre le respect porté à un personnage et la dignité accordée théoriquement ou officiellement à sa profession.
3. Cf. L. Thorndike, *Science and thought in the XVth century*, New York, 1929, chap. ii; et surtout Garin, éd. Coluccio Salutati, *De nobilitate legum et medicinae*, ainsi que : *La disputa delle arti nel Quattrocento* (Ediz. naz. dei class. del pensiero ital., t. 8 et 9, Florence, 1947). Après les *Invectivae contra medicum quendam* de Pétrarque (1351-1355), les pièces connues ont pour auteurs Salutati, Leon, Bruni, Giov. Baldi, un Giovanni d'Arezzo mal identifié, Poggio Bracciolini, Nicoletto Vernia et Galateo.
4. Lieu commun dérivé de Bonaventure, *Itinerarium mentis in Deum;* cf. aussi Pétrarque, *De sui ipsius et multorum ignorantia*.

tativité pour les sciences humaines, qu'ils admettaient ou non que la connaissance de la médecine impliquait la dialectique et la morale, qu'ils mettaient plus haut le savoir (l'intellect) ou l'action (la volonté) : on rencontre toutes ces positions et ces solutions, plus intellectualistes et favorables à la médecine chez les Padouans, plus « augustiniennes » et soulignant la certitude de la volonté intérieure chez les Florentins humanistes et politiques. Mais sur la nature et la « collocation » des deux classes de sciences, l'accord était général.

Cependant la prétention de l'humanisme de s'ériger en une sorte de métascience fit poser le problème en d'autres termes, dérivés de l'*Éthique à Nicomaque: sophia* contre *épistémé* [1]. Les sciences de la nature devinrent, apparemment pour toujours, la « science » tout court. La *disputa delle arti* perdit lentement son intérêt, et continua soit sur un plan inférieur (entre musique et perspective; entre les différents « arts du dessin »), soit sur le plan très général de la controverse vie active-vie contemplative. L'humanisme se voulait critique du savoir, historisé, relativisé, rapporté aux valeurs politiques, morales, esthétiques. Physique et logique pure tombaient sur le même plan de la simple « science », matière brute, au mieux, pour la sagesse [2]. Dans la conception presque héroïque des juristes bolonais du Moyen Age, le droit romain avait été aussi « naturellement » valable que la logique d'Aristote pour les dialecticiens; mais aux yeux de Politien, le Code de Justinien est un texte littéraire comme un autre. La vérité a changé de plan; le droit devient, du moins partiellement, objet de vérité historique pour Valla, Budé, Alciat; d'autre part une valeur, l'équité, l'emporte chez les humanistes sur la constatation pure et simple de la volonté du législateur (G. Kisch).

On voit ce qui rend les humanistes « antiscientifiques » : ils ne s'intéressent pas à de « pures données », indépendantes de l'histoire et des valeurs. Comment alors se représenter ou s'expliquer leur contact indiscutable avec les précurseurs et

---

1. Voir les textes de Gasparino da Barzizza et d'un correspondant de Giov. Tortello d'Arezzo, cités par Garin, *L'umanesimo italiano*, Bari, 1952, p. 74. Suivant Garin, Augustin, *De Trinitate*, XII, 15, et Pétrarque, *De sui ipsius...* sont les premiers responsables de la diffusion de l'antithèse *sapientia-scientia* dans son application religieuse; elle revient, plus proche de l'humanisme, chez Gilles de Viterbe (Eug. Massa, « Egidio da Viterbo e la metodologia del sapere », in *Pensée humaniste et tradition chrétienne aux* XVe *et* XVIe *siècles*, Colloques internat. du Centre Nat. de la Rech. Scientif., Sc. Hum., I; Paris, 1950, p. 185-241).

2. Sur la « disputa delle lettere e delle arti », voir C. Vasoli, « Polemiche occamiste », in *Rinascimento*, III, 1952, 119-143.

les créateurs de la science moderne? La réponse dépend
malheureusement un peu de l'image que l'on se fait de l'origine de ces sciences. Olschki, Zilsel et d'autres ont souligné
l'importance des techniques et des « artisans supérieurs »[1],
artistes, chirurgiens, artilleurs, fabricants d'instruments
optiques et astronomiques, charpentiers des docks, etc. Ces
gens posèrent des questions aux savants et furent interrogés
par eux. La littérature scientifique en langue vulgaire leur
était destinée. Les patriciens ou les compagnies marchandes
étaient à la fois patrons des techniciens, des savants (notamment en Angleterre) et des humanistes; d'où des contacts
fructueux. Mais on a soutenu d'autre part que la source première de la physique mathématique se trouverait dans le platonisme, le pythagorisme, ou dans le formalisme des Mertoniens
et des « calculateurs » d'Oxford au XIVe siècle; l'expérience
n'aurait été qu'un obstacle. Enfin le rôle positif des traditions
intellectuelles du Moyen Age qui ont poussé à l'empirisme
et à la méthode expérimentale a trouvé d'autres défenseurs[2].

Pour l'historien des contacts et des milieux, la version
techniciste est séduisante : rien qu'avec le matériel fourni
par les artistes, Brunelleschi, Ghiberti, Alberti, Piero della
Francesca, Léonard, Dürer, on peut constituer un dossier
impressionnant, où figurent des noms comme Toscanelli,
Pacioli, Marcantonio della Torre, Pirckheimer. L'humaniste

---

1. Les trois vol. de Leon. Olschki, *Gesch. d. neusprachl. wissenschaftl.
Literatur*, Leipzig-Florence, 1919-1927, sont toujours fondamentaux, notamment par les données sur l'activité de l'Aceademia del disegno de Florence
et sur l'enseignement au temps de la formation de Galilée. Pour Zilsel et
pour d'autres indications bibliographiques, voir *supra*, p. 327, n. 1.
2. Je n'ai pas pu consulter E. Burtt, *The metaphysical foundations of
modern physical science*, New York, 1925 (2e éd. 1951). Le point de vue
opposé est soutenu par E. W. Strong, *Procedures and metaphysics*, Berkeley,
1936. — Nettement favorable au « platonisme » et adversaire de l'hypothèse
techniciste : Al. Koyré, « Galileo and Plato », in *Journ. of the Hist. of Ideas*,
IV, 1943, p. 400-428 : *The new ballistics was made not by artificers and gunners,
but against them ; and Galileo did not learn his business from people who toiled
in the arsenals and shipyards of Venice. Quite the contrary : he taught them*
theirs (401). De même, la navigation n'a rien donné à l'astronomie, ni le
commerce à l'arithmétique. — On peut naturellement objecter que les
professionnels ont du moins posé des questions aux savants, et obligé ceux-ci
à s'initier aux métiers, ne fût-ce que pour pouvoir répondre. Au fond, l'idée
de Koyré repose sur la thèse connue de Meyerson, que les lois physiques
fondamentales ont été généralement énoncées en dépit de l'expérience, parce
qu'elles répondaient à un besoin d' « identification » plus fort que les objections empiriques. — Sur les traditions intellectuelles qui fournissaient aux
sciences de la nature une méthodologie empiriste — l'école d'Oxford et
l'averroïsme padouan — voir respectivement : A. C. Crombie, *Robert Grosseteste...*, *op. cit.*, et J. Herman Randall Jr., « The development of scientific
method in the school of Padua », in *Journ. of the Hist. of Ideas* . I , 1940,
177-206.

padouan Gauricus a écrit en 1504 sur la fonte du bronze, parce qu'il s'intéressait à la sculpture : ce seul fait est un raccourci éloquent de la situation. Les services des humanistes comme médiateurs, vulgarisateurs, amis des uns et des autres sont, dans ce contexte, inappréciables [1].

Cependant, bien que la « sagesse » humaniste implique la connaissance des métiers dans son idéal encyclopédique, bien qu'artistes et techniciens se piquent de culture humaniste pour des raisons de prestige, et de culture scientifique pour des raisons professionnelles, bien qu'un Bessarion et un Regiomontanus soient liés par l'étude des mathématiciens grecs, l'étincelle jaillit tard de tous ces contacts. Les travaux personnels de Regiomontanus lui-même continuent d'exploiter le legs arabe. Les études sur le mouvement uniformément accéléré ont pu être menées pendant deux siècles parallèlement à des expériences (mentales) sur la chute libre, avant que Dominique de Soto n'ait songé, en 1572, à les rapprocher. On comprend que Francis Bacon ait donné les techniques comme modèle aux sciences, parce qu'il y voyait réalisés la coopération des inventeurs et le progrès rectiligne [2] : mais là même, ces conditions idéales ne se trouvaient que depuis peu. La transformation qui les a rendues possibles s'est faite dans tous les domaines à la fois. Ainsi, l'idée que la pensée peut épouser les phénomènes et se substituer à la nature, passe de l'alchimie médiévale à travers la philosophie ficinienne et l'esthétique de Léonard [3] aux sciences de la nature : comment et pourquoi y arrive-t-elle? Sur tous ces points, la simple énumération des contacts et l'explication sociologique ont besoin d'être complétées par l'histoire des idées et des méthodes.

*

Les recherches sur ce que l'on nomme un peu tendancieusement les origines de la science moderne ont montré toujours plus clairement qu'un lien étroit unit le XIVe siècle aux grands

1. P. O. Kristeller, « The place of classical humanism in Renaissance thought », in *Journ. of the Hist. of Ideas*, IV, 1943, p. 59 63. Une liste des livres techniques nés au XVIe siècle de ces contacts dans E. Zilsel, « The roots... », art. cité.
2. P. Rossi, *op. cit.*, Ire partie.
3. Les textes de Ficin et de Léonard sont mis en parallèle par E. Garin, *La cultura fiorentina...*, art. cité.

pionniers du xviie [1], et que le xve a marqué une sorte d'éclipse [2] dans cette *translatio studiorum* en sens inverse, qui va de la « mathématique des formes » d'Oxford par la physique de Paris à la méthodologie des Padouans. Assertion qu'il faut préciser sur quelques thèmes principaux.

1º La « mathématisation de la nature » passe par d'étranges avatars. Son premier fondement est l'optique géométrique (Grosseteste), d'où elle garde une tendance descriptive, non causale; le phénomène type de toute physique est cherché dans la *multiplicatio specierum* (la diffusion des images). De là peut sortir aussi bien l' « expérience » à demi magique d'un Roger Bacon (action de l'analogie et de la similitude) que la mathématique qualitative de Suiseth et Oresme, ou le nominalisme occamiste (refus de supposer des « causes » du mouvement). Tous ces courants se sont prolongés et renouvelés à la Renaissance : la magie sympathique a eu à Florence, Padoue et Naples les développements que l'on sait; la mathématique qualitative, chère à Nicolas de Cuse [3], a rendu possible l'idée renaissante de *proportio* à la fois visuelle, auditive, morale, médicale, politique (Pacioli, Giorgi); du nominalisme vient la première définition de la science comme ensemble hypothético-déductif, par Nifo [4]. On arrive ainsi à des résultats aussi divers que la mathématique du « plan de Dieu » (*numerus, pondus, mensura*), l'idée d'une mathématique soumise à l'expérience [5], ou au contraire devenue norme et *cosa mentale* [6]. Ce qui manque, jusqu'après 1600, n'est ni la quantification, ni l'expérience, mais la mesure [7].

2º Le mot d'ordre empiriste couvre, lui aussi, des réalités

1. A. C. Crombie, *Hist. des sciences de st. Augustin à Galilée*, trad. fr., 2 vol., Paris, 1959, I, 311-314, donne une liste des œuvres de physiciens ou « calculateurs » médiévaux accessibles par l'imprimerie aux savants du temps de Galilée.

2. Une condamnation particulièrement sévère : Dana B. Durand, « Tradition and innovation in XVth cent. Italy », in *Journ. of the Hist. of Ideas*, IV, 1943, 1-20. De même que chez Thorndike, la pauvreté du bilan résulte inévitablement des prémisses méthodiques de l'auteur.

3. *De staticis experimentis;* voir aussi *De docta ignorantia*, I, 1 et I, 11.

4. Cf. Randall, art. cité (*supra*, p. 10, n. 3). Mais l'auteur n'envisage pas de rattacher Nifo au nominalisme.

5. Léonard : *nissuna umana investigazione si po dimandare vera scienzia s'essa non passa per le matematiche dimostrazioni.* Mais ces « démonstrations » étaient des moyens ou des instruments d'exposition et de vérification. Léonard a si peu l'idée d'une autonomie des mathématiques qu'il a voulu résoudre la quadrature du cercle par le déroulement d'un cylindre (mais le reproche qu'on lui en fait aujourd'hui peut reposer sur une méconnaissance de ses intentions).

6. Cardan : *Scientia vero, quae res facit, est quasi ipsa res* (cité par E. Garin, *L'umanesimo italiano*, p. 235-236).

7. Anneliese Maier, *Stud. z. Naturphilos. d. Spätscholastik*, IV (*Metaphys. Hintergründe d. spätscholast. Naturphilos.*), Rome, 1955, p. 397 sq.

très différentes : l' « expérience » de R. Bacon n'est pas celle de Buridan ou d'Ockham. L'avenir a retenu moins le nominalisme négatif, qui critique la causalité tout comme la finalité, que la confiance dans l'induction, montrée par Grosseteste ou par Buridan contre Nicolas d'Autrecourt [1]. Il y a ici une double ligne d'évolution : les sciences de la terre et de la vie acceptent plutôt, à la Renaissance, l'empirisme de la *hand-in-the-wound-school* [2], la science du particulier; mais l'induction figure dans les discussions de méthode concernant la physique générale.

3º On est d'accord aujourd'hui pour voir dans la méthodologie et la philosophie de la science un des principaux titres de gloire de la science scolastique [3]. L'aristotélisme padouan, qui avait mauvaise presse auprès des historiens des sciences physiques comme auprès des catholiques et des humanistes [4], fut réhabilité il y a vingt ans grâce à sa remarquable théorie de la structure logique des sciences naturelles. Mais il faut avouer que, sur ce point, l'humanisme ne lui a pratiquement rien apporté.

4º Nulle part la continuité scolastique-physique moderne et l'apport positif de la parenthèse humaniste n'apparaissent aussi nettement que dans l'histoire de l'idée de Nature. Ici encore, il faut distinguer entre le point de vue méthodologique et le « naturalisme » proprement dit, physique ou métaphysique. Sous le premier aspect, elle autorise les postulats de simplicité, régularité, stabilité, « économie de pensée »,

---

1. Pour Grosseteste, voir son *Comm. Anal. Post.*, I, 14, cité par Crombie : l'idée de cause particulière surgit, pour chaque phénomène, de la répétition observée; mais la causalité reste pourtant un rapport réel. Pour Buridan contre Nic. d'Autrecourt, voir Anneliese Maier, *op. cit.*, p. 384-395.

2. L'expression est de Hiram Haydn, *The Counter-Renaissance*, New York, 1950.

3. Randall, art. cité, a révélé d'abord l'importance de Padoue pendant le xve et le xvie siècle; depuis, Crombie a pu faire remonter plusieurs de ces idées à Grosseteste; A. Maier a excellemment analysé le rôle de Buridan.

4. On reprochait à l'école de Padoue un aristotélisme étroit; Achillini rejetait même les amendements de Ptolémée à la cosmologie du Philosophe. Son empirisme a été diversement jugé : il nuisait à l'essor de la mécanique nouvelle (Koyré), mais favorisait les sciences de la vie : la découverte de la circulation sanguine fut préparée à Padoue par Realdo Colombo, Césalpin (?), Fabritius. La « double vérité », telle qu'on la concevait à Paris, opposant la certitude de la foi à la probabilité inductive des sciences de la nature, était une doctrine plus cohérente que la version padouane, qui opposait la foi à la raison naturelle, soit incarnée par Aristote, soit autonome et dans ce cas nettement libertine (Biagio Pelacani). Du côté des humanistes, on a pu souligner quelques mérites de Padoue comme le recours aux commentateurs grecs, notamment Themistius (retraduit par Barbaro) et Simplicius, fraîchement découvert, qui a permis une interprétation platonisante du *De anima*, dont Pic de la Mirandole tira profit (Bruno Nardi, « La fine dell'averroismo », dans *Pensée humaniste et tradition chrétienne...*, *op. cit.*, p. 139-152).

que l'on trouve sans cesse dans la science scolastique depuis Grosseteste [1]. Mais ce qui fut à Paris le « rasoir d'Ockham » devint pour la science humaniste un principe esthétique. Beaucoup plus important est le second aspect, car il implique la fameuse « fin du cosmos ». Déjà Buridan avait voulu appliquer une même physique au monde céleste et sublunaire; on connaît la suite chez Nicolas de Cuse, et comment cette unification a fini, avec Th. Diggs et Giordano Bruno, par faire éclater l'univers de Copernic. Mais ce qui importe, c'est que cette Nature englobe l'homme, avec sa pensée, son action, son « art » : et ce point essentiel est une conquête de la Renaissance [2]. Malgré les énormes différences d'accent, Ficin, Francesco Giorgio, Pomponazzi, Léonard, Paracelse, Francis Bacon disent ici la même chose : qu'il suffit en quelque sorte de mimer intérieurement les procédés de la nature, de penser et d'agir de connivence avec elle, pour acquérir tous les pouvoirs qu'elle détient. Ainsi la pensée devient productive : il n'y a rien de plus humaniste que cette croyance, et rien de plus proche de la science moderne [3].

*

Si l'on désigne par « évolution de la science » la ligne qui conduit du xive au xviie siècle par les quatre voies ci-dessus, on constate qu'elle contourne souvent le massif humaniste. Car l'humanisme aspire à autre chose : un « modèle » imaginable du cosmos. L'analogie macrocosme-microcosme, le système clos et hiérarchisé, les correspondances symboliques et magiques entre le monde astral, le monde sublunaire, les forces de l'âme et les créations des mythes éternels, l'harmonie géométrique et musicale gouvernant l'univers physique et donnant sa loi à la beauté sensible ou suprasensible — tout cela constitue une image du monde, « réactionnaire » par

1. Grosseteste, *De luce*, éd. Baur, p. 75 : toute opération de la nature s'accomplit de la manière la plus certaine, la plus ordonnée, la plus brève et la plus parfaite possible. Id., *Comm. Anal. Post.*, I, 17 (cit. Crombie) : la meilleure démonstration possible est celle qui exige le moins de suppositions et de données initiales.

2. Il est vrai que les *Remonstrances de Nature à l'alchymiste errant*, imprimées sous le nom de Jean de Meung (éd. consultée : Paris, 1561) expriment fortement cette idée; mais j'apprends qu'on attribue ce poème à Jean Perréal, ce qui avance sa date de deux siècles.

3. H. Haydn, *op. cit.*, fait de ces idées un apanage de la « Contre-Renaissance » antihumaniste. Mais l'obligation où il se trouve de séparer Renaissance et Contre-Renaissance, qui est le point faible de toute sa construction historique, s'avère ici particulièrement gênante.

rapport aux sciences, dépassée à tout moment par l'expérience, mais qui domine irrésistiblement les arts, et qui se
mire et se reconnaît dans la musique et l'architecture [1].

Mais il ne faut pas réduire à cette merveilleuse construction
l'apport humaniste. Les hommes qui étaient par ailleurs les
critiques les plus redoutables de tout savoir statique et
absolutisé, qui historisaient et relativisaient tout, opposaient
la persuasion à la logique, l'arithmétique des marchands de
Saint-Denis au système « artificiel » d'Euclide [2], la piété
intérieure au formalisme religieux, trouvaient dans la science
in fieri assez d'attrait pour se mettre à son service en traduisant, vulgarisant, « moralisant ». Si pourtant l'humanisme
— et une bonne partie de la science contemporaine non
humaniste, comme celle de Léonard — tombe en dehors de
l'évolution [3], c'est moins, je pense, à cause de son caractère
fermé, que par sa tendance irrépressible à visualiser, par sa
forme concrète, non relationnelle [4]. L'analogie et la « loi
visuelle » (c'est-à-dire le phénomène type) tiennent lieu de
lois formelles; le pythagorisme avec ses nombres-substances
gagne du terrain; en mécanique, l'*impetus* domine, la plus
animiste des hypothèses léguées par le Moyen Age [5]; les
sciences du particulier, du visible, du représentable ou de
l'imaginable font les progrès les plus sensibles : anatomie,
zoologie, botanique, géographie; on fait des dissections, des
collections, des herbiers (depuis 1534), des recueils de plan-
ches; on fonde des jardins botaniques, on entreprend des
voyages naturalistes [6]. Et tout le monde s'accorde avec

1. Voir l'esquisse de cette conception du cosmos dans l'introduction
d'André Chastel au catalogue de l'Exposition *L'Europe humaniste*, Bruxelles,
1954.
2. Ramus, *Scholarum mathematicarum, libri XXXI* (1569). Cf. le fait que
Luca Pacioli, le géomètre néo-platonicien par excellence (dont la culture
classique était d'ailleurs assez réduite) a été le premier à enseigner dans sa
Summa de arithmetica la comptabilité en partie double (1494).
3. Pour Léonardi voir le jugement de J. H. Randall Jr., « Leonardo da
Vinci and modern science », *Journ. of the Hist. of Ideas*, XIV, 1953.
4. Le fait que toute connaissance scientifique est une connaissance de
rapports n'a pas été entièrement ignoré, mais on ne le trouve guère énoncé
que par des mathématiciens ou en relation avec les mathématiques : Pacioli,
Cardan. Nicolas de Cuse s'en sert comme d'un argument en faveur de la
docte ignorance.
5. Notamment chez Léonard, dans le fameux fragm. *Cod. Atl.* 302 *a*
(Richter, 1113 B) sur la « vie » et la « mort » de la *virtù spirituale* ou *forza*
des mobiles. Nicolas de Cuse aussi compare l'*impetus* à l'âme. Les seuls
adversaires de la théorie de l'*impetus* sont les aristotéliciens impénitents
de Padoue.
6. Voir par exemple Em. Callot, *La Renaissance des sciences de la vie au*
XVIe *siècle*, Paris, 1951, p. 33-37 et 40-41 sur les voyages des naturalistes,
p. 47 sur les fondations de jardins botaniques. — L'histoire naturelle est
partout fortement liée aux lettres. Les exposés sont volontiers poétiques ou

Trithème[1] et Léonard pour dire que l'amour est fils de la connaissance — d'une connaissance concrète, s'entend.

Une telle science était largement d'accord avec l'humanisme. La coopération des philologues avec les naturalistes allait de soi et s'avérait mille fois fructueuse[2], puisqu'il s'agissait de critiques de sources et de connaissances des faits; même l'intérêt des platoniciens pour l'astronomie n'était pas perdu, si, comme on l'a dit, l'héliocentrisme métaphysique de Ficin a pu frapper Copernic. Le cosmos humaniste proposait au fond un modèle que la science visuelle de la Renaissance n'était pas faite pour négliger — on rêvait même d'une science sans concepts, tenant tout entière en images[3]. Seulement, la science « relationnelle » issue de la scolastique était plus forte.

*

L'histoire de l'optique résume toutes ces choses. Au Moyen Age, elle incarnait la « physique mathématique » non causale et néo-platonisante[4] qui fut, avec Grosseteste, à l'origine du grand mouvement. Elle servit de modèle à la mathématique qualitative de Roger Bacon, qui étendait les notions de réflexion et réfraction à tous les phénomènes naturels; en même temps, elle illustrait le postulat oxfordien de la simplicité de la Nature[5]. Vers 1420, en Italie, la rencontre d'un « artisan supérieur », d'un savant et d'un humaniste fit naître

mythologiques : les recueils contiennent, pour chaque plante ou animal, les significations symboliques et hiéroglyphiques au même titre que les descriptions de l'espèce. C'est d'ailleurs souvent l'intérêt pour un texte, Pline ou Dioscoride, qui a déterminé la recherche, dans le but d'identifier les espèces décrites par l'auteur. L'archéologie aussi a servi de modèle à l'histoire naturelle. Gesner avait été d'abord humaniste, et Aldrovandi avait commencé par un recueil archéologique. Le livre de Paul Jove sur les poissons (1524) s'était proposé de commenter les poètes antiques qui en parlaient.

1. Lettre à Germain de Ganay, 1505, citée par Thorndike, *A history...*, t. VI, 439.
2. Voir *supra*, p. 336, n. 6.
3. C'était le postulat commun de la croyance aux « hiéroglyphes », du lullisme de Giulio Camillo, de la pédagogie utopique de Campanella, etc.
4. Particulièrement intéressante est l'Introduction de la *Perspectiva communis* de J. Peckham, qui fut, comme on sait, textuellement reprise par Léonard dans une note du *Cod. Atl.*, 203 a (Richter, 13) : dans la *perspectiva* (ou optique), dit Peckham, *tam physices quam mathematum gloria et certitudo... reperitur*. Aux théorèmes connus, se proposait-il, *naturales et mathematicas demonstraciones adjiciam, et partim effectus ex causis, partim vero causas ex effectibus deducam*. Il va donc réunir *compositio* et *resolutio*, ou induction et déduction, les deux méthodes tant discutées à Padoue à la Renaissance. — Le passage se termine par un rappel néo-platonisant de l'analogie Dieu-lumière.
5. Voir *supra*, p. 334-335 et p. 335, n. 1.

de l'optique savante et des traditions de métier la « perspective pratique » ou l'art de représenter les choses [1]. Elle fut impliquée dans la discussion sur le « rang des arts », où on l'opposait à la musique. Le préjugé en faveur de la visualisation fit bientôt confondre l'ancienne optique avec la perspective des peintres, et parfois avec la peinture tout court [2]; des controverses autour de la perspective aérienne et autour d'une « perspective curviligne » inventée par Léonard impliquaient même la question de savoir si la connaissance (visuelle) devait être traitée comme un phénomène naturel analogue à tous les autres — ce qui est le point crucial du naturalisme renaissant. Entre-temps Piero della Francesca dotait cette perspective d'harmonie mathématique [3] et Gauricus inventait une perspective-mise en scène qui en constitue la variante historico-morale. Au cosmos humaniste répond la métaphysique de la lumière de Ficin, qui reçoit cent ans plus tard, avec Patrizzi, un pendant plus proche de la science. Enfin Kepler, le dernier grand représentant d'une astronomie géométrique et non causale, publie des paralipomènes à l'optique médiévale de Witelo avant d'enterrer pour toujours la cosmologie platonicienne.

(1961)

---

1. Toscanelli, Brunelleschi, Alberti. — Quelque chose de semblable se passa aussi, peut-être, à Padoue et Venise, entre Pelacani, Giovanni Fontana et Jacopo Bellini.
2. Témoignages divers de Michele Savonarola, vers 1450; puis, autour de 1500 : Jérôme Savonarola, Luca Pacioli, Raffaele Maffei.
3. R. Wittkower, « Brunelleschi and " proportion in perspective " », in *Journ. of the Warburg and Courtauld Institutes*, XVI, 1953.

III

Esthétique et méthode

GIUDIZIO ET *GUSTO* DANS LA THÉORIE DE L'ART
AU CINQUECENTO

La conscience de l'individualité artistique est, pour les arts visuels, une acquisition tardive. On savait sans doute, longtemps avant 1500, qu'il existait de bons et de moins bons artistes, on savait même que c'était une affaire de don inné aussi bien que d'apprentissage, et qu'un maître pouvait exceller dans telle « partie de l'art » et échouer dans telle autre. Vers le milieu du xve siècle, des artistes affirmaient déjà, comme un simple fait d'expérience, qu'il était possible de reconnaître distinctement la « main » de chaque maître ; puis, dans l'ambiance néo-platonicienne florentine, l'adage courant *ogni dipintore dipinge sé* fut interprété pour la première fois comme une doctrine de l'expression [1]. Mais la

---

1. Sur cette idée de l'autoportrait involontaire, voir G. F. Hartlaub, « Das Selbstbildnerische in der Kunstgeschichte », *Zeitschrift für Kunstwissenschaft*, IX, 1955, 97-124, qui cite notamment Cosme le Vieux d'après le « Journal de Politien », Matteo Franco, Savonarole, Léonard (sur lequel voir aussi, à ce sujet, les bonnes remarques de Gombrich, « Leonardo's grotesque heads », in *Leonardo. Saggi e ricerche*, Roma, 1954, p. 199-219) et une boutade de Michel-Ange. Le thème de l'œuvre comme autoportrait moral, présent chez Savonarole, transparaît surtout dans un texte de Ficin (*Opera*, I, p. 229) cité et commenté par Gombrich, « Botticelli's Mythologies », *Journ. of the Warburg and Courtauld Inst.*, VIII, 1945, p. 59, et par Creighton Gilbert, « On subject and not-subject in Italian Renaissance », *The Art Bulletin*, 34, 1952, 3, p. 202-216. — A. Chastel, *Art et humanisme à Florence au temps de Laurent le Magnifique*, Paris, 1959, p. 102-104 (cf. aussi, du même auteur, *Marsile Ficin et l'art*, Genève-Lille, 1954, p. 65-66) discute toutes les données et leur rend leur dimension historique ; il ajoute en outre le thème apparenté « le peintre doit devenir ce qu'il veut reproduire » (Dante, *Convivio* ; Benivieni, *Canzone d'Amore*, avec le *Commentaire* ad loc. de Pic de la Mirandole) qui se confond, chez Léonard, avec l'idée que « tout peintre se peint lui-même ». La série des exemples pourrait être complétée, pour le Quattrocento, par un sonnet de Brunelleschi contre un mauvais peintre qui fait des figures aussi folles que lui (voir A. Pellizzari, *I trattati intorno alle arti figurative...*, t. II, 1, Naples, s. d., et A. Parronchi, « Le " misure dell'occhio " secondo il Ghiberti », *Paragone*, n. 133, janv. 1961, p. 47 et n. 28). Il y a plus à glaner au xvie siècle, peu examiné par Hartlaub : dans la ligne de l'interprétation la plus grossière, comme si un artiste ne pouvait s'empêcher de mettre partout des autoportraits, voir P. Pino, « Dialogo di Pittura », éd. Barocchi, *Trattati d'arte del Cinquecento*, t. I,

découverte définitive du tempérament artistique et l'affirmation capitale que le caractère personnel de l'œuvre peut être, chez les grands, une valeur, appartiennent surtout à l'esthétique du Cinquecento et s'y traduisent notamment par l'histoire souvent retracée, du mot *maniera*[1].

Ce processus de prise de conscience critique a des sources et des modèles littéraires : Politien, Jean-François Pic, l'Arétin; mais ce ne sont pas les seules, comme on peut s'en apercevoir en considérant une évolution sémantique parallèle à celle de *maniera:* la transformation de *giudizio* en *gusto*. La découverte de l'individualité dans l'expression appelait et supposait celle de l'individualité dans l'appréciation des œuvres; *maniera* et *gusto* sont complémentaires. Mais cette complémentarité et ses raisons profondes sont peu mentionnées dans la critique littéraire et n'ont pas atteint la critique artistique par le canal habituel des lettres[2]; elles viennent d'un troisième domaine, de la philosophie naturelle et surtout de ses disciplines qui concernent de plus près l'âme : astrologie, théorie des tempéraments, magie, et leurs formes plus mondaines et subtiles : théorie de l'amour, de la beauté féminine, de la persuasion, des modes musicaux, du génie mélancolique. C'est là qu'on trouve le principe et l'explication de l'affinité entre une âme et une chose, ou entre une âme et une autre âme; c'est en partant de là qu'on peut mettre

Bari, 1960, voir p. 133; Gilio da Fabriano, *Degli errori de' pittori*, même édit., t. II, p. 48; ou, avec plus de fantaisie et un peu d'humour, Vasari, *Vite*, dans une phrase de la première édition, barrée dans la seconde (les sculpteurs du Moyen Age avaient l'esprit *tondo*, d'où la « rondeur » de leurs œuvres; t. I, Florence, 1550, p. 333); cf. aussi son explication de l'air égaré des figures de Spinello Aretino, *Vite*, éd. Milanesi, t. II, 284. Pour l'idée d'autoportrait moral au XVIe siècle, voir Gallucci, le traducteur des *Vier Bücher* de Dürer (*Della Simmetria de i corpi humani*, Venise, 1591) dans la préface, non paginée. La version de Dante et Pic de la Mirandole revient dans la lettre de Cellini à Varchi sur le *paragone* (éd. Barocchi, t. I, p. 81). Il faut enfin citer un *symbolum* de Achille Bocchi : Socrate, dont la main est guidée par son Génie, est en train de peindre un autoportrait (*Symbolicarum quaestionum libri V*, Bologne, 1555, p. VI, symb. III). — La version de Léonard, suivant laquelle l'âme qui forme le corps de l'artiste forme aussi, selon les mêmes idées ou modèles, les figures dessinées par la main, peut s'appuyer en partie sur Ficin, *Opera*, I, p. 178 et 300.

1. Marco Treves, « Maniera, the history of a word », *Marsyas*, I, 1941, p. 68-88; G. Weise, « Maniera und pellegrino, zwei Lieblingswörter des Manierismus », *Romanist. Jahrbuch*, III, 1950, 321-404; Nic. Ivanoff, « Il concetto dello stile nella letteratura artistica del' 500 », *Quaderni dell' Istit. di storia dell'arte dell'Univ. degli studi di Trieste*, n. 4, 1955. Le livre de John Grace Freeman, *The maniera of Vasari*, Londres, 1867, n'est qu'un recensement des passages vasariens où figure ce mot.

2. Le rôle de la théorie et de la critique littéraires pour la théorie et la critique de l'art est aujourd'hui bien connu. Les recherches récentes dans cette direction doivent beaucoup à l'article de R. W. Lee, « Ut pictura poesis », *The Art Bulletin*, XXII, 1940, 197-269, qui porte surtout sur la deuxième moitié du Cinquecento. Depuis, on a remonté jusqu'à Alberti.

en relation les manières et les goûts, jusqu'à les unir dans l'idée du « goût productif » ou dans l'étrange synonymie, proposée un jour par Poussin, *stile, maniera o gusto* [1].

Sans nous attarder aux sources et à l'arrière-plan littéraire ou philosophico-scientifique, nous nous bornerons à décrire les phases de rapprochement et de contamination sémantiques à la suite desquelles *gusto* a pu remplacer *giudizio*. Nous essaierons aussi de voir ce que ce processus signifiait pour l'esthétique du Cinquecento. On pourrait penser d'abord qu'il dénotait un triomphe de l'irrationalisme et du sensualisme : la faculté intellectuelle du jugement est évincée, comme métaphore de la compréhension artistique, par le plus immédiatement jouisseur, le plus irréductiblement subjectif des cinq sens. Mais cette interprétation, qui n'est pas fausse, est très schématique, et il faudra la nuancer beaucoup pour la faire coller à la réalité.

1. *Giudizio*. Le jugement n'était pas, pour la Renaissance, un acte d'ordre purement intellectuel; il appartenait à un domaine intermédiaire entre l'intellect et les sens. Il rapporte le particulier sensible à l'universel intelligible, ou inversement l'universel au particulier; il est par là semblable à l'*aestimativa* des animaux, leur faculté de « juger » instinctivement ou affectivement les choses et les sensations. Le jugement comme acte est en dernière analyse une réaction immédiate au perçu, et il ne faut pas le confondre avec la proposition déduite d'autres propositions. Mais cette réaction immédiate est rationalisable, en ce sens qu'on peut l'expliciter en raisons.

Peu importent les variations à l'intérieur de cette doctrine logico-psychologique et les distinctions, variables selon les auteurs, entre *cogitativa, scrutinium, imaginativa*, etc., facultés plus ou moins attachées ou assimilées au *judicium*. Il suffit de constater que, pour la philosophie traditionnelle, l'idée de jugement implique à la fois l'aperception immédiate et la rationalité virtuelle, c'est-à-dire une ambiguïté ou une polarité qu'on retrouve plus tard dans le concept esthétique du goût. Les « antinomies du goût », selon la Critique kantienne du Jugement, reproduisent à leur manière les antinomies traditionnelles du *judicium*.

Parmi les quasi-synonymes de *judicium* plus haut mentionnés, un seul intéresse notre propos : *discretio*. Cette faculté

---

1. C'est Croce qui a relevé le terme de *gusto produttivo*, dans les pages fondamentales qu'il a consacrées à l'histoire de *gusto* dans *Estetica* (4e éd., Bari, 1912, 221-224). Le texte de Poussin est cité par Bellori, dans sa vie de l'artiste (*Vite dei pittori, scultori ed architetti moderni*, éd. Pise, 1821, t. II, p. 205).

ou vertu a eu son moment dans la théorie de l'art et a failli prendre la place échue à *gusto*. Le pouvoir de distinguer est, comme le jugement, à cheval entre la sensibilité et l'intellect[1]; son domaine d'application commence là où la déduction s'arrête. On connaît l'importance de la *discrezione* pour Guichardin, notamment dans la dernière rédaction de ses *Ricordi* : devant la réalité politique trop complexe pour être percée, trop soumise au hasard pour être prévue, la raison se perd, mais la *discrezione*, une quasi-raison, sert encore de boussole. N'ayant pas de préceptes abstraits, cette faculté n'est pas à proprement dire enseignable; n'est pas *discreto* qui veut. Il est significatif que dans la théorie de l'art *discrezione* tend à se substituer à *giudizio* dans le milieu vénitien de 1550, c'est-à-dire au beau moment de l'anti-académisme inspiré par l'Arétin : les auteurs répètent alors qu'il ne faut pas appliquer aveuglément les canons vitruviens à toutes les figures d'un dessin, mais qu'il faut les adapter à la situation avec *giudizio e discrezione* — ces termes étant, d'après Pino et Dolce, synonymes [2]. L'*Idea del Tempio della Pittura* de Lomazzo (Milan, 1590) est tout entière construite sur la notion de *discrezione*, définie comme troisième terme entre théorie et pratique, ou comme la conscience critique qui adapte les moyens aux buts [3]. Enfin une analyse extrêmement curieuse de Campanella concernant la *discretio spirituum*, la connaissance intuitive des âmes, arrive très près de notre conception du goût et emploie même la métaphore gustative, tout en appliquant d'autre part à la description de cette faculté des lieux communs traditionnels sur l'art en général [4].

1. Thomas d'Aquin, *In Arist. De anima*, 3, 14 ᵃ *discretio opus est intellec-tivae et sensitivae partis.* Cf. aussi *In IV Sent.*, 47, 1, 3, 2 c et 4 c: *judicium discretionis* employé comme synonyme de *judicium discussionis sive exami-nationis*.

2. Paolo Pino, *Dialogo di pittura*, éd. cit., p. 104 : *ma qui ci concorre la discrezzione, ch'è intesa da me per buon giudicio*; et Lod. Dolce, *Dialogo della Pittura*, même édition, I, p. 180 : *Aviene anco che le figure... scortino. La qual cosa non si puo fare senza gran giudicio e discrezione.*

3. Voir les chapitres III et XVIII. Il faut rétablir dans le texte, à plusieurs reprises, *discrettione* pour *descrittione*. Un lapsus de Lomazzo au chapitre I, p. 4 (éd. Milan, 1590) permet d'établir que l'*Idea* était d'abord conçue comme livre introductif du *Trattato* publié en 1584, et qu'elle aurait dû probablement s'appeler *Libro della discrezione*.

4. T. Campanella, *Magia e grazia* (*Theologicorum liber XIV*), éd. Romano Amerio (Ediz. naz. dei class. del pensiero ital., II, 5; Rome, 1958); voir P. 9, art. 1-2, p. 146-158. Il est question d'abord de la *discretio* infuse, qui concerne essentiellement l'identification des esprits bons et mauvais; elle est comparée au sens du goût, à peu près comme nous parlerions aujourd'hui du « flair » : *non enim discurrendo cognoscit vir spiritualis utrum daemon an angelus... sibi suadet... aliquid; sed quodam quasi tactu et gustu et intuitiva notitia... quemadmodum lingua statim discernimus saporem vini et panis.* Contre saint Thomas, Campanella prétend qu'il ne s'agit pas là d'une illu-

Mais alors que la *discretio* s'installait d'emblée dans une
position médiatrice et ambiguë, le sens esthétique de *judicium*
variait entre l'étroite *assimilation à l'intellect pur* et le non
moins étroit *rattachement au particulier* (tempérament de
l'artiste, nature de sa tâche concrète). On peut essayer de
jalonner la route entre ces extrêmes et de fixer les positions
intermédiaires, à condition de se rappeler qu'il ne s'agit pas
d'une évolution rectiligne, mais d'un éventail de significations
toujours ouvert, où l'ancien et le nouveau coexistent malgré
un certain glissement chronologique vers la solution empiriste. (Il convient en outre de préciser que toutes les acceptions de *giudizio* à la Renaissance ne se laissent pas aligner
sur cette voie unique.) L'échelle se présente à peu près comme
suit :

Selon une tradition platonicienne ou plus exactement
augustinienne, le jugement dans les arts libéraux et dans les
beaux-arts était une forme d'anamnèse; nous possédons par
nature, dit par exemple Ficin, les images parfaites auxquelles
nous comparons les œuvres des artistes :

*Quomodo rursus structurae, musicae, picturae et artium
ceterarum opera, necnon inventa philosophorum, multi etiam
in his artibus non versati probarent saepissime recte et repro-
barent, nisi illarum rerum forma quaedam esset et ratio illis
a natura tributa*[1]*?*

Un peu plus proche de l'expérience, Alberti avait assimilé
le jugement à un sens intérieur, inné, qui était cependant
ratio et non simple *opinio;* la possibilité de le faire dériver
des Idées restait vaguement ouverte :

Ut vero de pulchritudine judices non opinio, verum animis

mination, mais d'une faculté permanente, d'un sixième sens (*sensu quidam
parturiens subito bonam aut adversam affectionem*), qui peut d'ailleurs s'étendre aussi à la connaissance de la nature humaine, de l'esprit d'autrui. Cette
discrétion infuse est donc nécessaire aux « prélats, princes et hommes aposto-
liques »; et Campanella se demande même, sans conclure, si elle ne peut
être renforcée par exercice, tout comme le talent. Alors que la *discretio*
infuse ressemble au goût et au don artistique inné, la *discretio* acquise, qui a
pour but premier de distinguer les vrais des faux inspirés, est analogue à un
art : elle est un exercice qui possède ses règles (tirées de l'Évangile), qui exige
des connaissances historiques (sur les prophètes, imposteurs et illuminés
du passé), qui ne peut se dispenser de l'expérience et de la pratique (*parum
valet speculatio sine praxi*: la peinture est citée comme exemple); le *discretus*
doit être instruit dans beaucoup de sciences, telles que l'astrologie et la médecine, et il doit posséder les plus hautes qualités morales. Tout ce discours
est une adaptation de lieux communs archiconnus par les introductions des
traités sur n'importe quel art.
1. *Convivium*, VI, 12. Ficin cite à l'appui le *Ménon*, mais sa vraie source
est le *De musica* d'Augustin. La tradition passe par le *Metalogicus* de Jean
de Salisbury (I, 11; *Patr. lat.*, CIC, 838-839), où le jugement, *examinatrix
animi vis*, est identifié à *ratio* et censé fournir le fondement des arts libéraux,
dont il établit les lois.

innata quaedam ratio efficiet... Unde autem is animi sensus excitetur et pendeat etiam non requiro funditus (De re aedificatoria, IX, 5).

Même Léonard conserve une trace lointaine de ce platonisme du jugement, quand il écrit, dans un fragment célèbre : *quando il giuditio supera l'opera, essa opera mai finisce di migliorare* [1]. Serlio, vers 1546, nous dit déjà que l'on discute beaucoup pour savoir si le *giudizio* est acquis ou inné, et propose une solution de compromis [2]; c'est reconnaître quelques droits à l'empirisme. Chez Persio, en 1576, le jugement achève de tourner le dos à l'intellect : il suppose la connaissance, mais il est orienté vers la *parte appetiscente;* simple faculté intermédiaire, il n'a rien de la spontanéité créatrice et naturelle de l'*ingegno:* on peut être judicieux sans être ingénieux, et inversement [3]. Un pas de plus, et nous sommes à l'opposé d'Augustin et de Ficin : *giudizio* n'apparaît pas comme le souvenir des règles idéales, mais au contraire comme la faculté de s'écarter des règles quand et où il le faut. Le jugement équivaut alors exactement au terme guichardinien de *discrezione.* On trouve cet emploi de *giudizio* comme source de la licence convenablement motivée chez Raffaele Borghini et aussi, pour la poésie, chez le Tasse [4]; ce qui jette un pont vers la « prudence » qui adapte l'art universel au cas concret, et vers le fameux *bisogna avere le seste negli occhi* de Michel-Ange, avec les idées annexes de *facilità, grazia, arte di nasconder l'arte,* etc. [5].

1. *Trattato della pittura,* Cod. Urb. 1270, f⁰ 131 v°; éd. Ph. McMahon, 2 vol., Princeton, 1957, n. 439. Plus tard, on parla volontiers de « l'idée conçue dans l'intellect », si parfaite que la main est incapable de l'atteindre. Mais Léonard avait écrit *giudizio* et non *idea;* l'œuvre, selon lui, devait être perpétuellement devancée dans l'esprit de l'artiste par une *fonction critique* et non par une *image idéale* toute faite.
2. Seb. Serlio, *Tutte l'opere d'architettura...,* Venise, 1619, liv. VII, p. 120. Le manuscrit du livre VII avait été vendu par l'auteur en 1550, et la rédaction semble se situer autour de 1546 (Dinsmoor).
3. Antonio Persio, *Trattato dell'ingegno dell'huomo,* Venise, 1576, p. 77 sq. Pour une distinction semblable entre *ingenium* et *judicium* chez J. de Valdés, voir Curtius, *Europ. Literatur und latein. Mittelalter,* Berne, 1948 p. 300.
4. Raffaele Borghini, *Il Riposo,* Florence, 1584, p. 150; Tasso, « La Cavaletta ovvero della poesia toscana » (*Dialoghi,* éd. Guasti, 3 vol., Florence, 1858-1859, t. III, p. 101 et 94 sq.).
5. La discussion de cet ensemble de notions et de leur importance historique serait ici bien longue. De nombreux textes et références dans R. J. Clements, « Eye, Mind and Hand in Michelangelo's poetry », *Public. of the Mod. Lang. Assoc.,* 69, 1954, 324-336, qui a cependant le tort de trop tirer le « jugement de l'œil » vers la « vision intérieure ». Chez Armenini, ce jugement n'est qu'aptitude à évaluer correctement les grandeurs des membres représentés en raccourci (*De' veri precetti della pittura,* Ravenne, 1587, p. 96); d'autre part, chez V. Danti, « Il primo libro del Trattato delle perfette

Pour identifier le *giudizio* ainsi compris — c'est-à-dire rapproché autant que possible du particulier contingent — avec le « goût » tel que nous l'entendons aujourd'hui, il ne faut plus lui ajouter qu'un seul caractère : *la diversité selon les tempéraments*. Or la constatation que les « jugements » de beauté sont irrémédiablement divers est un lieu commun persistant dans tous les traités de l'amour, de la beauté, de la grâce [1]; Castiglione (I, § 37) en avait déjà déduit qu'il n'y a pas en art de perfection absolue. Accidentellement, la différence des goûts, toujours expliquée par les complexions et les influx astraux, a pu être baptisée différence de *giudizii* [2] ; elle est en tout cas admise, tout au long du xvie siècle, comme un fait indéniable, qui s'impose à l'attention en même temps que la diversité des manières qui correspondent aux tempéraments individuels ou aux époques et aux milieux différents [3]. Ainsi se prépare l'équation entre *giudizio* et *stile*.

Cette équation implique le concept, étrange à nos yeux, d'un « jugement productif », autrement dit la *confusion entre* « *giudizio* » *et* « *ingegno* », déjà suggérée par Alberti et Ficin et blâmée par Persio et Valdés. Léonard avait expliqué la ressemblance entre le peintre et ses figures par l'intervention d'un jugement créateur qui, *inanti sia il proprio giuditio nostro*, façonne le corps qu'il habitera [4]. Mais l'emploi de *giudizio* comme faculté expressive ou créatrice semble surtout spécifiquement vénitien [5]. L'Arétin, vers 1537, oppose ce

---

proporzioni... », éd. Barocchi, *op. cit.*, t. I, p. 233), la *misura intellettuale* et les *seste del giudizio* sont des jugements sur l'aptitude fonctionnelle de différentes parties du corps humain, suivant leurs proportions (cf. Tolnay, « Die Handzeichnungen Michelangelos im Codex Vaticanus », *Repert. f. Kunstwiss.*, 48, 1927, voir p. 181-182). Chez les théoriciens du Cinquecento, la vision intérieure n'est jamais jugement, mais invention, création du concetto. Le jugement n'est assimilé à la vision idéale que dans la stricte théorie platonico-augustinienne de Ficin (voir *supra*, p. 345 et n. 1).

1. Des exemples de Leone Ebreo et de Varchi cités par Barocchi, *Trattati*, I, n. 1 à la page 89. On n'a dans ce domaine que l'embarras du choix.

2. Pino, éd. cit., p. 132 : *Sono varii li giudicii umani, diverse le complessioni, abbiamo medesmamente l'uno dall'altro estratto l'intelletto nel gusto, la qual differenzia causa che non a tutti aggradano equalmente le cose.* Il faut peut-être sous-entendre *vario* après *medesmamente*.

3. Ainsi Gallucci, dans le cinquième livre qu'il ajoute à sa traduction des quatre de Dürer sur la proportion, *op. cit.*, fo 125 vo : les canons de la beauté diffèrent selon les auteurs et les époques, *pero deve il saggio pittore bene, e diligentemente intendere, e considerare quello, che qui è scritto della bellezza, e poi accomodarsi all'universal opinione de' suoi tempi, e della sua etade per non parere egli solo sapiente fra tutti gli altri, ch'altro non farebbe ch'acquistarsi nome di pazzo, il quale giudicasse bella quella cosa, che da tutti, o di quei tempi, o di quella cittade è riputata brutta.*

4. Cod. Urb. 1270, fo 44 ro-vo, éd. cit., n. 86.

5. S. Ortolani, « Le origini della critica d'arte a Venezia », *L'Arte*, XXVI, 1923, p. 10, note cette particularité chez l'Arétin. Des textes où *giudizio* a *il senso convenzionale di innata capacità discriminante ed espressiva* sont

« jugement naturel » à l' « art », comme on opposait le don inné à la pratique acquise :

> *Guardate dove ha posto la pittura Michelagnolo con lo smisu-rato de le sue figure, dipinte con la maestà del giudizio, non col meschino dell'arte. E perciò fate da uomo naturalone* [1]...

(Peut-être faut-il entendre dans le même sens la remarque de Serlio, citée plus haut, que l'on discute sur la question de savoir si le *giudizio* est inné ou acquis. Serlio était à Venise l'ami de l'Arétin, avant de partir pour la France.) Une autre lettre de l'Arétin, où le jugement est appelé *figliuolo della natura, e padre de l'arte*, identifie cette faculté à la personnalité artistique, au tempérament propre, qui demande à être suivi :

> *Giudicio, dico: ché l'altre cose* [les œuvres d'autrui] *son buone per vedere gli ingegni degli altri, onde il tuo si desta e si corregge... Chi non ha giudizio non conosce se stesso, e chi non conosce se medesimo non è conosciuto d'altri, et chi non è noto ad altri anulla il suo essere* [2].

Sur les traces de l'Arétin, Pino comprend *giudicio* comme talent inné ou perfectionné par l'exercice :

> ... *in questa parte* [le jugement] *ci conviene aver la natura e i fati propizii, e nascere con tal disposizione, come i poeti; altro non conosco, come tal giudizio se possi imparare. E ben vero ch'isercitandolo nell'arte, egli divien più perfetto, ma, avendo il giudicio, voi imparerete la circonscrizione* [3]...

En dehors de Venise, l'association *giudizio e ingegno* apparaît chez Vincenzo Danti, sans qu'on puisse encore bien savoir s'il veut ou non établir une différence entre les deux termes; Armenini, cependant, écrit sans équivoque que le *disegno* (au sens d'invention) est conçu *dall'animo e dal giudizio* [4]; tous les lecteurs de 1587 comprenaient que ce *giudizio* généra-teur d'idées ne pouvait être que l'*ingegno*.

Cette acception, qui paraît aujourd'hui aberrante, s'explique par la contamination de *maniera* : toute faculté qui caractérise

---

indiqués par P. Barocchi, *op. cit.*, t. I, p. 277, n. 1 (les références à Varchi et à Sangallo, deux Florentins, sont les seules qui ne semblent pas convain-cantes).

1. P. Aretino, *Lettere sull'arte*, éd. Pertile, Cordié, Camesasca, Milano, 1957, t. I, p. 88 (lettre à Franc. Pocopanno, 24 novembre 1537).

2. *Ibid.*, p. 101-104, lettre à Fausto da Longiano, 17 février 1537 (texte de la seconde édition). Le sens de *giudizio* dans cette lettre est variable, et la version originale, remaniée pour la deuxième édition, appellerait quelques commentaires. Mais ces nuances n'importent pas ici.

3. Éd. cit., p. 114.

4. Voir Danti, éd. cit., p. 230 et 268; Armenini, *op. cit.*, p. 49.

une personne appartient à l'ordre de l'expression; donc le *giudizio*, parce que personnel, doit se confondre avec le style.

2. *Gusto. Gusto* a rencontré *giudizio* sur le terrain esthétique après avoir accompli à son tour la moitié du chemin qui les séparait. Au sens propre, originel, le terme peut être compris soit comme une faculté de l'âme sensitive (« le goût discerne les saveurs »), soit comme une qualité de l'objet perçu (« un goût d'orange »). C'est la seconde acception qui se prête d'abord aux métaphores du langage critique, du moins en latin. Ainsi chez Quintilien : *sermo prae se ferens in verbis proprium quendam gustum urbis* (6, 3, 17); ou, dans les textes humanistes : *Sed velim in templo... nihil adsit, quod veram philosophiam non sapiat* (Alberti, *De re aedif.*, VII, 10); *Male doct*[i], *... qui ... omnia exigunt ad Ciceronis gustum* (Politien, *Epistolae*, V, 1)[1]. Mais quand le même Politien emploie au figuré *gustus* comme faculté subjective (préface des *Miscellanea : Nec enim gustus idem omnibus, sed suum palatum cuique*)[2], il sent encore le besoin d'expliquer cette hardiesse.

L'italien a donné très tôt à *gusto* le sens de désir, impulsion, penchant : Pier delle Vigne est poussé au suicide par son *disdegnoso gusto* (*Inf.*, XIII, 70), Adam a mangé la pomme par *ardito gusto* (*Par.*, XXXII, 122)[3]. Souvent, ce « goût » se substituait à « satisfaction du goût », et alors que le mot français gardait volontiers, même dans ce cas, une nuance de jugement critique (« déguster »), il y eut en Italie, sans doute sous l'influence espagnole, vers 1600, un moment où *gusto* put devenir un simple synonyme de plaisir ou de passe-temps[4].

Mais ces acceptions ne fournissent qu'un arrière-plan général, une référence sommaire à cette connaissance affective immédiate qui est la raison d'être de la métaphore du « goût » critique. Campanella, qui avait tiré parti de l'étymologie *sapor-sapientia*, parlait de *gustus* comme d'une forme de connaissance; ainsi dans un passage connu de la préface à sa *Métaphysique :*

Novam condere metaphysicam statuimus, ubi ... reducti sumus ad viam salutis et cognitionem divinorum, non per syllogismum,

---

1. A Bart. Scala, *Opera*, Lyon, 1539, t. I, p. 130.
2. *Id.*, t. I, p. 485.
3. L'équivalent était, dans le français du XIIIᵉ siècle, *talent*. Ce mot avait d'abord le sens de *gusto* comme désir; il a aujourd'hui celui de *gusto produttivo*.
4. Fed. Zuccaro, *Passaggio per l'Italia*, Bologne, 1608, p. 32, etc. (*i gusti*, « les plaisirs »). Soprani et Ratti, *Vite de' pittori genovesi*, Gênes, 1768-1769, t. I, p. 129, citent la lettre d'un client madrilène à G. B. Paggi : envoyez-moi les tableaux, *ne sentirò molto gusto*.

*qui est quasi sagitta qua scopum attingimus a longe absque
gustu, neque modo per authoritatem, quod est tangere quasi per
manum alienam, sed per tactum intrinsecum in magna suavitate,
quam abscondit Deus timentibus se...*

L'attitude naturaliste, la défiance du syllogisme et des autorités, l'appel à l'expérience intime chez Campanella correspondent, *mutatis mutandis*, à l'attitude naturaliste, la défiance
des règles et des modèles canoniques, l'appel à l'instinct artistique chez les critiques qui ont lancé l'idée de *gusto*. Il y a
dans cette acceptation confiante d'un indice de valeur subjectif
et incommunicable quelque chose qui renvoie au modèle lointain de la magie naturelle.

Mais au xvi⁰ siècle, *gustare* impliquait déjà, parfois, la
discrimination savante : *la mirabile perfezione delle* [statue
antiche] *chi gusterà e possederà a pieno, potrà sicuramente
correggere molti difetti di essa natura* (Dolce, 1556) [1]. On était
aussi vaguement conscient d'un lien de *gusto* avec la personnalité; ainsi Doni (1549) à propos des draperies dans la
peinture :

*questi panni sono tutta gratia e maniera che s'acquista per
studiare una materia fatta d'altro maestro, che più t'è ito a
gusto che alcuno altro* [2].

Le goût indique donc une affinité personnelle de l'artiste avec
le maître qu'il doit suivre pour se former le style qui lui
convient le mieux, notamment dans les accessoires où il n'y a
pas de règle qui vaille (*sono tutta gratia e maniera*). Lomazzo,
au chapitre ii de son *Idea*, développera longuement et pesam-
ment cette maxime pédagogique, qu'il faut choisir son maître
selon ses goûts, afin de favoriser sa *maniera* personnelle.
Nous sommes ici au seuil du « goût productif », notion du
xvii⁰ siècle, mais préparée, nous l'avons vu, par le *giudizio*
productif des Vénitiens. Le goût détermine la manière, qui
est une sorte d'autoportrait involontaire de l'artiste. Tout
conduit à l'identification de *maniera* et *gusto*, attestée selon
Bellori par un mot de Poussin.

Mais si *gusto* prend ainsi la place de *giudizio*, c'est pour se
charger aussitôt de son hérédité intellectualiste. Le premier
exemple, que l'on serait tenté de citer à l'appui, est peut-
être ambigu : c'est Filarete complimentant son patron pour
avoir su distinguer le gothique de l'antique : *Signiore, la*

1. Éd. cit., I, p. 176.
2. *Il Disegno*, Venise, 1549, f⁰ 16 v⁰.

Signioria Vostra comincia a gustare et a'ntendere [1]. Filarete a pu ne pas comprendre ces deux verbes comme synonymes et marquer une différence entre le jugement motivé (*intendere*) et le simple plaisir (*gustare*). Mais quand Vasari écrit que Michel-Ange *ebbe giudizio e gusto in tutte le cose* [2], l'intention est évidemment de rapprocher les deux notions; elle est plus claire encore chez Lomazzo, qui dit franchement à propos des divergences d'opinion sur la beauté féminine : *giudizio ossia gusto della bellezza* [3]. Les connaisseurs et amateurs d'art, appelés *intendenti* et parfois *giudiciosi* [4], reçoivent chez Giulio Mancini, pour la première fois peut-être, le nom de *huomini di gusto* [5]. Il est clair, en vertu de ces antécédents, que leur goût devait être fait de discernement autant ou plus que de plaisir. La question de la rationalité du jugement appréciateur se pose pour *gusto* comme elle s'était posée pour *giudizio* [6]; et l'on voit apparaître l'idée paradoxale de la normativité du goût :

> *Il buon gusto è si raro*
> *C'al vulgo errante cede*
> *In vista, allor che dentro di se gode*

(Michel-Ange, à Tommaso Cavalieri, Frey CIX, 572; cf. aussi l'Arioste, *Orl. Furioso*, XXXV, 26 : le *buon gusto* de l'empereur Auguste fait qu'on lui pardonne ses crimes.) — *Buon gusto, buona maniera :* tout le problème du maniérisme, et plus tard de l'académisme, est là. Car *gusto* est irréductiblement personnel, expression de la subjectivité immédiate, mais il ne peut se passer d'un caractère normatif; de même, *maniera* est l'expression d'une structure psychique, et pourtant affectée d'une valeur esthétique absolue. Il est vrai que *gusto* et *maniera* peuvent refléter aussi la « personnalité » d'un groupe, d'un milieu, d'un courant, d'une époque. Est-ce dire

---

1. *Trattato dell'architettura*, éd. W. v. Oettingen, Vienne, 1890.
2. Éd. Milanesi, VII, 272.
3. *Idea, op. cit.*, p. 87.
4. Vinc. Danti, dédicace, éd. cit., t. 1, p. 209 et 210.
5. Giulio Mancini, *Considerazioni sulla pittura*, éd. Adr. Marucchi et L. Salerno, 2 vol., Rome, 1956-1957, p. 109 et 140 (ouvrage composé vers 1619-1621).
6. Il y a aussi, inversement, une contamination de *giudizio* par son synonyme récemment promu. Ainsi Cristoforo Sorte, *Osservazioni nella pittura* (1580), éd. Barocchi, t. I, p. 292, au sujet des effets de lumière fugitifs produits par un incendie : *questi e sono fatti sono soggetti tanto particolari e proprii del giudicio e della mano del pittore, che non si ponno né esprimere, e meno insegnare, se non che in fatto ciò dell'operazioni dimostrano.* C'est à peu près ce que disait Doni sur les draperies (cité *supra*, p. 350), mais sans employer comme Sorte le mot *giudizio* pour ces réactions presque instinctives que le « goût productif » serait si propre à désigner.

qu'on peut traiter la prétention normative du « bon goût » comme une convention sociale, et éventuellement la récuser comme telle? Certains *scapigliati*, l'Arétin, Giordano Bruno semblent l'avoir pensé; mais le maniérisme et l'académisme ne peuvent admettre cette doctrine radicale et se trouvent ainsi placés devant la difficulté de donner *ab extra* un fondement valable à ce qu'ils appellent perfection. Au moment où pour les philosophes se posait plus que jamais le problème de la vérité vécue, les artistes affrontaient celui de la beauté. personnelle : c'est la même contradiction *in adjecto*, la même antinomie aussi inéluctable et insoluble pour les uns que pour les autres.

L'histoire des oscillations entre le goût « dont on ne peut disputer » et le « bon goût » enseigné par les académies remplit les siècles suivants. Elle dura autant que la conception de l'art comme transmission d'une émotion ou d'un message; car le goût est, par son caractère à la fois individuel et social, expressif et normatif, le véhicule et le moyen d'entente naturel entre l'artiste et le public. La fonction sociale du goût étouffa d'ailleurs bientôt toutes les autres. L'expressionnisme du xxe siècle, ne croyant plus à une communication qui fût distincte de l'expression, devint logiquement un art du mauvais goût délibéré; plus récemment, l'idée de message étant récusée et remplacée par celle d'invention, le goût semble exclu du grand art. Et là où il règne, dans les arts décoratifs et industriels, dans la mode, etc., il a perdu son sens esthétique original d'expression du tempérament individuel : il est, tout au contraire, un langage de la sensibilité artistique adopté en commun par un milieu de connaisseurs, guère plus qu'un moyen impersonnel d'entente entre gens qui se ressemblent.

(1961)

XVI

CONSIDÉRATIONS SUR LES FONDEMENTS
DE L'ICONOGRAPHIE

La question « Qu'est-ce que cela représente? » est souvent embarrassante pour l'historien de l'art et il existe toute une discipline, l'iconographie, qui cherche à lui donner autant que possible les moyens de répondre avec certitude. La difficulté ne se réduit pas, du moins en principe, à l'identification des objets figurés dans une œuvre; le plus souvent, elle ne commence que lorsque cette première lecture, dite pré-iconographique, est achevée. L'enquête visant le sujet ou le thème d'une œuvre conduit immédiatement et nécessairement du problème de la représentation au problème plus général de la signification ou des couches de signification dans les arts figuratifs; c'est pour cela que nous nous hasardons à en parler ici, en nous bornant d'ailleurs pour l'essentiel, soit dit tout de suite, à paraphraser un essai fondamental de Panofsky sur cette matière[1].

Il y a d'abord ce fait élémentaire, d'expérience courante, qu'on ne peut pas toujours établir une correspondance univoque entre une œuvre figurative et « son sujet ». Soit un tableau des années 1880 qui représente par exemple un coin de chambre, un homme dans son fauteuil lisant le *Journal des Débats*, une cheminée avec une pendule Louis XV et un vase de fleurs, un miroir au mur, une partie de fenêtre, etc. Lequel, de tous ces objets, est le « vrai sujet » du tableau?

---

1. Dans l'Introduction de son recueil *Studies in iconology*, New York, 1939. Le livre posthume de Richard Bernheimer, *The nature of representation*, New York, 1961, contient, dans les chapitres xi-xiv, des analyses remarquables de la fonction significative et représentative dans les œuvres d'art figuratif; nous nous y référerons plusieurs fois. Mais le point de vue de l'auteur est beaucoup plus large que le nôtre et déborde constamment le fait iconographique : dès le début (p. 157) il établit ainsi une distinction, importante pour la suite, entre le « sujet » proprement dit ou programme iconographique accepté par l'artiste, et le « motif » choisi ou traité par lui pour des raisons artistiques : la question de la genèse de l'œuvre interfère ainsi avec celle de son mode de signification. Nous devons nous tenir strictement à cette dernière.

Leur énumération ne nous le dit pas, et on peut en effet imaginer pour cet ensemble des titres aussi différents qu'*Étude d'intérieur*, *Portrait de M. X.*, *Le Journal des Débats* ou *La Pendule Louis XV*. Le peintre lui-même a peut-être hésité sur son intention « principale », ou décidé que cela n'avait aucune importance; mais le critique ou l'historien, s'il veut comprendre, doit alors se rendre compte de cette hésitation ou de ce refus. Il n'est pas du tout indifférent de savoir que le portrait de la mère de Whistler s'intitule *Arrangement en gris et en noir;* l'idée que l'on se fait de la signification de l'œuvre est corrélative de l'idée que l'on se fait du titre : était-il une provocation, un manifeste, une traduction sincère de l'intention artistique, une déclaration faite pour brouiller les pistes? Il est aussi historiquement significatif — bien que cela aille de soi — qu'une telle question ne pouvait absolument pas se poser pour un Dürer.

Parfois, les différents sujets d'une œuvre se superposent par étages. Prenons une sculpture du XIIIe siècle qui représente, « pré-iconographiquement » parlant, un vieillard barbu avec un couteau et un garçon agenouillé qu'il serre contre lui. C'est là tout ce qu'y verrait un natif de l'Amazone qui ignorerait nos religions. L'homme moyen de culture européenne comprend immédiatement la seconde couche de signification : Abraham et Isaac; pour le théologien ou l'historien qui rencontre ce groupe dans un certain contexte au portail d'une église gothique, cette signification renvoie à une troisième, typologique : Dieu sacrifiant son Fils.

Il est clair, d'après ces exemples, que l'identification correcte des objets représentés ne suffit pas pour déterminer le contenu signifié, et qu'elle peut laisser le choix entre plusieurs interprétations légitimes; la décision dépend de nos connaissances historiques (dans le cas de l' « Étude d'intérieur ») de notre hypothèse sur l'intention de l'artiste ou du patron qui lui a prescrit son programme. De toute façon, la question initiale « Qu'est-ce que cela représente? » appelle manifestement une seconde : « Comment puis-je savoir ce que cela représente? » ou, autrement dit : Comment saisir, parmi les significations également possibles d'une œuvre, celle qui est la bonne, et comment savoir qu'elle est la bonne?

Il va de soi qu'en pratique le problème ne se pose guère dans ces termes, et que, même quand c'est le cas, la réponse doit être elle aussi d'ordre pratique et concret. Mais rien n'interdit de faire porter la réflexion quelquefois sur les principes. Nous nous proposons d'analyser ici, d'un point

de vue purement descriptif, les différentes couches de signification ou catégories des sujets, puis les moyens objectifs
d'interprétation dont on dispose, enfin la limite où le travail
de déchiffrement rencontre le fameux cercle de l'herméneutique : il faut avoir compris pour comprendre.

I

L'interprétation d'une œuvre figurative commence en
règle générale, suivant un ordre qui paraît logique, par la
simple identification « pré-iconographique » des objets représentés. Dans les pages de Panofsky dont nous nous servons
ici comme canevas[1], cette première couche est appelée la

1. Nous donnons pour une orientation sommaire, le schéma où Panofsky
résume ses résultats (*op. cit.*, p. 14-15).

Object of interpretation	Act of interpretation	Equipment for interpretation	Controlling principle of interpretation	
I. *Primary* or *natural subject matter,* — A. factual, B. expressional—, constituting the world of artistic motifs.	Pre-iconographical *description* (and pseudoformal analysis).	*Pratical experience* (familiarity with *objects* and *events*).	*History of style* (insight into the manner in which, under varying historical conditions, *objects* and *events* were expressed by *forms*).	
II. *Secondary* or *conventional* subject matter, — constituting the world of *images, stories* and *allegories.*	Iconographical *analysis* in the narrower sense of the word.	*Knowledge of literary sources* (familiarity with specifie *themes* and *concepts*).	*History of types* (insight into the manner in which, under varying historical conditions, specific *themes* or *concepts* were expressed by *objects* and *events*).	HISTORICAL TRADITIONS
III. *Intrinsic meaning* or *content*, constituting the world of « *symbolical* » *values*.	Iconographical *interpretation* in a deeper sense *(Iconographical synthesis)*	*Synthetic intuition* (familiarity with the *essential tendencies* of the *human mind*) conditioned by personal psychology and « *Weltanschauung* ».	*History of cultural symptoms* or « *symbols* » in general (insight into the manner in which, under varying historical conditions, *essential tendencies of the human mind* were expressed by *specific themes* and *concepts*).	

Suite de la note p. 356.

signification primaire. Deux caractères, en gros, la définissent :

1º Elle n'est pas conventionnelle ou apprise, mais fait appel aux expériences communes ou courantes de l'artiste et du public.

2º Elle appartient aux images ou figures représentatives, non aux modèles représentés.

Ces énoncés sont manifestement, et d'ailleurs délibérément, imprécis; nous aurons à revenir sur les remarques qu'ils suscitent. Retenons pour l'instant que « signifier », sur ce plan, veut dire : « représenter par les moyens propres des arts figuratifs ».

La signification secondaire, toujours selon Panofsky, est proprement iconographique. Elle se distingue de la précédente en ce que 1º elle suppose de la part de l'interprétant un certain bagage de connaissances littéraires ou historiques, et 2º elle n'appartient pas aux formes représentatives, mais aux choses représentées [1].

Les deux caractères qui servent ainsi à distinguer les deux couches de significations ne sont pas de même nature; l'un est accidentel et relatif, l'autre constant et essentiel. Tel spectateur peut connaître par expérience directe une armure médiévale, un animal exotique ou un personnage vivant dont il voit l'image; tel autre ne les connaît que par des livres ou par le catalogue. La différence des significations primaires et secondaires est donc, de ce point de vue, subjective; elle ne l'est pas selon le second critère, car la forme de marbre qui représente un aigle et l'aigle qui représente Jupiter appartiennent bien à des catégories logiquement distinctes. Les deux critères pourront donc se trouver en désaccord, et cela nous oblige, sans guère nous écarter de Panofsky, à regarder de plus près ce qui se passe entre les deux étages de son schéma.

Panofsky a tenu à souligner que l'identification « primaire »

Suite de la note de la page 355.

Nous n'avons pas à nous occuper ici du troisième étage, où l'œuvre tout entière, avec toutes ses couches de significations, devient symptôme ou expression d'une civilisation ou d'une attitude fondamentale de l'esprit; notre enquête ne concerne que ce qui est intentionnellement signifié sur le mode de la représentation.

1. Il résulte du tableau de la note précédente que Panofsky fait intervenir encore un troisième critère : les significations primaires comportent des objets et des événements, les significations secondaires des thèmes et des concepts. Mais on peut omettre ici cette distinction, puisqu'elle est, en cas de conflit, subordonnée à celle qu'établit le critère nº 1 : ainsi les sujets d'histoire, dont on n'a qu'une connaissance littéraire, sont selon Panofsky des significations secondaires, bien qu'ils soient des événements et non des concepts ou des thèmes.

la plus simple, du type « ceci représente une chaise », n'est pas toujours le premier acte de l'interprétation, et qu'elle est en fait conditionnée par notre connaissance préalable des conventions stylistiques propres au milieu culturel de l'artiste. A un certain degré de stylisation, la forme représentative ou figurative tend insensiblement vers le symbole conventionnel (c'est le cas, pour prendre un exemple entre mille, des flèches faîtières des cases canaques en Nouvelle-Calédonie, où il faut un œil prévenu pour discerner les formes stylisées de la tête humaine); elle peut même, de métamorphose en métamorphose, aboutir à l'ornement pur, comme dans les monnaies gauloises dérivées de monnaies grecques ou romaines. Le décor géométrique de la céramique de Suse, au IVe millénaire av. J.-C., laisse encore deviner un schèma cosmologique, avec la terre au centre, l'Océan autour, les nuages et la pluie; nous serions bien embarrassés pour dire quand et pour qui ces éléments, tous en principe figuratifs, avaient eu une signification primaire, ou uniquement secondaire, ou aucune signification du tout; pour nous, en tout cas, leur signification primaire n'apparaît que lorsque nous avons reconnu le schéma cosmologique d'ensemble, c'est-à-dire *après* la signification secondaire.

Ce renversement n'est pas toujours conditionné par un haut degré de stylisation. On peut s'en convaincre en imaginant cette scène de science-fiction : un savant martien trouvant sur la terre déserte la *Résurrection* de Grünewald et l'interprétant minutieusement comme un projet primitif de fusée spatiale. L'exemple est extrême, mais il met en lumière cette vérité simple qu'on ne peut même pas reconnaître toutes les significations primaires d'une Résurrection si on ignore la tradition chrétienne sur l'événement. Panofsky donne l'exemple analogue d'un petit enfant lumineux planant dans l'air; cela peut être, suivant les cas, un angelot, une âme montant au ciel, une apparition miraculeuse, une vision d'un des personnages peints, ou, dans le contexte de l'Annonciation, Jésus allant s'incarner dans la Vierge — c'est-à-dire un « objet » chaque fois différent. Il en résulte que la connaissance des traditions et des données historiques doit souvent précéder l'identification primaire [1].

Étant ainsi admis qu'on ne peut pas définir une fois pour

1. Panofsky, *op. cit.*, p. 16 : *In whichever stratum we move, our identifications and interpretations will depend on our subjective equipment, and for this very reason will have to be corrected and controlled by an insight into historical processes the sum total of which may be called tradition.*

toutes une « base de départ » et une « première opération »
libre de tout préjugé, il devient vraisemblable que la distinction même entre la signification primaire et la secondaire
devra être assouplie et « relativisée ».

Panofsky range les représentations de gestes et d'expressions
parmi les formes à signification primaire. Il est évident en
effet que chacun les comprend par son expérience quotidienne.
Mais on peut penser d'autre part que le rire et la colère sont
mimés ou « signifiés » par les personnages peints, et non
représentés directement par les formes et les couleurs de la
toile ; en ce sens, il y a transition vers la signification secondaire.

A une étape immédiatement supérieure, nous rencontrons
le tableau d'histoire, auquel Panofsky accorde une signification
secondaire. Je peux en effet connaître et nommer tous les
objets représentés dans le *Serment des Horaces* de David,
mais ignorer qu'il s'agit d'un serment des Horaces : cette
connaissance est d'ordre livresque, et la peinture ne montre
pas, à strictement parler, les héros de l'affaire, mais les
modèles qui ont posé dans l'atelier de David en mimant
l'événement. Mais où classer alors un autre tableau d'histoire
du même artiste, le *Sacre de Napoléon*, où les personnages
représentés sont des portraits authentiques des participants
à la cérémonie ? N'y aurait-il là que des significations primaires, pour la seule raison que l'œuvre est le « portrait d'un
événement » ?

A vrai dire, la question est celle du statut de l'individuel
représenté dans l'art. En principe et sauf exception, on ne
peut reconnaître comme signification primaire que des classes
d'objets, non des individus : ceci est une pomme, un vieillard,
un paysage, une bataille. Les traits individuels que l'on
donne forcément aux objets ou événements représentés font
partie de leur apparence, non de leur signification. Lorsque
l'intention de l'artiste était bien de représenter telle chose
ou tel fait, et lorsqu'il exprime cette intention par le titre
qui énonce le sujet — le *Pont de Narni*, la *Bataille d'Arbelles*,
Monsieur Bertin — cette donnée individuelle peut être
conçue, suivant Panofsky, comme une signification seconde
portée par la première. Je vois la peinture d'un homme assis ;
cet homme assis « est » (je l'apprends par l'étiquette) M. Bertin.
Les deux couches de significations sont si bien distinctes
qu'elles peuvent même divorcer : on appellera toujours
Joconde un portrait dont on sait avec toute la certitude
désirable qu'il ne représente pas Monna Lisa del Giocondo.

La Joconde est devenue le nom du portrait, distinct du nom du modèle [1].

Mais, là encore, on est guetté par des subtilités inextricables, car il faudrait distinguer entre :

a) l'individuel fidèlement reproduit sans que la référence au modèle soit un élément de signification (c'est le cas notamment des natures mortes et des études);

b) l'individuel fidèlement reproduit, la référence au modèle étant un élément indispensable de la signification (c'est le cas des « portraits » au sens large : d'hommes, de paysages, ou, dans le « reportage graphique », de faits);

c) l'individuel représenté d'imagination (tableaux d'histoire comme la *Bataille de Taillebourg* de Delacroix).

Il y aurait alors signification primaire pure en *a*), signification secondaire incontestable en *c*), indétermination en *b*). Mais les limites sont encore plus flottantes que ne l'indique cette distinction : comment savoir si une nature morte de gibier *a*) n'est pas en fait un souvenir de chasse *b*)? Devant des nuances aussi subtiles et qui en fait échappent au contrôle, il est préférable de classer en bloc toutes les représentations de l'individuel dans les Limbes entre les deux étages de signification.

Prenons à présent un *Sacrifice d'Iphigénie* quelconque, où apparaissent Zeus et Artémis. Nous les reconnaissons à leurs traits, comme s'il s'agissait d'amis : sont-ils alors, du point de vue de la signification, des représentations de l'individuel, des « portraits »? Oui, sans doute, s'ils figurent dans des

---

1. A vrai dire, les couches de significations distinctes dont peut être capable l'image peinte ou sculptée d'un personnage sont encore plus nombreuses (voir Panofsky, p. 6, n. 1 et Bernheimer, p. 234-235). D'habitude, le titre ou le nom donné à l'œuvre indique laquelle de ces couches était pour l'artiste ou est à présent pour le public la principale :

a) Représentation d'une figure humaine, aucune importance n'étant accordée à l'identité du personnage : « nu de vieillard », etc.

b) L'identité et la personnalité du modèle — nommé ou non nommé, connu ou inconnu — ont été expressément visées par l'artiste; l'arrangement et le style trahissent généralement cet intérêt : « portrait d'inconnu », « portrait de M. X. », « Mademoiselle Rivière ».

c) Représentation des traits particularisés, mais imaginaires et conventionnels, d'une figure mythique ou d'un personnage historique dont on ignore l'apparence : « Hercule », « Saint Paul ».

d) Double signification d'un personnage représenté (superposition de *c* à *b*) : « Mrs. Siddons en Muse tragique ».

e) L'identité fausse, imaginaire ou conventionnelle d'un personnage représenté est absorbée par l'identité de l'œuvre comme objet : « Le Zeus d'Otricoli », « La Dame d'Elche », « L'Homme au verre de vin », « La Joconde ».

Il n'y a pas lieu de constituer une catégorie spéciale pour les portraits arcimboldesques ou autres figures composites ou à double sens, qui sont en fait des superpositions de deux images différentes et non des superpositions de deux significations d'une même image (cf. Bernheimer, p. 226 sq.).

mythes ou légendes; non, quand ils deviennent allégories, comme les Mercures des banques et des Bourses. Mais toute réponse devient impossible là où fable et allégorie coïncident, par exemple pour les divinités peintes de la *Vie de Marie de Médicis* par Rubens.

Aux individus imaginaires du type des dieux de l'Olympe répondent des objets imaginaires comme la licorne et le caducée. En tant que formes caractéristiques ils appartiennent à l'étage inférieur, en tant qu'universaux (êtres symboliques) au second; mais la forme figurée se rapporte directement à l'universel et non à un objet significatif, et c'est pourquoi les deux couches concordent.

Cette observation vaut aussi là où nous trouvons au lieu de l'objet imaginaire un quasi-objet, un schéma formel porteur de signification comme s'il était une chose représentée et reconnaissable. La *Madonna dell'Umiltà* ou la *Santa Conversazione* sont des groupements de figures, devenus symboliques en tant que groupements, quel que soit l'aspect des parties composantes. Signorelli a pu peindre une *Santa Conversazione* avec des figures antiques et un dieu Pan à la place de la Vierge : l'atmosphère de piété lyrique et solennelle survivait à cette substitution. Quand les cinéastes et les peintres soviétiques d'il y a quinze ans montraient Staline méditant dans son bureau, avec une chaise vide en face de lui, on comprit immédiatement qu'elle représentait Lénine, la moitié absente du couple consacré.

Il est très facile de multiplier les exemples; le procédé, que l'on pourrait appeler métaphore figurative, est aussi commun que la métaphore du langage, et remplit la même fonction : suggérer, sur la base d'une ressemblance formelle, une assimilation révélatrice. Le type de la *Pietà* a été inventé comme pendant dramatique de la *Vierge avec Enfant*, et nous voyons sans peine quelles méditations religieuses ont pu être inspirées par ce parallélisme de composition; le *Napoléon à Eylau* du baron Gros est bourré d'allusions à la Colonne trajane et à des sarcophages antiques, donnant ainsi une auréole romaine aux gestes de l'empereur français [1]; les formes traditionnelles des églises chrétiennes évoquent à dessein la croix, les monuments funéraires et, plus tard, la structure du cosmos; de nombreux portraits féminins, entre Raphaël et Corot, ont été construits sur une référence à la Joconde.

Ce type de signification possède un statut spécial. Il n'est

---

1. J. Walker McCoubrey, « Gros' *Battle of Eylau* and Roman Imperial art », dans *The Art Bulletin*, XLIII, 1961, p. 135-139.

pas véhiculé par les formes sensibles de l'image, sinon indirectement, à travers une référence à autre chose : il n'est pas
non plus véhiculé par les objets-modèles, qui le reçoivent
justement de leurs formes. Un cas intermédiaire, donc, comme
plusieurs autres rencontrés jusqu'ici; mais surtout un cas
différent, en ce qu'il frôle déjà un domaine nouveau, celui de
la signification non-explicite ou sans vocabulaire possible.

Résumons d'abord les résultats de cette enquête un peu
laborieuse :

1º On ne peut pas poser en principe que les significations
primaires simples sont saisies de manière directe, indépendamment des conventions stylistiques et des significations
plus complexes ou secondaires. C'est ici qu'intervient, selon
Panofsky, la connaissance compréhensive de la tradition
historique.

2º Entre les significations primaires et secondaires il y a
tout un domaine de significations indéterminées ou intermédiaires, notamment :

   a) le registre expressif (gestes et mimique);

   b) les références à l'individuel (« portrait » au sens large);

   c) l'individu-allégorie et l'objet symbolique imaginaire
(dieux antiques, licorne, etc.);

   d) le type formel comme quasi-objet (la métaphore figurative) [1].

L'impossibilité de classer rigoureusement ces catégories de
significations s'explique par :

1º la divergence possible entre les deux critères qui servent
à distinguer les étages de signification;

2º le fait que la signification peut être véhiculée à la fois,
bien que sous des aspects différents, par la forme représentative et par l'objet représenté.

---

1. L'importance du type formel comme clef possible de la signification
secondaire est bien mise en évidence dans l'essai de Panofsky. Mais il ne
semble le considérer que comme clef et non comme porteur autonome d'un
élément de signification. Bernheimer, p. 172 sqq., adopte le point de vue
exactement opposé puisqu'il traite le type iconographique comme s'il était
lui-même une signification et non une forme significative; il l'appelle *desi-
gnated subject* pour le distinguer du *denoted subject* ou programme iconographique. Cela revient à dire qu'une pietà sculptée renvoie au « type pietà »,
tout comme elle renvoie à son *denoted subject*, la Vierge avec le cadavre du
Christ. Il y a là, nous semble-t-il, un être logique de trop. Le « type pietà »
n'est qu'une forme significative du groupement de la Vierge et du Christ
mort; elle n'est pas un sujet commun de toutes les pietàs — pas plus la
composition en pyramide n'est le sujet commun de la *Vierge aux rochers*
et de la *Belle Jardinière*.

II

Jusqu'ici, nous nous sommes limités aux significations du type « de vocabulaire », c'est-à-dire comportant des relations précises, définissables, de forme « un à un » (ou « un à plusieurs », ou « plusieurs à un ») entre le signifiant et le signifié. Ce ne sont cependant pas les seules. Dans la poétique des arts figuratifs, un grand rôle est joué par toute une classe de symboles non explicites, pour ne pas dire inconscients, où chose et signification semblent presque se confondre. Les citrons à demi épluchés dont la peau tombe en spirale — motif fréquent des natures mortes hollandaises du xviie siècle — paraissent à Claudel comme la signature du temps et le dévidement de la vie. L'interprétation est inoubliable, car elle touche une vérité, même si Heda ou Claesz n'y ont jamais pensé. Dans les jeux de cartes, dés et guitares qui remplissent les toiles des cubistes français, on a pu reconnaître le binôme mallarméen du nombre et du hasard, ou de la construction et du jeu [1].

Parmi les exemples, qu'il serait facile de multiplier, il y en a un qui est particulièrement célèbre : saint Joseph fabriquant des souricières. Le motif se trouve chez le Maître de Flémalle, sur un volet du *Retable de Mérode*, dont le thème central est l'Annonciation. Ces souricières sont un symbole iconographique très compliqué; elles signifient l'incarnation, piège tendu par le Christ au Diable et à la Mort, qui, mordant à l'appât du corps de chair, ont permis au Sauveur de descendre en Enfer, d'en briser les portes et de délivrer les justes des Limbes. C'est une métaphore hardie, sinon même une théologie étrange, mais l'idée, qui avait été assez diffusée chez plusieurs Pères, venait d'être reprise par Gerson et connaissait une certaine popularité. Dans un retable qui porte aussi d'autres traces d'influence gersonienne, cette souricière placée auprès d'une Annonciation, dans les mains de saint Joseph, gardien du mystère de la naissance du Christ, apparaît de toute évidence comme une allusion consciente, un symbole iconographique de type classique et bien articulé.

---

1. Paul Claudel, *L'Œil écoute*, Paris, 1946, p. 48; André Chastel, « Le jeu et le sacré dans l'art moderne », dans *Critique*, no 96-97, mai-juin 1955.

L'historien à qui l'on doit cette découverte, Meyer Schapiro, lui ajoute cependant le commentaire suivant [1] :

In a poem about a beautiful maiden beside a pious old husband who is making a mousetrap, we would sense a vague, suggestive aptness in his activity, as if his nature and a secret relation to the girl were symbolized in his craft.

Malgré son caractère très livresque, le symbole de la souricière a en effet une sorte de vérité poétique; et il en est de même, toujours selon Meyer Schapiro, pour la plupart des autres symboles religieux adoptés par les artistes de ce milieu. Le *Retable de Mérode* pourrait être décodé sur plusieurs registres, même entièrement profanes ou psychanalytiques : les résultats devront être, *mutatis mutandis*, semblables ou analogues, dans la mesure justement où les symboles sont vrais ou naturels. Le naturalisme de la peinture flamande du xve siècle a pu accrocher tant de symboles religieux parce que c'était un naturalisme poétique qui tendait spontanément à découvrir les lignes de force émotionnelles et le symbolisme virtuel des objets représentés [2].

Il apparaît déjà, d'après ces exemples, que la signification symbolique non explicite n'est guère séparable du style; ainsi les peintres des plafonds baroques auraient eu beau mettre des dés et des guitares partout, personne n'aurait songé à y voir le signe d'une inconsciente poétique mallarméenne. On trouve en effet le symbolisme sous-entendu lié à des formes plus souvent qu'à des objets. Les métaphores figuratives peuvent servir d'illustration, encore qu'il y ait ici évocation au moins allusive d'un contenu représentatif. L'abstraction apparaît plus nette là où intervient la « loi du genre » pour établir ou préciser la valeur poétique d'une image. Il y a un symbolisme en quelque sorte muet mais efficace dans le seul fait que Poussin traite une scène de la Bible selon les formules du bucolisme antique. La puissance

1. Meyer Schapiro, « *Muscipula diaboli*. The symbolism of the Merode Altarpiece », dans *The Art Bulletin*, XXVII, 1945, p. 183-187. Il existait une autre version de cette métaphore de la souricière, manifestement plus primitive et plus proche du mythe : Dieu le Père a attaché le corps du Christ à la croix comme un appât à l'hameçon; c'est ainsi qu'il a pu prendre Léviathan à la pêche. L'image, répandue par les Ariens, se retrouve encore sur quelques pierres runiques.
2. On peut citer comme autres types de symboles non explicites et en quelque sorte naturels : les différences de taille entre les personnages suivant leur « grandeur » métaphorique ou leur importance pour l'histoire représentée; la valeur expressive des lignes, formes ou couleurs, dans la mesure où elle s'ajoute, en les modifiant, aux significations véhiculées sur le mode figuratif. C'est à ce dernier genre de signification que Bernheimer réserve (p. 229 sq.) le nom de métaphore visuelle.

du procédé se révèle surtout par contre-coup là où la règle est délibérément enfreinte, dans la parodie ou dans son complément, l'héroïsation comique : nous voyons, selon la signification primaire, un bourgeois gâteux, un ivrogne et un lansquenet, alors que la forme de la composition porte, en tant que forme, les significations secondaires Jupiter, Bacchus, Mars. (L'effet peut être obtenu, il est vrai, aussi à l'aide de certains contenus représentatifs, comme les anachronismes chers à Scarron. Mais ce retour à la signification secondaire au sens habituel est évidemment une facilité regrettable.)

Il existe, en résumé, deux formes principales de signification iconographique non réductible au type « vocabulaire » : le symbolisme naturel ou non explicite, où signe et signifié tendent à se confondre, et qui contribue largement à dessiner la poétique d'un style; et le symbolisme plus vague et plus abstrait des formes et schémas de composition, qui sert essentiellement à établir un niveau de dignité, et qui a pour domaines principaux la métaphore figurative et la loi du genre. Ce dernier peut nous mener au seuil d'une iconographie des styles.

III

Après la question du sujet : « Qu'est-ce que cela représente ? » voici la question des méthodes : « Comment sais-je ce que cela représente ? »

Nous nous laisserons encore guider par le schéma de Panofsky, avec sa distinction entre :

1° l'outillage mental dont on dispose pour le travail d'interprétation (connaissances préalables portant sur les objets représentés, les symboles employés, les sujets iconographiques possibles);

2° les principes de contrôle, fournis toujours par la tradition historique (familiarité avec les modes de représentation, conventions stylistiques, types iconographiques habituels dans un milieu donné).

Notre paraphrase tendra, une fois de plus, à marquer surtout les transitions, et d'abord à rapprocher les deux catégories ci-dessus.

La lecture des significations primaires semble au premier abord une opération très différente selon l'art auquel on a affaire. Certaines civilisations paraissent accepter presque comme une donnée naturelle une sorte de dictionnaire de formes ou formules qui correspondent à des objets à représenter. Ce vocabulaire peut changer et change en effet, mais ce n'est pas, en règle générale, pour rapprocher les formules stylistiques des apparences visuelles. Pour interpréter ces œuvres, il suffit de connaître le vocabulaire; l'outillage mental est donc presque entièrement réduit au principe de contrôle.

Inversement, dans les arts qui se proposent d' « imiter la nature » et dont l'évolution stylistique est souvent dans une large mesure déterminée par les progrès censément accomplis dans cette direction, l'idéal serait un état où les principes de contrôle deviennent superflus et se réduisent à l'outillage mental. On part avec l'idée qu'il est possible de transposer la perception en forme manufacturée, et de se limiter dans cette opération à un strict minimum de sacrifices nécessaires, déterminés par les moyens techniques dont on dispose; on admet qu'il existe idéalement pour chacune de ces techniques une solution *optimum,* qui s'imposera finalement à tous.

La critique de ce postulat n'est plus à faire, surtout depuis sa discussion récente dans un livre connu de Gombrich [1], qui a montré que le chemin de la perception à l'image « ressemblante » implique une suite de choix dont aucun ne comporte et ne peut comporter de « justification objective » totale; et ces choix successifs ou alternants, qui s'excluent l'un l'autre, influent même sur ce que le public prend pour sa vision naïve du réel. Il n'existe pas plus de « vision naïve » que de « meilleure » approximation artistique de la réalité. L'identification des objets représentés dans un art à prétention naturaliste dépend donc, en principe du moins, d'une compréhension historique préalable; théoriquement, il n'y a jamais de lecture mécanique et univoque des significations; il n'y a pas d'interprétation sans préconçu.

Admettons que toutes les significations primaires ont été dûment déchiffrées; admettons aussi, toujours sans le concéder en principe, que cela a pu se faire sans qu'interviennent ni la connaissance de la signification secondaire de l'ensemble, ni celle des conventions stylistiques de la représentation. Pour avancer alors à l'interprétation de la signification secondaire supposée totalement ou partiellement inconnue, il faut disposer d'un stock de connaissances, nécessairement prises (ce point importe beaucoup) dans un horizon historique approprié. Pour arriver à déchiffrer l'événement représenté dans

1. *Art and illusion,* Londres, 1960.

une *historia*, on doit forcément connaître cet événement, mais on doit aussi savoir d'avance dans quelle région le chercher; il faut savoir, autrement dit, quels étaient les sujets possibles et les sujets impossibles à telle époque, dans tel milieu, dans tel genre de peinture. De même, si le sens de l'œuvre est symbolique ou allégorique, il faut bien entendu connaître d'avance une partie des symboles utilisés, ou du moins des symboles très proches de ceux qu'on devine employés; mais il faut aussi avoir une vue d'ensemble sur la nature du symbolisme pratiqué dans le milieu en question — les sources possibles ou impossibles, les domaines d'application ouverts ou interdits. En troisième lieu, il est indispensable d'avoir connaissance d'un vocabulaire de types formels, pour pouvoir déchiffrer la signification d'un type rencontré dans une œuvre; mais il faut simultanément savoir quels étaient les types actuels ou actualisables pour l'artiste et son public.

Panofsky insiste avec raison sur le fait qu'il y a là une sorte de cercle : la connaissance de la tradition historique (ou le « principe de contrôle ») est acquise et toujours complétée à partir de l' « outillage mental », tout en servant d'autre part à en guider l'emploi. La corrélation est en fait si étroite qu'on peut se demander s'il y a lieu de maintenir la dichotomie des fonctions : car les deux types de connaissance servent aussi bien à la recherche qu'à la vérification. Le principe dit de contrôle est aussi un principe de prospection, et l'outillage mental peut aussi servir à vérifier ce qui a été suggéré par la connaissance d'une tradition historique.

Il convient en outre d'accorder une place à part à un principe différent, plutôt logique et formel, essentiellement régulateur, mais bien souvent, en fait, heuristique; on pourrait l'appeler principe d'unité, entendant par là cette règle qu'il faut toujours préférer l'interprétation qui offre le plus de cohésion interne ou externe, la meilleure intégration des données, et qui est corroborée par la plus grande fréquence des cas de même ordre ou par l'analogie avec ce qui est déjà connu. On a beau savoir, par exemple, que la licorne se regardant dans un miroir tendu par une jeune fille est un symbole de la chasteté; quand on voit ce motif sur une suite de tapisseries (la *Dame à la licorne*, précisément) où d'autres pièces ont trait à l'ouïe, au goût, à l'odorat et au toucher, on conclut qu'il doit s'agir ici d'un symbole de la vue — l'exigence de cohérence l'emportant sur la lettre du vocabulaire de la tradition historique. Dans un *Mariage de la Vierge* du Maître de Flémalle, le Temple de Jérusalem où officient les prêtres de l'Ancienne Loi est un édifice roman, alors que le mariage est célébré devant un magnifique portail gothique inachevé. Pur hasard ou symbole voulu? La vérification est d'ordre statistique, et l'enquête confirme en effet que dans l'art flamand du xve siècle le style roman correspond symboliquement à l'Ancienne Loi et le style gothique à la Nouvelle. C'est par la cohérence logique et par la fréquence statistique qu'on a pu montrer que l'œillet traditionnel des portraits de la Renaissance nordique est un symbole de la Passion; mais si on en voit un à la boutonnière d'un personnage peint, mettons, par Van Dongen, on ne doute pas — toujours pour des raisons de cohérence — qu'il y figure uniquement en tant que tache rouge [1].

Il suffit de ramener cet exemple extrême à des proportions plus communes pour nous rendre compte qu'il débouche sur le problème pratiquement peut-être le plus important du travail iconographique : jusqu'où faut-il aller dans l'interprétation et quand doit-on arrêter les frais? Le principe d'unité logique peut en effet être poussé trop loin, comme le prouvent tant de cas de « surinterprétation »; la fréquence elle-même peut devenir un argument contre une interprétation symbolique : à force de peindre sans cesse des portraits avec des œillets, combien d'artistes se souvenaient-ils encore de la signification de cette fleur? Ils devaient finalement adopter l'œillet simplement par habitude d'atelier, « parce que cela se faisait ainsi dans les portraits ». Mais il est bien difficile de savoir quand le souvenir s'est estompé. On se trouve sans cesse devant la même question imprécise et délicate, et devant la même nécessité un peu scandaleuse de décider ce qui était et ce qui n'était pas « possible » à une époque, à un milieu ou à tel ou tel artiste. La peinture flamande du xve siècle masquait les symboles en accessoires domestiques; devons-nous interpréter tous les accessoires comme des symboles, et sinon, où s'arrêter? Les drôleries des manuscrits médiévaux cachaient, selon les milieux, plus ou moins d'allusions littéraires ou symboliques; celles de Bosch en cachaient beaucoup, les « grotesques » italiens du xvie siècle sans doute aucune — mais dire cela signifie, chaque fois, prétendre connaître les limites du « libre jeu de l'imagination » (ou du plaisir gratuit

1. Sur le symbolisme du roman et du gothique dans la peinture flamande, voir Panofsky, *Early Netherlandish painting*, Cambridge, Mass., 1953. Sur l'œillet dans les portraits, voir Ingvar Bergström, « On religious symbols in European portraiture of the XVth and XVIth cent. », dans *Umanesimo e esoterismo*, Atti del V Convegno Internaz. di Studi umanistici, Padova, 1960, p. 335-344.

de la description évocatrice) que se permettaient les artistes, ou qu'on leur permettait.

Nous retrouvons en somme, dans ce domaine des moyens et des méthodes d'interprétation, une situation analogue à celle que nous avons rencontrée dans le domaine des significations : passage continu des formes élémentaires aux formes supérieures, et conditionnement réciproque des deux bouts de la chaîne. L'application des connaissances brutes du type vocabulaire (de choses, de formes ou de symboles) implique plus ou moins un horizon de principes à la fois heuristiques et régulateurs; et ces principes qui ont d'autre part un double aspect logique (analogie, cohérence, fréquence, etc.) et historique (intégration dans l'esprit d'un milieu donné) débouchent directement sur l'herméneutique la plus téméraire.

IV

Il n'y a rien de particulièrement difficile ou paradoxal dans le rapport circulaire entre le simple et le complexe en matière d'expression figurative; on le retrouve, presque exactement pareil, entre le sens des mots et le sens de la phrase qu'ils composent : là aussi, l'ensemble éclaire les détails, et là aussi le style fournit un fil conducteur à double fonction heuristique et régulatrice.

Insistons, pour finir, sur les cas qui permettent de saisir pleinement la priorité du style comme facteur qui détermine l'horizon du travail iconographique. Il ne s'agira pas dans nos exemples du style codifié, ensemble de signes plus ou moins conventionnels à fonction représentative, mais du style différentiel qui peut traduire, dans chaque œuvre, des intentions précises et uniques. C'est ce qui nous permettra d'établir en conclusion les caractéristiques propres du rapport herméneutique-tradition dans le domaine de l'iconographie.

L'examen procédera par deux étapes, concernant d'abord un aspect général de la compréhension des styles artistiques ou du « connaisseurisme », puis son application à ces problèmes limites de l'iconographie.

Il est remarquable que toutes les disciplines qui ont pour objet l'expression individuelle — la graphologie, la psychanalyse, l'histoire de l'art — sont forcées de prendre comme hypothèse de travail jamais vérifiable un déterminisme psychologique des plus rigoureux; elles y sont obligées par définition, puisque précisément elles prennent l'expression individuelle « pour objet » et doivent, au moins pour un temps, raisonner sur elle comme sur un objet. (La psychanalyse dépasse en fait cette attitude lorsqu'elle devient thérapeutique, et l'histoire de l'art lorsqu'elle fait intervenir les valeurs et la qualité dans ou après le travail d'attribution.) Les écrits des plus « connaisseurs » parmi les historiens de l'art sont remplis de phrases comme : « Ce dessin trahit des habitudes et une vision de sculpteur; il ne peut pas être attribué à X., qui est un peintre luministe »; « En raison de sa plus grande liberté de touche, cette peinture doit être datée au moins cinq ans plus tard qu'on ne le fait de coutume »; « Cette expression du visage est une caractéristique infaillible de tel artiste, et l'attribution est d'ailleurs confirmée par un motif de plis que l'on retrouve dans ses autres œuvres ». Le connaisseur s'oblige non seulement à reconnaître les caractères stylistiques d'un maître ou de certaines phases de son évolution, mais aussi de dire quels sont les caractères imitables et quels ne le sont pas, quels sont permanents et quels peuvent disparaître, quel est l'ordre chronologique de leur apparition; aucun connaisseur ne craint d'affirmer que tel artiste, à telle époque, « n'aurait pas pu faire » ceci ou cela. Il arrive naturellement, devant un problème posé, que les avis des connaisseurs divergent, mais tout lecteur de controverses de ce genre sait qu'elles ne se présentent pas comme de pures logomachies, même si les auteurs sont pour cause, avares de démonstrations en forme.

Ainsi le connaisseur ou l'historien critique d'art fait preuve, à la fois et par un même acte d'esprit, d'une compréhension souvent stupéfiante de finesse, d'une intuition de l'individuel presque informulable en paroles, et d'autre part d'une hypothèse de travail naturaliste qui frôle le mécanisme. L'intuition compréhensive et le déterminisme psychologique vont ensemble et se conditionnent mutuellement, comme dans toutes les sciences de l'expression individuelle. Il n'y a pas lieu de discuter ici ce paradoxe, mais nous verrons qu'il se retrouve dans le travail iconographique, là où le style d'une œuvre doit fournir la clef de sa signification.

Le mot « clef » doit être pris dans son sens musical : le style dit comment il faut lire les termes significatifs. Il existe même quelque chose qui ressemble presque à la notation conventionnelle de la clef, c'est la « loi du genre ». Une *Sainte Famille dans un paysage* se distingue *toto genere*, c'est le cas de le dire,

d'un *Paysage avec Sainte Famille:* l'une appartient à l'art
sacré, l'autre à la peinture de paysage : une nuance de style,
souvent délibérément mince, suffit pour changer à la fois le
sujet, le genre artistique et l'intention ultime; et parfois
l'artiste demeure dans l'ambiguïté volontaire. On peut se
demander si le *Mars* de Vélasquez est une *Étude de lansquenet
habillé en Mars* ou plutôt un *Mars* parodié sous figure de
lansquenet : suivant le degré d'humour qu'on y trouve, ou
le degré de fascination par le pittoresque, on a là deux sujets
totalement différents [1]. Il y a de nombreux glissements entre
le portrait et la peinture religieuse, par exemple lorsqu'un
personnage s'est fait représenter en saint Jérôme; des raisons
stylistiques sont presque seules pour nous inciter à classer
les *Changeurs* de Reymerswaele soit comme portraits, comme
allégories de l'usure ou comme tableaux de genre. En règle
générale, le mélange de genres artistiques ou l'hésitation
entre deux genres répond elle-même à une intention définie :
car c'est par le genre choisi que s'exprime le niveau de dignité
ou la « noblesse » dans l'art — le mélangé délibéré ou l'effacement des limites étant par conséquent un acte de vandalisme,
une parodie ou une revendication sansculottiste, ou au moins
une actualisation et démythisation très poussée de certaines
valeurs reçues. On sait comment le Caravage fut jugé par ses
patrons pour avoir transgressé les lois du genre religieux.

Mais ces lois ne font qu'institutionnaliser en quelque sorte
une dépendance beaucoup plus générale entre le style et le
sujet. Nous avons donné plus haut l'exemple d'une peinture
représentant un homme devant sa cheminée, lisant le *Journal
des Débats*. Le « vrai sujet », s'il y en a un, dépend du traitement. Une insistance sur l'espace et sur les effets de lumière,
jointe à une exécution rapide, suggérerait le titre *Étude
d'intérieur;* si par contre le visage est mis en évidence et le
personnage présenté avec un certain sérieux, c'est un *Portrait
de M. X;* certains signes plus subtils, dont notamment
le regard, pourront éventuellement faire penser à un autoportrait; si le spectateur a l'impression que l'artiste a beaucoup tenu à un petit effet frappant de couleur ou de forme,
il ne sera pas surpris de trouver un titre tel que *Le Journal
des Débats* ou *La Pendule Louis XV.* Tout cela n'exclut
évidemment pas les cas hybrides ou intermédiaires, par
exemple des portraits qui sont des études d'intérieur (Menzel
ou Vuillard), etc.

1. L'exemple du *Mars* de Vélasquez a été donné et discuté par Bernheimer,
op. cit., p. 184 et 187.

Il est entendu que ces distinctions ne correspondent pas toujours, pour l'historien de l'art, à de vrais problèmes. Jadis, on n'avait pas trop de scrupule à changer le genre ou le sujet d'une peinture sans tenir compte du style, simplement en ajoutant ou en enlevant une inscription, une auréole ou un attribut [1]; au XIXe siècle, depuis la fin du romantisme, la solidarité entre le style et le genre disparut graduellement au profit d'une solidarité entre le style et le sujet, à tel point qu'on finit par s'apercevoir que beaucoup d'œuvres naturalistes ou impressionnistes ont à peu près autant de sujets possibles qu'il y a de points de vue possibles pour les juger [2]. La question n'est sérieuse que là où il y a effectivement une énigme iconographique, c'est-à-dire dans le cas, plusieurs fois mentionné, où il faut décider jusqu'où l'on doit aller dans le déchiffrement des symboles, et quelle place il faut laisser à l'invention gratuite de l'artiste.

L'analogie avec les problèmes de l'historien-connaisseur devient alors totale. Appuyé sur son expérience, qu'il faut souhaiter riche, mais à peu près dépourvu de toute possibilité de démonstration, l'iconographe doit donner son verdict : que les accessoires apparemment réalistes de telle peinture « ne peuvent pas » être dus uniquement à l'amour de la description désintéressée, car, étant donnés le moment et le milieu, ou le tempérament spéculatif de l'artiste en discussion, des libertés de cet ordre ne seraient pas concevables; ou au contraire : il n'y a pas lieu de chercher des significations symboliques dans les drôleries de tel manuscrit, tout au plus quelques allusions littéraires à demi populaires, car le style indique un milieu conventuel peu enclin à cet ordre de recherches. Il y a des exemples illustres d'œuvres qu'on ne finit pas de discuter, comme les Jérôme Bosch ou les Michel-Ange, dont la lecture iconographique dépend dans une très large mesure d'une intuition première concernant le degré de codification auquel on peut s'attendre, ou plutôt — mais cela revient au même — concernant la *Weltanschauung* de l'artiste en question.

C'est seulement dans ces cas extrêmes, où l'iconographie

---

1. Ainsi le portrait de l'*Empereur Maximilien avec sa famille* par Bern. Strigel fut transformé, sur désir de l'acquéreur et à l'aide de simples inscriptions ajoutées par l'artiste lui-même, en retable représentant la parenté de la Vierge.

2. Les titres proposés pour notre exemple imaginaire du liseur de journal correspondent aux points de vue respectifs du « problème artistique », de la vérité historique, ou de l'effet recherché; les différentes manières possibles indiquent lequel de ces points de vue a été adopté par l'artiste, et quel était par conséquent le « vrai sujet » qui l'occupait.

devient un travail de connaisseur, qu'elle devient aussi vraiment une herméneutique au sens donné à ce mot par les philosophes. Aussi longtemps que l'iconographie est une sémantique, elle peut nécessiter dans son application du *feed-back* et une certaine circularité « méthodique »; mais lorsque le sens même des signes et le niveau de signification auquel on s'arrête dépendent d'une clef qui n'est plus de la nature d'un signe ou d'un opérateur clairement définissable, on entre dans le cercle proprement herméneutique de la précompréhension.

Il s'agit là pourtant d'une herméneutique bien différente de celle dont il a été question dans ce congrès. Qu'on nous permette de conclure cet exposé, où il y a tant de schémas et d'énumérations, par un dernier tableau, celui des types d'herméneutique et de leurs caractères distinctifs.

A. Les disciplines de l'expression individuelle ou singulière, comme la graphologie et certains aspects de l'histoire de l'art, de l'iconographie, de la stylistique en histoire littéraire, etc., ont un nombre de traits communs :

1º Leur objet propre est le singulier en tant qu'il se détache de la tradition ou du fond commun; le rapport entre l'expression étudiée et la tradition dont elle relève ressemble au rapport figure-fond dans la psychologie de la *Gestalt*. Si une tradition est considérée en elle-même (on peut faire par exemple la graphologie d'une écriture d'époque), c'est parce qu'on la détache d'un autre fond, plus général; mais on la regarde toujours comme « phénomène d'expression » singulier.

2º Leur objet est abordé de face ou de l'extérieur; l'herméneute doit faire un effort pour « entrer dans l'esprit » de ce qu'il étudie.

3º La réussite de cet effort conduit paradoxalement à une sorte d'objectivation de l'esprit même que l'on vient de pénétrer. Ses réactions deviennent prévisibles ou, du moins, soumises à une loi de la plus grande simplicité [1]. C'est d'ailleurs ce qui empêche cette herméneutique de sombrer dans le pur *Erlebnis*.

B. L'herméneutique de la tradition vécue (mythique,

1. Dans l'histoire artistique ou littéraire, on suppose notamment un maximum d'unité des expressions d'une personne; on écarte pour les attributions tout ce qui ne relève pas de son style, défini étroitement d'après les échantillons documentés que l'on possède. Si plusieurs repères sûrs, datant d'époques relativement distantes, présentent des caractères sensiblement différents, on jette entre eux le pont d'une « évolution de l'auteur », que l'on suppose toujours aussi directe et continue que possible. Pratiquement, ces postulats se traduisent, comme la liberté transcendantale chez Kant, par un déterminisme empirique.

religieuse, politique, etc.) se situe au pôle exactement opposé :

1° Son objet ou sa « figure » est ce qui, dans le cas précédent, était le « fond .

2° Cet objet est abordé de l'intérieur; l'herméneute fait un effort de réflexion, établit une distance là où, en principe (dans un cas limite sans doute idéal) il n'y en avait aucune.

3° La réussite totale de cet effort serait en contradiction avec le point de départ, car elle reviendrait à traiter une tradition acceptée comme un simple fait divers historique ou un phénomène d'expression. L'herméneute est donc obligé de garder les deux bouts de la chaîne, selon le paradoxe que M. Ricoeur a résumé par la formule : le mythe « donne à voir ».

C. Entre ces deux extrêmes, il y a tout l'éventail des disciplines historiques qui font appel à la compréhension.

1° Elles peuvent circuler librement dans les deux sens entre le « fond » et la « figure », faire la monographie d'une œuvre ou bien dégager dans une succession de faits une tradition sous-jacente, parfois méconnue par ceux qui l'ont vécue (par exemple le baroque ou le maniérisme).

2° Elles supposent toujours, au début de l'opération herméneutique, un mélange, en proportions d'ailleurs très variables, entre pré-compréhension et extériorité.

3° Elles sont sujettes à un « cercle de la compréhension historique » analogue, mais de sens inverse, aux cercles de la compréhension tout court. Car, outre le fait général qu'il faut toujours avoir compris pour comprendre (la solution devance en quelque sorte le problème), on rencontre ici le paradoxe supplémentaire de l'historicité de la compréhension historique elle-même (le problème se retrouve en quelque sorte dans la solution). L'investigation se rapproche du type A dans la mesure où l'historicité de la compréhension diffère de celle de son objet, et de B dans la mesure où elles tendent à se confondre; toutes les situations intermédiaires sont possibles [1].

A vrai dire, il n'y a que des solutions intermédiaires, parce que toute herméneutique, même celle du graphologue (A) ou celle de l'exécutant d'un rite de société primitive (B) est toujours plus ou moins prise dans l'histoire. Mais les disciplines où intervient l'herméneutique ont généralement de la difficulté à définir leur place sur cette échelle, ou leur degré

---

1. Une analyse très claire, fine et exhaustive des différents « cercles » dans les sciences historiques et notamment dans l'histoire de l'art a été faite par Panofsky, « The history of art as a humanistic discipline », reproduit dans *Meaning in the visual arts*, New York, 1955.

exact d'historicité; pour l'histoire de l'art notamment, tous les problèmes théoriques se réduisent, comme celui que nous venons de discuter, à cette question unique et fondamentale : comment concilier l'histoire, qui lui fournit le point de vue, avec l'art, qui lui fournit l'objet?

Types d'hermé-neutique	Compréhension de l'expression du sin-gulier	Compréhension de la tradition vécue	Compréhension his-torique
Objet de l'hermé-neutique	Le phénomène d'ex-pression se déta-chant de la tradi-tion	La tradition sous-jacente aux phé-nomènes d'expres-sion	Expression singu-lière et tradition
Chemin de l'her-méneutique	Intériorisation de l'objet.	Objectivation du vécu	Synthèses d'intério-risation et d'objec-tivation
Le paradoxe cen-tral	La compréhension aboutit à l'objec-tivation	L'objectivation an-nule la compréhen-sion	La compréhension de l'histoire est elle-même historique

(1963)

XVII

NOTES SUR LA FIN DE L'IMAGE

1. *De la ressemblance.*

Une image « vivante » ne ressemble pas à son modèle; car elle ne vise pas à rendre l'apparence, mais la chose. Reproduire l'apparence de la réalité, c'est renoncer à la vie, s'astreindre non sans peine à ne voir de la réalité que l'apparence, transformer le monde en spectre. Platon raconte que les Anciens avaient enchaîné les statues de Dédale, de peur qu'elles ne s'en aillent; or, c'était des œuvres archaïques. On ne nous en dit pas autant de la Vénus de Praxitèle, qui était pourtant le portrait naturel d'une hétaïre connue. Il est vrai que cette pierre égara l'amour d'un jeune homme, comme aurait pu faire aussi bien un roman licencieux; le trompe-l'œil escamote le marbre. Mais il ne crée pas à sa place une femme; il crée l'imaginaire.

A vouloir rendre « ce que l'on voit », on reproduit forcément le voile de Maya, puisqu'on ne perçoit jamais que ses perceptions. L'ombre verte ou violette à la tempe d'un paysan de Rubens est peut-être fidèlement observée, mais certainement beaucoup plus imaginaire que l'ombre grise sur le bras d'un modèle d'Ingres. La poursuite de la vérité visuelle fait attraper l'illusion; en art, sinon ailleurs, l'empiriocriticisme conduit à l'idéalisme. L'image fidèle d'une image illusoire n'est même plus une chose, elle est (ceci dit sans l'ombre d'un blâme) un jeu d'effets sur un support de toile ou de bronze; le dernier mot de l'impressionnisme ne peut être que décoratif. L'art qui se prétendait singe de la nature a virtuellement perdu ce pari dès qu'il s'est voulu ressemblant.

2. *De la parodie.*

A chaque innovation sentie comme révolutionnaire et à chaque vague de naturalisme dans l'art occidental, une partie du public s'indignait : c'est une vraie parodie! Il soulignait ainsi, sans le vouloir, la continuité des traditions sous les ruptures marquées; car la parodie conserve au moins l'allure, l'aspect général — disons : une forme — de son objet.

Le rôle critique de la parodie est précisément de dégager les formes, de les vider et de prouver leur vide en les appliquant à tort et à travers. Prenons une cuisinière monumentale de Aertsen qui tient ses poulets embrochés comme une sainte Catherine sa roue sur un volet de triptyque : c'est du naturalisme scandaleux, parodiste. Mais cela permet désormais à tout peintre de voir que les formes sacrées de l'art sacré se retrouvent dans la vie courante et autorisent des scènes de genre aussi belles que des retables. De même, un peintre informel ou tachiste « se moque du public » (il parodie l'exercice même de l'art), mais permet désormais à tout venant de faire de l'art rien qu'en regardant des affiches lacérées. Ainsi l'art conscient de ses moyens avance, comme les mathématiques, par abstractions et généralisations successives (qui sont, cela va sans dire, autant d'inventions), à ceci près que, pour l'artiste, ces démarches ont un aspect critique et négateur.

Cela vaut même pour l'œuvre du disciple respectueux, qui imite et peut-être exagère la manière du maître. On sait depuis longtemps que le « maniéré » est objectivement une sorte de critique; il signifie qu'au fond n'importe qui peut faire aussi bien que le grand homme, pourvu qu'on lui montre la voie.

L'objet de culte devenu objet de musée, c'est-à-dire forme et signification et, au mieux, évocation d'atmosphère, est parodie; un dieu de grâce derrière une vitrine, souriant avec toujours la même compassion consolatrice à des gens qui ne lui demandent rien du tout. Il en va de même de l'objet dadaïste, destiné à faire hurler le bourgeois, et qu'à présent d'autres bourgeois regardent avec sérieux, prenant des notes. Plus généralement, toute chose placée dans un musée devient *ipso facto* parodie d'elle-même, mise là pour éterniser un geste désormais vide ou en porte à faux. Mais la métabase est si complète qu'il faut être béotien pour s'apercevoir de son comique.

Tout art volontairement nouveau est parodie du précédent, dans la mesure exacte où il l'utilise; et tout art dépassé devient autoparodie. Désacralisation et contre-sens sont les moteurs de la vie artistique, inséparables de la création comme du jugement.

3. *De la référence en général.*

On peut définir l'académisme par ce postulat que toute œuvre d'art est la solution approximative d'une tâche qui comporte une solution idéale, le rôle du critique étant alors de comparer les deux solutions.

L'histoire offre une grande variété de formules du modèle parfait auquel on mesure la réussite ou l'échec en art. Certaines de ces formules, les premières, étaient naïvement objectivistes : on confrontait l'œuvre avec la réalité extérieure (le mythe du miroir) ou avec la perfection de l'antique. Puis la pierre de touche s'est intériorisée, tout en restant une image concrète : c'était « l'idée conçue dans l'intellect » et, croyait-on, plus ou moins trahie par l'exécution. Il y eut d'autres versions plus subtiles, où intervenaient l'histoire et la convention : la « loi du genre » par exemple, qui exige tel style pour le paysage noble, tel autre pour la nature morte, etc.; la solution idéale impliquerait alors, outre un arrangement général prescrit et outre la correction technique, un certain dosage des manières. Aux époques où l'art était censé transporter une émotion de l'artiste au public, on jugeait l'œuvre en comparant les sentiments supposés du créateur avec ceux qu'éprouvait le critique; ou bien on se demandait si l'artiste avait bien su exprimer sa personnalité, un peu comme on s'était demandé s'il avait bien rendu le mouvement d'un cheval.

L'inconvénient de cette distinction entre l'être d'une œuvre d'art et son devoir-être hypothétique ne pouvant échapper à personne, on alla enfin à la dernière limite des concessions : l'impressionnisme, le symbolisme et l'expressionnisme, d'accord sur ce point, ne demandaient à l'art que de proposer un état ou un moment d'une réalité qui n'est pas plus psychique que physique, pas plus matière que mémoire, pas plus art que vie.

Mais là encore, quelque chose qui n'était pas l'œuvre affleurait en elle. Il est vrai qu'elle se présentait comme un instant vécu, une rencontre immédiate, une révélation, un acte; mais, indépendamment du représenté, l'expérience qu'elle était pour nous, nous la reconnaissions comme déjà là en dehors de tout art — un souvenir, un archétype, une touche de notre clavier qui n'attendait que cette main. En ce sens, comprendre l'œuvre signifiait encore la pénétrer ou la traverser. L'exigence moniste qui est au plus profond de toute attitude esthétique condamnait cette dernière trace d'une

distinction au sein de la révélation artistique immédiate
et pure.

La négation de l'académisme conduisit ainsi, de proche en
proche, à la négation de tout *terminus ad quem* de l'œuvre;
une toile tachiste n'est plus qu'elle-même et ne se mesure à
rien. Cette situation condamne d'abord la critique académique
(du type des corrections de projets aux concours d'école,
où l'on procède par comparaison avec un projet idéal établi
par les professeurs); mais à y regarder de plus près, c'est toute
critique d'art qui est visée dans son essence : car quoi qu'on
fasse, on ne peut juger une œuvre avec un minimum d'attention sans avoir à louer une solution élégante, sans blâmer
une lourdeur, avouer une émotion ou une indifférence, un
sentiment de justesse, bref, sans impliquer d'aussi loin que ce
fût une idée de ce que cette œuvre aurait dû être.

A son tour, la fin de la critique entraîne la fin de l'œuvre
comme objet d'une appréciation esthétique possible. L'art
est à présent ailleurs que dans cette chose qui lui sert de
prétexte; mais il est devant et non derrière l'œuvre : dans
le regard qui la pose, dans le mécanisme qui la produit, dans
l'invention de ce mécanisme, etc. [1]. Nous en sommes là : d'un
côté le « modèle idéal » postulé par la dichotomie académique,
impossible mais solidaire en dernière analyse de toute critique
d'art et de toute œuvre; de l'autre côté, l'art comme intention
ou comme acte (de l'artiste ou du public ou des deux ensemble),
à la fois fondement et négation de ses produits.

4. *Du monument impossible.*

Loin d'éprouver face à la toile vide le respect craintif et
chaste dont parle Mallarmé à propos de la feuille blanche,
le peintre d'aujourd'hui mime devant elle une rage sadique :
il la tache, souille, barre, biffe, y projette des dissolvants et
des acides, la brûle et la crève au couteau. Puis il prend
précieusement ce qui en reste et porte l'objet chez le marchand.

Cette contradiction souligne une difficulté fondamentale :
l'art contemporain étant ce qu'il est, l'œuvre n'existe que par
un paradoxe et comme malgré elle, en se niant elle-même.
Certains en ont tiré la conséquence immédiate; on m'a parlé

---

1. Un exemple : les machines électroniques de Tinguely, ou en général
toutes les formes de la sculpture mobile (Calder), ou les variations mécaniquement produites dans les projections d'ombres et de lumières colorées
(Schoeffer). Il serait absurde de se demander si l'œuvre d'art est dans le
mécanisme ou le support, ou bien dans le résultat fortuit, ou même dans le
regard du spectateur.

d'un sculpteur qui exposa une tour remplie de dynamite et la fit sauter au vernissage. D'autres ont trouvé des moyens plus subtils, plus ingénieux pour récuser l'œuvre en tant que création d'un monsieur qui désire communiquer. N'empêche : on ne peut pas monumentaliser plus d'une fois le refus du monument. L'avant-garde 1962 n'est pas dans ces inventions — d'autant que le dadaïsme a déjà tout dit sur ce point — mais dans ce qui sous nos yeux commence à se substituer à l'œuvre.

5. *De l'intention.*

Voici donc un art sans ressemblance extérieure, sans modèle idéal, toujours prêt à se volatiliser à mesure qu'il avance de parodie en parodie-de-parodie, négateur de lui-même au point de ne plus subsister parfois qu'en matérialisant sa propre contradiction. Est-il condamné?

Les coups portés contre l'art ne visent en fait que deux de ses aspects, l'image et l'œuvre. Mais l'art ne s'y résout pas tout entier, et sa tâche subsiste.

L'œuvre n'est plus un en-soi; elle est le terme d'un certain processus, qui peut, dans l'optique rétrospective du visiteur de galerie, s'appeler création artistique. Mais ce n'est pas le produit, c'est le processus qui compte seul. Pour bien montrer que l'œuvre est une coupure et non un but, on remplace la volonté orientée de l'artiste par le hasard (techniques surréalistes, tachistes, électroniques). On suggère par là que tout phénomène a deux faces, l'une naturelle, selon les causes, l'autre artistique, selon le regard.

D'où la deuxième « relativisation » de l'œuvre; elle est aussi le terme d'un regard qui la constitue comme telle. C'est pourquoi on expose des galets, des racines, des affiches lacérées, des boîtes à sardines avec signature du maître. Et il apparaît que tout passant est un Monsieur Jourdain qui fait de l'art, à condition qu'on le lui dise.

Mais cet art est vide et sans distinctions; tout est ou n'est pas art au même titre. Si nous voulons trouver un contenu à cette intentionnalité (j'emploie à dessein le terme de Husserl) il faut ajouter la troisième « relativisation » de l'œuvre : son caractère ordinal. Les maîtres d'aujourd'hui travaillent, on l'a remarqué, par séries et « périodes »; on a remarqué aussi qu'il n'est plus possible de juger une peinture ou sculpture sans savoir qui l'a faite et dans quel esprit. Chaque maître important « ajoute » sa note, précise son « apport » — à quoi? Ce ne peut être que le mouvement de l'art dans son ensemble, vers sa clarification progressive, qui est ici, pour reprendre le titre de Marcel Duchamp, la mariée mise à nu par ses célibataires mêmes; c'est ce mouvement qui donne son sens et éventuellement sa valeur relative à toute invention ou découverte, aux gestes nouveaux de chaque artiste ou école. La critique retrouve par ce biais de l'historisation quelques-uns de ses biens perdus sur le plan de l'œuvre.

6. *De la récupération.*

Pour définir la manie du collectionneur, il faut lui donner un objet qui soit un pur corrélat de l'intention de collectionner, sans rien qui puisse motiver en soi le désir de la possession — ni utilité, ni beauté, ni prix de la matière ou du travail. Il devra s'agir de choses quelconques, de bouts de papier, mais qui soient plus ou moins rares, classables par séries, et doués d'un élément, fût-il très vague, d'histoire individuelle (« celui-ci vient du Népal »; « celui-ci est de 1759, un des premiers qui... »); sans cela, pas de collection possible. Ces conditions idéales étant réalisées dans le timbre-poste, il est facile de faire sur un tel exemple toutes les constatations voulues : soit sur la psychologie du collectionneur (l'alliance de pédanterie et passion, le goût avare de la possession et le goût prodigue du prestige), soit sur l'inévitable transformation de la valeur de collection en valeur esthétique (« beauté » d'une série complète, d'un classement symétrique; « pouvoir évocateur » d'un objet chargé d'histoire individuelle; la rareté devenue « qualité »).

L'art moderne, dans la mesure où il est délibérément d'avant-garde, a une fonction révélatrice analogue à celle de la philatélie. Il renonce à tout ce qui le justifie, c'est-à-dire l'obscurcit : le modèle, l'œuvre, l'image, le travail humain de la fabrication, l'ingéniosité, la beauté, tout cela est mis entre parenthèses. Reste seule l'intention « art », sans support, sans créateur, sans amateur, sans but. Peinture et sculpture n'ont plus aujourd'hui deux ou trois dimensions, mais une seule, que l'on peut appeler tantôt la profondeur, tantôt le temps[1] : la dimension intentionnelle d'où elles surgissent. Mais, de même que dans la philatélie, la pure intention collectionnante crée d'elle-même une psychologie du sujet, une valeur économique de l'objet, une esthétique avec ses normes et ses goûts, de même la seule recherche de l'intention « art », et ses trouvailles successives, sécrètent une histoire, une

1. Klee : « L'espace aussi est une notion temporelle. »

sociologie, une économie et des valeurs. En fait, cette recherche est anarchique ; à vouloir barrer sommairement et simultanément tout ce que les différentes écoles ont mis entre parenthèses, on tuerait l'intention ensemble avec ses corrélats. Si l'œuvre récupérée est ou non au bout de l'intention « art », comme la beauté du timbre-poste est au bout de la collection, c'est à l'histoire seule de le dire, puisque par la réduction de l'œuvre on a désormais plongé irrévocablement l'art dans l'histoire.

(1962)

L'ART ET L'ATTENTION AU TECHNIQUE

1. *Intérêt artistique et intérêt technique.*

On remarque souvent qu'un ouvrier ou un mécanicien adopte volontiers, lorsqu'il juge une nouvelle machine ou le travail d'un collègue, une attitude de connaisseur, qui ressemble parfois jusque dans les gestes et dans la mimique à celle du critique d'art; et qu'inversement l'artiste ou l'amateur averti prend devant les œuvres soumises à son jugement un certain air de technicien. D'où vient cette parenté?

Les deux hommes se placent « devant » l'objet qu'ils examinent; ils le considèrent comme achevé tout en surface, prêt à se livrer. (Le technicien, par exemple un pilote ou conducteur de voiture, est moins « esthète » pendant qu'il essaie une machine, et le redevient aussitôt après, quand il tire ses conclusions.) Le simple fait qu'il s'agisse d'une chose bien « finie », nettement structurée, transparente à son idée, et répondant à tout ce qu'on attend d'elle, est déjà la source d'une jouissance esthétique et virtuellement d'une appréciation critique. Dans leur attitude commune, le technicien qui juge et le connaisseur d'art se donnent leurs objets sur un certain mode de *Vorhandenheit*.

En second lieu, ces objets les intéressent essentiellement par la manière dont ils sont faits; ils interrogent le *comment* et non le *quoi*. Le naïf que les œuvres d'art attirent par leurs sujets, ou qui admire les satellites d'autant plus qu'ils vont plus vite ou plus loin, est disqualifié. Il existe sans doute, devant l'art comme devant la nature, une attitude esthétique légitime de jouissance immédiate, émerveillée, qui n'a pas ou presque pas cure du *comment; nous y reviendrons. Pour l'instant, il s'agit du plaisir technique du connaisseur d'art et du plaisir esthétique ou artistique du technicien : ils sont immédiatement rattachés, tous les deux, à un intérêt dont on peut se demander s'il est plus artistique ou plus technique, ou l'un et l'autre selon les cas : le désir de savoir « comment c'est fait ».

La frontière entre les deux sentiments est de toute façon difficile à préciser. Prenons un disque de Webern. Sur quatre auditeurs, l'un sera peut-être enchanté de la qualité de l'enregistrement, un second choqué par la faiblesse du chef d'orchestre, et les deux autres s'opposeront à cause de leurs préjugés différents sur la musique sérielle. Ces attitudes sont toutes esthétiques, car l'enregistrement aussi est un art, et toutes techniques, car la musique sérielle aussi est une technique. Quand un art et une technique vont ensemble — et il n'y a pas d'art sans technique — l'appréciation de l'un devient appréciation de l'autre, et les critères tendent à se confondre, sans bien entendu y parvenir tout à fait.

Les « consommateurs d'art » sont, selon les cas, plus ou moins naïfs, plus ou moins attentifs à l'élément technique inséparable des œuvres qu'ils ont devant eux. Mais aucun jugement n'est possible, en aucun cas, sans un minimum d'attention au technique; le moins sophistiqué des visiteurs de musée trouvera encore que les sculpteurs romans « travaillaient bien; songez, il y a huit cents ans ! », et le lecteur des pires romans policiers appréciera critiquement des qualités techniques ou à demi techniques comme le rythme, l'ingéniosité ou l'originalité (« il y a du mouvement dedans », « c'est astucieux », « on a déjà lu ça ailleurs »). Lorsqu'il juge une œuvre, le consommateur d'art, quel qu'il soit, fait un effort d'objectivité pour substituer à sa réaction immédiate celle de « n'importe qui à ma place »; il ne peut alors se contenter de décrire ce qu'il éprouve, mais doit faire au moins un pas vers l'analyse des mécanismes et procédés qui ont produit ces sentiments en lui. Il sera ainsi conduit à l'attitude technique. Le connaisseur d'art n'est en somme que le consommateur dé-subjectivisé, obligé par conséquent à se concentrer sur l'aspect technique de l'œuvre, et donc plus ou moins apparenté, par une sorte de chiasme, à son pendant : le technicien qui parle de choses techniques en termes d'art.

Passons maintenant du connaisseur qui juge une œuvre à l'artiste qui la produit. Soit d'abord un interprète, par exemple un acteur qui se prépare à jouer un éclat de colère. Le problème n'est pas pour lui de se mettre en colère, mais de faire en sorte que son éclat vaille la peine d'être vu, qu'il soit clair, efficace, qu'il évite le lieu commun, etc.; bref, il faut que l'acteur fasse attention à ses effets, qu'il intériorise le spectateur. La scène à jouer sera donc pour lui, pendant qu'il la prépare, un objet à juger, *vorhanden*, et le *comment* de sa colère l'intéressera autant que la colère en elle-même, ou plutôt les deux points de vue lui paraîtront se confondre. Cette attention prêtée au *comment* de la *Vorhandenheit* de l'objet, est celle même que nous avons décelée dans l'attitude du connaisseur soit artistique soit technique; et il est clair que l'acteur, à ce stade de la préparation de sa scène, s'assimile en effet idéalement au spectateur-connaisseur qui jugera sa performance.

Ce qui vaut pour les arts d'interprétation vaut aussi bien pour les autres arts : chaque artiste doit, dans la mesure (évidemment variable) où il songe aux « effets » que produira son œuvre, intérioriser le spectateur intersubjectif ou universalisé qui subira ces effets; il deviendra ainsi, ne fût-ce que partiellement et passagèrement, le connaisseur de son propre ouvrage.

C'est ici qu'a lieu la greffe *réelle* de la technique sur l'art. Car la technique artistique est l'abrégé qui dispense d'intérioriser effectivement le spectateur, et remplace les efforts d'invention, de sympathie et d'inter-subjectivisation par des règles, c'est-à-dire des machines à produire — infailliblement, en principe — les « effets » désirés. Qui « possède sa technique » n'aurait plus besoin, à la limite, de s'arrêter sur l'idéale *Vorhandenheit* de l'œuvre future, devenue pour lui un simple programme à exécuter. A cette limite absurde, l'artiste lui-même n'adopterait plus l'attitude artistique; et c'est un peu ce que l'on reproche en effet au routinier, au virtuose et à l'académicien — les trois types d'artistes plus profondément « technicisés ».

Retenons pour l'instant qu'il existe, pour le producteur et pour le consommateur d'art, un moment nécessaire mais d'importance variable, où il passe par l'attitude du connaisseur, à la ligne du partage des eaux entre la pente « art » et la pente « technique ». Reste à montrer que le technicien, de son côté, se trouve dans une situation somme toute analogue.

Toute activité humaine — recherche ou production de biens, communication de messages, établissement de rapports sociaux, coordination d'activités différentes — peut être « technicisée », tout comme l'art, et pour les mêmes raisons; la technique est une manière de faire quelque chose, non une chose que l'on fait (c'est pourquoi il y a des techniques d'application des techniques, des techniques d'organisation technique, etc. : la formalisation est possible à plusieurs étages ou classes). La technique universalise; elle nie les cas particuliers irréductibles — d'où le fait que la casuistique est son dernier mot et l'épreuve de ses limites; elle oppose à l'inter-subjectivisation en acte une intersubjectivité toute faite, et à l'invention sollicitée la méthode donnée d'avance.

Mais à la moindre interruption de l'enchaînement téléo-logique rigoureux de l'attitude technique, c'est aussitôt l'attitude esthétique qui s'introduit. Quand on s'arrête sur un outil ou sur un objet d'usage courant, non parce qu'il fonctionne mal, mais parce qu'on juge à propos de le consi-dérer en soi, comme objet singulier — ne fût-ce que pour marquer un lien de propriété — on l'esthétise du même coup; la preuve tangible, c'est qu'on le décore (et que la décoration accompagne ou remplace souvent la signature). Qu'un technicien soit appelé, pour des raisons entièrement utili-taires, à se prononcer sur un objet qui relève de sa spécialité : aussitôt cet objet devient *vorhanden* au lieu de disparaître dans l'engrenage des procédés; il dévoile sa structure, son *comment;* en somme, il est vu par un connaisseur et non plus seulement par un usager. Ce qui arrive quand le technicien est consultant, arrive aussi bien quand il regarde avec quelque détachement les outils ou produits de son propre travail quotidien. L'attitude esthétique est toujours prête à prendre la relève de l'attitude technique, ou à s'allier avec elle dans l'attitude du connaisseur.

Ainsi, considérer l'art « en connaisseur », c'est glisser vers son étude technique; considérer en connaisseur un objet technique, c'est glisser vers son esthétisation. S'il s'agit d'art, le connaisseur s'arrache au simple vécu, la jouissance esthé-tique, comme il s'arrache, s'il s'agit de technique, à l'en-chaînement des moyens et des fins; dans les deux cas, il constitue par un tel acte un objet « achevé » ou « parfait » [1], visé comme tel sur le mode de la simple présence.

Le niveau du connaisseur, c'est-à-dire du jugement, n'est en soi ni pratique, ni théorique, mais intermédiaire. Car les pratiques de la technique ou de l'art le supposent toujours, puisqu'il n'y a pas de pratique aveugle; et les jugements où n'entre aucun élément pratique ne sont plus le fait du connais-

---

1. Les termes esthétiques mis ici entre guillemets se rapportent primaire-ment au processus technique de fabrication; c'est ce qui fait qu'ils convien-nent si bien au langage ambigu du connaisseur. Leur caractère étymologique de loin le plus intéressant et le plus révélateur est cependant leur référence au passé; mais ceci appartient à une analyse moins formelle de l'attitude esthétique et de l'art, qu'il n'y a pas lieu d'entreprendre ici. On notera aussi le triple sens esthético-technico-temporel de « fini ».

seur, mais relèvent des attitudes dites contemplatives de la jouissance esthétique ou de la réflexion théorique.

Nous supposons ici, entre le domaine esthétique et le domaine artistique, une différence analogue à celle qui existe entre théorie et technique. L'attitude esthétique consiste formellement en un détachement d'ailleurs jamais complet, du *quid* de son objet; elle est concernée par le *comment*. C'est cela qui est l'abstraction caractéristique de l'esthète, et en quelque sorte sa bêtise : il peut être content d'un discours auquel il ne comprend rien, et se satisfaire de l'aspect de l'incendie de Rome, sans se demander ce que ce spectacle signifie pour les habitants. L'attitude de l'esthète devant la nature et même, à la limite, devant l'art, est délibérément non compréhensive et non analytique; elle ne fait pas non plus, et cela importe, de différence entre l'aspect statique et l'événement ou le processus (une tempête, une course). Mais tout change si elle s'adapte à l'art, par exemple si, au lieu d'un beau corps, on regarde une statue qui le représente. Tout spectateur sait que cela demande une attitude différente et chacun peut jusqu'à un certain point admirer une œuvre d'art qui figure un objet déplaisant; il distingue alors la qualité artistique de la beauté naturelle. L'analyse est intervenue, et au lieu de la perception attentive des formes et de leur résonance subjective (« comment est-ce? ») a surgi la réflexion quasi technique : « Comment est-ce fait? »

Telle quelle, la distinction est cependant inapplicable; elle ne tient pas compte par exemple d'un fait aussi capital que l'harmonie, beauté naturelle qui devient qualité artistique si elle est produite par l'art, mais qui reste la même et peut légitimement susciter, dans les deux cas, une réponse analogue. Pour éluder provisoirement cette difficulté et quelques autres, dont l'origine est toujours l'orientation trop formelle de notre analyse, nous allons comprendre sous le nom d'intérêt ou attitude artistique, l'intérêt ou l'attitude esthétique en tant qu'ils considèrent leur objet comme un produit, une chose « faite pour... »; et il nous reste à dire pour quel genre de buts l'objet est censé avoir été fait.

Soit un technicien tayloriste et un danseur qui regardent, en connaisseurs ravis, les mouvements d'un fermier qui cueille des fruits. Tant qu'ils sont « contemplatifs », le premier se comporte en théoricien, le second en esthète; l'un et l'autre transforment l'événement en spectacle, et, puisqu'ils se rencontrent en tant que connaisseurs, il est probable qu'ils auront remarqué en grande partie les mêmes détails, et leur ravissement aura été semblable. Tous les deux détachent et transforment en objet ce qui pour le fermier est un moyen auquel il ne fait pas attention, un non-perçu. Passant au domaine pratique, le technicien utilisera la « vérité » de ces gestes pour corriger, dans une usine, une opération analogue à la cueillette; son découpage n'altère pas, au fond, le caractère instrumental de ce qu'il découpe. Le danseur, qui reproduira les mêmes gestes sur la scène, les exécutera sans rien cueillir — « sans but », ou plutôt avec un but qui n'a rien à voir avec leur destination originale : il en tirera « des effets » sur le public.

La différence essentielle entre le plan théorico-technique et le plan esthético-artistique est sans doute celle-ci : sur le premier, les objets sont *vorhanden* en tant qu'objectivés, pourvus d'une vérité et de qualités propres objectives; sur le second, ils sont d'emblée « pour une conscience », mais intersubjective; à ce qu'étaient, pour le théoricien, les qualités propres de l'objet, répondent, pour l'esthète ou l'artiste, les effets de cet objet sur la conscience intersubjective avec laquelle il est d'emblée en rapport.

Nous pouvons à présent ramasser dans un schéma, forcément très grossier, le bilan de toutes ces considérations [1].

	Objectivité	
	en soi	pour une conscience
Niveau du donné ou du *quoi*	Intérêt théorique	Intérêt esthétique
	Jugement du connaisseur	
Niveau de l'application ou du *comment*	Intérêt technique	Intérêt artistique

Il n'y a rien de très nouveau dans cette classification, qui est, comme toutes les définitions qu'elle comporte, délibérément extérieure et formelle; il faudrait attaquer ces questions d'un côté très différent pour aller plus loin. Répétons encore que les cases du schéma ne sont pas réellement séparées;

---

1. Une petite difficulté terminologique peut surgir du fait que théorie et technique sont considérées d'habitude comme mutuellement exclusives, alors que l'attitude esthétique embrasse aussi l'art. Le lecteur soucieux de symétrie est prié d'élargir le sens de *théorie* pour y faire entrer l'attitude technique; après tout, le comment est bien un quoi. De toute façon, cette entorse à l'usage normal des mots restera ici sans conséquence.

il n'y a pas de limite précise entre l'attitude esthétique pure
et l'attitude artistique, ni entre les attitudes artistique et
technique, etc.; le « jugement du connaisseur » couvre les
larges zones communes et marque les transitions, à moins
qu'on ne veuille dire plutôt qu'il est le fond originel d'où se
détachent les quatre attitudes idéalement distinguées ici.

2. *L'art et la technique de la production d'effets.*

Du point de vue de Sirius, qui est celui de ce schéma,
l'attitude artistique se présente donc comme un intérêt, au
niveau pratique, pour le *comment* d'un objet considéré comme
vorhanden pour une conscience. Formelle et incompréhensive
tant qu'on voudra, cette définition permet néanmoins de
retrouver plusieurs traits empiriquement connus de nos arts.

Admettons que l'objet dont elle parle soit un bison, la mer
ou une bataille, bref un « objet naturel »; la façon la plus
simple de manifester l'intérêt spécifique de l'attitude artistique sera de le mimer en gestes, en paroles ou en couleurs.
Pousser la curiosité plus loin, par exemple en tuant et disséquant le bison pour voir comment il est fait, reviendrait à
le considérer comme *vorhanden* en soi et non plus d'emblée
pour une conscience; nous nous trouverions dans la case de
l'intérêt théorique. Se contenter de regarder l'animal avec
attention, en relevant l'effet qu'il fait sur nous en tant
qu'*Erlebnis*, serait encore autre chose : car l'intérêt artistique
pour le *comment* de la production de cet effet serait résorbé
par l'intérêt esthétique pour le *quoi*. L'attitude artistique
parfaite devant la nature est donc bien la mimésis.

Historiquement, il y a eu deux formes ou phases de mimésis,
bien distinctes surtout dans les arts visuels : l'une imite la
« manière de travailler de la nature », elle recrée l'objet ou un
équivalent de l'objet, mais non son apparence; l'autre au
contraire « imite les apparences ». La première est proche à
la fois de la *techné* au sens large d'Aristote (« l'art de l'architecte imite les grottes des troglodytes ou l'abri de la forêt »;
« l'art du tisserand imite la fourrure des animaux », etc.)
et de la magie ou des religions primitives, où l'image était
un substitut et l'idole un dieu. La seconde, par exemple la
mimésis pratiquée par l'impressionnisme dans tous les arts,
est elle aussi une reconstitution d'un objet, mais pris dans et
finalement ensemble avec l'instant vécu où nous le saisissons;
d'où, chez les peintres, les contradictions bien connues qui
découlent du fait qu'on ne peut pas copier ou douer d'un

double matériel concret ce qui n'a d'existence que dans la conscience, comme la soi-disant image rétinienne. Pour les écrivains, une difficulté semblable naît de la tâche ou prétention téméraire de conserver la plénitude de l'instant et de retrouver le temps perdu.

Dans les deux formes de la mimésis, l'élément technique de reconstitution est essentiel, au point de menacer toujours l'élément proprement esthétique, le « pour-la-conscience » : ainsi la *techné* de la mimésis risque toujours d'être indiscernable de la technique matérielle. Pour les théoriciens antiques et médiévaux, elle l'était en effet : socialement et moralement, l'artiste médiéval avait souvent beaucoup de choses en commun avec l'artisan, et ne connaissait en principe que des règles et des préceptes au lieu de moyens pour des effets singuliers à produire : *dicitur ars, quia arctis praeceptis consistit*, selon la formule d'Isidore. Semblablement, la mimésis de l'impressionniste suppose une analyse assez « technique » (psychophysiologique, dans les cas exemplaires) qui devient dangereuse dans la mesure où elle prétend garantir le pouvoir de ressusciter l'instant et implicitement ses effets (sa résonance subjective) alors que les effets de la reconstitution *comme acte* (en bref : les effets artistiques) devraient garder leur autonomie. C'est toujours on ne sait quel « génie artistique » qui intervient heureusement pour sauver un Andrea Orcagna de l'artisanat ou un Georges Seurat de la science.

Nous avons dit que l'attitude artistique devant la nature tend nécessairement à la mimésis. Mais rien ne l'oblige à être prise uniquement devant la nature; il n'est même pas dit que l'objet qu'elle concerne préexiste à cet intérêt : il peut très bien être créé en vue de le susciter et de le satisfaire à la fois. C'est pourquoi l'imitation de la nature n'est pas inscrite dans la définition de l'art.

Ce qui au contraire s'y inscrit, c'est la fabrication, du moins dans un sens très large qui embrasse l'exécution de performances au même titre que la production d'objets. La mimésis pratique n'était qu'un cas particulier de la création de machines à produire des effets, création qui est le propre de l'art en général en tant qu'intérêt pratique pour ces effets. Les théories de l'art qui insistent sur son caractère « factif » sont nombreuses, et dans l'histoire des styles et des goûts, les époques où domine le caractère de fabrication l'emportent sur celles où il n'est qu'implicite parce qu'inéliminable, et où s'étalent en surface l' « imitation de la nature », l' « expression » subjective, ou la « destruction » dadaïste.

Autant la définition de l'art comme fabrication est juste, autant elle est vide. On ne fabrique ou exécute quelque chose qu'en vue d'un but; et tant que celui-ci est laissé en blanc, nous n'avons rien appris. Or si le but de l'œuvre d'art est pris au sérieux, c'est-à-dire s'il se confond avec la destination normale de l'objet fabriqué, l'art-fabrication devient indiscernable de la technique, surtout artisanale ou industrielle; ce qui permet sans doute des réalisations très attrayantes, par exemple en architecture, et engendre toute une esthétique, le fonctionalisme; mais c'est quand même insuffisant en regard de ce que nous attendons de l'art comme de l'esthétique en général. Il faut donc revenir à l'idée que la performance ou production artistique est au moins en partie spectacle pour une conscience, et que son but est par conséquent lié à l'effet ainsi obtenu. En trois mots, l'art apparaît alors comme une production d'effets; et il comporte nécessairement l'aspect technique (étalé entre l'invention perpétuelle et la codification totale) sans lequel il n'y a pas de production.

La formule, en tout cas, rend très bien compte de ce que nous cherchions d'abord, la relation entre l'art et sa technique. L'artiste y apparaît comme étant par définition un technicien *sui generis*, et on comprend que son intérêt pour la cuisine de son art n'est pas fortuit ou superflu; car tandis que le technicien d'activités autres que l'art n'adopte l'attitude esthétique devant les produits de son industrie que lorsqu'il peut oublier les tâches immédiates que lui imposent ses machines et leurs performances, l'artiste, lui, est le technicien de ces attitudes définalisées elles-mêmes.

Il serait peut-être trop facile de continuer et de trancher ainsi, sommairement et verbalement, des problèmes de définition et de distinction en matière esthétique. Un seul point mérite encore d'être souligné : l'effet, en art, suppose autrui intériorisé. Dans la mesure où l'art est orienté ou défini par l'effet, il est donc intersubjectivisation. Cela pourrait avoir son importance, aussi bien pour remettre en place les prétentions de l'expressionnisme théorique ou pratique, que pour expliquer éventuellement, en partie, un phénomène aussi mystérieux et intrigant que le style.

3. *Manière - art - maniérisme.*

L'art et la manière sont apparentés. Certaines manières de monter à cheval, de faire la conversation, de jouer au bridge, etc., peuvent être appelées arts ou devenir des arts. D'où vient cette possibilité?

On répond d'habitude qu'une manière de faire quelque chose devient art, si elle est « réduite en art », c'est-à-dire codifiée; on retrouve là l'idée aristotélicienne de la *techné* ou la définition d'Isidore par les « préceptes étroits ». Mais *The gentle art of making ennemies* de Whistler enseigne un exemple, non une méthode; et les indications du mode d'emploi d'un frigidaire ne sont capables, par elles-mêmes, d'aucune transfiguration en art. La présence ou l'absence d'un système de règles n'est donc pas, à elle seule, décisive.

Si une manière est virtuellement art, c'est d'abord parce que l'art, selon certaines acceptions courantes du mot [1], est une manière de faire quelque chose; selon d'autres, il est la propriété objective qui fait que l'on s'intéresse à une chose sous l'angle de la manière dont elle a été produite [2]. La différence spécifique, nous l'avons dit, consiste en ceci, que l'art est une « manière » partiellement ou totalement auto-nomisée (prise pour objet) en tant que productrice d'effets.

On comprend alors que les techniques d'expression (verbale, plastique ou mimique) sont à l'origine de la plupart des arts majeurs, puisque l'expression est par nature une technique dont les moyens sont des formes employées en tant que formes pour agir sur les consciences. Le passage est presque continu du panneau de signalisation à l'affiche publicitaire, et de l'affiche, qui est un art, à la peinture : pour communiquer il faut dans le cas général attirer l'attention, et pour attirer l'attention, il faut prévoir des effets sur autrui intériorisé.

Cette quasi-continuité, qui prouve que l'autonomisation de la manière est à plusieurs étages (tous conservés et dépassés dans l'art) suppose un terrain commun entre art et manière. Ce terrain est la conduite. Art et manière voisinent en effet d'abord et surtout dans les arts les plus proches de la conduite — dans l'interprétation comme performance (l'interprétation musicale, les différents arts de la scène). Plus généralement, la manière est d'autant plus sensible dans un art, que la forme qu'il nous propose garde mieux les traces ou donne mieux les apparences d'une conduite, tantôt concrétisée dans des gestes, tantôt purement idéale ou symbolique : le trait du dessinateur, la « recherche » d'une image poétique, la cadence d'une phrase, la répartition des supports ou le choix des matériaux dans l'architecture, les mouvements de la caméra et les angles de prise de vue — bref, tous les aspects qui font sentir

---

1. « L'art de la sculpture », « l'art de Braque », « posséder l'art de… », « faire avec art », etc. Rappelons que pour Aristote l'art et la nature sont les deux catégories du devenir.
2. « Histoire de l'art », « l'art de *La Jeune Parque* ».

ou supposer une volonté artistique, une certaine gratuité et une « main » réelle ou métaphorique.

On peut s'arrêter sur ce rapprochement entre le sentiment d'une conduite humaine dans l'art et la transparence de la manière d'où est sorti cet art (ou plutôt son aspect particulier qui nous occupe chaque fois). Car il y a un nom pour la conduite qui consiste à détourner l'attention des buts naturels d'un acte et à l'orienter sur la manière, devenue quasi-objet et source d'effets : c'est l'affectation. Les mouvements précieux, les attitudes recherchées, le langage fleuri ou ampoulé, et en général toute conduite artificielle ou contrainte par suite de l'intériorisation de certains spectateurs imaginaires, correspondent à cette définition [1]. Il y a une logique, quoique absurde, dans le fait qu'on pourrait décrire la poésie ou la danse comme des formes affectées du langage ou du geste, de même qu'on peut décrire l'attitude esthétique comme une incompréhension délibérée de relations causales ou finales données. L'absurdité vient de la confusion entre le plan théorico-technique et le plan esthético-artistique, ou de la réduction de l'art à une conduite; l'apparence logique vient de ce que l'art se rapporte en effet à la manière de faire quelque chose comme la conduite maniérée à la manière de se conduire.

Les frontières sont bien entendu, comme toujours, flottantes et relatives au point de vue du spectateur. Il n'y a pas de conduite maniérée dans l'absolu, ou alors toutes le sont, y compris l'art; la différence entre naturel et artificiel dans la conduite dépend d'un niveau conventionnel. De même, il y a toujours dans l'art un niveau d'autonomisation de la manière, qui passe pour « naturel »; il est bien entendu relatif à un milieu historique et social, ou à la culture du spectateur [2], mais tout ce qui est au-dessus sera toujours senti comme maniéré, et ce qui est au-dessous comme maladroit ou non artistique.

Nous sommes ainsi renvoyés à la structure diversement

---

1. Par une pure convention de vocabulaire, que nous pouvons négliger ici sans dommage, l'affectation a pris, dans la plupart de ses acceptions courantes, le sens péjoratif d'une intersubjectivisation ratée, où le personnage affecté prête au spectateur qu'il intériorise son propre manque de goût; d'où le ridicule de cette conduite. Mais pour la définition essentielle de l'affectation, il suffit de souligner l'objectivation de la manière — un acte neutre du point de vue des valeurs, et qui peut être bien ou mal fait, mais qui entraîne toujours (d'où sans doute la prévalence du sens péjoratif) un certain artifice : l'obscurcissement du but « naturel ».

2. La frontière qui sépare le naturel de l'affecté n'est pas seulement un degré de complication (formelle et quantitative), mais implique aussi des contenus, des clauses de style stylistiques, etc., différents dans chaque cas.

stratifiée du passage de la manière à l'art. Tout glissement du *quoi* au *comment* semble permettre, dans ce domaine, une suite où interviendraient les *comment* des *comment*. Chaque niveau est artificiel, sinon même affecté, par rapport au précédent, qui représente le pôle relatif du « naturel ». Les arts d'interprétation en fournissent la meilleure illustration, puisque l'interprète doit faire une œuvre d'art avec la manière dont il exécute une autre œuvre d'art, devenue en l'occurrence objet esthétique naturel. Et dans cette œuvre d'art de second degré, la technique de présentation peut à son tour atteindre une importance indue, et le *comment* s'imposer indiscrètement à l'attention : on parle alors de virtuosisme [1].

Le détour, le changement d'attitude définalisateur et esthétisant qui a transformé la manière pratique en art, peut se prolonger ainsi — rien ne l'empêche, et beaucoup de choses l'y poussent toujours — pour engendrer un hyper-art, ou plutôt un « art de l'art », le maniérisme (ce mot étant pris bien entendu, dans son acception non historique).

Cette définition du maniérisme ou du maniéré n'est plus à notre avis, extérieure, descriptive et formelle; c'est la première, parmi toutes celles que nous avons proposées ici, qui nous semble exempte de ce défaut. Le maniérisme est vraiment et essentiellement « l'art de l'art », alors que l'art, lui, n'est pas vraiment et essentiellement « l'attention pratique portée au *comment* objectivé sous l'angle de la production d'effets ». En d'autres termes, le maniérisme suppose et prend au sérieux une définition formelle et extérieure de l'art. Formelle et extérieure, mais non fausse : car si l'art n'est pas uniquement la forme la plus simple du maniérisme, il est cela aussi; et la façon dont le maniérisme comprend l'art pour le parfaire, est en réalité l'angle de vue légèrement absurde qu'il convient d'adopter dans la réflexion, si l'on veut rendre compte, non pas de l'art en général, mais de son rapport nécessaire avec sa propre technique.

(1964)

---

1. La virtuosité est dans tous les arts, qu'ils soient ou non d'interprétation, une primauté accordée à une métatechnique, la technique de production des formes qui produisent des effets. Ce qui compte alors pour la conscience n'est plus le *comment* de l'œuvre (sa forme), mais le *comment* de sa production. Le virtuose, dit-on, n'émeut pas (l'effet direct des formes est diminué), mais suscite l'admiration (l'effet qui prime est produit par un « objet » non sensible, qui agit indirectement : l'habileté de l'exécutant).

ART ET ILLUSION,
LE PROBLÈME PSYCHOLOGIQUE

Appliquer la psychologie expérimentale à l'étude de l'illusion en peinture est, en une époque d'art abstrait et de critique philosophique, une entreprise qui demande du courage et de l'humour. On sait que le professeur Gombrich n'en manque pas; mais la lecture de son livre [1] convainc en outre très vite que cette méditation intempestive est on ne peut plus actuelle et utile. Car si l'historien recourt volontiers aux résultats les plus récents de la psychologie ou de la physiologie quand il s'agit d'étudier la perception des couleurs ou de la lumière, le problème général de l'illusion, qui se pose rarement de front, risque encore d'être abordé avec les notions qui avaient pu servir jadis à un Wölfflin. En un sens, d'ailleurs, *Art and illusion* reprend et renouvelle un problème qui avait été justement celui de Wölfflin : l'anecdote racontée au début des *Kunstgeschichtliche Grundbegriffe*, sur les jeunes amis de Ludwig Richter qui s'efforçaient « devant le motif » de reproduire exactement ce qu'ils voyaient, et qui s'étonnaient ensuite de la diversité de leurs études (faible diversité, remarquait Wölfflin, nous les aurions toutes trouvées « nazaréennes »), reparaît chez Gombrich [2] avec un commentaire semblable; car Gombrich aussi se demande pourquoi « l'imitation fidèle de la nature » est une prétention impossible, et comment il faut en expliquer à la fois la ténacité et l'échec.

La réponse de l'auteur sera la suivante : créer l'illusion picturale, ce n'est pas produire un double de l' « image rétinienne », ou rendre ce que voit « le regard innocent »; cette prétendue vision immédiate serait essentiellement ambiguë,

1. E. H. Gombrich, *Art and illusion. A study in the psychology of pictorial representation*, Phaidon Press Ltd., Londres; Pantheon Books, New York, 1960, XXXII, 466 p., 319 ill.
2. *Op. cit.*, p. 63 sq.

et on ne peut pas peindre l'ambiguïté. Représenter une maison
située dans un paysage, c'est trouver le rectangle de couleur
qu'il faut mettre ici sur la toile, pour qu'il puisse être pris
pour la maison là-bas [1]. La tâche du peintre, dans la mesure
où il vise à la ressemblance, est d'orienter le travail perceptif
du « lecteur » de son œuvre à peu près comme l'orienterait la
vision des objets mêmes, dans certaines conditions suffisamment plausibles et fréquentes de distance, d'éclairage, etc.
La soi-disant imitation de la nature n'imite donc ni la nature
ni, encore moins, la sensation visuelle. Elle est invention.
En exagérant un peu, on pourrait dire que de ce point de vue
la différence essentielle entre l'élève qui dessine un cube et
Picasso qui « fait » une tête de taureau avec les éléments
d'une bicyclette, c'est que l'élève a appris ses « trucs », tandis
que Picasso a trouvé le sien lui-même. S'appuyant, pour
illustrer son propos, sur les constatations de la psychologie
expérimentale, behavioriste ou gestaltiste, Gombrich rappelle
les conditions draconiennes de la transposition de la perception en peinture, et évoque les sophismes de l' « observation
de la nature » (qui est toujours application d'un schéma
préexistant, plus ou moins adapté au donné individuel);
il définit en outre les « projections » qui nous permettent de
voir, le cas échéant, à peu près tout dans n'importe quoi,
et il mesure la part de l'attente et du préconçu dans l'interprétation des formes perçues. Quand le lecteur aura bien
compris que la perception du réel, comme l'interprétation
du tableau, se fait par « essai et ajustement » (*trial and error*)
et que l'art est toujours proposition de formes dont on constate, crée ou souligne après coup la signification de ressemblance (*making comes before matching*), il peut faire le pas
suivant : reconnaître que l'artiste n'avait pas de « modèle »
défini à copier. Car s'il s'agit de reproduire ce que nous
croyons voir, grâce à notre connaissance préalable de l'objet,
la voie est ouverte à toutes les entorses à l'illusionnisme; et
si nous tentons de représenter la « sensation pure » du « regard
innocent », nous sommes aussitôt pris dans un enchevêtrement
d'ambiguïtés et de relativismes qui rendent l'entreprise
désespérée, ou plutôt absurde. Il résulte que « l'imitation de la
nature » se fait, comme la perception elle-même, par découvertes et inventions, schèmes et adaptations, essais et erreurs;
nous voyons le motif en termes de peinture possible, comme
nous modifions les termes de peinture pour les rapprocher
du motif; et certains peintres ont pu « ouvrir les yeux » de

1. *Op. cit.*, p. 301.

leur génération en lui apprenant simultanément à mieux voir la nature et à comprendre ce qu'ils ont peint.

Un résumé ne saurait rendre compte de la portée de ces idées, et de la manière séduisante dont elles sont présentées, appuyées à chaque pas par une quantité d'exemples, d'expériences et d'observations. L'application de la psychologie à l'art est faite avec un extraordinaire sens de l'à-propos, et l'analogie de structure entre perception et représentation picturale (par le rythme de hypothèse-épreuve, *making-matching*) apparaît aussi convaincante que révélatrice. Le mérite critique du livre est comparable, de ce point de vue, à celui qu'eurent jadis les Constable et les Turner dont il parle : il apprend à voir. Il enseigne aussi à se méfier de certaines formules; on n'osera plus parler d'image rétinienne ou de pure apparence; on saura pourquoi il n'est pas vrai que les impressionnistes ont « vu » des ombres violettes (mais qu'ils les ont fait voir), et pourquoi l'histoire de l'art n'est pas une histoire de la vision.

Les thèses psychologiques de Gombrich ne prétendent pas à la nouveauté, et beaucoup de lecteurs curieux de ce domaine les trouveront même remarquablement prudentes. *Gestalt* et *behaviour* y concourent pour appuyer une théorie de la perception comme mise à l'épreuve de réponses plus ou moins adaptées à des situations données. Le public français est familiarisé, surtout par la *Phénoménologie de la perception* de Merleau-Ponty, avec une critique plus radicale du « préjugé de la sensation », une affirmation plus tranchée du caractère constitutif de la signification pour la perception [1]. Mais on n'aurait pas songé, sans l'enquête perspicace de Gombrich, à en tirer les conclusions pour la « représentation picturale de la nature », conçue comme une suite d'artifices et d'inventions.

Nous approchons ici le point où Gombrich dépasse les limites de l' « étude psychologique » définie par le sous-titre; son ambition majeure est en effet d'expliquer *why art has a*

---

1. Il est clair que Gombrich ne suivrait pas Merleau-Ponty dans ses conclusions. Cf. à cet égard la *Phénoménologie de la perception*, p. 300 sqq., et *Art and illusion*, p. 302 sq., commentant la même expérience sur les « grandeurs apparentes », qui tendait à montrer que nous « corrigeons » les objets vus en raccourci, en les rapprochant de leur « aspect caractéristique ». Gombrich en tire argument pour conclure que l'anticipation d'expériences futures possibles joue dans la perception même de l'objet; Merleau-Ponty dénonce l'absurdité d'une détermination de la dimension apparente, et d'une comparaison entre les « tailles » respectives de ces êtres fictifs que sont l'image rétinienne, l'image mentale préexistante et, intermédiaire entre elles, l'image apparente. Ces deux commentaires sont manifestement inconciliables.

history ou, un peu plus exactement, *why representational art has a history* ou, avec encore plus de prudence, *why representation should have a history*[1]. La réponse est précise : « parce que les illusions de l'art ne sont pas seulement le résultat, mais aussi le moyen indispensable pour l'analyse de l'apparence par l'artiste ». Autrement dit, si le moyen illusionniste est invention ou découverte, on ne peut analyser l'apparence qu'en s'appuyant sur des schèmes reçus, pour les corriger et pour les perfectionner. Voilà pourquoi le peintre, aussi naturaliste qu'il soit, doit toujours plus à la peinture antérieure qu'à la nature ; voilà aussi pourquoi le « progrès » en art est autre chose qu'un préjugé philistin, bien que ce progrès ne soit pas, évidemment, celui de la valeur artistique. Il y a une logique intérieure et autonome de l'évolution des moyens de représenter la nature ; c'est elle que Gombrich explique en son principe. Et s'il en fait parfois, trop hardiment sans doute, le moteur de l' « histoire de l'art », il sait pourtant que ce n'est qu'un moteur partiel. *The psychology of representation alone cannot solve the riddle of style*[2]. Pour faire le reste, il va falloir, selon l'auteur, invoquer la sociologie.

Ce qu'il y a de plus difficile et de plus discutable dans ce livre, c'est la définition de son domaine. L'auteur a sans doute le droit d'y procéder comme il veut, mais tous les découpages ne sont pas également avantageux. Et les blancs qui subsistent autour de son analyse risquent parfois d'engendrer des équivoques. Le premier s'établit entre représentation et illusion. L'art qui « imite la nature » n'est pas nécessairement ressemblant. A l'origine, « imiter » veut dire, en art : créer un équivalent de l'objet représenté ; et cet équivalent est lui-même un objet, avant d'être le double de l'apparence d'un autre. Gombrich s'en rend parfaitement compte, et son chapitre III (*Pygmalion's power*[3]) concerne la création de cet équivalent, point de départ du processus historique de correction successive et de comparaison avec le réel, qui aboutit en fin de compte à l'impressionnisme. *Making comes before matching :* on « projette » une chose dans son équivalent, avant d'assimiler objectivement l'équivalent à la chose. A vrai dire — mais l'auteur n'y insiste pas — cette assimilation exige même un affaiblissement de la projection : plus l'œuvre est ressemblante, moins elle se substitue au modèle, parce que le *matching* rend la projection superflue, et par suite dé-sacralise ou dé-magicise

1. *Op. cit.*, p. 30, 314 et 291.
2. *Op. cit.*, p. 30.
3. Voir surtout p. 97-101.

la création (c'est pourquoi le naturalisme a toujours paru sacrilège et parodique). En somme, le « pouvoir de Pygmalion » suppose que la statue ne ressemble pas à une femme.

L'auteur a de bonnes raisons pour ne pas souligner ces conséquences. Car ses excellentes pages sur la constitution de l'équivalent, sur sa nature et sur sa fonction psychologique, sont écrites comme si cet équivalent, plus « vivant » que l'illusion, n'était pourtant qu'une approximation initiale et grossière de la représentation illusionniste. Or c'est la perspective inverse qui semble juste : l'illusion n'est qu'une des formes dérivées de l'équivalence, et rarement la seule. Car l'art, fût-il naturaliste, crée en même temps qu'une apparence plus ou moins trompeuse d'un objet, un équivalent d'une idée (allégorie, « histoire », etc.) et généralement aussi un équivalent d'une émotion (par la résonance affective de ses éléments formels). La production de l'objet substitué à une réalité physique ou psychique se suffit donc elle-même comme fondement de l'art, étant le genre dont la visée de l'apparence est une espèce. D'ailleurs la même abstraction qui rend l'art capable de détacher, pour la reproduire, la forme sensible des choses extérieures, s'applique aussi à l'œuvre elle-même (illusionniste ou non) pour en détacher sa propre apparence, en vue des règles ou des jeux formels. Ces opérations parallèles sont toutes les deux secondes.

Ici apparaît le danger d'un autre blanc laissé par la définition initiale du sujet. Car la « psychologie de la représentation picturale » est essentiellement une étude de la perception, et non, comme on aurait pu parfois désirer, de l'imagination. Encore une fois, l'auteur n'a pas ignoré le problème, mais il l'a volontairement rétréci. Toute la section III sur la « part du spectateur », et surtout les chapitres VI (*The image in the clouds*) et VII (*Conditions of illusion*) illustrent, avec comme d'habitude une documentation vaste et ingénieusement choisie, le rôle de l'attente et du préconçu dans la perception (*believing is seeing*)[1], l'activité imaginative qui donne une forme au chaos, l'extraordinaire malléabilité du pouvoir d'identification; plus d'une fois, le lecteur français se souvient des pages fameuses de Sartre sur la fantaisiste de music-hall que nous « voyons comme » Maurice Chevalier, parce qu'elle l'« imite » en avançant la lèvre inférieure et en mettant un canotier (Gombrich cite d'ailleurs une performance analogue de Charlot). Mais puisque la « lecture » des images

1. *Op. cit.*, p. 210.

est un cas particulier de ces devinettes où nous créons nous-
mêmes la solution en la trouvant, pourquoi ne pas partir
d'emblée de la « conscience imageante » plutôt que de la perception [1] ? L'abstraction formelle et l'abstraction des « apparences » auraient ainsi retrouvé leur parenté dans l'attitude
d'irréalisation, et leur racine commune dans l'art créateur
d'équivalents du réel.

Cette objection, si c'en est une, se renforce en face du
chapitre II, *Truth and the stereotype*, où l'auteur traite comme
étant du même ordre l'acceptation indifférente des légendes
absurdes d'anciennes illustrations, et la « pathologie du
portrait » (la déformation involontaire d'un modèle dans un
dessin prétendu fidèle, mais exécuté sous l'emprise d'idées
préconçues). Or le premier phénomène concerne la croyance,
c'est-à-dire l'imaginaire, et n'évolue guère dans l'histoire
— les lecteurs de nos illustrés en sont exactement au même
point que ceux de la *Weltchronik* de Hartmann Schedel —,
le second seul intéresse la perception et l'ordre instrumental
de l'illusionnisme. Mais Gombrich assimile la psychologie de
l'imagination à celle de la perception, tout comme il envisage
la création des « équivalents » du seul point de vue du réalisme.

L'impossibilité de se passer d'une psychologie de l'imaginaire pour traiter l'histoire de l'illusion se révèle dans les
Reflections on the Greek revolution [2], où l'auteur propose son
hypothèse sur la chiquenaude initiale à laquelle serait dû le
grand glissement de l'art vers l'universelle ressemblance : la
libre fiction des poètes, ou, autrement dit, l'autonomisation du
domaine de l'imaginaire. On pourra discuter l'hypothèse historique; mais l'idée que le réalisme en art est la première conséquence de l'irréalisation corrélative du modèle et de l'œuvre
(c'est-à-dire que l'apparence et l'imaginaire sont psychologiquement du même ordre) est, croyons-nous, inattaquable.

Mais à partir de ce point, Gombrich élimine l'histoire. Il
lui suffit d'avoir établi que le principe de l'évolution est dans
l'enchaînement des moyens d'analyse de l'apparence; et il
postule ou espère que ce qui reste de l'histoire des styles
puisse être considéré à part, voire expliqué un jour par la

---

1. Sartre, *L'Imaginaire* (1940), p. 34 : « L'image est un acte qui vise dans
sa corporéité un objet absent ou inexistant, à travers un contenu physique
ou psychique qui ne se donne pas en propre, mais à titre de " *représentant*
analogique " de l'objet visé. » De ce point de vue, le portrait, le schéma,
la caricature, l'imitation parodique, la « figure dans les nuages », l'image
hypnagogique sont les éléments d'une série continue, fondée sur la fonction
imageante ou irréalisante de la conscience.
2. *Op. cit.*, p. 116-146; voir surtout p. 125-133.

sociologie [1], sans recours aux « esprits » hégéliens ou spenglériens des cultures, époques ou nations. On partage naturellement l'antipathie de l'auteur pour ces esprits et leurs divers succédanés. Mais leur élimination suffit-elle pour résoudre l'histoire de l'art en progrès autonome des moyens illusionnistes + facteurs sociologiques influençant le style? Et surtout : peut-on toujours distinguer ces deux éléments, afin de garantir l'autonomie du premier? Cela supposerait que les découvertes qui jalonnent la route vers l'impressionnisme se commandent logiquement l'une l'autre.

En réalité cependant la correction des schémas et l'invention des moyens peut à chaque moment s'orienter en deux directions contraires : soit rendre les choses de manière à compenser ou escamoter toujours mieux les handicaps de la reproduction « fidèle » (l'immobilité de l'image, la vision monoculaire, l'échelle réduite de l'intensité lumineuse) — et c'est la tradition académique de toujours, aboutissant à Hildebrand; soit rendre les choses « comme elles paraissent », quitte à choquer le spectateur novice, dans l'attente que son éducation future mettra les choses au point — c'est Turner défendu par Ruskin, ou l'Impressionnisme.

Il existe encore un autre dilemme permanent du naturalisme, opposant ceux qui veulent reproduire dans l'image les causes (« déduites ») des illusions d'optique et des apparences floues, laissant à l'œil le soin de reconstituer lui-même ces effets, et ceux qui veulent reproduire les illusions et les indéterminations mêmes, sans se demander ce qu'en fera l'œil : Zenale contre Léonard, pointillistes contre impressionnistes [2].

Le fait qu'on a toujours eu à choisir entre ces voies, et que les écoles et les époques ont toujours choisi l'une ou l'autre avec assez d'esprit de suite, prouve que l'évolution technique vers l'illusion n'obéit pas à une logique propre inexorable, mais qu'elle est un des matériaux que manie l'évolution des goûts et des styles. Cela ne constitue pas une objection contre le parti pris d'examiner isolément, en dehors de l'histoire, la psychologie et la technique de la représentation, mais cela doit mettre en garde contre la tentation d'en attendre trop comme clef de l'histoire.

---

1. La liste des phénomènes ainsi classés, et désignés expressément comme sociaux, comprend : *the changing prestige of mastery or the sudden disgust with triviality, the lure of the primitive and the hectic search for alternatives* (p. 30).
2. L'auteur cite plusieurs fois les tenants des deux branches du premier dilemme; il ne s'occupe nulle part du second. Assez curieusement, il ne nomme jamais le pointillisme.

Enfin un dernier *desideratum*, lié cette fois à un problème qui à vrai dire ne concerne pas l'illusion, mais la perception artistique seule. Gombrich avait associé la genèse de l'illusionnisme conscient à la découverte du royaume de l'imaginaire. Mais la même découverte est aussi à l'origine du processus inverse, où nous apprenons à considérer les œuvres sous le seul angle de l'apparence. S'il faut quelque maîtrise pour nous amener à voir dans un assemblage de couleurs un couronnement de la Vierge, il faut aussi l'apport d'une tradition pour imaginer un couronnement de la Vierge qui suive l'ordre d'un remplage gothique. Cette seconde irréalisation date certainement d'avant les Grecs; elle est due à l'art mésopotamien du IIIe ou du IVe millénaire[1]; et elle comporte, comme la première, un « progrès », un apprentissage graduel de la perception aussi bien que de l'interprétation des œuvres. Les « figures dans les nuages », que Gombrich analyse en tant que supports de l'illusion, et qu'il assimile de ce point de vue aux touches libres de Hals ou de Guardi, ont parfois aussi la fonction opposée; quand dans le *Martyre de sainte Catherine* de Gaudenzio Ferrari (Brera) le genou d'un soldat fait écho à la tête d'un chien posé à côté de lui, ou quand dans les dernières natures mortes de Juan Gris la forme de chaque objet reprend et varie les formes de tous les autres, notre faculté de projection est employée pour contredire l'illusion et pour détacher la forme de sa signification. Il y a toute une deuxième partie de la « psychologie de la représentation picturale » qui resterait à faire; seuls deux chapitres en ont été écrits, magistralement comme toujours, par Gombrich lui-même en une sorte d'appendice à son livre, à propos de la caricature et de la puissance expressive des signes non figuratifs (à lire surtout les spirituelles réflexions, p. 367-371, sur les titres des peintures abstraites, et sur un langage fictif composé uniquement des deux mots *ping* et *pong*). Mais si l'art, tout en exigeant que nous comprenions l'illusion, demande et stimule un effort de perception « désillusionnante », ce n'est pas uniquement pour faire jouer les valeurs expressives et affectives des éléments abstraits; les

---

1. On en a les preuves évidentes dans certains jeux de formes : l'assimilation de figures à des schémas ornementaux, la fonction décorative des vides dans certains bas-reliefs, etc. Parfois, trois rangées de pierres noires rhomboïdales régulièrement insérées dans une surface blanche apparaissent, quand on regarde mieux, comme les trous entre les plis d'un serpent disposé en entrelacs géométrique; sur un sceau cylindrique, un homme posant ses pieds sur ses propres épaules devient, par déroulement, une échelle indéfinie de personnages montés l'un sur l'autre...

deux derniers chapitres de Gombrich ne font ainsi qu'introduire dans un sujet que l'auteur n'était certes pas tenu de
traiter, mais que sans doute personne, actuellement, ne
saurait traiter aussi bien que lui. Reste à dire que ces quelques
remarques et réserves en marge d'un livre aussi magistral,
à la fois honnête et séduisant, sont dues à un intérêt et à une
admiration que tout lecteur comprendra.

(1961)

L'ÉCLIPSE DE L' « ŒUVRE D'ART »

Les attaques des différentes avant-gardes artistiques de notre époque, depuis celles qui n'en voulaient qu'à la beauté ou à la figuration jusqu'à celles qui enterraient la peinture de chevalet ou même l'art tout court, convergent en dernière analyse contre un objectif limité, précis, mais souvent mal reconnu. Ce qui n'a cessé d'être en cause, sous une forme ou l'autre, dans tant de révolutions successives, c'est l'incarnation des valeurs, le monument, le bibelot, la quasi-construction, la quasi-symphonie, l'objet de contemplation, bref l' « œuvre ». Si l'on pouvait concevoir un art qui se passerait d'œuvres (on s'y efforce), aucun mouvement antiartistique n'y trouverait à redire. Ce n'est pas à l'art qu'on en veut, mais à l'objet d'art.

La thèse fameuse du *Musée imaginaire*, selon laquelle nous nous constituons un « domaine de l'art » avec des choses qui n'ont jamais été destinées à lui appartenir, n'atteint guère qu'une demi-vérité. Incontestablement, l'espèce de vitrine idéale dans laquelle nous posons côte à côte, pour les juger « esthétiquement », une Vierge bourguignonne du xvᵉ siècle et une figure de jeu d'ombres javanais, est moderne; ni les auteurs, ni les premiers contemplateurs de ces « œuvres d'art » n'auraient compris notre approche. Cette constatation est évidente et ne demande pas de commentaires. Mais, comme l'a remarqué Walter Benjamin, les facteurs mêmes qui la justifient rendent compte aussi d'une tendance en quelque sorte contraire, et non moins fondamentale : l'isolement de la « vitrine » est aujourd'hui brisé. Le photographe fait enlever de leurs niches les statues des Médicis à Saint-Laurent, et nous les montre de dos, comme personne ne les avait vues depuis que Michel-Ange les avait mises en place; il monte en avion pour « prendre » la cathédrale de Chartres telle qu'aucun de ses bâtisseurs n'a pu penser qu'on la verrait jamais. Et ces photos, épinglées sur un mur, nous accompagnent pendant que nous parlons d'affaires ou de politique. Le caractère sacré qui appartenait à l'origine au monument funéraire ou à la cathédrale chrétienne est bien oublié, mais la « sacralité » esthétique de l'œuvre que l'on visite sur place, non sans sacrifices, après de longues lectures de Ruskin, n'a pas mieux résisté à l'épreuve des reproductions. On est prêt à admirer l'œuvre d'art, mais non à enlever ses chaussures devant elle ; au lieu de la distance qu'impose le respect, invisible vitrine, il y a maintenant entre elle et nous une distance assez analogue à celle que Brecht voulait voir établie entre ses pièces et son public ; lui aussi désirait que l'on fume et mange au théâtre.

N'attribuons pas trop aux reproductions ; ce n'est pas uniquement la faute ou le mérite du photographe et de l'imprimeur, si nous n'avons plus la religion de l'œuvre. Il serait facile de chercher d'autres causes, plus générales ; retenons plutôt la signification plus large de ce refus — celle qui nous conduira à l'art contemporain : — une certaine répugnance devant la valeur incarnée. Sacraliser un objet, ne fût-ce que discrètement, à cause de ce qui s'y rattache, rappelle trop le salut au drapeau, la conservation des souvenirs de famille, la croyance à la transsubstantiation ou, au mieux, l'étrange prédilection des collectionneurs et des historiens pour « l'objet qui... que... » ; bref, c'est une attitude bourgeoise. L'opinion, largement partagée, que la beauté formelle est le signal d'une incarnation réussie oblige par conséquent à rejeter en même temps la beauté, l'œuvre et son culte ; on refuse de caresser indéfiniment du regard la surface « finie » qui renferme l'essence précieuse.

Il est facile de s'en prendre théoriquement à l'objet d'art, et le problème sera de faire de l'art sans renier cette attitude. Pour les premiers pas, il y a une recette connue, pratiquée depuis des siècles : la parodie, la désacralisation, bref l'emballage artistique de l'anti-art. Brouwer, Courbet, d'autres l'ont essayé, en attaquant chaque fois un secteur ou un aspect que le public identifiait à l'art tout court. Ils finirent toujours par montrer indirectement, et parfois malgré eux, que l' « art » était ailleurs et pouvait continuer. Si ce jeu se répète de notre temps, on peut s'attendre à ce que les adversaires de l'œuvre d'art nous prouvent à leur tour d'une manière tangible, en épuisant les ressources de la parodie, que l'art échappe à ces attaques parce qu'il ne se réduit pas aux objets de contemplation qu'il soumet à nos yeux.

Prenons l'anti-art par excellence, le dadaïsme. Renchérissant sur les futuristes, dont l'iconoclasme bruyant avait exalté la machine efficace et puissante, les dadaïstes assignent à l'art la machine inutile, ironique et contradictoire. Contre la croyance à l'œuvre d'art en soi, objet dont les qualités et les puissances réelles sécrètent autour de lui un halo de légende, Marcel Duchamp invente l'inverse : par un déclic, le *sic jubeo* du *ready-made*, il lance la légende capable de porter l'objet indifférent au niveau de l'art. Avec la *Mariée*, il feint de travailler à une non-œuvre arbitraire, accessoire, inachevée et mutilée, et tisse en fait sa légende, l'épiphénomène seul réel et capable, à la fin, de remplacer le chef-d'œuvre qui est censé la supporter.

Ces actes, qui ont été des réussites, visaient expressément l'œuvre. On trouve dans leur suite plusieurs inventions du *pop' art*, ou telle boutade « d'avant-garde » comme la proposition d'écrire « Attention, œuvre d'art » sur tous les articles d'une épicerie (Spoerri). Une autre novation du dadaïsme semblait porter plus loin : l'emploi systématique du hasard. Ici, la cible était incontestablement l'art lui-même, tout entier. Des traditions rigoureusement intactes, plus vieilles que Platon et Aristote, assimilaient l'art tantôt à une démarche concertée, tantôt à une inspiration ou à un acte d'expression, mais l'opposaient dans tous les cas de façon radicale au hasard. En attaquant cet axiome, les dadaïstes, les premiers dans l'histoire, se jetaient délibérément la tête contre un mur.

Il s'est passé l'inévitable : le hasard, aujourd'hui, a droit de cité chez les artistes, mais à l'état domestiqué. On a trouvé moyen de limiter les dégâts à l'œuvre-incarnation, et à employer le hasard asservi pour découvrir de nouveaux aspects de l'art, en dehors de l'œuvre. Des exemples s'offrent à profusion : chez les surréalistes, la métaphysique du désir et l'occultisme enlèvent toute signification à la distinction entre démarche inspirée, démarche concertée et rencontre fortuite; l' « œuvre » est donc remplacée par l'événement, mais son auteur, le désir, est artiste, au sens le plus classique du mot. Dans l'automatisme, le hasard intériorisé rejoint l'ornière d'une vieille tradition qu'il aide à se clarifier : ce qui fut jadis inspiration ou expression « nécessaire » de soi devient ici jeu de l'accident et de la spontanéité, jeu imprévisible mais dirigé, où le moi profond mène et, en principe, gagne. Dans d'autres cas, dans les machines de Schoeffer ou dans les mobiles de Calder, et aussi bien dans la musique stochastique, le hasard objectif intervient effectivement, mais à un niveau

qui est en quelque sorte celui de l'exécution; la vraie « œuvre
d'art » est le dispositif qui engendre les variations fortuites;
ce dispositif n'est pas l'objet directement perçu de la trop
fameuse jouissance esthétique, mais l'artiste le reconnaît en
signant, après l'avoir classiquement « créé » comme n'importe
quelle œuvre d'art. Il serait facile de continuer; on verrait,
dans tous les cas, que le hasard n'a pas tué l'art, mais que
l'on a au contraire gagné un déplacement ou un élargissement
des idées de production artistique, d'artiste et d'œuvre.
Chaque fois, la notion d'art a été assouplie, et elle a toujours
gardé, ou même conquis, des domaines que la perte des
œuvres n'entame pas, et où le hasard n'a pas de prise.

*

Sur d'autres lignes d'évolution, tout est plus simple. Il
est facile d'établir une liste des entorses infligées partout aux
droits des œuvres, toujours en faveur d'un « art » assez
mystérieux (et chaque fois différent) en dehors d'elles ou
derrière elles.

Le besoin de rompre avec l'œuvre a été très répandu depuis
le début de ce siècle, et il a été souvent profond et sincère,
mais les artistes n'ont pas pu s'empêcher de le ressentir
comme un désir de suicide. Seuls les dadaïstes, spécialistes en
quelque sorte assermentés du suicide, ont tâché de le satisfaire
directement. Les pionniers de l'abstraction ont longtemps
choisi de fausses cibles. Ayant renoncé à la figure et au sujet,
certains, dont surtout Kandinsky à Munich, ont pris pour
modèle la musique : si la peinture n'avait pas la même consistance qu'une symphonie, qu'est-ce qui lui conserverait son
statut d'art? Plus tard, avec les *Constructivistes* russes, le
Stijl et le Bauhaus, ce fut le modèle architectural (avec
cependant une pointe directe, cette fois, contre l'objet d'art
et notamment contre le tableau de chevalet : on tendait à
l'œuvre totale, l'édifice). Enfin, dans les années d'après la
Seconde Guerre, à Paris surtout, la peinture abstraite eut
comme modèle la peinture figurative, — on faisait à proprement parler de l'abstraction avec les moyens de la figuration :
rapports fond-figure (dans le cercle Hartung, Schneider,
Soulages), valeurs expressives, lumière, volume. Il y eut
beaucoup de jeunes abstraits à qui les conseils d'André Lhote
allaient comme des gants. A New York même, Hofmann
offrait aux futurs non-formels sa traduction en langage

abstrait de ce que la tradition figurative européenne avait produit de meilleur.

Puis ce fut, assez subitement, l'essor d'un art abstrait qui ne ressemblait à aucun modèle d'aucun art, qui ne ressemblait, en fait, à rien de connu — qui n'était plus œuvre. D'abord De Kooning, à la suite de Gorky, a remplacé le produit fini par la quasi-œuvre en transformation continuelle, se superposant à elle-même, changeant de sens et incorporant son propre jeu de l'accident et de la spontanéité (Rauschenberg prouve que cette voie permet encore des développements nouveaux). Mais le coup radical contre l'œuvre vint, presque en même temps, comme tout le monde sait, des *action painters*.

Depuis, c'est le règne à peu près indiscuté du «happening plastique», introduit sous des prétextes variables. Son dilemme reste aussi aigu qu'au temps des dadaïstes : il faut incarner le refus de l'incarnation. La transe « en conserve » de certains expressionnistes abstraits et l'environnement « en conserve » du *pop' art* sont des produits également impossibles. Quand Pollock posait contre le mur la toile sur laquelle il avait dansé en la couvrant de couleurs, il assistait à la conversion d'une expérience en œuvre d'art. Sans vouloir exagérer la portée de cette métamorphose, sans en faire un reniement, et surtout sans en tirer argument contre la méthode ou contre l'œuvre, on doit reconnaître que ce geste comporte au moins une certaine contradiction interne. Dans le *pop'*, chez des artistes d'une bien moindre envergure, une contradiction analogue apparaît, mais plutôt externe et patente : Lichtenstein est carrément un esthète, d'ailleurs supérieur, et Larry Rivers un académique. La tension entre environnement et œuvre n'est pas maintenue vivante.

Si l'art optique n'offre pas, sauf exception, de vrais « happenings plastiques », il est cependant aussi éloigné de la production d'objets que n'importe quel autre courant contemporain. Il n'aboutit pas à des peintures ou reliefs, mais à des actes de perception. Le dilemme de la « conserve » est évité. Peu importe que « cela bouge » ou non, et que les couleurs se transforment sous l'effet de la fatigue rétinienne; l'important est que, dans ces quasi-objets, le support matériel n'existe pour ainsi dire pas, que les illusions optiques ont lieu dans un espace qui n'est pas localisable par rapport à la surface colorée (ce qui les distingue du célèbre « trou dans le mur » des artistes de la Renaissance). C'est un art de la vision et non des lignes, des couleurs, des volumes fictifs et des œuvres qui les combinent.

*

« Ce pelé, ce galeux » d'où nous vient tout le mal, j'entends la Renaissance, a inventé la notion d'art dont nous vivons encore, quoique de moins en moins bien. Elle a conféré à la production d'objets, raison d'être avouée depuis toujours de la profession d'artiste, cette investiture solennelle dont on ne peut plus la débarrasser qu'en rejetant l'objet du même coup. On rêve de l'artiste sans privilège, ingénieur (Tatlin), artisan (le premier Bauhaus), ou de toute façon l'égal de son public (*pop' art*); le Stijl voulait abolir la profession. Le courant dadaïste-surréaliste tendait à dispenser l'artiste de la production d'objets ; on ne lui demandait qu'à être ou, ce qui est plus dur mais que Craven ou Crevel ont fait, à se supprimer.

Ces attaques contre le legs de la Renaissance sont presque unanimes, mais contradictoires, et elles ne nous empêchent pas de continuer à bâtir sur lui toute l'organisation sociale et économique de l'activité artistique. Les galeries et les musées, les concours et les prix, le commerce et la critique d'art font toujours semblant de supposer que la valeur artistique est quelque chose de déposé dans les œuvres et visible en elles seules; on fait toujours comme si le meilleur artiste était celui qui produit les meilleures œuvres. Il fallait être Marcel Duchamp pour contredire ouvertement tous ces postulats fictifs et faire néanmoins servir la machine qui les exploite. On sait pourtant que la valeur exemplaire d'un artiste est dans ce qu'on appelle son apport, et parfois simplement dans la ligne de son évolution, plutôt que dans la qualité esthétique de ses œuvres prises isolément; qu'il est difficile, sinon impossible, de juger une œuvre sans savoir « d'où elle vient ». Que serait l'œuf de Brancusi sans toute son histoire, et sans tout Brancusi? Tout le monde sent la contradiction entre l'état d'esprit de l'expressionniste abstrait lorsqu'il maltraite sa toile en y travaillant, et lorsqu'il l'entoure de tous ses soins pour l'exposer : image de la contradiction entre l'art pour-soi, l'expérience d'un chemin parcouru, et l'art pour-autrui, solidaire du fétichisme de l'œuvre.

Aucune nouvelle conception cohérente ne permet encore de surmonter, en pratique, ce dilemme. Mais quelques indications, qu'il ne faut peut-être pas surestimer, peuvent faire penser que les valeurs autrefois attachées à l'œuvre, et dont personne ne veut plus, ont subi en quelque sorte un transfert. Le déroulement temporel de l'art de chaque artiste important, de chaque groupe, et plus encore celui des grandes expériences collectives ou écoles, présente en effet certains caractères symphoniques où l'on peut reconnaître le prolongement ou le substitut des valeurs artistiques d'antan. Nous avons pris presque inconsciemment l'habitude d'historiser tout nouvel objet et de toujours embrasser l'évolution d'un coup d'œil compréhensif, la jugeant selon sa richesse, son pouvoir de synthèse, sa qualité d'invention, l'importance des problèmes attaqués, la justesse et la hardiesse des solutions. Ce sont là indubitablement, dans un tel contexte, des critères esthétiques; et des considérations purement historiques de date et de priorité deviennent du même coup artistiquement pertinentes (tout comme, sous l'effet des intérêts et de l'optique des collectionneurs, la rareté, l'authenticité d'une signature ou l'attribution à un grand nom ajoutaient effectivement à la beauté de l'œuvre). Cette plongée de l'ex-valeur artistique absolue en « valeur de position » historique ressort également de l'anxiété d'être à l'heure, aussi fréquente chez les artistes d'aujourd'hui que l'était jadis le souci de correction anatomique ou la crainte des anachronismes dans les compositions d'histoire. En fait, l'obsession de la valeur d'actualité et l'ambition de la priorité sont plutôt incompatibles, puisqu'une montre qui est à l'heure n'avance pas; mais les valeurs d'une génération, en matière d'art surtout, ont rarement été toutes compatibles entre elles.

Il semble que cette « historisation » de la valeur incarnée dans l'œuvre a commencé à influencer jusqu'aux rouages matériels de notre vie artistique; la manière dont on organise les expositions publiques, l'intérêt des musées et des collectionneurs, le langage et la formation des critiques en tiennent compte. Mais la crise de l'œuvre n'est pas surmontée par ce moyen seul, et la crise du concept d'art est loin d'être par là résolue.

Il n'y a pas lieu d'insister ici sur les solutions plus concrètes, mais forcément partielles, que nous rencontrons à chaque pas dans l'activité artistique contemporaine : les diverses synthèses des arts, surtout en rapport avec l'architecture, et les arts de l'environnement; les multiples moyens pour incorporer dans l'œuvre le hasard, le mouvement et l'action du spectateur; les œuvres-spectacle à programme... La crise de l'œuvre n'est pas qu'iconoclasme, et les grandes inventions ironiques du dadaïsme comprenaient plus d'une fois l'alphabet d'un art futur.

*

Nous n'avons pas l'intention de faire glisser tout ce que l'art actuel comporte de valable dans le cadre de la seule offensive contre l'œuvre d'art; vouloir en faire le « problème central » de l'art de notre époque serait une gageure perdue d'avance. Mais l'importance que cette question a prise, surtout depuis la fin de la dernière guerre, n'est pas entièrement fortuite.

L'aversion contre toutes les formes de fétichisme est un trait marquant de l'élite contemporaine dans laquelle on est porté à ranger les artistes de premier plan. Or l'objet d'art se présente, par une illusion peut-être nécessaire ou constitutive, comme porteur de valeurs ou comme valeur incarnée; il fait par là irrésistiblement appel à des tendances de nature fétichiste. Quiconque veut réduire les valeurs à l'acte humain (conditionné) qui les pose se doit donc de démystifier l'œuvre d'art. Assez curieusement, les philosophes existentialistes et phénoménologues, dont cela aurait dû être la tâche naturelle, ne s'y sont guère appliqués; mais les artistes, plus exposés, ont réagi plus vite avec tout leur besoin de liberté. Jacques Vaché refusait de « traîner l'œuvre derrière soi comme un boulet »; il ne fallait pas transformer l'expérience en chose, l'acte vécu en objet de contemplation. Beaucoup parmi les intellectuels de notre génération comprennent cela très bien. Et ceux qui ne peuvent s'empêcher de traîner des œuvres veulent au moins qu'elles soient des tremplins et non des boulets; d'où l'échappatoire, dont nous avons parlé, de l' « historisation ».

Imagine-t-on un état de choses où l'art se passerait d'œuvres? Ou imagine-t-on des œuvres qui ne soient pas des incarnations de valeurs et la solidification d'expériences? Pour être sûr que l'éclipse de l'objet d'art n'est qu'une éclipse, il faudrait pouvoir exclure *a priori* ces deux éventualités.

(1967)

XXI

PEINTURE MODERNE
ET PHÉNOMÉNOLOGIE *

Il est devenu assez courant de reconnaître chez beaucoup
d'artistes d'aujourd'hui, y compris l'avant-garde la plus
échevelée, une commune participation, consciente ou non,
à une sorte de réflexion pratique de l'art sur lui-même. La
peinture, écrit par exemple Jean Hyppolite, tend parfois à
devenir « peinture de la peinture » plutôt que production
d'œuvres d'art autonomes [1]. Dans les essais consacrés aux
maîtres contemporains, spécialement aux plus jeunes, et dans
les préfaces d'exposition, il n'est question que de prise de
conscience, de retour à l'origine, d'exploration par la peinture
de l'acte même qui constitue la forme ou le sens. Il peut
s'agir là simplement d'une contamination du langage critique
par le langage de la phénoménologie, qui s'est voulue comme
on sait *universale Selbstbesinnung;* cette coquetterie serait
alors sans signification et sans conséquence, tout comme les
appels que fait fréquemment cette même littérature à Platon,
aux mystiques, à Marx, à Einstein et à l'atome. Un seul
philosophe, à notre connaissance, s'est demandé expressément
ce qu'il en était, et il a rapporté quelques observations un peu
générales, mais non négligeables, sur le parallélisme entre la
réflexion husserlienne sur la conscience et les formes nouvelles
de l'art [2]; mais deux fois au moins, en France, la philosophie

---

* A propos de : Robert Lapoujade, *Les Mécanismes de la fascination,*
Préface de Jean Hyppolite, Édit. du Seuil, 1955, In-16°, 127 p.
  Paul Klee, *Ueber das bildnerische Denken* (édité par Jürg Spiller), Bâle-
Stuttgart, Benno Schwabe, 1956. In-8°, 541 p.
  Maurice Merleau-Ponty, *L'Œil et l'esprit,* Hermann, dans *Art de France,* I,
1960, p. 187-208. In-f°.
  Georges Duthuit, *L'Image en souffrance.* I. Coulures; II. Le Nœud. Georges
Fall, 1961. In-8°, 2 vol.
  Jean Paulhan, *L'Art informel* (éloge), N.R.F., 1962. In-8°, 55 p.
  1. Préface à Lapoujade, *Les Mécanismes...,* p. 17.
  2. L. Van Haecht, « Les racines communes de la phénoménologie, de la
psychanalyse et de l'art moderne », dans la *Revue philosophique de Louvain,*
LI, 1953, p. 568-590.

phénoménologique est descendue tout armée dans l'arène de la critique d'art, avec Sartre et Hyppolite à propos de Lapoujade, et avec plusieurs essais de Merleau-Ponty, notamment sur Cézanne. Enfin, et c'est cela qui importe peut-être le plus, des critiques intelligents et lucides, soit favorables comme Paulhan, soit réservés comme Duthuit, écrivent comme si la phénoménologie, qu'ils ne nomment pas et à laquelle ils ne semblent pas avoir pensé, fournissait la clef des intentions de la peinture récente. Nous allons, avec ces matériaux, complétés un peu au hasard par quelques textes d'artistes, essayer de rassembler les éléments qui justifient la métaphore « phénoménologique » pour une grande partie de l'art contemporain.

1. La « *réduction phénoménologique* » dans l'art.

On laisse entendre, et avec raison, que le début de l'art moderne est marqué par la disparition de ce que nous allons appeler la *référence*, l'être réel ou idéal auquel se mesurait l'œuvre. La référence changeait avec les âges : tantôt c'était une œuvre précédente à imiter, tantôt le modèle extérieur à rendre, tantôt l'idée intérieure, préexistante, à réaliser, tantôt la loi du genre à satisfaire, ou quelque norme esthétique, ou simplement l'émotion ou la personnalité de l'artiste, qu'il fallait exprimer de manière convaincante et contagieuse.

Il n'est plus question aujourd'hui de tout cela. Jean Paulhan attribue cette révolution à ceux qu'il nomme informels : « Les peintres, jusqu'à nos jours, avaient des idées, et puis ils en faisaient des tableaux... Mais c'est aujourd'hui tout le contraire qui arrive [1]. » Sartre pense que la référence a disparu avec la figure : « Ainsi le " figuratif " est à trois termes : une réalité-pilote à quoi prétend s'affronter la toile, la représentation que la peinture en donne, la " présence " qui finit par descendre dans la composition. On conçoit que cette trinité ait pu paraître gênante : elle l'est [2]. » Plus généralement, et donc mieux, Merleau-Ponty a comparé le préjugé de la référence en peinture au préjugé linguistique ou littéraire d'une « expression juste, assignée d'avance à chaque pensée par un langage des choses mêmes ». Suivant ce préjugé, le « recours à la parole d'avant la parole prescrit à l'œuvre un

---

1. *L'Art informel*, p. 10.
2. *Le Peintre sans privilèges*, préface du catalogue de l'Exposition Lapoujade, galerie Pierre Domec, 1961.

certain point de perfection, d'achèvement ou de plénitude, qui l'imposera désormais à l'assentiment de tous comme les choses qui tombent sous nos sens [1] ».

L'agonie de la référence commence bien avant la disparition de la figure; peut-être dès la découverte de la perspective, qui assignait au spectateur un point de vue fixe et transformait ainsi l'œuvre en une expérience, comme on dit, « subjective »; ou avec Léonard, qui traite l'œuvre comme un accident et peu s'en faut, un voile qui nous masque la seule réalité digne d'intérêt, l'*ingegno* de l'artiste; ou avec le baroque, qui rend compte pour la première fois de la simultanéité et du rapport circulaire entre l'œuvre et l'idée qu'elle est censée reproduire. Il ne serait pas difficile de montrer que depuis l'avènement du naturalisme la référence prend des formes de plus en plus variées à mesure que s'accroît inexorablement sa contradiction interne.

Cette contradiction est en dernière instance épistémologique, comparable aux apories de l'objet de la connaissance; comment peut-on affirmer, au-delà de l'image, une norme non figurée, un telos de la figuration auquel l'image se mesure? Tôt ou tard, il faut faire descendre cette référence dans l'œuvre même; il faut en finir avec toute pensée qui pose en dehors d'elle-même un sujet et un objet, et dont le dernier mot, déjà mal assuré de son postulat initial, fut le psychologisme dans la philosophie et, en art, l'impressionnisme. On en vint alors, après la mise entre parenthèses de toutes les réalités inaccessibles, à la seule description des structures intentionnelles dans la perception et dans les actes de conscience en général, à Husserl et à Cézanne.

C'est Merleau-Ponty qui a proposé l'image husserlienne, et forcément un peu «merleau-pontienne», de Cézanne, peintre du percevoir plutôt que du perçu [2]. L'image est au premier abord séduisante, et plutôt confirmée par les textes. On reste rêveur devant cette phrase de Cézanne à Gasquet, à propos de l'ambition de peindre « les arbres sensibles » ou « ce qu'il y a de commun entre les arbres et nous » : « Ne serait-ce pas la réalisation de cette partie de la nature qui, tombant sous nos yeux, nous donne le tableau? Les arbres sensibles — Et dans ce tableau n'y aurait-il pas une philosophie des apparences plus accessible à tous que toutes les tables de catégories, tous vos noumènes et vos phénomènes? On sentirait en le

1. « Le langage indirect et les voix du silence », dans *Les Temps modernes*, juin 1952, p. 2113-2144, et juillet 1952, p. 70-94. Voir p. 2123.
2. « Le doute de Cézanne », dans le recueil *Sens et non-sens*, Paris, 1948, p. 15-49, et « L'Œil et l'esprit », dans *Art de France*, I, 1960, p. 187-208.

voyant la relativité des choses à soi, à l'homme [1]. » La phénoménologie husserlienne aussi se veut « philosophie des apparences », rejette la distinction entre phénomène et noumène,
et livre la chose elle-même, sensible dans sa relativité à la
conscience connaissante.

Merleau-Ponty se propose franchement d'utiliser l'art de
Cézanne et de ses successeurs comme illustration de ses
propres thèses sur la perception [2]. Il en fait une « archéologie »
au sens étymologique de ce mot cher à Husserl : « L'artiste
appelle de la raison déjà constituée, et dans laquelle s'enfer-
ment les " hommes cultivés ", à une raison qui embrasserait
ses propres origines. » « On pourrait chercher dans les tableaux
eux-mêmes une philosophie figurée de la vision [3]. La perception visuelle (qui n'est jamais, en fait, limitée au pur visuel)
n'est pas une sorte de tableau qu'un autre tableau puisse
reproduire, comme la connaissance n'est pas la copie d'un
monde prédonné. La vision est une coexistence de mon corps
avec le monde, un circuit où l'acte de peindre intervient
— telle la réflexion phénoménologique — comme un troisième
élément, clarifiant le rapport réciproque des deux autres :
" Cette précession de ce qui est sur ce qu'on voit et fait voir,
de ce qu'on voit ou fait voir sur ce qui est, c'est la vision
même " [4]. »

Les mots : « et fait voir », qui apparaissent deux fois dans
cette phrase, insèrent sans autre cérémonie la peinture dans
le phénomène de la perception. Chez tout autre que Merleau-
Ponty, ce procédé serait inacceptable; il semble oublier que
l'œuvre d'art a sa réalité autonome, qu'elle appartient à une
histoire distincte, et qu'elle joue un rôle de communication.
L'objection a moins de force ici, face à une philosophie qui
souligne volontiers que la perception, l'expression et l'histoire
ont une problématique commune, dont les contours formels
se dessinent dans la philosophie du langage [5].

Dans le détail des analyses, qu'il n'y a pas lieu de suivre
ici, Merleau-Ponty arrive à « déduire » avec une remarquable
justesse plusieurs caractères formels de la peinture cézannienne
ou de celle qui, après Cézanne, s'efforce de peindre l'expérience
que nous avons des choses plutôt que leur apparence supposée
transférable de la rétine à la toile. Mais cette voie n'est pas

1. J. Gasquet, *Cézanne*, Paris, 1921, p. 91.
2. *L'Œil et l'esprit*, p. 199.
3. *Le Doute de Cézanne*, p. 36; *L'Œil et l'esprit*, p. 192.
4. *L'Œil et l'esprit*, p. 206.
5. Merleau-Ponty s'en est expliqué dans *Le Doute de Cézanne*, p. 36 sq.,
et dans *Le Langage indirect...*, IIe partie.

la seule, même dans le domaine du figuratif. On peut écarter la « référence » d'une autre manière, en éliminant tout à fait le caractère d'image si longtemps attaché à toute peinture figurative; c'est ce qu'essaya le cubisme. (Rappelons toutefois qu'il ne s'agit pas ici pour nous de composer des *Vies parallèles* de la philosophie et de la peinture, mais de chercher ce que la grille philosophique nous permet de capter dans l'évolution de l'art.)

Il y a certainement une aspiration commune, malgré un léger décalage chronologique, entre les excès juvéniles de la phénoménologie « objectiviste » et le cubisme. On raconte qu'à cette époque les étudiants en philosophie d'une université allemande durent consacrer un semestre de travaux pratiques à « l'essence de la boîte à lettres ». Comment ne pas songer à *L'Analyse d'une carafe* de Boccioni? Le cubisme analytique et sa valse autour du compotier rappellent moins une explication mathématique sur le point de vue de la quatrième dimension, que la description husserlienne de la perception des objets par des « profils » (*Abschattungen*) toujours rapportés à un noyau jamais perçu. Si la vocation de la peinture est l'évidence des choses, le cubisme analytique en est le dernier mot, selon la définition husserlienne de l'évidence absolue d'un objet : le « remplissement » de toutes les intentions qui le visent [1].

Le cubisme n'est cependant que l'antichambre de la peinture phénoménologique objective. Pendant longtemps, depuis les symbolistes, l'idée d'un certain lullisme des arts, mi-algèbre des formes, mi-système universel, était dans l'air. La jeune phénoménologie s'était présentée comme ébauche d'un système, d'une œuvre collective qui serait une description méthodique du monde suivant des évidences enchaînées plus fortes que celles de la physique abstraite; parallèlement, il y eut des « grammaires » rêvées ou écrites et des systèmes complets des formes d'art, — le Bauhaus, Schönberg, et même Valéry semblent y avoir cru. Le programme du Bauhaus notamment suppose un alphabet d'essences qui seraient en même temps des vécus. Dans la version de Kandinsky (nous parlerons plus loin de Klee) ce point de départ exclut d'emblée la figuration : un portrait est ou présente l'image du modèle, mais un triangle jaune n'est pas l'image d'un triangle jaune, il est ce triangle lui-même. Il « remplit » l'intention dans une évidence absolue, nullement abstraite : « La forme elle-même,

---

1. Les faces vues en raccourci ou cachées sont en effet l'objet d'intentions « non remplies ».

fût-elle tout à fait abstraite et d'apparence géométrique, rend un son intérieur, est un être spirituel, avec des qualités qui ne sont autre chose que cette forme. Un triangle... est un tel être avec un parfum spirituel qui n'appartient qu'à lui[1].» Ce parfum n'est pas une simple impression subjective; la preuve en est la musique des couleurs : « On ne trouvera sans doute personne qui veuille rendre l'impression du jaune vif par les notes graves du clavier[2]. » La corrélation du jaune vif et de l'aigu est, comme diraient les philosophes, une loi d'essence. Il n'y a rien au monde qui « ne dise rien [3] ».

Le règne de cette bienheureuse et abstraite objectivité cubiste n'a pas duré (de même que, plus tard, l'enthousiasme du *zu den Sachen selbst* et de la *Wesensschau* s'est refroidi, et la phénoménologie devint une philosophie de la conscience plutôt que des significations). L'avènement de la tache et de la coulée dans la peinture s'expliquerait-il par le fait que la situation « triangulaire » : artiste — être géométrique — spectateur, semble encore obscurément solidaire de l'ancienne « référence »? La tache est apte, au moins, à introduire un lien dynamique entre ces termes : car s'il est vrai que la tache n'est pas l' «image » d'une tache identique, elle n'est pas pour autant vraiment et uniquement elle-même; elle couvre quelque chose, elle éclate, elle appelle ou suggère une autre forme. Une figure géométrique peut avoir une direction, un mouvement, elle peut, comme parfois chez Vasarely, se jouer de la perception qui la fixe : elle reste pourtant toujours « cela même », sens et perception ensemble, alors que la tache est « quelque chose qui... ».

C'est à une abstraction non géométrique que pense Hyppolite quand il constate que la peinture devient « présentation de sa propre réflexivité »; il y trouve une « prise de conscience... un dépassement fondamental », qu'il compare expressément à la réduction phénoménologique; et Lapoujade décrit beaucoup moins les « mécanismes de la fascination » annoncés par son titre que la démarche intentionnelle de la peinture, sa réification et son progrès.

Dès 1927, dans les dernières années de la phénoménologie objectiviste, une thèse berlinoise de Werner Ziegenfuss formulait très clairement les principes d'une esthétique phénoménologique [4]. Au nom de la réduction, elle rejetait les doc-

1. V. Kandinsky, *Ueber das Geistige in der Kunst*, 4e éd., Berne, 1952, p. 68.
2. *Ibid.*, p. 63.
3. *Ibid.*, p. 69, n. 1.
4. *Die phänomenologische Aesthetik*, Leipzig, 1927.

trincs et les valeurs expressionnistes (qui supposent, comme une chose donnée d'avance, la « personnalité » ou la « réalité intérieure » à exprimer), en même temps que l'objectivisme des essences et des valeurs. Le domaine propre de l'esthétique est l'expérience esthétique, l'*Erlebnis* où la personnalité se définit elle-même par ses actes créateurs de sens. L'ouvrage, ancien et peu connu, soulève certes des objections fondamentales, à cause notamment de l'opposition radicale qu'il établit entre « réalité » logique et « sens » ou valeur esthétique, et de l'affirmation étonnante que tout acte donateur de sens appartient à l'esthétique; mais il reste acquis que le domaine esthétique se définit comme une modalité de l'acte intentionnel [1].

Une peinture qui a opéré sa réduction phénoménologique est donc enfin chez soi, dans sa vérité esthétique. Les exigences d'expression ou d'imitation étaient pour elle des masques. D'où, avec le refus de l'image ressemblante, la nécessité de cerner par des inventions continuelles un vécu intentionnel immédiat qui n'admet pas d'images. Merleau-Ponty a reconnu cette analogie de l'art avec l'analyse phénoménologique : « La peinture moderne, comme en général la pensée moderne, nous oblige à admettre une vérité qui ne ressemble pas aux choses, qui soit sans modèle extérieur, sans instruments d'expression prédestinés, et qui soit cependant vérité [2]. » Et Lapoujade : « L'art abstrait peut être pour nous une révélation, dans la mesure où il se rapproche... de la relation la plus directe que nous pouvons avoir avec le monde. Et aussi pour la simple raison qu'il réintroduit, à notre univers de conscience, l'incertitude première [3]. »

La plaquette de Jean Paulhan, *L'Art informel*, fournit l'expression la plus ramassée et la plus énergique de ces idées. Elle constate d'abord la disparition de la « référence » ou de l'idée avant l'œuvre. Un renversement s'est opéré : l'œuvre « nous tourne le dos » et précède maintenant sa signification. (On pense aux murs de Tapiès, aux sacs de Burri.) La « nature », si l'on en trouve une trace parmi les formes de l'art, est inachevée et ambiguë, en pleine métamorphose : elle est tout, sauf référence ou modèle. Pour éviter la moindre suspicion

1. Cela exclut à la fois les définitions fondées sur des caractères objectifs des formes, et les thèses subjectivistes qui admettent que l'expérience esthétique dépend entièrement de l'attitude esthétique librement adoptée. Il faut naturellement reconnaître le cercle de la personnalité qui détermine ses situations et qui est en même temps déterminée par elles.
2. *Le Langage indirect...*, I, p. 2135.
3. *Op. cit.*, p. 41-42.

de la démarche articulée idée-réalisation-effet, l'artiste informel peint avant de réfléchir, par réflexes, éclaboussures ou
gestes fous; ou bien il signe un *ready-made*.

La réalité à saisir par ces actes est, selon Paulhan, l'événement d'un « entre-monde » « tel que la pensée n'y fût pas
distincte des choses »[1]. A l'intérieur, ou plutôt au-dessous de
chacun des actes de notre esprit, il y a, comme la tache noire
de la rétine, l'immédiateté du vécu indifférencié : réalité à
poursuivre, bien qu'on la sache insaisissable, puisqu'en l'objectivant par le concept ou par la seule perception, on la déna-
turerait. Montrer (« obliquement », disait Merleau-Ponty) ce
niveau où la pensée est encore ce qu'elle saisit, montrer en deçà
du temps le non-pensé, impossible à éliminer, qui se déplace
avec la pensée comme l'ombre par-dessus laquelle on ne saute
pas, c'est là, selon Paulhan la tâche salutaire de l'informel :
remettre le sol sous nos pieds, alors que nous avons tous un
roi Midas intérieur qui menace de transformer en idée tout ce
qu'il regarde, y compris notre propre réalité.

Paulhan a l'habitude de faire surgir les idées et les systèmes
philosophiques au tournant de son discours, sans les nommer
comme dans les films historiques les grands personnages
paraissent sans se faire annoncer au public et laissent tomber
au hasard le mot célèbre qui les trahit. Est-ce exprès qu'il
s'est référé à Bergson, James, Russell, et à Plotin et Héraclite,
pour reconstituer en bricolant, avec des idées d'usage commun,
et sans se permettre un clin d'œil, la seule philosophie qui
s'accorde avec son propos? L'objet de sa description ne fait
pas de doute : c'est bien l'équivalent peint de la réflexion
phénoménologique. C'est la tentative de réduire le mécanisme
grinçant référence-artiste-œuvre-spectateur à la dimension
linéaire de l'intentionnalité. Tentative absurde, puisqu'elle
va contre la nature de l'art créateur d'œuvres; mais logique,
puisqu'il n'est jamais possible de justifier ces transpositions
et ces communications entre idées, choses et consciences
qu'implique ou suppose la « nature » traditionnelle de l'art.

2. *L'art rendu à son « entre-monde ».*

Il est facile, presque trop, de montrer que l'art qui s'engage
à satisfaire aux exigences impossibles d'une phénoménologie
de lui-même « doit » présenter les caractères de l'informel.

---

1. *Op. cit.*, p. 45.

Une fois que la « référence » est abandonnée, l'œuvre ne se mesurant plus à autre chose qu'elle-même, il n'y a pas de critique, puisque tout commentaire, même le plus souple et le plus fidèle, installe à côté de la peinture quelque chose à quoi elle se compare; il n'y a plus d'effet, puisque l'effet vise un tiers et introduit ainsi un point de vue étranger dans l'intentionnalité du créateur; il n'y a plus d'œuvre, puisque l'œuvre est, quoi qu'on fasse, une réalité opposée à la conscience qui la pose.

On n'a aucune peine à trouver mille illustrations probantes des divers aspects de cette situation dans l'histoire de l'art depuis le dadaïsme. L'exclusion de l'image, de la norme critique et du spectateur sont depuis longtemps devenues les prémisses courantes de toutes les tendances d'avant-garde : d'où la tache et la coulure, le choc et le dégoût. La beauté formelle, si détestée par Sartre, est liée à la structure d'un objet « équilibré », « construit », mais surtout à la nature d'une intention qui le pose devant soi pour l' « avoir ». Or l'informel ne pose rien et ne possède rien; il est obligatoirement laid[1]. La précipitation dont parle Paulhan est, de même que la peinture gesticulante, une manière de substituer un mouvement unique du faire aux articulations traditionnelles de la « création ». L'unicité du vécu et de l'acte est le symbole par excellence de l'immédiateté insaisissable et de l'irrécupérable à circonscrire : d'où l'élimination de tous les éléments que l'on puisse répéter — signes ou figures géométriques —, en faveur de la simple trace d'une transe.

Cette trace, il est vrai, ne peut pas être éliminée définitivement; la condition même de l'art — et aussi bien de l'anti-art — s'y oppose. Sauf l'exception des dadaïstes ou néo-dadaïstes qui invitaient le public à assister non à l'exposition, mais à la destruction de leurs œuvres, on n'échappe pas à la contradiction risible qui apparaît par exemple quand un artiste signe, conserve, expose et vend un objet qu'il vient de piétiner ou de lacérer avec rage. Il est évident que cette limite de l'absurde n'est qu'un point critique et un moment à dépasser; comme tel il est logique et fécond, puisqu'il en reste au moins l'exemple d'une démarche qui, comme toute invention dans l'art, continue à « s'enseigner elle-même » : l'exemple du regard qui transforme en œuvre l'affiche lacérée, l'exemple du silence de Marcel Duchamp après sa proposition des *ready-made*.

---

1. Une œuvre jolie, un paraphe de Mathieu, ne peut donc être que faussement informelle.

Mais la tâche essentielle de cette réflexion *sui generis* n'est pas de figer sans le détruire un acte intentionnel. La réduction en phénoménologie doit faire apparaître une structure intentionnelle masquée par la position de la réalité de l'objet; de même la mise entre parenthèses de l'œuvre doit faire apparaître tout l' « entre-monde », comme dit Paulhan, de l'esthétique.

Cela fut tenté trois fois au cours du XXe siècle, et de trois manières différentes. Le surréalisme s'établissait — très correctement, dirions-nous — dans un domaine intermédiaire ou ambivalent, où l'imaginaire et le réel étaient indiscernables; sous le déguisement plus ou moins naturaliste qu'il empruntait à Freud, aux magiciens et au marxisme, il attribuait en fait à l'acte artistique le rôle de l'intentionnalité constitutive, à l'inconscient celui du sujet transcendantal, au hasard celui des « intentions passives ». — On s'est fondé, d'autre part, sur la cybernétique et la théorie de l'information pour mettre sur le même plan les phénomènes physiques et la communication esthétique, dans une assimilation réciproque : tout événement naturel est formellement passible d'être interprété comme transmission d'un message; description physique et interprétation sémantique sont deux manières également valables de considérer n'importe quel processus, et une même théorie de l'information embrasse les deux. L'esthétique sémantique traditionnelle peut se transformer par une réduction convenable en esthétique de l'information; d'où les machines électroniques à peindre, etc. Le rôle joué par le hasard ne disqualifie pas plus ces exercices qu'il ne disqualifie le surréalisme. Dans l'*épochè* de l'artiste créateur de ces machines, tout est signe et rien ne l'est; au lieu du monde de l'imaginaire révélé par Breton apparaît le monde, neutre ou ambivalent comme la surréalité, des schémas de transmission, de probabilité, de diffusion et de classement.

C'est encore le hasard — la vraie matière des mondes de la réduction artistique — qui gouverne le tachisme. Il est ici l'autre face de l'art, comme pour la théorie esthétique de l'information le rapport causal est l'autre face de la signalisation. Cette ambiguïté suggère une étrange organisation de ce que l'on pourrait concevoir comme une émotion incarnée dans les éclaboussures ou comme matière transparente à une émotion ou à une transe impersonnelle; on a fait appel au bouddhisme zen pour doter cet entremonde d'un squelette conceptuel.

A confronter l'inconscient des surréalistes, les lois du hasard cybernétique, les émotions matérielles du tachisme, on découvre entre eux de singulières ressemblances. L'essentiel est, dans les trois cas, l'état neutre où la distinction entre la nature et l'artiste, le hasard et le sens, devient une simple question de point de vue. Sans doute sont-ce là des synthèses dogmatiques et qui masquent plutôt qu'elles ne révèlent l'indistinction originelle, à laquelle elles se substituent; mais elles valent au moins comme des métaphores, un peu appuyées, du monde de l'intentionnalité constitutive révélé par la réduction dans l'indissoluble corrélativité entre le moi et ses objets.

3. *Interprétations.*

S'il est vrai qu'il y a dans l'art contemporain une phénoménologie qui s'ignore, on doit s'attendre à voir cette ignorance reflétée sous forme de malentendus dans les déclarations de principe tant des artistes que des critiques. On a toujours vite fait de substituer le *ready-made* d'une métaphysique quelconque, le plus souvent ancienne et familière, à la course de la phénoménologie derrière son ombre. Surréalisme, esthétique de l'information et zenisme tachiste ne sont que quelques exemples voyants; ils ont au moins le mérite de lier étroitement une certaine forme ou école d'art à une philosophie bien définie. La moyenne des apologies comme des critiques assimile plus simplement l'art moderne tantôt à un solipsisme plus ou moins expressionniste, tantôt à un platonisme des essences (on sait d'ailleurs que la philosophie de Husserl s'est heurtée à des malentendus analogues). G. Duthuit, dans le recueil *L'Image en souffrance*, se propose de montrer que ces deux interprétations, qu'il tourne en reproches, se tiennent par le nœud d'un « idéalisme » commun, inconciliable avec la nature de l'art.

Les professions de foi solipsistes n'ont pas manqué. Duthuit cite cette phrase du peintre américain Clyfford Still : « Les exigences de la communication ne sont que présomption et impudence [1]. » Mais si le tachisme est un message incommunicable, l'abstraction géométrique et l'essentialisme cubiste sont eux aussi, pour Duthuit, de la «peinture sans dialogue»[2]. Il serait juste de dire avec Duthuit aux jeunes Américains, si leur art n'était qu'expression, qu'il importe de faire plus

1. *Op. cit.*, I, p. 99.
2. *Ibid.*, II, p. 20.

de confiance aux « mirages » : « L'expérience, autrement, n'éveillerait en nous qu'un seul écho, un seul geste, toujours le même ou presque, comme une plante, dans sa création spontanée, donne toujours naissance à la même fleur »[1]; et il serait non moins juste de reprocher à Brancusi, comme une inconséquence de son platonisme et comme une facilité compromettante, les allusions figuratives de ses sculptures, — allusions aussi étrangères à ces formes pures que le reflet du gardien de musée sur les flancs polis de *L'Oiseau* de bronze. Mais autant vaudrait interpréter l'art de Mondrian à la lumière de son utopisme et de ses sympathies pour Rudolf Steiner, l'art de Léger à la lumière de son marxisme, l'art d'André Masson à la lumière de son zen; alors que c'est, au mieux, le chemin opposé qu'il faut prendre. Les œuvres tachistes ne sont pas les fruits d'une plante — la « personnalité » — qui ne ferait qu'exprimer à travers d'étranges spasmes une structure donnée appelée son essence; ce sont des moments successifs d'une tentative qui, d'invention en invention, d'artiste en artiste (et aussi bien d'école en école) approche de son mieux, par des voies de préférence négatives, l'intentionnalité en acte de la peinture; et les œufs de Brancusi ne sont pas les images d'une Idée de l'œuf — pas plus que les figures de Giacometti ne sont des fils de fer insuffisamment dégrossis —, mais des réflexions concrètes, toujours reprises et polies et repolies, sur notre désir, peu importe si platonicien ou œdipien, de posséder l'œuf.

Merleau-Ponty, dans son article des *Temps modernes*, a fait justice de l'interprétation expressionniste de l'art contemporain par Malraux, et sa réponse vaut également, *mutatis mutandis*, pour l'interprétation solipsiste du tachisme et de l'abstraction géométrique : « La peinture moderne pose un tout autre problème que celui du retour à l'individuel : le problème de savoir comment nous sommes entés sur l'universel par ce que nous avons de plus propre. » Reste à voir si, en pratique, l'objection ne s'avère pas fondée. Depuis Ziegenfuss, qui voyait dans l'art abstrait l'illustration d'une hérésie théorique (l'impérialisme de l'attitude esthétique, la thèse que la seule intention subjective et gratuite pouvait esthétiser n'importe quoi), tous ceux qui reprochent aux modernes leur subjectivisme les condamnent du même coup à être mal compris : leur art n'enferme pas de sens, donc on en fera ce qu'on voudra — il deviendra « décor ». Cent fois depuis, les abstraits furent traités de décorateurs doués; au point que

---

1. *Op. cit.*, I, p. 66.

certains, parmi les géométriques notamment, finirent par le croire et se voulurent utilitaires ou utiles [1].

Mais faut-il se résigner à un tel dialogue de sourds? La condition nécessaire pour en sortir serait évidemment de faire admettre, contre le faux dilemme « platonisme ou arbitraire », l'existence de l'entre-monde où l'on se cantonne. Duthuit déplore, justement, son manque d'épaisseur : « Le monde du dehors et le monde intérieur qui nous permet à la fois de nous distinguer des objets et d'adhérer à eux ont dû être réduits à zéro... La question se pose dès lors de savoir quelle place peut tenir l'art dans une étendue retranchée de cet ordre [2]. » S'il est vrai, comme le veut Merleau-Ponty, que Cézanne peint le percevoir, et s'il est vrai, comme le prétend Jean Paulhan, que les informels cernent une réalité originelle où la pensée n'est pas distincte des choses, cela fait plus de soixante ans que l'art se meut, à l'aise ou non, dans cette étendue retranchée [3].

Inexplicablement, Jean Paulhan ne se contente pas de laisser le champ de l'intentionnalité artistique dans l'état où il l'a d'abord décrit. Après avoir dit comment l'informel mime, suggère et nous administre la réalité originaire qu'il semble détenir, Paulhan se suscite un contradicteur *ex machina :* « Que si votre analyse est juste, ce n'est pas seulement au dedans de vous et dans votre esprit, mais du même mouvement dans les choses que doit se passer l'événement que vous décelez. » La réponse est dans l'autre poche : les

---

1. Il y aurait beaucoup à dire sur les interprétations sociologiques de la mise entre parenthèses de l'œuvre dans l'art contemporain. Mais le sociologisme introduit toujours, comme moteur de l'évolution, un facteur extérieur —, ce qui bien entendu ne le disqualifie pas, mais empêche que nous en parlions ici. Walter Benjamin, dont l'excellent essai *Die Kunst im Zeitalter ihrer Reproduzierbarkeit* a été récemment traduit en français par M. de Gandillac (Walter Benjamin, *Œuvres choisies*, Paris, 1959) part du fait que la reproduction industrielle et la diffusion d'innombrables doubles ont détruit le halo de l' « œuvre d'art », devenue objet de consommation courante et distraite; d'où, selon lui, la faillite irrésistible de toute l'esthétique « bourgeoise » fondée sur la spécificité et sur la dignité de l'expérience esthétique. (Avec cette notion de consommation distraite et de non-spécificité, Benjamin se rapproche de Brecht et, inutile de le souligner, s'oppose d'avance aux conclusions que Malraux allait tirer de l'avènement des musées et des reproductions.) W. Bense (*Plakatwelt*, Stuttgart, 1952) entrevoit une assimilation de l'art contemporain à l'affiche : l' « effet » se substitue, pour le bien et pour le mal, à l'œuvre, la présentation à la représentation; tout devient stimulant et invitation, comme il se doit dans un univers de signaux et de marchandises.

2. *Op. cit.,* II, p. 128.

3. Nous schématisons beaucoup la pensée de Georges Duthuit. Chaque fois qu'il discute un artiste, essayant positivement de définir son rapport, il décrit avec justesse, et avec le talent que nul n'ignore, les aspects d'une démarche qui dans l'ensemble lui paraît impossible et absurde.

micro-photos de tissus organiques ou de cristaux ressemblent en effet beaucoup à des œuvres contemporaines. Mais on s'étonne de voir apparaître ainsi, substituée à l'indistinction originaire de la conscience et de son objet dans le vécu, une prétendue analogie de structure entre l'objet (en soi) et l'acte intentionnel de la peinture (subrepticement retransformé en copie d'un « modèle intérieur »). S'agit-il simplement d'un prétexte négligent pour présenter quelques belles photos? ou d'ironie socratique? ou, comme un livre qui débute par « L'on », d'une des mystérieuses élégances de Paulhan?

4. *La récupération du sens et de l'œuvre.*

Puisqu'il ne faut pas faire trop de confiance aux métaphysiques et aux autres moyens de porter du sens *ab extra* dans la « peinture de la peinture », on comprend que le reproche de solipsisme paraisse atteindre l'art contemporain au défaut de sa cuirasse. A l'exception de quelques extrémistes hautains, les artistes plus encore que les critiques se sont ingéniés à montrer que le sens naît des prémisses mêmes de l'abstraction. Il est cependant difficile de le faire en termes qui prolongent l'analogie observée jusqu'ici avec la réflexion phénoménologique.

La question de la conscience d'autrui n'existe pas tant que l'œuvre est simplement relative à la conscience qui la pose, et qui peut être indifféremment celle de son auteur ou du spectateur, car il n'y a pas de comparaison entre les consciences, et pas de privilège dans l'*Erlebnis*. On sait que le passage du « monde pour moi » au « monde intersubjectif » est pour la phénoménologie un moment crucial, et plutôt difficile [1]. L'intersubjectivité transforme le monde que j'éprouve en « le » monde tout court, puisqu'elle permet de saisir un objet comme saisi en même temps et d'un autre point de vue par autrui. L'équivalent de ce pas en peinture est l'idée du public et de l'effet à faire sur lui. Au moment où l'artiste a constitué la conscience étrangère comme étrangère, la peinture comme insertion dans un circuit intentionnel fait place à l'idée de la fabrication d'œuvres. Il semble, à vrai dire, que tout ce qui a été chassé par la porte peut rentrer par cette fenêtre : la référence, l'œuvre, et même la beauté (de même, l'intersubjectivité a été, parfois, la

1. Cf. Merleau-Ponty, « Sur la phénoménologie du langage », dans *Actes du Colloque international de phénoménologie* (1951, Paris, 1952, p. 104).

voie d'un glissement hors de la philosophie de Husserl). Une seule sorte d'effets échappe facilement à cette conséquence — l'effet négatif, le choc des œuvres, violentes ou non, qui dans leur nouveauté ne ressemblent à rien de connu. Les inventeurs que l'on dirait absolus, et dont notre siècle a vu un nombre incroyable, de Picabia à Rothko, s'insèrent dans la grande voie du retour réflexif de l'art sur lui-même, mais produisent du même mouvement des choses que l'on heurte; la conscience du tiers est pour eux présente en tant qu'exclue, et c'est par contrecoup qu'elle arrive à comprendre. Lorsque le choc sera assimilé, l'œuvre apprise et devenue méthode, l'effet disparu, il ne restera plus, comme apport valable de chacun de ces inventeurs, que la justesse de la réflexion — une valeur qui ne mise pas, en son principe, sur le tiers. Nous n'avons pas franchi le seuil d'une inter-subjectivité qui supporte le sens.

Le plus souvent, les peintres anxieux de retenir et de transmettre aux spectateurs un sens défini, si possible contenu ou indiqué par un titre, tout en gardant d'autre part le registre de formes et de possibilités ouvert par l'abstraction s'en tirent par l'idée d'une communication avec les objets, au-dessous ou au-dessus des images et du plan qui sépare la conscience de l'artiste de l'objet naturel. Cette croyance, qui permet d'éviter le choix abhorré entre monde extérieur et monde intérieur, peut prendre la forme, chez Bazaine, d'un monisme sommaire [1], ou chez Zao Wou-ki, avec plus de réserves, d'une très curieuse monadologie de consciences peignantes [2]. Des exemples analogues se trouvent facilement; un des meilleurs, et le plus proche de l'expérience concrète du peintre, est fourni par les leçons de Klee au Bauhaus, excellemment publiées d'après les notes de l'artiste et de ses élèves, recoupées par d'autres textes et accompagnées de tout un film d'illustrations [3]. La pensée de Klee oscille, dans un va-et-vient qui n'est jamais inutile, entre un naturalisme large et une conception idéaliste du langage pictural comme pure création.

Il commence ses leçons en parlant du chaos, des forces

1. *Notes sur la peinture d'aujourd'hui*, Paris, 1953, p. 65 : « unité du dieu, d'une nature active et qui colle à l'homme comme sa peau, et de l'homme ».
2. Interview radiophonique publiée par G. Charbonnier, *Le Monologue du peintre*, II, Paris, 1960, p. 179-186. L'acte de peindre est fusion complète de l'artiste avec l'objet (« La montagne, c'est moi »), expérience incommunicable, et qui ne se trouve intégrée que sur un plan métaphysique, qui ne doit rien au langage : chacun travaille sa « surface du cristal », et ses surfaces se composent pour « construire une véritable réalité ».
3. *Ueber das bildnerische Denken*, Bâle-Stuttgart, 1956.

cosmiques, du Moi qu'elles englobent et qui s'y oriente; même la pensée apparaît ici comme une sorte de principe cosmique, et la création de l'art comme un cas spécial de croissance organique. On pourrait soupçonner dans cela un panvitalisme qui garantit, par décret du philosophe, la communicabilité universelle et le sens de formes librement et spontanément créées. Heureusement, il n'en est rien. Car il s'avère aussitôt que l'art est connaissance et « donne à voir » (« *die Kunst gibt nicht Sichtbares wieder, sondern macht sichtbar* »). L'art enseigne les formes, leurs vertus d'orientation, d'émotion, d'énergie, et les vertus de leurs rencontres. On est alors amené à penser que le naturalisme apparent de Klee n'est qu'une métaphore décrivant en langage objectiviste les éléments picturaux et leurs champs d'action; et on entrevoit l'autre écueil, l'idéalisme logique. Mais lui aussi est évité. Klee précise qu'il n'y a pas de formes, êtres idéaux ou non, qui soient identiques à elles-mêmes, — il n'y a que des fonctions. Aux prétendus « éléments », que l'on pouvait craindre, se substituent des processus, des situations, des suspens. L'espace même, dit Klee, est une notion temporelle. Nous sommes à l'opposé de l'*Einfühlung*: Klee peint des rythmes, des signes, des tensions, par n'importe quels moyens, le plus librement possible — il n'hésite pas, comme on sait, à employer des signes d'écriture, des points d'exclamation —, puis un sens s'y trouve pris. (Même quand Klee se propose d'abord une réalité à « rendre », on a toujours l'impression qu'elle vient par surcroît, Dieu sait d'où, remplir les intentions.)

Les méandres enchanteurs de ce roman pédagogique entre le sentiment cosmique et la philosophie de la conscience finissent par situer, sans le définir avec rigueur, un art où abstraction et signification se conditionnent mutuellement. C'est la situation même que Lapoujade, secondé par Sartre et par Hyppolite, s'efforce de justifier en termes d'emblée philosophiques[1].

Sartre[2] reproche au figuratif d'être, à peu de chose près, une peinture de classe. Le peintre y tient l'objet à distance, au bout de son regard; il s'arroge le privilège d'être celui qui regarde, dégradant ainsi le modèle en spectacle et chose. La révolution abstraite permet à Lapoujade de faire sa nuit du 4 août et de peindre des expériences communes (propres

---

1. Cf. aussi l'essai intelligent, nettement moins dogmatique, de Jean-Louis Ferrier, « Le paysagisme non figuratif », dans *Art de France*, III, 1963, p. 342-348.
2. *Loc. cit., supra*, p. 412, n. 2.

et partagées à la fois) comme expériences et non comme apparences; et c'est par là qu'il trouve le sens qui unifie les signes colorés de la toile. Sartre ne s'explique pas sur les conditions de la possibilité de ce phénomène, il le postule : « Telle est, je crois, la conviction profonde de Lapoujade : la peinture est une voie de grande communication... Il tient que la solitude ne sied pas à la peinture et ses toiles m'en ont convaincu. »

Lapoujade lui-même couronne ses *Mécanismes de la fascination* par un chapitre sur le sens. Dans le résumé, son raisonnement apparaît contradictoire : la peinture doit signifier, dit-il, parce qu'un langage entièrement réduit à sa réalité de chose, « insignifiant », serait inutile et absurde. Mais elle ne peut signifier sur le mode de la figuration, puisque l'apparence et la ressemblance se sont pour nous vidées (et, ajoute-t-il, la moindre suggestion de ressemblance s'expose déjà à tous les reproches faits à la figuration). D'où surgit alors le sens? Du fait que l'œuvre, réduite au degré zéro de la signification figurative, possède néanmoins une présence, une réalité. Le peintre « mise sur la réalité propre de la peinture » (sur le style) pour se donner dans la toile le réel qu'elle désigne, et pour que son œuvre soit « l'existence — à l'usage du peintre —, de ce réel, recréé dans l'exercice abstrait de la peinture »[1].

Si le langage pictural ne peut pas être réduit sans absurdité à sa pure réalité insignifiante, on ne voit pas comment un sens, autre que figuré, puisse naître de cette réalité impossible. D'ailleurs Lapoujade lui-même procède bel et bien par ces allusions figuratives qu'il condamne. Le subtil commentaire qu'est la préface de Jean Hyppolite sauve la situation par une distribution différente des accents.

Prenons comme exemple les conceptions du style. Malraux, polémisant contre de vieux préjugés psychologistes, avait souligné que le style était avant tout création et expression (individuelle ou collective). Merleau-Ponty à son tour attaquait cet objectivisme substantialiste et réduisait le style à la vérité de la perception comme vécu personnel — ce qui est, peut-on dire, une définition caractéristique d'une philosophie transcendantale de la conscience, fût-elle incarnée. Lapoujade et Hyppolite rappellent par contre opportunément la matérialité du tableau. « L'expression transcende son projet de façon toujours inattendue » (Lapoujade[2]); le style,

1. *Op. cit.*, p. 122-123.
2. *Ibid.*, p. 53.

c'est précisément la manière de donner au langage de l'art, avec tous les hasards que cela comporte, une résistance de matière. L'art ne peut pas ne pas aboutir à une présence, à une chose — tout en restant sens dans la mesure où il est commentaire vécu d'une expérience vécue. Que le sens puisse remplir cette présence est une illusion, mais nécessaire, et « qui est précisément la peinture même ». En somme, de même que la phénoménologie tend toujours vers la limite idéale et absurde de l'œil qui se verrait lui-même (la réflexion qui épouserait la conscience), la peinture abstraite et signifiante vit du postulat doublement impossible du sens qui pénétrerait entièrement la présence pure. Ni plus ni moins, disent Lapoujade et son commentateur, que l'illusion du savoir absolu.

*

Ainsi l'art dont nous parlions, s'il cherche à donner des significations définies à ses œuvres particulières, n'échappe à la contradiction que pour se réfugier dans le postulat impossible. Cela tient au fait que toute sa tendance lui commande de dépasser les « œuvres », auxquelles un sens incarné donnerait une inacceptable permanence. Les observateurs, ou du moins la plupart de ceux que nous avons cités (Malraux, Lapoujade, Paulhan, Merleau-Ponty) s'accordent d'ailleurs en effet à constater que l'œuvre n'est plus, aujourd'hui, un achèvement, mais un moment. On peint des séries, non des toiles ; on juge un artiste par son évolution plutôt que par ce qu'il expose [1].

Nous avons employé ici, sans doute pour la première fois dans cet article, le mot juger. Il apparaît (mais ce n'est pas le lieu de nous demander pourquoi) que tout ce qu'a perdu l'œuvre isolée a été reporté sur la série et sur l'évolution ;

---

1. Merleau-Ponty, *Le Langage indirect...*, p. 2128 : « Et quant à ceux des modernes qui livrent comme tableaux des esquisses, et dont chaque toile, signature d'un moment de vie, demande à être vue, " en exposition ", dans la série des toiles successives, — cette tolérance de l'inachevé peut vouloir dire deux choses : ou bien qu'en effet ils ont renoncé à l'*œuvre* et ne cherchent plus que l'immédiat, le senti, l'individuel, l' " expression brute " comme dit Malraux, — ou bien que l'achèvement, la présentation objective et convaincante *pour les sens* n'est plus le moyen ni le signe de l'œuvre vraiment *faite*, parce que l'expression désormais va de l'homme à l'homme à travers le monde qu'ils *vivent*, sans passer par le domaine anonyme *des sens* ou de la Nature. » — Ni l'explication expressionniste de Malraux, ni l'explication en quelque sorte linguistique de Merleau-Ponty ne tiennent compte du fait, pourtant énoncé au début, que les œuvres inachevées demandent à être vues en série et s'achèvent dans la série.

le jugement critique n'est plus guère possible que devant ces ensembles. Si une toile abstraite n'a pas de sens distinct d'elle-même, sous peine de retomber dans la « référence », la démarche de l'abstrait, ou ses recherches comme on dit, en ont toujours. C'est « l'Informel », selon Paulhan, et non telle ou telle œuvre informelle, qui cerne et éclaire obliquement la réalité menacée par l'idée. On pourrait tenter la suggestion que l'art moderne, qui semble en avoir fini avec les œuvres au sens classique, construit cependant depuis une cinquantaine d'années une énorme et [magnifique cathédrale déroulée dans le temps.

(1963)

IV

Éthique

XXII

LE THÈME DU FOU ET L'IRONIE HUMANISTE

L'image du fou, équivoque comme tant de grands symboles et de projections collectives, est en tout état de cause un instrument d'autocompréhension. Tantôt elle soulève le rire, parce qu'elle présente une sorte de modèle réduit et inoffensif d'une antihumanité exorcisée; tantôt elle invite à la méditation socratique et s'offre aux plus lucides comme un miroir de leur vraie nature. Dans les deux cas — et dans d'autres, intermédiaires — cette figure de l'*indignitas hominis*, obsédante pour les contemporains exacts de ceux qui avaient fait de la *dignitas hominis* la pierre angulaire de leur philosophie, illustre et résume toute une anthropologie qui fut, à la Renaissance, extrêmement actuelle.

Il est aisé de construire l'antithèse schématique : d'un côté, l'Homme des néo-platoniciens, l'herméneute inspiré de la Création, l'être essentiellement libre et lucide, dépositaire par nature de toutes les vérités fondamentales, et capable de les manifester ou de les actualiser par le raisonnement et l'étude, ou par la divination et le vol de l'imagination, ou par l'ascèse, ou encore par l'action pratique; de l'autre côté, l'Homme aveugle, mené par ses besoins, et si fou qu'il ne peut que considérer comme fous tous ceux qui le sont moins que lui.

La ligne de partage entre ces deux conceptions de l'homme ne coïncide nullement avec la frontière entre culture humaniste et culture populaire : d'abord parce qu'il serait fort difficile de tracer une telle frontière, et ensuite parce qu'Alberti, Érasme et Rabelais, entre beaucoup d'autres, ont donné des gages importants à l'anthropologie du fou.

Cependant le développement, l'apogée et le déclin du thème du fou coïncide assez exactement, dans le temps sinon dans l'espace, avec les phases correspondantes de l'histoire de l'humanisme. Notre propos sera de montrer comment l'humanisme assimile le thème du fou, et de mettre en évidence, entre le rire de la sotie et l'ironie du lucianisme, une

continuité révélatrice des progrès d'une forme assez nouvelle
de la conscience de soi.

I. LA LICENCE DU FOU

La production comique du Moyen Age est, dans son écra-
sante majorité, d'une qualité qu'il faut bien appeler barbare;
c'est souvent la simple plongée, accompagnée d'un strict
minimum de précautions, dans un état de licence presque
illimitée ou d'idiotie simulée. On trouve parmi les facteurs
essentiels de ce comique, le non-sens, la gesticulation folle,
l'incohérence, la scatologie, l'obscénité, le pur plaisir d'enfreindre une règle quelle qu'elle soit ou de choquer la sensibilité la plus élémentaire de l'homme civilisé d'alors. Un léger
cadre institutionnel ou symbolique — fête, procession, masque
ou costume, mise en scène parodique — rappelait que ce
débridement « n'était que du jeu », et le maintenait en même
temps dans les limites relativement prudentes; ce n'était
pas assez, en général, pour faire naître une vraie technique
du comique ou pour développer cette superstructure que nous
appelons esprit.

« Faire le fou » est, selon l'explication freudienne, la forme
la plus fruste de la jouissance du rire. Or il semble que le
costume du « fou » médiéval est en effet, au moins partiellement, une imitation du costume obligatoire des aliénés; la
marotte notamment dérive de la massue dont on les armait
comme défense contre les passants qui leur jetaient des
pierres; le crâne tondu, s'il rappelle le bouffon de théâtre ou
mimus calvus de l'antiquité, se rattache encore plus directement à l'usage très répandu dans l'Europe chrétienne (et
encore attesté par de nombreuses locutions dans les langues
modernes) de couper les cheveux des idiots de village. On
ajouta plus tard au costume du fou volontaire des attributs
symboliques ou distinctifs de la profession : les oreilles d'âne,
la bourse à la ceinture, la crête de coq (qui peut cependant
aussi bien dériver du bonnet pointu ou *apex* des mimes
antiques); on insista surtout sur la singularité, le bizarre :
manches inégales, costume bigarré, clochettes, vessie de porc
attachée à la marotte. Il reste qu'à l'origine l'homme qui se
costumait « en fou » semble avoir surtout réclamé par là le
droit de « faire l'idiot » sans contrôle, oubliant la logique et
les convenances.

Les fêtes ecclésiastiques des fous, vraies saturnales du clergé, fournissent plus qu'il n'en faut d'illustrations à l'appui, notamment dans la France du XIIIe au XVIe siècle. C'étaient les grands jours des sous-diacres, qui occupaient alors les stalles de leurs supérieurs dans les chœurs des cathédrales, élisaient leur évêque, parodiaient le service divin en chantant faux et en faisant des sermons grotesques; ils se mettaient des masques d'animaux, se promenaient nus ou se déguisaient en femmes ou en membres de métiers infamants; il leur arrivait aussi d'introduire solennellement dans l'église un âne habillé en prêtre.

Ces explosions de « folie » étaient certainement assez peu contrôlées ou contrôlables. Les interdictions, en tout cas, furent fréquentes, depuis celle de Paris en 1212 jusqu'à celle du Concile de Bâle, en 1435, étendue à toute la France. Leur déclin s'explique en partie par le fait que les tendances qui les avaient fait naître avaient trouvé, surtout au XVe siècle, d'autres expressions et d'autres exutoires : les sotties de théâtre et les bals ou jeux des hommes sauvages.

La grossièreté de ce débridement comique est délibérément « matérielle »; tout lecteur de la littérature burlesque médiévale ou des recueils de farces du type de Till Eulenspiegel est frappé par la place qu'y tient par exemple la scatologie. Dans les dialogues comme celui du sage Salomon et du fou Marcolf (Marcoul), c'est toujours le personnage le plus « terre à terre » qui a les sympathies du rieur. Quand l'humour devient verbal, son ressort habituel consiste en calembours ou métaphores prises à la lettre, comme si l'esprit du fou ne pouvait pas oublier le son du mot ou s'élever à la notion de sens figuré (Eulenspiegel et les sotties françaises du XVe siècle). Il y a comme une révolte de Caliban dans la scène où Eulenspiegel mourant raille et offense sa mère accourue à son chevet. On comprend que la cornemuse du fou soit devenue, pour l'humaniste Sebastian Brant, l'équivalent de l'antique flûte de Marsyas [1] et qu'il l'opposa à la harpe et au luth des gens bien éduqués :

> *Wen sackpfiffen freud, kurtzwil gytt*
> *Und acht der harpff, und lutten nyt*
> *Der ghört wol uff den narren schlytt*

(« Qui se plaît à la cornemuse et y trouve amusement, et ne regarde pas la harpe et le luth, il a sa place sur le traîneau des fous [2]. »)

1. *Nef des fous*, chap. LXVII.
2. *Ibid.*, chap. LIV, *De l'impatience dans l'apprentissage.*

II. L'INSERTION DE L'IRONIE

Il est bien entendu que le Moyen Age connaissait d'autres formes de comique que ce gros rire du laisser-aller et de l'inconvenance ; le *Roman de Renart*, la *Farce de Maître Pathelin* et beaucoup de fabliaux présentent à la fois une meilleure organisation formelle et une conception plus subtile du comique. Le « point zéro » du risible, le relâchement total de tous les contrôles, est d'ailleurs théoriquement absurde : il faut un minimum de règles simplement pour que le débridement fasse rire, pour qu'il soit « du pur jeu ». Le plus souvent, au Moyen Age, l'office de garde-fou (c'est le cas d'employer ce mot) incombait à la parodie : l'œuvre ou le geste parodiques « contrefont » un modèle donné, et ne peuvent donc pas l'attaquer « pour de bon ». Une sottie du recueil Trepperel, où figure un libraire ou « copiste » de livres, nous apprend que « copier » avait au xve siècle le sens de moquer ; la parodie, qui moque en imitant, place d'emblée la grossièreté choquante ou blasphématoire de ses énoncés sur le plan de la pure apparence. C'est pourquoi même le comique vulgaire des sotties ne va pas sans une technique, primitive évidemment, mais fort élaborée par l'accumulation patiente de ses pauvres procédés ; le coq-à-l'âne et le non-sens étaient souvent le résultat d'un entassement excessif d'allusions et de calembours qui nous échappent.

Freud a montré comment la technique du calembour et du mot d'esprit vise en principe à « faire passer » une marchandise douteuse, qui perd au passage quelque chose de sa réalité. Le plus grossier des fous professionnels du Moyen Age devait encore s'ingénier à imiter l'aliéné mental ou le simple d'esprit, pour pouvoir énoncer impunément ce qu'il avait dans la tête. La satisfaction immédiate qu'il en retirait était payée par une sorte de dédoublement de la conscience : il fallait qu'il fût à la fois l'idiot et le bouffon qui le prend comme masque.

D'un côté le défoulement, la complaisance dans la bassesse ou la bêtise ; de l'autre la vigilance qui utilise le masque ou qui vérifie la fidélité de la parodie : cette dualité, inséparable de ce comique aussi élémentaire qu'il fût, l'empêche d'atteindre jamais le degré zéro, et y introduit nécessairement le premier germe de l'ironie.

On a distingué, d'un point de vue assez extérieur, le fou stupide et le fou sage. Pratiquement, cette classification n'est pas toujours valable : quand un fou grossier comme Marcoul répond insolemment à Salomon et déclenche le rire, il serait difficile pour nous de dire si nous rions de Marcoul ou si nous rions avec lui. Chaque fois que le bon sens d'un vilain triomphe du savoir des docteurs, le sel de l'histoire réside précisément dans le fait que le vilain n'est pas un sage ou un ironiste, mais bel et bien « fou ». Sauf le cas du « fou naturel », c'est-à-dire de l'aliéné ou de l'idiot, dont les rois s'amusaient au même titre que des nains et des monstres (le *Triomphe de Maximilien* gravé par Burgkmair rassemble sur un char les fous naturels et sur un autre les *Schalksnarren* ou fous volontaires), il faut reconnaître à la figure du fou une ambivalence en quelque sorte constitutionnelle : il est à la fois stupide et sage, esclave de ses instincts et spectateur de sa propre conduite. S'il faut classer les personnages, on ne regardera donc pas leur degré d'intelligence, mais le dosage de participation et de détachement qui situe le comique de leurs faits et gestes à une distance chaque fois différente du pur défoulement comme de la pure ironie.

Cela explique un peu pourquoi les hommes de la Renaissance, et plus particulièrement ceux des pays du Nord des Alpes, entre 1450 et 1550, concevaient si volontiers la situation de l'homme dans le monde, ou de l'âme dans le corps, sous le jour essentiellement comique d'une « histoire de fous ». Le monde entier est fou, et le fou a pour nom *Chascun, Elckerlijk, Everyman, Jedermann* — le héros plus qu'à demi enlisé dans une fange où il se complaît, mais luttant désespérément, avec ce qui lui reste de lucidité, pour se dégager et pour garder son contrôle. Quand la Mort demande compte à Everyman, dans la moralité anglaise qui est une des premières de ce type (dernier quart du xve siècle?), l'homme répond :

> *To give a reckoning longer leisure I crave,*
> *This blind matter troubleth my wit.*

C'est, en deux vers, la substance de la doctrine que l'on peut appeler brièvement le platonisme chrétien, et qui constituait alors pour beaucoup de simples croyants, comme pour beaucoup d'humanistes érudits, la vérité intime et essentielle du christianisme.

On a souvent remarqué les liens étroits entre les thèmes d'Adam (ou Chascun), de la Mort et de la Folie. Burdach, tirant un parti démesuré des indications que lui fournissait un célèbre dialogue de l'homme avec la Mort, le *Ackermann aus Böhmen*, les rattachait tous les trois à l'humanisme post-pétrarquien. Il est vrai en tout cas que l'humanisme chrétien, aspirant à éclairer les fidèles et à purifier la foi, se sentait l'allié des auteurs et des prédicateurs qui invitaient à méditer sur la mort, sur le sort commun des hommes, et sur la « folie » de l'attachement à la matière. La connaissance de soi, c'est-à-dire surtout la connaissance de la condition humaine comme telle, était depuis toujours, aux yeux des humanistes, la tâche principale des hommes (« Chascun », notre humanité commune, était un peu, en dehors de l'Italie, le pendant de l'Homme, glorifié par les humanistes du Sud). L'arme spirituelle du fou, l'ironie qui opère le détachement, servait aux moralistes de toute sorte pour dénoncer précisément la folie ou l'aveuglement qui étaient la condition normale de la vie dans le monde. L'ambivalence des désirs de l'âme incarnée répond à l'ambivalence de la folie; le tiraillement est si constant et si commun qu'un *Jeu des fées* représenté en 1561 à Anvers par la Chambre de rhétorique de Bois-le-Duc a pu montrer le Roi des fées guérissant les fous ordinaires par le don de la folie totale. L'humaniste, lui, devait guérir les gens par le moyen contraire.

Tout cela explique suffisamment ce qu'il y a de valable dans la thèse de Burdach. L'auteur de l'*Ackermann aus Böhmen*, un Allemand vivant en Bohême vers 1400, touché par la culture humaniste de la chancellerie de Prague, en contact d'autre part avec les courants wycléfites ou pré-hussites où s'exprimait un désir de religion plus intime et plus éclairée, n'ignorait ni l'ironie estudiantine (il semble avoir connu notamment le *Speculum stultorum* de Nigel Wireker, clerc anglais du XIIIe siècle) ni la piété « moderne » (sa prière finale pour l'âme de sa femme omet les saints intercesseurs ou le Purgatoire) ni, bien entendu, l'obsession de la Mort; cent ans plus tard, à Strasbourg, le prédicateur humaniste Geiler von Kaisersberg, l'ami de Brant, pourra prendre l'*Ackermann* comme texte de ses sermons, comme il l'avait fait de la *Nef des fous*.

Nous aurons à revenir sur le rôle de l'humanisme; il importe d'abord d'insister sur l'association entre la Folie, la Mort et Chascun. Elle implique une vue profondément pessimiste et démystificatrice de l'univers humain. Un des dialogues de Salomon et Marcoul [1] se termine ainsi :

1. Éd. Crapelet, *Proverbes et dictons populaires*, Paris, 1831, p. 200.

> *Por ce het chascun mort*
> *Que nus n'i a déport*
> *Ce dit Salemons*
>
> *Qui se sent vil et ort*
> *De voloir vivre a tort*
> *Marcol li respont.*

Quel chrétien sincère, au xve siècle, ne se sentait pas « vil et ort » (sale)? Au xvie, la *Moria* d'Érasme se vantera d'être seule à maintenir les hommes en vie; s'ils n'étaient pas fous, ils se tueraient.

La Mort elle-même apparaît, dans quelques danses macabres, costumée en fou; non seulement quand elle emporte un Fou désespéré — ce qui n'est que conforme à la loi du genre : la Mort porte le costume de celui qu'elle enlève, elle est « sa » mort — mais parfois aussi lorsqu'elle cherche un chapelain (*Danse macabre* de la Bibliothèque de Heidelberg, imprimée vers 1465) ou une reine (*Danse macabre* de Holbein); le *Triomphe de la Mort* de Brueghel la montre vêtue en fou dans plusieurs scènes épisodiques. Une fois, toujours chez Holbein, le Fou suit docilement et béatement le squelette qui vient pour lui; cet aveugle par excellence ne sait même pas où on le mène.

Même sans qu'intervienne la Mort, les images du monde «fou», telles que nous les donnent les grands ironistes de la Renaissance, sont d'un pessimisme souvent atroce. Les écrits moraux d'Alberti fournissent une sorte de miroir de la folie comme il y en a peu dans la littérature. Ses invectives contre « les hommes » en général sont encore ce qu'il y a de plus supportable, à cause de leur généralité même; les nombreux discours contre les femmes, calqués sur d'innombrables antécédents dans la littérature religieuse ou profane, frappent par leur trop évidente sincérité. Parmi les attaques presque obligatoires chez tout moraliste à la page (contre le clergé, dans le *Pontifex;* contre le luxe « moderne », dans le *De iciarchia*) il y en a quelques-unes qui paraissent dictées par l'impératif de la démystification à tout prix (*Canis,* sur les vices des Anciens) et des critiques où l'amour et le mépris se tiennent la balance égale (sur les philosophes, dans le *Momus*). A la lecture, ce pessimisme universel, la force incisive du trait surprenant, et avant tout une certaine façon douloureuse de concevoir la conscience du bien comme une faible lueur qui erre sans lendemain et sans lieu, apparentent étrangement l'archihumaniste imbu de Lucien à Jérôme Bosch, le peintre provincial nourri de la piété populaire des Windesheimiens et de la désuète mystique rhénane.

C'est généralement à l'aide de grandes parades de fous et par des miroirs universels à la manière médiévale, qu'on amène la conclusion que le monde entier est « renversé » et fou. C'est là peut-être une des principales raisons du succès de la *Nef des fous.* Brant lui-même n'a pas insisté sur une interprétation de sa « nef » comme image du monde ; il est d'autant plus remarquable que ses successeurs ne s'y sont pas trompés. La traduction française par Pierre Rivière (1497, trois ans après l'édition allemande) ajoute au chapitre I ces vers :

> *Je suis des grans folz navigans*
> *Sur la mer du monde profonde*

Josse Bade, dans sa *Grant nef des folles* (1501), fait représenter Ève comme Mère Sotte, et place la Chute sur une nef des fous ramée par des diables ; le platonisme chrétien est souligné par la classification des folies ou vices suivant les cinq sens qui ont leur racine dans Ève (le corps, ou la sensibilité). Cette nef est opposée à celle de l'Église ou du Salut, suivant une idée antérieure à Brant (elle vient d'un sermon anonyme des années 60), mais que l'illustrateur de Brant avait reprise, passant outre les indications de son texte, dans le chapitre « Von falsch und beschiss ».

Qu'il s'agisse de nefs ou barques, de traîneaux ou, comme chez Bosch, d'un char de foin, c'est l'idée de véhicule qui importe avant tout : « nous sommes embarqués ». Selon Brant, nous sommes partis vers le pays de Cocagne, et nous périrons tous avant de l'atteindre. Le seul salut est la sagesse, que l'auteur définit naturellement, dans le chapitre final, comme lucidité : le sage s'interroge constamment sur ce qu'il est et sur ce qu'il fait, et il ne se croit jamais sage (Brant donne le bon exemple en se comptant avec insistance parmi les fous).

La transition est facile, dans le cadre de cette philosophie ou de cette religion, entre le monde comme folie et la folie comme vice. Ce dernier concept est en réalité aussi vieux que le platonisme chrétien ; peut-être faut-il le faire remonter à saint Jérôme qui rendit le premier vers du psaume LII (LIII) par *Dixit insipiens in corde suo*, alors que le sens du mot hébreu *naval* serait *vilain* ou *méchant* plutôt qu'*insensé*. Dans les illustrations de ce psaume, à partir du XIIIe siècle, on représentait souvent l'*insipiens* en costume de fou (H. W. Janson a fait remarquer que l'hostilité des prédicateurs contre les jongleurs de toute espèce a dû être pour quelque chose dans l'assimilation du fou costumé au pécheur par excellence). Dans les psychomachies aux portails des cathédrales, la vertu *Prudentia* devait s'accompagner d'un vice : ce fut une autre occasion de donner à *Stultitia*, la folie, un aspect moral négatif. Les parades de fous comme la *Nef* de Brant devenaient aisément des catalogues de vices; et on s'amusait, dans les écrits sur la folie comme dans les gravures et peintures, à imaginer des « cures » de cette maladie par des opérations tantôt magiques (exorcisme), tantôt symboliques (distillation, crémation), tantôt tirées de la triste pratique médicale qui devait durer jusqu'au xixe siècle : bain glacial et bastonnade (la *Narrenbeschwörung* de Murner, 1512). L'extraction chirurgicale de la « pierre de folie », représentée entre autres par Bosch et par Breughel, participe un peu des trois; elle a l'avantage, pour l'artiste, d'être elle-même une folie, et de situer l'ensemble de l'image sur le plan ironique qui lui convient.

La guérison par excellence de la folie se fait cependant, il faut le répéter, par la connaissance de soi-même; « je m'ignore moi-même » dit, dans le *Elck* de Brueghel, le fou qui se regarde dans un miroir. Miroirs et lunettes sont depuis l'Eulenspiegel les attributs constants du fou; parfois c'est lui-même qui les offre en vente, suivant sa fonction d'ironiste. L'aveugle apparaît souvent en compagnie du fou, ne serait-ce que pour la facilité de la farce, comme dans les histoires d'Eulenspiegel ou de Gonnella; le terrible maître de Lazarillo, trompeur et trompé, n'a pas besoin d'un arrière-plan symbolique pour s'imprimer dans nos mémoires, mais les *Aveugles* de Brueghel sont très clairement une image de l'humanité.

Les deux interprétations de *stultitia* comme condition universelle de l'humanité et comme vice ou maladie à guérir peuvent s'autoriser également du platonisme chrétien, mais elles diffèrent beaucoup sur le plan de l'expression concrète : pour la première, le fou est intuitivement identifié à l'homme commun; pour la seconde, il tend à devenir une incarnation grotesque de l'antihumain. En ce dernier sens, le fou, le bouffon, le nain, l'idiot et le monstre sont tous également les instruments d'une catharsis par le dégoût ou par le mépris. Déjà le Mendiant d'Alberti (dans le *Momus*) sert à cristalliser ces sentiments; le curé Arlotto se vautre dans le déshonneur lorsque, en conversation avec son archevêque, il fait un bon mot sur la fin de son père dans les galères. L'humour picaresque, plus d'un siècle plus tard, exploitera largement cette veine, dans un contexte social qui s'y prêtait davantage (M. Bataillon).

Mais, comme dans le picaresque précisément, l'abandon même à l'ignominie ou aux passions peut constituer une critique de ceux qui s'y abandonnent. L'analyse par H. Hanckel des représentations du fou dans les scènes érotiques ou dans les satires de l'amour à la Renaissance, a montré le personnage grotesque alternativement, ou parfois simultanément, persifleur et persiflé. Il se traîne, en compagnie du singe, derrière Vénus, et il démystifie cependant, par des gloses obscènes, l'amour courtois des jouvenceaux; il aide les filles à voler les vieillards amoureux, et il se fait lui-même dépouiller par elles; il est à la fois l'exemple à éviter et le spectateur non concerné qui énonce la moralité du jeu.

Cette dernière constatation s'applique aussi bien, en dehors du domaine érotique, à tout un genre de fous appelés par Hanckel « médiateurs entre l'image et le spectateur ». Commenter les événements et en tirer la leçon est une fonction du fou aussi ancienne et essentielle que les deux autres, examinées jusqu'ici : servir de miroir à l'humanité et incarner l'infrahumain. Le bossu Ésope, esclave sententieux, objet de la risée universelle et cible de la colère de ceux qu'il démasque, est le premier exemple classique du « fou sage », c'est-à-dire du fou glossateur selon sa variante la plus commune; les clowns de Shakespeare (qui appartiennent par leur « genre », en tant que bouffons de théâtre, au type de la sous-humanité grotesque) donnent au fou glossateur sa forme ultime et inoubliable.

Dans les termes qui servent de cadre à notre classification des fous (la polarité licence volontaire - détachement ironique), le fou glossateur intervient comme celui qui éveille les autres et leur fait « prendre conscience ». S'il vient avant le fait, il avertit (*Der Warner Narr* est le titre d'une feuille volante politique de Hans Sachs, 1543); s'il vient après coup, il tire la leçon. Le fou du roi est traditionnellement conseiller du roi, et souvent son meilleur conseiller; plus généralement, dans les confrontations avec les sages de profession, c'est lui qui triomphe, parce qu'il est le plus éveillé. Le sage ne peut faire autre chose, finalement, que de s'avouer fou.

Il est facile d'illustrer par des exemples les différents aspects de ce troisième type de fou. Dès que les fous des rois furent autre chose que des idiots grotesques, on leur prêta le courage de dire à leurs maîtres des vérités que tout le monde cachait

(Gower, *Confessio amantis*, 1390) et on leur attribua des conseils de prudence merveilleuse (Kuoni von Stockach mettant en garde Léopold de Habsbourg avant la campagne contre les Suisses, terminée en 1315 par la défaite de Morgarten). Dans la tragédie latine autour de 1540, le thème fréquent de la mort de saint Jean-Baptiste permet d'assimiler discrètement aux fous traditionnels le prophète qui crie la vérité à Hérode. La polémique religieuse ou politique utilise largement le thème du fou qui, comme les enfants, parle vrai : Murner vient, en fou, livrer bataille au *grossen lutherischen Narren;* Skelton prend le masque du grossier vilain Colyn Cloute pour dire ses quatre vérités au cardinal Wolsey. Plus d'une fois, le fou apparaît dans les décorations symboliques des Palais de Justice.

Le fait un peu paradoxal que l'on ait prêté à l'être humain le plus vil et ridicule le dernier mot et le plus sage sur les affaires d'État, de justice et de morale, s'explique aisément par le crédit mélangé que l'on accorde aux démystificateurs. Le fou ne croit pas à l'honneur chevaleresque ou militaire (ses conseils politiques seront de paix, d'économie, de protection des pauvres); il se moque des dignités sociales et, plus que de toute autre chose, des prétentions des savants. Il s'acharne contre les illusions que produit la beauté, surtout celle des femmes, et contre le piège des sentiments nobles. Il est toujours un peu Sancho Pança, le fou glossateur qui accompagne le « fou naturel » Don Quichotte. Rien de plus logique que de le représenter dépourvu de toutes les qualités dont il dénonce la vanité trompeuse : c'est pourquoi Marcoul est si laid, grotesque et mal embouché. (A l'origine, ce contradicteur de Salomon étant probablement un roi païen qui finissait par se convertir, ou un démon vaincu par le sage. Il devint plus tard le fou triomphant, un peu comme les diables du théâtre religieux finissaient en bouffons et en clowns : l'Adversaire de l'ordre, défait et contraint de s'accommoder du mépris dont on le couvre, prend par là même sa revanche sur le plan du rire.)

Très significatives de l'humour du fou démystificateur sont les histoires et farces du type du conte d'Andersen sur le nouveau costume de l'Empereur. Au xve et au xvie siècle, elles étaient largement répandues et prêtées à des fous insignes comme le prêtre Amis ou Till Eulenspiegel : il s'agissait notamment de peintures invisibles à tous ceux qui n'étaient pas de naissance légitime; mais on peut aussi bien classer sous cette rubrique l'astuce des montreurs de reliques, qui

prétendaient n'accepter que les offrandes des femmes honnêtes.
Till joue un joli tour de démystification aux citoyens de
Magdebourg rassemblés pour le voir voler du haut du toit
de la mairie : « Vous êtes tous plus fous que moi, leur disait-il,
car si l'un de vous m'avait dit qu'il savait voler, je ne l'aurais
pas cru. »

C'est par des moyens de cet ordre que le fou humilie les
sages de ce monde, y compris naturellement les docteurs et
les théologiens. La *Nef des fous* abonde en discours contre
l'érudition et la « curiosité » du savoir livresque ou autre [1];
on a noté, au chapitre LXVI, dirigé contre les voyageurs,
une mention des fous qui partent sur leurs vaisseaux pour
prouver que la terre est ronde; passage qui a son intérêt,
puisqu'il est écrit en 1494. Le premier chapitre, *Von unnutzen
Buchern*, présente l'auteur en *Buchernarr*. Cette idée, qui fit
fortune et devint un lieu commun de toute la littérature du
fou, ressemble plus à une confession publique qu'à un véritable trait d'auto-ironie. Brant ne condamne pas ce qu'il est
en train de faire — chercher des satisfactions illusoires dans
la lecture et la rédaction de livres — mais s'accuse d'un défaut
tout extérieur, aisément corrigible, et d'ailleurs déjà ridi-
culisé par Lucien : celui de posséder des livres qu'il ne lisait
pas. Le socratisme de Brant et de ses imitateurs est trop
moralisateur pour déboucher directement sur la vraie ironie
d'un Érasme.

III. L'IRONIE HUMANISTE

Un certain sentiment de l'opacité du réel et de la primauté
absolue des choses et des situations qui sont ce qu'elles sont,
règne au XVe siècle sur toutes les formes du naturalisme
artistique et littéraire, sur la philosophie nominaliste et, dans
le domaine religieux, sur la conception doloriste et dramatique
de la Passion et sur l'impératif obsédant de la méditation
de la mort. Tout ce complexe est essentiellement populaire,
et un schématisme trop commode a fait parfois qu'on l'oppose
à la fois à l'évasion rêveuse et courtoise du gothique international et à la dignité idéaliste et formaliste de l'humanisme.
En fait, la culture humaniste, loin de s'opposer au fonds
commun de ce que l'on peut appeler la culture populaire

1. Chap. I, 27, 110-112.

s'est efforcée, surtout dans les pays du Nord, de l'adopter et
de la prolonger. Un Érasme partage infiniment plus d'idées
et de sentiments avec les petites gens de son époque, qu'un
Duns Scot avec ceux de la sienne. On sait comment l'humanisme a prêté sa dignité aux sentiments nationaux et aux
langues vulgaires, comment il a transformé sans trop de
heurts la piété simpliste du type windesheimien en religion
éclairée et « philosophie du Christ » (l'hostilité aux scolastiques
et au « pharisaïsme » des rites a pu servir de facteur commun);
nous avons suggéré plus haut une parenté entre l'Adam ou le
Chascun de la philosophie religieuse des bourgeois du Nord
et la *dignitas hominis* des humanistes italiens; il est plus aisé
encore d'établir un parallèle et parfois une continuité entre
la littérature populaire du fou, sage ou non, et le lucianisme
d'Alberti et d'Érasme.

Professionnellement, comme pédagogues, vulgarisateurs,
polémistes, hommes de lettres, souvent aussi comme prédicateurs, les humanistes étaient, beaucoup plus que la moyenne
des doctes des universités médiévales, en contact avec un
public assez large dont ils apprirent à connaître et à imiter
au besoin les habitudes mentales. (Leur versatilité peut parfois
nous surprendre, comme lorsque nous apprenons qu'Élias
Levita, le cabaliste qui enseigna l'hébreu au cardinal Gilles
de Viterbe, traduisit d'autre part le plus inepte et « merveilleux » des romans chevaleresques italiens, Bovo d'Antona,
en stances judéo allemandes « à l'usage des dames » de sa
nation.) Dans le domaine plus particulier des farces et de la
littérature comique, l'élite culturelle et le bon peuple ignorant
se trouvaient d'emblée rapprochés par la tradition des jeux
d'étudiants ou des fêtes de fous à l'église jusqu'à la fin du
xvie siècle; les milieux les plus avancés de l'humanisme
littéraire des Pays-Bas, les Chambres de rhétorique, compo-
saient et jouaient des moralités suivies de sotties (*sotternies*)
représentées par des acteurs en costume de fou.

Il se comprend donc, après tout, que la lecture simultanée
d'une œuvre lucianesque italienne et d'un recueil de sotties
françaises révèle constamment des analogies — que le *Momus*
d'Alberti par exemple fait songer tantôt aux « sots qui corrigent le *Magnificat* » dont le prototype était Me Aliboron,
tantôt au Dando Mareschal du recueil Trepperel. Momus à
la table des dieux, amusant Jupiter par des paradoxes,
rappelle bien les parasites anciens, mais plus encore, surtout
dans son rôle de conseiller, les traditionnels et légendaires
fous des rois.

Si les occupations professionnelles et les habitudes du milieu rendaient les humanistes ouverts à la culture populaire et en particulier au comique de la « folie », l'adoption du thème du fou était aussi, chez eux, une question d'idéologie, plus exactement de « platonisme chrétien ». Une fois du moins, dans le chef-d'œuvre du genre, l'*Éloge de la folie*, cela a été très clairement expliqué. Nous avons souligné que le fou comme image de l'humanité et le monde comme gigantesque folie ne se comprennent que dans cette perspective. L'*Encomium Moriae* présente bien la folie comme force motrice et conservatrice de tout notre univers matériel; un dessin de Holbein, dans les marges du volume, coiffe le Christ lui-même d'un bonnet de fou, parce qu'il s'est incarné. Le texte enferme un raisonnement plus subtil : si le monde entier est fou, la conduite folle devient normale, et celui qui s'en écarte est doublement fou; d'où la conclusion « platonicienne » suivante :

Age doceamus et illud, felicitatem Christianorum, quam tot laboribus expetunt, nihil aliud esse quam insaniae stultitiaeque genus quoddam... Iam primum illud propemodum Christianis convenit cum Platonicis, animum immersum alligatumque esse corporeis vinculis, huiusque crassitudine praepediri, quo minus ea quae vere sunt contemplari fruique possit. Proinde philosophiam definit mortis meditationem, quod ea mentem a rebus visibilibus ac corporeis abducat, quod idem utique mors facit. Itaque quamdiu animus corporis organis probe utitur, tamdiu sanus appellatur. Verum ubi ruptis iam vinculis, conatur in libertatem asserere sese, quasique fugam ex carcere meditatur, tum insaniam vocant. Id si forte contigit morbo, vitioque organorum, prorsus omnium consensu insania est. Et tamen hoc quoque genus hominum videmus futura praedire, scire linguas, ac literas quas ante nunquam didicerat, et omnia divina quiddam prae se ferre [1]...

Avec la ravissante ambiguïté de ses propos et la hauteur de son ironie, l'*Éloge de la folie* se rapporte à ses prototypes populaires à peu près comme l'*Orlando furioso* aux *Reali di Francia*. Il n'est pas possible, à un homme cultivé du début du xvie siècle et à un humaniste moins qu'à tout autre, d'oublier le long entraînement au pastiche qui constitue en fait l'essentiel de son éducation. L'humaniste était chez lui dans deux cultures différentes, l'antique et la chrétienne, et, à la différence des doctes du Moyen Age, il savait qu'elles

1. Éd. Froben, 1532, p. 316. Trad. française E. Renaudet, *Œuvres choisies*, Paris s.d., p. 147.

étaient différentes. En résultait, pour lui, un élargissement insoupçonné de la conscience, et l'aube du « sens historique » relativiste. Du point de vue purement littéraire, il lui était possible de passer du cicéronianisme à l'imitation de Plaute ou à l'exercice scolastique « parisien »; la fameuse versatilité des rhéteurs et sophistes antiques était certainement moindre que la sienne. Qu'on lise par exemple, dans le *Momus*, les trois discours successifs sur l'existence des dieux : celui du philosophe athée, inventé par Momus; puis la prétendue réponse de Momus, qui contrefait le zélateur ignorant et adversaire des philosophes; enfin la défense de la philosophie par Hercule. Le *Momus* tout entier est un recueil de pastiches parfois éblouissants : le raisonnement naturaliste et médical de Démocrite disséquant un oiseau à côté d'Apollon qui dissèque un oignon pour faire l'Héraclite; tout de suite après, le dialogue de Socrate avec le savetier; au livre suivant, l'entretien lucianesque de Charon avec Gélaste. Tout cela est à trois ou quatre sens simultanés; et il y a encore le discours au peuple de Momus exilé, devenu stoïcien révolutionnaire; et l'aventure, dans le style d'Apulée, des brigands qui attaquent un philosophe et sont mis en fuite par la statue d'un dieu, cachée dans une grotte. L'ironie est si multiple qu'elle empêche naturellement les conclusions, et il n'est pas étonnant que ce traité de politique soit en fin de compte extrêmement conservateur. Alberti, qui a été défini comme le premier théoricien de la morale bourgeoise (Sombart), semble désirer un souverain fort, régnant avec autorité sur un peuple pieux et obéissant.

La nouveauté des « folies » humanistes n'est en tout cas certainement pas du domaine de la morale pratique, mais consiste, du moins chez les meilleurs, dans le développement très riche du germe d'ironie contenu nécessairement dans toute la littérature populaire qui lui servit de modèle. L'idée même d'ironie semblait pourtant, à l'époque, d'un raffinement intellectuel extrême dont seuls les gens très cultivés étaient capables. Le témoignage de Thomas More sur l'effet produit par les *Epistolae virorum obscurorum* est sans doute exagéré, mais malgré tout révélateur[1] :

Epistolae Obscurorum Virorum operae precium est videre quantopere placent omnibus, et doctis ioco et indoctis serio, qui, dum ridemus, putant rideri stilum tantum; quem illi non defendunt, sed gravitate sententiarum dicunt compensatum et latere sub rudi vagina pulcherrimum gladium. Utinam fuisset

1. Lettre à Érasme du 31 octobre 1516; éd. Allen, n. 481, t. II, 372.

inditus libello alius titulus ! profecto intra centum annos homines studio stupidi non sensissent nasum quamquam rhinocerontico longiorem.

More s'amuse à l'idée que la postérité pourrait se méprendre un jour sur l'intention ironique de Crotus et de Hutten! Ce philosophe éclairé n'avait manifestement pas la foi rationaliste dans le progrès. Mais il confirme du coup la constatation que l'évolution des formes du comique a été, dans l'Europe chrétienne, très lente et que l'ironie a dû être réinventée peu à peu par les humanistes — sous l'influence, sans doute, du moqueur Lucien beaucoup plus que sous celle de l'ironiste Platon.

La grande entrée de Lucien dans la culture humaniste s'est faite autour d'Alberti, qui reçut la dédicace de deux des premières traductions latines (celle du *Sacrifice* par Lapo da Castiglionchio en 1436, et celle de l'*Éloge de la mouche* par Guarino en 1440). On sait les dettes d'Alberti à Lucien, et comment l'*Intercoenale Virtus* a pu passer longtemps pour une œuvre du sophiste antique. Une deuxième vague de lucianisme fut contemporaine d'Érasme et apparut dans son cercle : Érasme, More et Pirckheimer le traduisirent, Érasme encore et Hutten écrivirent des *Colloques* lucianesques. Si l'on veut se rendre compte des étapes de la découverte de l'ironie, il suffit de comparer un écrit de niveau encore populaire, comme la *Nef des fous*, avec l'humour d'Alberti et avec celui d'Érasme.

Brant, malgré sa date tardive, peut servir de point de départ. La folie du monde est pour lui un objet de sermon plutôt que d'ironie; l'auto-ironie elle-même n'est qu'un exemple édifiant d'examen de conscience. Hanckel a souligné justement l'opposition diamétrale avec Érasme, ne serait-ce que sur ce point capital : pour Brant, c'est la sagesse qui mène le monde, et pour Érasme la folie.

Alberti ne parle pas à la première personne, mais sa position est bien plus complexe et donc plus ironique. L'exemple de Ménippe lui inspire le fameux éloge du mendiant, littérairement peut-être sa plus belle page (*Momus*, liv. II) : comme le cynique et comme le fou, le mendiant est libre; il s'accommode du mépris de tous, et le rend bien à ceux qui le méprisent. Son « art », dont les principes ont l'évidence immédiate des raisonnements géométriques, le met au-dessus de toutes les circonstances, des tyrannies et des catastrophes publiques; il ne souffre même pas — ce qui est unique, et Jupiter en

devient tout pensif — de l'envie de ses collègues. Il dort
en plein jour, en place publique, les fesses à l'air : quel roi
oserait en faire autant?

L' « éloge » est ironique à moitié. Dans le *Della famiglia*, un
des interlocuteurs prêche bien le mépris des charges publiques
et des « honneurs »[1] mais reçoit une réponse modérée et raison-
nable. Le patricien Alberti ne peut pas admettre, malgré toute
son admiration pour Lucien, la pauvreté du cynique et son
dédain de la civilisation; il lui arrive de tourner la moquerie
lucianesque contre Diogène, présenté en malotru coléreux.
Mais qui croire? Sur la question du cynisme, comme sur celle
de la philosophie en général, Alberti se borne à renvoyer les
adversaires dos à dos; et même le platonisme chrétien, qui est
pourtant la base de toute conception de la folie et de la sagesse,
peut être révoqué en doute, dans le discours de l'athée (*Momus*,
liv. II) : si la mort est un si grand bien, pourquoi les dieux
n'en ont-ils pas voulu pour eux-mêmes?

La satire antiphilosophique d'Alberti est encore dans la
tradition du théâtre comique ancien (et nullement dans celle
des zélateurs chrétiens); mais Érasme l'installe dès le début
dans l'ironie pure et désincarnée. *Tot enim undique Stultitae
formis abundat [vulgus]... ut nec mille Democriti ad tantos
risus suffecerint : quamquam illis ipsis Democritis rursum alio
Democrito foret opus...* La position du moqueur est d'avance
sapée par sa propre logique. Une nouveauté d'Érasme, par
rapport au genre des Éloges comiques auquel il rattache sa
Moria, est de faire parler la Folie à la première personne;
ainsi nul ne sait si ce qu'elle blâme n'est pas, en fait, loué par
l'auteur (Érasme indique cette possibilité dans sa Préface),
et si son éloge en est vraiment un; en fait, la Folie se décrit
elle-même comme source de tous les vices, mais aussi de la
religion la plus pure, ainsi que de la grossière superstition
du peuple.

C'est par une lucidité croissante, une série de réflexions et
de détachements successifs, que le gros comique de la licence
volontaire s'est transformé en ironie et en auto-ironie, jusqu'à
approcher ce point de contradiction intime qui est le propre
de la conscience pure, du *cogito*. Il y a une possibilité extrême
où l'ironie n'est plus que la présence d'une conscience — présence dont le signe est, comme on sait, le sourire. Pour Brant,
la donnée initiale indiscutée était l'auteur avec sa librairie
et son public à éduquer; pour Alberti, tout pouvait être mis

1. Éd. F. C. Pellegrini et R. Spongano, Florence, 1946, p. 340-349.

en question, sauf les deux tentations contraires qui caractérisent son personnage, la dignité philosophique et la dignité bourgeoise; chez Érasme, rien ne subsiste en dehors du sourire.

Il convient encore d'indiquer expressément quelques limites de la portée de cet essai :

— L'autocompréhension dont témoigne le comique du fou à la Renaissance (et qui se résume, pour l'essentiel, dans l'idée du platonisme chrétien) ne vaut que pour un secteur particulier de la pensée humaniste et de la vision populaire du monde; le néo-platonisme, pour ne citer que lui, implique une anthropologie assez différente et d'autres principes d'herméneutique.

— L'analyse qui précède s'appuie essentiellement sur les niveaux du comique ou de la conscience dans le comique. Elle ne concerne ni la valeur artistique ou littéraire des œuvres envisagées (on peut faire du grand art avec un comique très grossier, comme le prouve l'exemple du *Lazarillo*), ni les procédés, la narration, etc. Il est tout à fait possible de soumettre les mêmes œuvres à une analyse différente, qui aboutirait à des conclusions d'un autre ordre sur l'image de l'homme qu'elles renferment; les profondes remarques de Burckhardt sur la moquerie, et par exemple sur la différence entre Gonnella et Eulenspiegel, illustrent cette possibilité.

— Enfin, la polarité et la solidarité entre conscience enlisée et conscience détachée, ou entre farce et ironie, si elle nous semble essentielle pour caractériser le comique du fou, ne doit pas être considérée pour autant comme constitutive du rire en général; un essai de l'appliquer à d'autres aspects du rire nous obligerait très vite à abandonner ou du moins à modifier sensiblement les termes de cette analyse [1].

(1963)

1. Les idées directrices de cet article sont pour la plupart ébauchées dans A. Chastel et R. Klein, *L'Age de l'humanisme*, Bruxelles, 1963. Je pense, ou du moins j'espère, que j'ai le droit d'attribuer au professeur Chastel la paternité de plusieurs parmi les thèses que j'expose ici.

M. Johannes Langner a attiré mon attention sur la thèse inédite de H. Hanckel, *Narrendarstellungen im Spätmittelalter* (Fribourg, 1953; l'exemplaire dactylographié a été mis à ma disposition par le professeur W. Sauerländer). J'ai fait ici un très large usage de ce travail substantiel et consciencieux.

Je dois à M. Schlanger la remarque sur le début du psaume LII (LIII) et sa traduction dans la Vulgate.

Je suis enfin particulièrement heureux d'avoir pu exprimer ici des vues qui me semblent proches de celles du professeur E. Castelli au sujet du Fou et de « Chascun » dans l'humanisme de la Renaissance.

XXIII

PENSÉE, CONFESSION, FICTION

Une philosophie qui consisterait à chercher inlassablement des solutions à des problèmes qui ne se sont guère renouvelés depuis qu'elle a obtenu son statut, ne se distinguerait de la science que par sa futilité. Mais on n'y croit plus guère; il faut que la philosophie se dépasse, sous peine de ne pas être elle-même. Or on n'a trouvé, depuis le temps qu'on y songe, que deux dépassements possibles, la subjectivité et l'histoire.

Dans l'une et dans l'autre, la pensée philosophique s'abolit, comme la théologie dans la foi du charbonnier, comme la poésie dans le silence, le roman dans le journal du roman, et la morale repensée *ab initio* dans la sagesse conformiste. Mais le danger est évident. Que reste-t-il d'une esthétique « historisée », si l'histoire, comme un rayon de bibliothèque, classe les directives de Jdanov sous la rubrique *critique d'art?* La facticité risque d'engloutir la philosophie devenue constat : « ceci s'est passé », ou bien : « je suis ainsi ». Pour une discipline qui se dépasse, toute chance de se sauver réside dans le succès de l'opération simultanée et réciproque : transformer en elle-même ce en quoi elle s'abolit; faire que l'histoire tout entière devienne philosophie (l'idéalisme); faire que le silence soit poésie, parce que c'est un poète qui renonce à l'écriture. Si la théologie se dépasse vraiment dans la foi enfantine, c'est la foi qui devient théologie.

Des philosophes contemporains voient leur tâche définie par cette possibilité : faire fructifier le suicide de leur discipline. Pour nous en tenir au « dépassement » dans la subjectivité : il faut que la pensée soit devenue confession, mais que ce qui est confessé soit, à sa manière, théorème et non exemple « particulier » illustrant un théorème « universel ». La solution ne se trouve pas, bien entendu, par une synthèse mythique ou savante de l'universel et du particulier, mais par une redéfinition de la vérité; il ne suffit pas de déclarer rationnel tout ce qui est, pour que le journal vraiment philosophique soit possible, mais il suffit d'admettre que « être vrai », c'est « se manifester »; dès lors, le journal est en principe une manière valable de découvrir l'essence.

Ce postulat a conduit l'existentialisme fort loin. Ici, un corollaire seulement importe : que la manifestation de la vérité subjective n'est pas un monologue quelconque, mais un monologue d'acteur. Être vrai, c'est tenir un rôle (tout ce qui est vrai se montre sur la scène du monde); à peu de chose près, on dirait, qu'être vrai, c'est être fictif.

Depuis Descartes (*larvatus prodeo*) tous les philosophes dont la pensée est un journal camouflé ou non, vivent en essayant des personnages. On se rappelle le dialogue de Jean-Jacques avec Rousseau, les pseudonymes de Kierkegaard, les porte-parole mythiques de Nietzsche; il y a des fictions plus cachées, des rôles plus discrètement adoptés — et ce n'est pas à Descartes qu'il aurait fallu remonter, mais à Platon ou à Augustin.

Quand, par le Journal, la pensée philosophique se dépasse à la fois dans la subjectivité et dans l'histoire, elle ne peut se maintenir que par la fiction. Seule la fiction peut « manifester » ou rendre « patente » l'essence, et éviter l'écueil de la facticité pure; sa vérité immanente est la justesse de ce qu'elle voit et de la manière dont elle le dit.

Chez certains auteurs, naturellement, l'invention d'un personnage ne sert que d'écran et frise l'allégorie ou l'affabulation — ce sont, respectivement, le risque du mythe « moralisé » (Platon) ou celui de la dramatisation schizoïde (Kierkegaard); mais prenons un cas difficilement contestable, où la pensée subjective, au bout de ses dernières conséquences, est devenue poésie, et la poésie silence : et voyons ce que la *Saison en enfer*, qui raconte tout cela, doit au « masque ».

Il ne peut pas être question de faire ici une exégèse motivée de la *Saison;* un résumé, forcément attaquable comme tous les essais de traduire Rimbaud en schèmes conceptuels, doit fournir tant bien que mal le point de départ :

« Livre païen » ou « livre nègre » sont les noms donnés dans la correspondance de Rimbaud à ces « quelques hideux feuillets de [son] carnet de damné. » C'est l'histoire d'un exclu, d'un réprouvé, plutôt que celle d'un damné au sens propre et juridique du mot : « Je suis de race inférieure de toute éternité. » Il est voué par prédestination à voir se fermer devant lui les portes de la Cité de Dieu; il ne lui reste qu'à essayer en vain et inlassablement les issues et les trois ou quatre raisons d'espérer.

L'une serait que l'Évangile ne vaut pas pour lui : « Prêtres, professeurs, magistrats, vous vous trompez en me livrant à la justice. Je n'ai jamais été de ce peuple-ci; je n'ai jamais été chrétien [...] je n'ai pas le sens moral; je suis une brute : vous vous trompez. » Mais la réponse est déjà là : « Je suis l'esclave de mon baptême. Parents, vous avez fait mon malheur et vous avez fait le vôtre. » « J'avais été damné par l'arc-en-ciel. »

Un sophisme contraire prétend que sa conscience d'être pécheur, son humilité, seraient les signes mêmes de son élection : « Je suis une bête, un nègre. Mais je puis être sauvé. Vous êtes de faux nègres, vous maniaques, féroces, avares... » C'est une illusion, et Rimbaud le sait : « Suis-je trompé? la charité serait-elle sœur de la mort pour moi? — Enfin, je demanderai pardon pour m'être nourri de mensonge. Et allons [1]. »

Autre espoir, le salut gratuit : « J'ai reçu au cœur le coup de la grâce. Ah je ne l'avais pas prévu! » Trop souvent anticipé en imagination, il ne pourra pas venir. « Farce continuelle! Mon innocence me ferait pleurer. La vie est la farce à mener par tous. »

La dernière solution, la plus radicale, consisterait à nier la « justice » céleste, au nom du bon sens, puisqu'elle est injuste. Mais ici se dresse l'obstacle le plus singulier, le fait que la faculté même de raisonner lui reste fermée parce que, avec tout le siècle des lumières qui en use et toute la bourgeoisie de Louis-Philippe à M. Thiers, elle est « chrétienne » : « M. Prudhomme est né avec le Christ. »

Car lorsque Rimbaud parle de l'Évangile, de Dieu ou de la Grâce, c'est toujours un peu par métaphore; il entend tout l'Ordre dont il est exclu, science, travail, démocratie, morale, au même titre que religion. Son Procès est aussi général et son Château aussi présent que l'autre, bien qu'il n'y réagisse pas de la même manière.

La *Saison en enfer* est donc la situation d'un réprouvé, pensée par un réprouvé; et toute cette pensée se réduit à

---

1. Ce passage, qui répond ironiquement à un vers d'un poème d'enfance : « O mort mystérieuse, ô sœur de charité », se rapporte, il est vrai, à une autre illusion de « mage ou ange », l'art; mais il s'agit précisément de la poésie en tant qu'état de grâce. Des textes plus probants, mais trop longs pour être cités, abondent ailleurs; par exemple tout le début du chapitre « Nuit de l'enfer ».

l'histoire des tentatives d'évasion, aux anticipations de tous
les saluts possibles. Le livre n'est pas composé; il rappelle
plutôt le vol d'une mouche dans une bouteille. On s'attendrait, par conséquent, à le trouver tout près de la confession
pure, du « journal » non philosophique. Pourtant, ses
« feuillets » n'ont rien d'une suite, et on ne les imagine pas
portant des dates successives; ce sont plutôt des aspects
d'une même chose, des facettes d'une pierre qu'on s'efforce
d'imaginer entière. Il y a quelque chose, dans ce récit, qui
semble rétrospectif, presque a-temporel. « Quelques petites
lâchetés *en retard* », dit Rimbaud; est-il déjà plus loin, et
où est-il, en les écrivant?

Lorsque, en guise de solution, Rimbaud abandonna la
poésie, il s'est « rangé » d'une manière si radicale et féroce
qu'elle ressemble plutôt à une autopunition; Aden, le lieu
où il a fini par se fixer, est certainement, de tous ceux qu'il
avait connus, le plus infernal. Coup de grâce ou non, il a
mené son embourgeoisement comme un saint sa mortification.
C'est dire qu'il ne s'est pas « converti » à l'Ordre, mais qu'il a
choisi l'Ordre comme la dernière phase, l'autodépassement
logique, de sa position hors la loi.

Mais malgré l'apparence littéraire, la *Saison en enfer* n'était
pas, historiquement, un adieu à la littérature; il est établi
que Rimbaud a encore écrit, plus tard, quelques *Illuminations*
(sans parler de la publication, par ses soins, de la *Saison*, et
même d'un achat de Gœthe et de Shakespeare : les historiens
ont toutes les preuves contre le relaps). Ce n'est même pas
un adieu à la vie vagabonde : dans les années qui suivirent,
Rimbaud voyagea plus que jamais, et il commit, dans les
Tropiques, l'acte antibourgeois par excellence, une désertion.
D'où vient alors ce caractère définitif d'un livre écrit en pleine
transformation? On le trouve généralement « prophétique »,
et les rêves y ressemblent en effet beaucoup à ce que leur
auteur a vécu ensuite; mais c'est simplement parce que ces
confessions portent en filigrane l'issue, le sens de ce qu'elles
racontent. Et elles ne le peuvent que parce qu'elles ne sont
pas plus des rêves que des récits; ni vraies ni fausses, mais
précisément : fictions.

Le *je* de cette confession n'existe pas; qui est-il? « Sans me
servir pour vivre même de mon corps, et plus oisif qu'un
crapaud, j'ai vécu partout. Pas une famille d'Europe que je
ne connaisse. » Quelques notations biographiques seulement,
comme des leitmotive, reviennent : l'admiration de l'enfant

pour « le forçat intraitable sur qui se referme toujours le
bagne »; l'expérience systématique du « dérèglement de tous
les sens » pour élargir les frontières de la poésie. Les deux seuls
chapitres où l' « absence des facultés descriptives ou instruc-
tives » n'est pas totale, s'appellent précisément *Délires*. (Et
de même, ou inversement, dans la fièvre de sa dernière
maladie, Rimbaud, si l'on peut en croire sa sœur Isabelle,
« mêlait tout — et avec art ».) C'est de toute évidence un être
imaginaire qui raconte sa saison en enfer.

Dès le début, il choisit pour se présenter une galerie
d' « antécédents » rêvés : pèlerin de la Terre sainte, lépreux,
reître, sorcier, il se voit maintenant ou dans l'avenir, forçat,
colon, nègre soumis au baptême quand les Blancs débarquent
(*Mauvais sang*). Il charge Verlaine de le raconter : « C'est
un démon, vous savez, *ce n'est pas un homme.* » « Je voyais
tout le décor dont, en esprit, il s'entourait; vêtements, draps,
meubles; je lui prêtais des armes, une autre figure. Je voyais
tout ce qui le touchait, comme il aurait voulu le créer pour
lui. » « Il n'a pas une connaissance... Il veut vivre somnambule.
Seules, sa bonté et sa charité lui donneraient-elles droit dans
le monde réel? » « Un jour peut-être il disparaîtra merveilleusement; mais il faut que je sache, s'il doit remonter à un ciel,
que je voie un peu l'assomption de mon petit ami » (*Délires
I. L'époux infernal*). Cet artifice est d'ailleurs un des meilleurs
indices de structure du livre et de sa continuelle mascarade :
Rimbaud ne consent à rapporter ses gestes, ses rires, ses mots
qu'à travers le masque de son « compagnon d'enfer »; et ce
compagnon est pourtant encore lui : se confessant, s'impa-
tientant, ébloui par les mirages de son ami (n'oublions pas
que l'art poétique de Rimbaud visait avant tout à s'éblouir
lui-même), assoiffé, allant jusqu'au fond du mépris de soi,
impur et délirant. Littérairement, dans ces pages, Rimbaud
n'existe qu'à travers les yeux de Verlaine, mais ce Verlaine
n'est ici qu'un double — ou plutôt une moitié — de Rimbaud.
C'est l'illustration parfaite du célèbre : « *Je* est un autre. »

Au fond, l'histoire de la *Saison en enfer* pourrait être transposée sur le plan de l'abstraction pure, sous la forme d'une
analyse du « mage ». Au milieu de l'enfer, il est tout-puissant :
« J'ai tous les talents — Il n'y a personne ici et il y a quelqu'un [...] — Veut-on des chants nègres, des danses de houris?
Veut-on que je disparaisse, que je plonge à la recherche de
l'*anneau?* Veut-on? Je ferai de l'or, des remèdes. » Mais cette
magie est solipsiste : « Je m'en tairai : poètes et visionnaires

seraient jaloux. Je suis mille fois le plus riche, soyons avare comme la mer. » Tout tient dans ces mots ; les dons du voyant ne peuvent se partager. Même Verlaine, la vierge folle, n'ose espérer que son ami lui restera, ne sait s'il montera vraiment « à un ciel », et ne lui dit que par bravade : « Je te comprends. » *L'Alchimie du verbe* dessine magnifiquement un des aspects de l'impasse : le délire cultivé mène, de découverte en découverte, au désespoir de la « faim », puis, quand le rideau des formes et des couleurs se déchire, à l'ineffable soleil au cœur des ténèbres : « Enfin, ô bonheur, ô raison, j'écartais du ciel l'azur, qui est du noir, et je vécus [...] De joie, je prenais une expression bouffonne et égarée au possible :

> *Elle est retrouvée*
> *Quoi ? l'éternité.*
> *C'est la mer mêlée*
> *Au soleil.* »

Mais du coup, à cette extrême limite, la beauté, désormais sans forme, et que l'on dit promesse de bonheur, est nécessairement sommée de tenir parole. « Le Bonheur était ma fatalité. mon remords, mon ver. [...] Le Bonheur ! Sa dent, douce à la mort, m'avertissait au chant du coq — *ad matutinum*, au *Christus venit* — dans les plus sombres villes. » Nous n'apprenons rien sur la suite. Énigmatiquement, la page conclut : « Cela s'est passé. Je sais aujourd'hui saluer la beauté. » Est-ce dire que le bonheur est abandonné et la beauté classée, avec quelque sarcasme, parmi les satisfactions imaginaires ? Peut-être.

L'autre « développement » de la notion du Beau est résumé dans quelques lignes de la page liminaire :

« Jadis, si je me souviens bien, ma vie était un festin où s'ouvraient tous les cœurs, où tous les vins coulaient.

« Un soir, j'ai assis la Beauté sur mes genoux. — Et je l'ai trouvée amère. — Et je l'ai injuriée.

« [...] Or tout dernièrement, m'étant trouvé sur le point de faire le dernier *couac*, j'ai songé à rechercher la clef du festin ancien, où je reprendrai peut-être appétit.

« La charité est cette clef. — Cette inspiration prouve que j'ai rêvé ! »

On n'aurait aucune peine à transcrire cet itinéraire (ainsi d'ailleurs que le précédent) en termes hégéliens ; il s'agit bien de moments successifs d'un concept. Mais cette assimilation de la beauté à l'enfance, la révolte parce qu'elle ne se suffit pas, et l'essai, finalement vain, de lui substituer la charité, est aussi toute l'histoire de l'être qui, dans la *Saison*, dit *je* :

l'impossible évasion et l'impossible soumission à l'esprit qui veut que « je » soit en Occident, ne sont que, respectivement, l'échec de la beauté et l'obligation inéluctable de lier la charité et le Christ à M. Prudhomme[1]; et le mot de la fin, quand celui qui s'est dit « mage ou ange, dispensé de toute morale », se trouve « rendu au sol, avec un devoir à chercher », annonce la réduction totale des choses à leur nudité, le congé donné au soleil sans qui elles ne seraient que ce qu'elles sont, et la détermination de se tenir désormais à la vérité « dans une âme et un corps »[2].

On dirait, en somme, qu'une même dialectique régit, dans ce petit livre tranchant et transparent, l'histoire de l'imagination qui culbute dans le réel, celle du réprouvé qui se heurte à la société moderne comme à la Cité de Dieu, celle de la Beauté qui n'est ni le bonheur qu'elle promet, ni la charité qu'elle singe. Un jeu de miroirs renvoie d'un thème à l'autre, si bien qu'à la fin les termes s'effacent devant le mécanisme de leurs transformations. Si, dans la page intitulée l'*Éclair*, on remplace le travail, qui en est le sujet, par la prière, la substitution réussit au point d'engendrer presque une banalité — tant les domaines sont interchangeables à l'égard du jeu qui s'y déroule. Rimbaud est comme Descartes hostile au *distinguo*. Rien d'étonnant à ce que le *je* « historique » soit disparu le premier, derrière un être, ou plutôt plusieurs êtres, créés; la *Saison en enfer* est un livre abstrait.

Le cas est évidemment exceptionnel. L'élément fictif n'intervient pas toujours avec la même nécessité, ni avec le même bonheur, comme lieu de rencontre entre la confession-journal et la pensée a-historique. Il faut tenir compte du fait que l'objet est ici la transformation dialectique de quelques notions — ce qui favorise la forme pseudo-temporelle du récit; que d'autre part la réprobation ne peut être pensée par un réprouvé que si son point de vue est un « extérieur » fictif — d'où les masques; qu'également la contradiction interne ou la fausse position d'un adieu *écrit* à la littérature (ce qui est, en somme, la fausse position de toute littérature comme telle, mais agrandie et rendue plus voyante) entraîne des artifices comme la confession anticipée, l'équivoque entre le plan moral et l'artistique, etc.; qu'enfin, si un fragment autobiographique doit être en même temps une critique de

1. Il faudrait commenter ici trop longuement l'admirable page intitulée *L'Impossible*.
2. Le contexte interdit, il me semble, d'interpréter cette expression autrement que comme la renonciation à l'espoir de retrouver la « clef du festin ancien ».

l'imaginaire, il ne peut être ni récit pur, ni pure méditation. Ces conditions favorables ne sont pourtant pas toutes accidentelles. Par le seul fait du langage, la confession, et surtout la confession de la pensée en train de se faire, est déjà toujours à la fois réflexion abstraite et création fictive. Et si, dans l'histoire personnelle, l'essence ne peut guère être révélée que par l'invention d'un rôle et par le masque forgé, c'est que la vérité est ici *essentiellement* liée à l'artifice. Il nous reste à dire en deux mots pourquoi.

Dans le domaine de la fiction, il n'y a pas vérité, mais *justesse*. Ce terme s'applique, en dehors des créations imaginaires, à des solutions, jugements, mesures, appréciations, expressions, métaphores, images : en somme, le juste, « valable » comme le vrai, le remplace partout où il s'agit non pas de s'installer, par un bond métaphysique accompli généralement à la légère, au cœur de l'objet en soi, mais de constater le rapport entre une expérience et la réponse qu'elle reçoit, invention personnelle dans le cadre d'un système de données « admises ». La justesse est donc, si l'on peut dire, l'objectivité de la décision subjective considérée comme telle. On pourrait se demander si en fin de compte la « vérité » ne serait pas une forme particulière et altérée de la justesse, entachée d'un mauvais préjugé objectiviste; mais il est de toute façon évident, sans plus, que la philosophie acculée à l'histoire subjective ne peut lui prêter d'autre valeur universelle et d'autre moyen d'accès à l'essentiel que la justesse. Or celle-ci, nous venons de le dire, concerne exclusivement des créations humaines. Donc la fiction juste est un des lieux naturels du journal philosophique. *Q. E. D.*

(1959)

XXIV

APPROPRIATION ET ALIÉNATION

I. L'EGO ET SA SPHÈRE

La tradition philosophique lie depuis toujours les idées de permanence et d'identité; la phénoménologie oblige de leur adjoindre comme troisième terme, ou plutôt comme premier, l'avoir.

La permanence originelle est pour Husserl celle d'une évidence dans l'horizon potentiel de l'indéfiniment répétible : « Je peux toujours à nouveau » revenir à cette évidence, la retrouver. *Jede Evidenz stiftet für mich eine bleibende Habe* (*Cart. Méd.*, III, § 27). Toute évidence « fonde » (*stiftet*) en moi quelque chose de permanent, une « propriété » que Husserl appelle *Habitualität* ou, sous l'angle de son exercice, *Habitus*. Avoir reconnu quelque chose, c'est être désormais celui qui l'a reconnue; ayant comme on dit « acquis » une évidence ou une conviction, on a du même coup acquis une « propriété » (IV, § 32). Propriété dorénavant inséparable de la personne, entrée dans sa définition; quand on renie une conviction ou une décision, on a changé, on « n'est plus le même ». « Le moi, dit Husserl, se constituant dans l'auto-genèse active comme substrat identique de propriétés égologiques permanentes, se constitue par la suite aussi comme moi personnel, subsistant et permanent [1]. »

La possibilité de changer ne m'est pas refusée; je peux « barrer » une évidence passée. Mais je ne peux pas barrer le fait d'avoir eu cette évidence, ni, sauf exception, le fait que je sais l'avoir eue. Ma solidarité avec mon passé comporte donc plusieurs plans, dont le plus profond, pratiquement ineffaçable, est celui de l'acquisition passive : le *habitus* qui permet de reconnaître ce que j'ai une fois connu (même si,

---

1. *Indem aus eigener aktiver Genesis das Ich sich als identisches Substrat bleibender Ich-Eigenheiten konstituiert, konstituiert es sich in weiterer Folge auch als stehendes und bleibendes personales Ich* (*Cart. Med.*, IV, § 32).

mieux renseigné, je le reconnais « comme » autre chose).
Ce *habitus* ne concerne pas uniquement, ni même en premier
lieu, des objets individuels ; je m'approprie, dans chaque vécu,
des formes plus générales qui servent de cadre prédonné aux
vécus futurs [1]. C'est ce qui fait l'historicité implicite du vécu,
et ma permanence et identité comme sujet de mes expériences
étalées dans le temps.

Enfin la permanence et identité des objets, dans le monde
« monadique » ou pour-moi, sont également liées à l'avoir, au
habitus : elles correspondent à la possibilité que j'ai de retrouver ces objets identiques, c'est-à-dire à un horizon d'application des cadres fondés par la *Urstiftung* de leur première
connaissance (IV, § 33).

Le fait premier, irréductible et plutôt mystérieux du *habitus*
signifie en somme que la proposition « j'ai » implique « je peux
retrouver », et « je peux retrouver » implique « permanence »
et « identité » aussi bien du moi que des objets. Mais ces relations ne sont réversibles que dans la *Eigenheitssphäre*, dans le
domaine de ce qui est directement corrélatif à ma conscience ;
dans le monde intersubjectif, la permanence et l'identité,
même celles de mon propre passé, ne sont plus liées au fait
que je peux les retrouver : j'ai définitivement oublié une
partie considérable de ce qu'autrui a pu connaître de moi.

Cette ébauche très grossièrement approximative fait apparaître les relations essentielles entre les différents aspects de
l'avoir : l'avoir le plus immédiat, le *habitus*, est « propriété »
constitutive du moi ; mais s'il est vécu, en tant qu'horizon
de possibilités, le *habitus* est « possédé » comme faculté ou
puissance (« j'ai » égale « je peux »). Propriété et possession
apparaissent comme des aspects différents de l'avoir : dans
la propriété, il se rapproche de la qualité, ou même de la
qualité spécifique, et finalement de l'être (c'est ce que traduit,
en allemand, la série *Eigentum — Eigenschaft — Eigenheit*) ;
la possession rapproche l'avoir du virtuel — « en puissance » —
de la possibilité, ou plus généralement du pouvoir (*facultas* ;
en allemand : *Vermögen*). Pour choisir des exemples extrêmes :
les propriétés du triangle rectangle ne sont pas des possessions,
et l'homme en possession de ses facultés n'est pas leur propriétaire.

---

1. En analysant la manière dont les perceptions ou connaissances quelconques renvoient à leurs antécédents, *stossen wir bald... auf eine passive
Genesis der mannigfaltigen Apperzeptionen als in einer eigenen Habitualität
verharrender Gebilde, die für das zentrale Ich geformte Vorgegebenheiten
scheinen, wenn sie aktuell werden, affizieren und zu Tätigkeiten anregen*
(*Cart. Med.*, IV, § 38).

L'ensemble des relations du moi avec tout ce qu'il « a » sous tous ces rapports constitue la *Eigenheitssphäre*, littéralement : « la sphère de ce qui m'est propre » ou de mon *proprium quid ;* Husserl tient ainsi à donner rang prédominant à la dernière et à la plus intime des acceptions de « propriété ».

Mais la cohérence des aspects de l'avoir ne peut être admise sans s'assurer si elle n'est pas contredite par la temporalité et si, d'autre part, elle peut être conservée dans le passage du moi transcendantal au moi empirique.

L'avoir a des caractères temporels : le propre de la *Stiftung* est de créer un passé, c'est-à-dire un en-soi toujours « déjà-là » pour la conscience possédante (sans que cette *Stiftung* ait été l'objet intentionnel d'un présent de conscience : c'est là un des aspects du paradoxe du *habitus,* tant discuté). Si le côté « propriété » regarde ainsi le passé, le côté « possession » regarde le futur : les formes-cadres de la reconnaissance interviennent toujours dans un *Vormeinen* anticipant, et s'il est vrai, comme disait Husserl, que le futur est « le futur de mon passé »[1], le passé n'est capable de ce futur que parce qu'il a fondé les « habitualités » toujours prospectives. D'ailleurs le passé, en tant qu'en-soi possédé, est aussi bien le passé de mon futur : car son existence déjà-là consiste dans le fait que je pourrai y revenir, donc dans la prospection qui l'engage.

Une autre particularité de l'avoir sous l'aspect temporel (particularité liée d'ailleurs peut-être à la première) est la dissociation qu'il opère entre l'identité du permanent ou « objective » et l'identité « historique » ou du vécu. Dans le premier sens, *habitus* et identité forment un cercle analogue à celui de l'intention et de son objet : la possibilité « d'y revenir », par où le *habitus* constitue la permanence, est conditionnée par l'identité du « y » auquel je reviens; et cette identité n'est définissable que par le *habitus* qui la retrouve. Dans le second sens, l'identité est simplement celle de la *Stiftung :* j'identifie celle-ci à travers l'épaisseur du temps, à la « place dans le temps » (*Zeitstelle*) où elle a eu lieu. Alors que l'identité « objective » est toujours complète dans le vécu, par la reconnaissance directe (grâce au prédonné habitualisé) de l'objet intentionnel permanent, l'identification historique est médiate, car on ne pourrait revivre la *Stiftung* comme

1. Ms. C 4, p. 12, cité par G. Brand, *Welt, Ich und Zeit nach unveröffentlichten Manuskripten Husserls,* § 24 (consulté dans la traduction italienne, Milan, 1960).

simplement présente, sans annuler le temps en faisant coïncider présent et passé [1].

Ces deux formes d'identité correspondent à deux formes de solidarité avec mon passé, signalées plus haut : l'identité historique répond à l'ineffaçable, au fait que je suis et serai toujours celui qui a vécu tel moment; l'identité du permanent répond à l'évidence acquise ou à la décision prise, qui m'appartiennent sans doute, mais que je peux barrer (tout comme l'objet permanent peut cesser d'exister). C'est donc une distinction dans l'avoir — ou dans la manière d'avoir les moments de mon temps — qui détermine la distinction dans l'identité; la corrélation avoir-identité reste sauve.

Mais une autre question demeure : jusqu'où va l'analogie entre l'avoir du *habitus* appartenant au moi pur, avec ses deux faces propriété et possession (ou qualité et puissance, ou passé et futur), et l'avoir des « dispositions » et des « traits de caractère » du moi empirique? Les deux plans sont bien distincts; Husserl précise que le *habitus* ou l' « opinion » fondée (*gestiftet*) par une décision ou prise de conscience quelconque appartient au moi pur et ne doit pas être confondu avec les dispositions habituelles de ma personne [2].

En termes généraux, ce qui distingue les deux aspects du moi est, comme on sait, le fait qu'ils sont posés respectivement par l'attitude de la « psychologie pure » et par l'attitude naturelle. Le *habitus* husserlien appartient à l' « âme » telle qu'elle surgit dans l'auto-objectivation de la monade [3]; la disposition et le caractère empirique n'apparaissent que dans une perspective extérieure d'emblée, et possible seulement après le passage au point de vue intersubjectif. Sur les deux plans, il faut manifestement le détour par une objectivation pour que, mis en face de moi-même, je m'aperçoive de mon

---

1. G. Brand, *loc. cit.*

2. Husserl, *Ideen II*, p. 111 sq., à propos des opinions permanentes d'un sujet : *Man kann sie in gewissem Sinne* habituelle *nennen; es handelt sich aber nicht um einen gewohnheitsmässigen Habitus als ob das empirische Subject reale Dispositionen... gewinnen würde. Der Habitus, um den es sich hier handelt, gehört nicht zum empirischen, sondern zum reinen Ich. Die Identität des reinen Ich liegt nicht nur darin, dass das Ich (wieder das reine Ich) im Hinblick auf jedes cogito mich als das identische Ich des cogito erfassen kann; vielmehr : ich bin auch darin und a priori dasselbe Ich, sofern ich in meiner Stellungnahme notwendig Konsequenz übe in einem bestimmten Sinn; jede « neue » Stellungnahme stiftet eine bleibende « Meinung ».* Cependant l'expérience interne peut être directement utilisée pour la phénoménologie comme philosophie transcendantale, puisque le moi psychologique est bien « le même » que le moi transcendantal : Husserl, ms. K III, 1, p. 23-25, cité par Brand, *op. cit.*, p. 99-101.

3. La définition de l'âme dans la psychologie transcendantale pure (*reine Innen-psychologie*) comme *eine in der Monade sich vollziehende Selbstobjektivierung derselben* se trouve dans les *Méditations cartésiennes*, V, § 57.

avoir; cette nécessité se comprend aisément, parce que l'expérience directe du *habitus* impliquerait un avoir de mon avoir, et ainsi de suite à l'infini.

Empiriquement, les traces de toute expérience fondatrice deviennent des dispositions avant de devenir des propriétés : je dispose, pour toute expérience future, des cadres fournis par mes expériences passées, et ce qui s'appelle mes dispositions n'est que la fréquence caractéristique avec laquelle j'emploie ces cadres, ou la tendance préférentielle à les employer. Le passage de ces tendances aux « traits de caractère » s'opère de lui-même, soit par simple approfondissement et invétération (la tendance à prévoir toujours le pire, par exemple), soit par la complexité croissante du passé disponible qui s'étage (ainsi la « disposition » permanente à changer de disposition — ou au contraire à la maintenir — est un « trait de caractère ») [1]. Le premier volet de l'avoir empirique, la disposition — correspondant au *habitus*-possession, puissance, futur — engendre donc naturellement le second, le caractère — correspondant au *habitus*-propriété, qualité, passé [2].

L'unité et la complexité de l'avoir sont ainsi maintenues, même lorsque, par la considération de la personnalité empirique (du moi pour-autrui) nous dépassons le domaine de ce qui m'est propre, la *Eigenheitssphäre*. C'est pourtant dans la *Eigenheitssphäre* que se circonscrit d'abord le moi « ayant », et il faut en compléter la description pour connaître la fonction exacte de l'appropriation.

Je n'ai pas seulement les *habitus* engendrés par mes expériences vécues, j'ai aussi ces expériences mêmes. Dans ma solidarité avec la sphère de ce qui m'est propre, toute expérience « m'enrichit » ou devient élément constitutif (*Bestandstück*) de mon âme. Husserl souligne que cette proposition n'est concevable que dans le cadre de la phénoménologie [3],

---

1. On pourrait développer une objection en partant du fait du caractère hérité, assez difficilement explicable du point de vue phénoménologique. Husserl, qui le traite d' « énigme », semble s'en être aperçu. On n'a pas encore tenté, que je sache, à résoudre ce problème.

2. Ces explications supposent, ainsi qu'il a été dit, que le *habitus* (comme d'autre part, sur un plan différent, la disposition) n'existe que dans et pour une auto-objectivation. La critique d'Ingarden et l'impressionnante construction de G. Funke ont pris une position différente devant l'impossibilité de réduire le *habitus* à un noème. Il me semble que la solution qui lie le *habitus* du moi pur à la disposition et au caractère personnel reste suspendue à l'hypothèse ici avancée : que le *habitus* n'a pas d' « actualité ».

3. Husserl, *Krisis...*, § 72, p. 267 sq. : *Ist... das transzendentale Arbeitsfeld als der totalen und universalen Subjektivität erreicht, dann ergibt sich... dass die Seelen der Menschen mit dem Fortschritt der phänomenologischen Forschung in eine merkwürdige Bewegung ihres eigenen seelischen Gehaltes geraten. Denn jede neue transzendentale Erkenntnis verwandelt sich in Wesens-*

et cela devient évident surtout si l'on fait entrer en ligne de compte le monde, l'horizon dernier de tout vécu. Il est, d'après les inédits [1], le « terrain de la familiarité » (*Boden der Vertrautheit*), par rapport auquel je comprends l'étant; je l'ai, comme référence possible, parce que « je peux » expliciter les expériences particulières, en dépasser les désaccords, par une transcendance dans la direction du monde. J'ai le monde sous la forme d'un « je peux » [2], donc à la limite extrême de l'avoir-possession, et il est pour moi la situation à l'arrière-plan des situations que je suis capable de « réaliser » (l'anglicisme s'impose). D'un point de vue intersubjectif, je pourrais dire que mon monde est le négatif de ma personnalité; demeurant dans la *Eigenheitssphäre*, je peux seulement dire que je me définis par mes expériences et leur horizon-limite.

Le moi n'est concevable que dans le contexte d'appropriations où il se lie à sa sphère « propre », devient en elle étranger à lui-même, mais, du même mouvement, se définit par elle. La différence entre immanent et transcendant s'estompe alors : l'immanence (comme il apparaît notamment dans la temporalisation) n'est que la limite de la transcendance *proche* [3].

II. SITUATION ET TACHE

Le monde comme approprié, dans une *Eigensphäre* qu'il faudrait aussi bien nommer *Vermögensphäre*, implique une solidarité que l'on pourrait définir par la proposition : je suis dans le monde dans la mesure où il m'intéresse. La conscience ou l'état de veille est, aussi loin qu'elle s'étend, présence intéressée; le présent vécu comprend ce qui est sous une forme ou une autre *actuel* pour moi (fût-ce du passé maintenant remémoré) et exclut ce qui n'éveille pas l'intérêt (fût-ce un événement objectivement simultané avec le présent que je vis : le tic-tac d'une montre que je n'entends pas) [4].

notwendigkeit zu einer Bereicherung des Gehaltes der menschlichen Seele... Was in der Menschlichkeit mir verdeckt war, enthülle ich in transzendentaler Forschung...; alles Weltliche hat seine transzendentalen Korrelate, es sind mit jeder neuen Enthüllung für den Menschenforscher, der Psychologen, neue Bestimmungen des Menschen in der Welt. Keine positive Psychologie, die nicht über die schon im Werk stehende transzendentale Psychologie verfügt, kann je solche Bestimmungen des Menschen und der Welt entdecken.

1. Cf. Brand, surtout le paragraphe 4.
2. *Loc. cit.*, § 4, p. 60.
3. *Loc. cit.*, § 19, p. 178 et 180.
4. Sur l'appropriation comme faculté, voir Husserl, ms. C 4, p. 22, que je suis obligé de citer ici d'après la traduction italienne du livre de Brand

Dans une première approximation, l'appropriation de mon monde est en acte, comme sa mise en perspective spatiale (« ici »), temporelle (« maintenant ») et téléologique (« ce qui me concerne »). Mais cette image est très insuffisante : d'abord parce que temps, espace et intérêt ne sont pas les vrais cadres de l'appropriation : il y en a autant qu'il y a d'horizons d'actes de conscience, et il faudrait dire plutôt que toute donation d'un sens est une mise en perspective de l'horizon ou des horizons de ces sens; ensuite et surtout, parce qu'il ne peut y avoir de moi qui, antérieurement au vécu, « déciderait » ou « choisirait » ce qui le concerne et de quel point de vue il veut le vivre et quel intérêt il veut y prendre [1]. Formulé en ces termes, il y aurait là un problème ouvert et insoluble : car expliquer les « choix » de la conscience par la situation objective de la personne « moi » dans le monde, par ses « intérêts » objectifs ou par des données extérieures de toute sorte, serait rouvrir la porte aux dilemmes de l'épistémologie classique, plaçant la conscience comme une chose dans le monde et face au monde; mais renoncer à toute motivation de ces « décisions » de la conscience, serait renoncer à comprendre l'appropriation et revenir à l'impasse de l'idéalisme.

En fait, dans l'appropriation, l'intention qui vise un objet le dépasse en même temps vers les horizons que cette visée met en perspective; au sein de la réduction phénoménologique, la situation n'est pas antérieure au choix intentionnel de la prise de conscience, et la décision de cette prise de conscience n'est pas antérieure à la situation; le problème, pour comprendre telle ou telle visée, n'est pas de la déduire à l'aide de conditions trouvées dans le monde, mais d'élucider sa téléologie et son histoire, avec l'élément d'habitualité impliquée.

Cela signifie que toute appropriation a pour fond plus ou moins obscurément présent l'horizon global des visées appropriantes, déterminé par ce que j'apporte (mon passé) et par le point de vue que j'occupe (l'actuel-pour-moi). Je suis prédéfini à chaque instant, dans mon *Eigenheitssphäre*, par ma situation ainsi comprise, avec ce qu'elle a de transitoire. Toute visée suppose un statut du sujet, qui agit en tant que concerné; même le statut d'« observateur indifférent » est

---

(p. 64) : *Tutto ciò, la vita entro la quale io sono in rapporto al mondo, significa : non un mero io, e, di fronte ad esso, una molteplicità di esseri privi di io, bensì, in tutti e prima di tutto, in ogni percepito, in ogni avere, uno sforzo dell'io, un agire, un potere, ecc.* Sur l'actualité et sur le présent comme état de veille, voir Brand, § 18.

1. Les deux verbes sont impropres : *choisir* traduit l'attitude réaliste et *décider* l'idéalisme.

toujours accepté en vertu de quelque intérêt médiat. D'autre part, toute appropriation contribue à me définir plus durablement parce que l'acquis entre comme élément actuel ou virtuel dans mes situations ou acquisitions à venir. Ainsi le moi permanent et les moi transitoires sont formés par le mouvement vers les horizons (et à la limite vers le monde); je suis toujours et à chaque instant ce que j'ai, et l'appropriation est réciproque. C'est un moi alourdi par tout son domaine « propre » qui accède aux situations futures, toujours façonnées par ce passé. Brand a dit, après Husserl, que le mouvement du moi est de se rendre étranger à lui-même [1].

Mais la succession de « choix » ou « décisions » de la conscience appropriante ne se fait pas selon une logique rigoureuse et prévisible. Je ne tombe pas d'une situation dans l'autre par la seule inertie du passé et par la force « éveillante » des vécus actuels. Je peux par exemple me reprendre sur la situation où je suis, et changer de plan : c'est ce qui arrive dans le simple fait de la communication par le langage et, comme l'a remarqué Merleau-Ponty, dans la désignation muette. Il se peut aussi que la soudaine prise de conscience d'une réalité arrache celle-ci à mon *Eigensphäre*, à sa relation au centre « moi » : ce réveil peut, dans le cas exceptionnel du vertige des hauteurs, déterminer jusqu'à ma perception de l'espace [2]. L'expérience la plus courante d'un fait conscient qui « ne se laisse pas intégrer » est celle du remords : la faute commise « est là », présente « en personne » dans ma conscience et dans mon passé, comme un morceau de réalité inappropriable : il n'y a pas d'identité concevable entre celui que je suis pour moi et celui qui a commis la faute dont je me repens [3].

1. *Auto-estraniazione*. Il va de soi que les remarques ci-dessus ne doivent pas être entendues comme impliquant un déterminisme des visées prospectives mêmes.
2. Il s'agit, plus exactement, de l'acrophobie : l'alpiniste accroché sur la paroi n'arrive plus à rapporter l'espace à son *ici* comme centre. L'espace tout entier, en soi, fait irruption dans la conscience du sujet, qui sent que le « centre de l'espace », et donc l'*ici*, est ailleurs, en bas. C'est la perte du point d'ancrage dans l'espace, la disparition de l'équivalent spatial du moi : d'où la tentation de se jeter en bas (pour rejoindre l'*ici*) et la peur, qui n'est pas de glisser, mais de céder à la tentation. Les enfants, qui trouvent tout naturel que le centre du monde soit là où ils sont, sont peu sujets au vertige des hauteurs. L'acrophobie ne peut pas être comparée avec la crainte d'un danger quelconque, mais avec les troubles de conduite d'un sujet qui se sait regardé (et se sent « là » pour autrui) ou avec les vertiges intellectuels, quand l'imagination, naturellement égocentrique, est dépassée par la pensée « abstraite ».
3. Voir l'excellente description du remords et du repentir dans le livre de Vl. Jankélévitch, *La Mauvaise Conscience* (Paris, 1939). Husserl, avec son génie particulier du langage, a choisi le nom de *facticité* pour la douleur de ne pas pouvoir être ce que je suis. Ce terme rend très bien compte, dans le cas particulier du remords, de la présence d'une inamovible pierre d'achoppement dans ma conscience.

Le paradoxe du non-approprié « dans » ma conscience renvoie nécessairement au paradoxe de l'intersubjectivité. A un étage au-dessus de la *Eigensph¨re*, la conscience, en effet, n'est pas appropriante ; elle a l'étrange faculté de se voir non plus simplement « du dehors », comme dans la réflexion sur soi-même, mais plus spécifiquement par les yeux d'un autrui soit particulier, soit formel et général. L'accession à l'intersubjectivité décentralise le monde de la conscience ; le partenaire dans un dialogue, la faute passée dans le remords, le vide (ou toute autre présence horrible et insupportable) qui « attire » dans le vertige, sont des *ici* tout en étant des *là*.

« Ma situation » peut donc être comprise principalement dans deux sens : soit comme le monde approprié, qui appelle les choix ou décisions de mes futures prises de conscience ; soit comme le monde intersubjectif où je suis une conscience parmi d'autres consciences, et où m'attendent des problèmes à résoudre et des devoirs. La frontière mouvante entre ces deux acceptions est la frontière de mon avoir immédiat.

Pour comprendre, à partir de là, le problème de l'aliénation, il convient de considérer cette frontière et sa transgression sous l'aspect de tâches du sujet. Tâche et situation sont corrélatives : la situation (au premier sens) étant définie par l'intérêt que j'y prends, c'est-à-dire par le fait qu'elle me concerne, il est évident qu'elle exige de moi une attitude qui lui réponde — ne fût-ce que celle du spectateur neutre, si mon intérêt est de curiosité pure, de contemplation ou de détachement ostentatoire. Toute situation comprend à la fois une autodéfinition du moi, une attitude conforme à cette autodéfinition, et la tâche soit d'adopter simplement cette attitude, soit d'agir suivant ce qu'elle impose ; en un mot : toute situation m'assigne un rôle. Je suis mon corps, j'ai à me garder de cette voiture ; je suis de tel avis politique, j'ai telle position à prendre devant les événements ; je suis salarié, etc. Cette corrélation est en quelque sorte le *ego cogito cogitatum* de la praxis, travail ou devoir. « Je » ne suis pas pensable sans ce que « j'ai », c'est-à-dire, au sens le plus fort du mot, « ce à quoi je tiens » à chaque instant ; et ce à quoi je tiens m'impose, suivant mon rôle, d' « agir comme... », sous peine de me renier. Une certaine obstination déraisonnable, quelque chose comme de manger un plat parce qu'il a été payé, ou vouloir à tout prix réparer sa moto soi-même, est la première reconnaissance de dette envers le monde approprié, un aveu que je l'habite ; elle concrétise mon lien pratique avec mon

Eigensphäre et devient ainsi la condition de possibilité de la praxis dans un monde intersubjectif.

Un être qui ne vivrait que dans sa sphère propre se laisserait imposer ses tâches une à une par des appropriations successives; mais les rapports complémentaires (tâche-situation) de ses vécus ne resteraient pas toujours les mêmes; le passé y aurait prise. Par suite des *habitus* contractés du sujet, certaines perceptions deviendraient des « signaux de tâches » avant d'être des situations pleinement appropriées.

Dans le monde intersubjectif, les tâches me sont imposées par ma situation définie en fonction d'une conscience virtuellement commune. Le mécanisme abréviateur des *habitus* y joue aussi bien que dans le monde propre, et des actions ou attitudes peuvent devenir intersubjectivement des tâches pour moi, sans que j'aie à reconnaître et à vivre comme virtuellement nôtres les situations dont elles sont l'expression pratique. Une fois pour toutes, je me suis en partie identifié à autrui, je peux saisir immédiatement la conduite que m'impose sa perspective. C'est ici que s'ébauche le passage vers l'éthique; on se souvient que le Surmoi, chez Freud, est l'instance paternelle intériorisée. Mais les tâches ainsi comprises ne sont qu'une forme première et inférieure des devoirs. C'est essentiellement le même mécanisme qui fait que l'un pense en propriétaire d'immeuble et éprouve activement sa solidarité avec les propriétaires d'immeubles devant une loi sur les loyers, alors que l'autre pense en non-violent et éprouve activement sa solidarité de non-violent avec les victimes d'une quelconque raison d'État. Formellement, seules diffèrent dans les deux cas les communautés intersubjectives au nom desquelles s'opère la prise de conscience d'une situation et s'édicte le devoir ou le quasi-devoir d'y faire face. Le plan éthique suppose sans doute ce mécanisme et l'intègre, mais le dépasse dans la mesure où il implique un ordre préférentiel entre ces communautés et ces tâches.

Cet ordre ne peut pas être déterminé par les valeurs morales, que rien ne permet d'élever au-dessus des obligations et des devoirs. La (quasi-) valeur est le signe abréviateur d'un but, de même que le (quasi-) devoir est le signe abréviateur d'une tâche, d'abord sur le plan du monde propre, ensuite dans la perspective d'une intersubjectivité définie. En raison de cette origine il est impossible de choisir au nom d'une valeur entre les valeurs et les devoirs. De ce côté-là, le problème de la morale reste ouvert.

Parallèlement avec la transformation des tâches et des buts, l'obstination du « j'y tiens », qui traduit l'autodéfinition par le rôle assumé, se transforme en responsabilité. Dans la *Eigensphäre*, il fallait que je fasse ce que j'ai à faire ; dans la sphère de la conscience commune, la perspective se trouve toujours renversée : c'est l'œuvre ou l'action qui doivent être accomplies par moi. La simple reconnaissance de mon lien avec ce que je fais devient ainsi responsabilité « pour ». On remarquera qu'il n'y a pas ici de *habitus* ou d'abréviation, car la responsabilité n'est pas une essence. C'est pourquoi, d'ailleurs, elle pourra peut-être remorquer devoirs et valeurs au plan éthique, et poser en termes propres, sinon résoudre, les apories de la morale. Mais ceci est une autre question [1].

III. L'ALIÉNATION

Nous avons répété que l'appropriation est réciproque ; le mouvement qui me donne un monde propre me donne à ce monde. Chaque pas qui me constitue comme personne, chaque *habitus*, semble en même temps un pas vers l'aliénation. Le passé dépose en moi des cadres d'expériences futures, des réactions typisées, des attentes qui faussent l'expérience : à la limite on peut imaginer qu'il rogne complètement ma liberté de décision, et que mes tours d'esprit, mes sensibilités particulières, etc., finissent par me transformer en automate dont les réactions seraient entièrement prévisibles. Ce cas extrême est, bien entendu, la négation de la vie même : un présent sans « devoir-être », non orienté vers un futur qui l'accomplit et change par là le sens du passé, ne saurait être vécu comme présent [2]. Une chose entièrement déterminée

1. Husserl a clairement illustré le changement de perspective entre les deux étages, du monde de la conscience, mais sans l'envisager, je crois, sous l'angle de la praxis. Il établit que le centre d'un monde monadique est le moyen d'accès indispensable à ce monde, même décentralisé, et il donne comme exemples le corps propre (*Leib*) comme rapport à la nature, la personne intellectuellement constituée comme accès à la *Kulturwelt*, et le présent de conscience comme point de vue sur le flux du vécu (*Med. cart.*, V, § 58). Il ne désigne pas ces centres comme *moi*, sans doute à cause du dernier des exemples cités. Cette précaution terminologique est entièrement justifiée, mais il aurait été gênant de s'y conformer ici, où il s'imposait d'appeler *moi*, pour simplifier, le centre permanent ou non de « ma » situation transitoire.

2. Brand, § 24. Husserl oppose le jeu des possibilités qui me sont offertes par ma situation actuelle, à un « devoir être » que m'imposerait l' « idée de mon vrai être » ; leur conflit rend manifestes les limites pratiques de la liberté. On pourra être sceptique sur l'existence de cet impératif intérieur et sur

par son passé et par les circonstances présentes serait morte. Mais cela n'empêche que la vie du moi appropriant peut être définie comme tendance vers l'aliénation, à peu près comme la nutrition de la cellule dans l'organisme peut être définie comme tendance vers un équilibre osmotique avec le milieu — équilibre qui, s'il était réalisé, serait la mort. Or l'appropriation achevée, mortelle, d'un moi devenu propriété de sa propriété, correspondrait à une aliénation selon les idées de Hegel : tout en n'obéissant plus qu'à moi-même, je serais totalement déterminé; et l'achèvement même de ma personnalité me réduirait en chose.

Ce processus irréalisable est d'ailleurs limité à la *Eigensphäre*. Par la transition vers le monde intersubjectif, un type nouveau de situations est créé, en rupture avec le passé immédiat. Transition libre, en effet, puisqu'elle s'accompagne d'un changement de perspective; mais transition dont le résultat est la création de « corps étrangers » dans la conscience.

Ces corps étrangers amorcent-ils une aliénation d'un type différent? Il ne s'agirait plus, cette fois, d'enlisement, mais d'esclavage. Le cas éclairant est celui de la promesse et de la fidélité. Gabriel Marcel a montré qu'on ne peut pas expliquer la promesse au niveau des « états de conscience » : supposant que ma disposition change entre l'heure du serment et l'heure où je dois le tenir, rien ne m'obligerait à la fidélité, et rien ne la justifierait, si elle n'avait pas des raisons d'une autre nature. Mais Husserl nous a appris, justement, que les « états de conscience » sont une abstraction tardive; à l'origine, il y a moi-qui-ai-ces-états. La promesse n'est pas le produit d'une disposition, mais une appropriation « fondatrice » (*stiftend*), une autodéfinition; je suis fondamentalement « celui qui doit faire ceci ». La tentation de faillir, au contraire, ne me définit que comme « moi à présent dans telle situation ». « Se renier » serait donc introduire dans la conscience un moi inappropriable.

Cette explication dit aussi pourquoi la promesse extorquée par la ruse ou la force ne vaut pas, « ne répond à rien » : c'est qu'elle n'a jamais été une autodéfinition du sujet. Du même coup, l'exigence de la fidélité « contre la conscience » devient absurde, car la négation de la conscience entraînerait *ipso facto* la négation de la fidélité. C'est un des points les plus forts de la doctrine démocratique qu'elle admet, contre

l'unité essentielle du « vrai moi » postulé; et s'il existe, on pourra encore se demander si l'exigence de la liberté est toujours de s'y conformer, et non plutôt d'en briser les déterminations.

n'importe quelle fidélité, le droit à l'objection de conscience, non parce que l'individu serait nécessairement meilleur juge des décisions à prendre que la communauté politique ou religieuse et ses représentants officiels, mais parce qu'une tâche non fondée sur une prise de conscience est simplement contradictoire, comme un engagement à faire le contraire de ce à quoi l'on s'engage[1].

Le fait arrive pourtant qu'on s'aliène sciemment, par l'obéissance aveugle qui se tourne contre son principe. Le spectateur non concerné peut toujours se demander comment un sujet réussit à faire plus de confiance à ses appropriations passées (au moment de la décision d'obéir) qu'à l'appropriation présente, quand une situation analogue à celle du passé lui impose, avec la même urgence, d'annuler l'adhésion de jadis. L'obéissance continuée est alors une aliénation type : ce que le sujet a été librement se tourne contre sa liberté présente et l'emprisonne.

Moins difficile à comprendre de l'extérieur, mais semblable quant au fond, est l'aliénation partisane (l'homme y devient incapable de l'effort de liberté nécessaire pour comprendre l'adversaire et pour lui appliquer les mêmes mesures qu'à son propre camp)[2], ou l'autojustification de l'égoïste sentencieux : c'est toujours l'épuisement de la liberté, l'état où le sujet ne peut plus rien comprendre, s'engager à rien parce qu'il est déjà complètement engagé, comme une chose, dans le monde auquel il appartient[3].

L'aliénation totale au bout de l'appropriation : c'est la formule qui embrasse tous les types envisagés. Elle répond à une vérité d'expérience courante, au dilemme connu de

1. Les difficultés pratiques d'une reconnaissance du droit à l'objection de conscience sont évidentes, mais non moins évident me semble le devoir d'une démocratie conséquente de faire tout pour les résoudre en respectant son principe.
2. Pratiquement, l'obéissance aveugle tend toujours à se transformer dans l'attitude plus commode de l'aliénation partisane; on « endort sa conscience ». En réalité, les choses sont d'ailleurs encore pires : l'idéologie sert, avec une régularité surprenante, d'alibi aux actes mêmes contre lesquels elle a été dirigée et qui sont censés caractériser l'adversaire. L'histoire, récente ou non, en fournit tant d'exemples, et le phénomène est si fréquent et universel, jusque dans les moins totalitaires des idéologies, qu'on est obligé de penser que toute fidélité tend naturellement à démentir ses propres raisons, et sert en fin de compte à permettre de les démentir. C'est là un aspect souvent oublié, et pour cause, dans la critique de la mystification.
3. A. Gorz, *La Morale de l'histoire* (Paris, 1959) définit l'aliénation comme un détournement de la liberté par les conditions mêmes de son exercice. L'illusion de la liberté apparaît ainsi comme essentielle, et l'aliénation se trouve liée à la conscience mystifiée. Cette conception est peut-être inéluctable si on part d'un point de vue sociologique et historique: elle l'est moins dans notre contexte.

toute morale : refuser la marche vers l'aliénation, « réserver sa liberté », c'est se condamner au scepticisme inactif; « engager sa liberté », c'est risquer l'aliénation, l'aveuglement par l'intérêt ou par la conviction idéologique. On ne peut imaginer aucune valeur, aucun devoir, qui échapperaient à cette difficulté, et que l'on puisse donc prescrire à tous en toute tranquillité; valeurs et devoirs, fondés dans des situations sans privilèges, ne peuvent être invoqués pour choisir entre des valeurs et des devoirs. C'est dans la responsabilité seulement — le fait de se sentir concerné par son action — qu'on peut chercher l'éventuelle issue vers une éthique où la liberté serait à la fois inépuisable (l'impératif de la responsabilité exclut d'emblée l'aliénation) et toujours réengagée (l'être responsable n'est plus que le corrélatif de son acte envisagé avec ses suites les plus lointaines prévisibles). Mais la symétrie de cette indication ne trompera personne sur les difficultés d'une morale qui refuserait de nous dire de quoi nous devons nous tenir responsables.

(1961)

XXV

LES LIMITES DE LA MORALE TRANSCENDANTALE

(en collaboration avec Ngô tieng Hiên)

L'élément mythique dans les conceptions courantes de la morale peut se résumer dans l'idée qu'elle a été instaurée; peu importe, dans ce contexte, par qui, un homme, un groupe ou un dieu; le mythe, c'est le *semel jussit* dont nous a parlé le professeur Castelli. L'instauration implique, en matière morale, contingence et dualisme entre l'ordre naturel (ou « naturellement » humain) et l'ordre moral. Elle confond le contenu de la morale, qui est toujours forcément, d'une manière ou d'une autre, institué, avec le fait de la morale; et cette confusion aboutit soit à ramener le domaine de la morale à l'histoire et à la sociologie, soit à supposer l'existence de valeurs qui se justifieraient d'elles-mêmes. En second lieu, on constate que la morale mythique vit sur une série d'emprunts et de fausses analogies : avec le droit (l'idée de loi), avec la nature (la nécessité inéluctable et la validité absolue), avec la religion créationniste (l'instauration comme création, *semel jussit*).

Démythiser cette morale ne signifie pas démystifier. Nous voulons dire que si l'on en enlève l'instauration sous toutes ses formes et avec toutes ses conséquences, on ne la livre pas pour autant sans défense à une critique naturaliste de type nietzschéen ou au calcul benthamiste des avantages.

Pour qu'une morale sans mythe soit possible, il faut qu'elle découle de la nature même de la conscience [1] (puisque autrement elle aurait toujours, jusqu'à un certain point, des origines contingentes qui équivaudraient à une instauration),

---

1. Une tentative encore valable, selon nous, sous beaucoup d'aspects, pour rattacher le phénomène moral à la nature même de la conscience, est due à Frédéric Rauh. Cf. Ngô tieng Hiên, « La philosophie morale de Frédéric Rauh » (dans la *Revue philosophique de Louvain*, nov. 1962), qui interprète l'œuvre de ce philosophe dans le sens de la morale transcendantale discutée ici. Cet article, et celui qui sera cité plus loin p. 474 note 2, nous serviront dans la suite, et nous en reprendrons plusieurs idées, pour ne pas avoir à y renvoyer le lecteur.

et cela, de préférence, sans faire appel à un « principe inné »
ou à un « instinct naturel », qu'il serait toujours possible de
réduire par démystification naturaliste ou sociologiste, montrant ainsi que la morale serait en fin de compte tout de
même instaurée. L'existence d'un a priori moral qui pourrait
être autre ouvre la voie à la fausse analogie avec les lois
naturelles, comme il apparaît si clairement à la fin de la
Critique de la raison pratique.

Une morale démythisée serait donc, en somme, ce que
Husserl appellerait morale transcendantale [1]. Nous allons
essayer de montrer d'abord comment nous croyons qu'elle
devrait être fondée; ensuite nous examinerons dans quelle
mesure elle est possible, ou plutôt quelles sont ses limites;
et comme nous conclurons, on s'en doute, qu'elle est à la
fois nécessaire et impossible, nous tirerons les conséquences
de cette situation.

I. SCHÉMA D'UNE MORALE TRANSCENDANTALE

Notre point de départ pourrait être une réflexion sur la
notion husserlienne d'avoir et d'*habitus* [2]. Tout acquis de la
conscience devient, dans la mesure où il est acquis, élément
constitutif de ma personne, co-présent, lorsque la situation
le permet ou l'exige, dans mes acquisitions et décisions
futures [3]. Tout acte de conscience est ainsi, à un degré variable,
un acte d'autodéfinition du moi, à la fois passivement, parce

---

1. Husserl, *Krisis*, § 26 (p. 100 sq.) : *Ich selbst gebrauche das Wort « trans-
zendental »* in einem weitesten Sinne *für das ... Motiv ... des Rückfragens nach
der letzten Quelle aller Erkenntnisbildungen, des Sichbesinnens des Erkennenden
auf sich selbst und sein erkennendes Leben, in welchem alle ihm geltenden
wissenschaftlichen Gebilde zwecktätig geschehen, als Erwerbe aufbewahrt und
frei verfügbar geworden sind und werden.* Pour appliquer le terme « transcendantal » à la morale, il faudrait élargir encore un peu plus l'acception husserlienne, qui semble ici réduite à la seule connaissance. Mais la suite du texte
cité autorise cet élargissement : *Radikal sich auswirkend, ist es das Motiv
einer rein aus dieser Quelle begründeten, also letztbegründeten Universal-
philosophie. Diese Quelle hat den Titel* Ich-selbst *mit meinem gesamten wirkli-
chen und vermöglichen Erkenntnisleben, schliesslich meinem konkreten Leben
überhaupt...*
2. Cf. *supra*, « Appropriation et aliénation », p. 459-472.
3. Voir par exemple Husserl. *Krisis*, § 28, n. 1 de la page 111 : *Aber alle
Erkenntnis überhaupt, alle Wertgeltungen und Zwecke überhaupt, sind als in
unserer Aktivität erworbene zugleich verharrende Eigenschaften unserer selbst
als Ich-Subjekte, als Personen, in der reflexiven Einstellung vorfindbar als
unser eigenes Sein ausmachend.*

qu'il est fait avec l'acquis de ma personnalité constituée, et activement, parce qu'il contribue à me définir pour mes actes futurs. L'autodéfinition est le revers inobservé de tous mes actes intentionnels et les accompagne en constituant, lorsqu'il y a lieu, par acquisitions ou plutôt par appropriations successives, un moi plus ou moins permanent et toujours plus structuré[1].

En deuxième lieu, les actes par lesquels la conscience perçoit et en même temps crée une situation, et qui sont, bien sûr, des autodéfinitions (je me définis comme étant dans telle situation), sont aussi, corrélativement, des définitions de mes tâches. Toute situation implique, à un degré évidemment variable, une tâche pour celui qui s'y trouve (tâche théorique, pratique, imaginaire — selon la nature de la situation). Cette tâche n'est pas nécessairement morale, au sens où l'on emploierait ce mot pour un devoir : elle est présente dans tout ce que l'on fait ou a à faire (manger une pomme) et dans toute activité de la conscience (poursuivre une rêverie). Elle n'est autre que la réponse de la conscience à la situation quelle qu'elle soit. Elle devient une responsabilité dans la mesure où elle interfère avec d'autres tâches.

Toute interférence entre deux tâches de n'importe quel ordre entraîne en effet un choix entre les deux situations du sujet qui leur correspondent, et entre deux autodéfinitions; suis-je celui qui doit accomplir la tâche A ou la tâche B? Je suis en fait l'un et l'autre, car les deux tâches me sont effectivement présentes comme miennes, mais mon choix dira laquelle des deux personnes je prétends actuellement être (ou laquelle des deux je suis, selon ma vue actuelle, plus profondément).

Les choses ne se passent d'ailleurs pas nécessairement d'une façon aussi dramatique, et il n'y a pas de tâche assez futile pour ne pas interférer sans cesse, jusque dans sa microstructure, avec d'innombrables autres. Il en ressort que la constitution de la personnalité par appropriations successives comporte une stratification, qui est en outre elle-même changeante; certains engagements sont pour quelque temps plus profonds que d'autres, et leur permanence varie avec le niveau où ils se situent.

1. Il va de soi que personne et personnalité, dans les lignes ci-dessus, ne signifient pas uniquement ni primairement la personnalité différentielle, mais soit tout l'ensemble de la personne, y compris les caractères différentiels, soit tel ou tel aspect, qui peut être aussi bien commun (« moi en tant que j'ai un corps ») que ponctuel et différentiel (« moi en tant que je suis en train d'écrire cet article »).

En résumé : tout acte de conscience implique une auto-définition fugace ou durable, et place le moi ainsi défini dans une situation qu'il crée et révèle en même temps, et qui a comme corrélat une tâche. La multiplicité des actes, donc des situations et des tâches, engendre et atteste la stratification, d'ailleurs changeante, des acquisitions par lesquelles se définit la personne [1].

Jusqu'ici, il n'a été question explicitement ni de morale ni d'autrui, mais uniquement de la nature de la conscience, telle que chacun l'éprouve dans les actes qualifiés de moralement neutres aussi bien que dans ceux qualifiés de moraux. Nous avons pourtant rencontré les notions pour ainsi dire proto-morales de tâche et de responsabilité, qui reparaîtront au niveau proprement moral.

Le pas suivant fait intervenir l'intersubjectivité, ou plutôt l'acte par lequel j'arrive à me regarder moi-même et à regarder les choses d'un point de vue extérieur à moi — formellement le « point de vue d'autrui ». Cette capacité de changer le point de vue est propre et essentielle à la conscience (nous l'assimilerions volontiers à la réflexion, l'acte double fondamental de se détacher de la situation et de revenir sur elle; une conscience irréfléchie serait impensable). L'intersubjectivisation introduit toute une série nouvelle de facteurs indispensables à la déduction transcendantale de la morale, ou même d'éléments « proto-moraux » : elle fonde la possibilité de l'en-soi des objets et objectifs moraux, et la possibilité des valeurs; elle est le fondement de la critique des actes moraux et, surtout, la condition formelle de la reconnaissance d'autrui comme sujet « au même titre que moi ».

C'est à ce stade que s'arrête, à notre avis, la constitution de la « proto-morale » directement accessible à l'analyse de l'acte de conscience quelconque. La morale démythisée ou transcendantale que nous cherchons doit pouvoir se développer — si elle est effectivement possible comme système — à partir de là. Il faudrait montrer ainsi comment la tâche devient obligation ou devoir et le but valeur, comment la

---

1. Ce schéma est, nous l'avons laissé entendre, extrêmement simplifié. Pour donner un exemple de son insuffisance : on peut éprouver de la fierté (ou, ce qui est plus significatif, de la honte) pour autrui, un membre de sa famille, un collègue, un compatriote, parce qu'on s'est défini soi-même comme faisant partie de cette famille ou de ce corps ou de cette nation. L'autodéfinition crée ainsi une situation et une « responsabilité » sentie comme authentique, bien qu'il soit impossible d'indiquer la tâche personnelle à laquelle correspond ce sentiment. C'est qu'on s'est donné en quelque sorte soi-même, par une substitution mentale injustifiable, les tâches dans lesquelles un autre membre de la collectivité a réussi ou échoué.

responsabilité est objectivée, comment l'intersubjectivité se concrétise en appartenance à un groupe ou en présence du « prochain ». Il faudrait considérer, dans toutes ces déterminations, la part des facteurs empiriques, en la comparant à l'espace où peuvent jouer les variations des morales historiquement ou empiriquement données. On pourrait, à la fin, envisager la notion limite d'une morale « pure » comme prolongement direct des facteurs proto-moraux indiqués; elle serait fondée uniquement sur des autodéfinitions aussi « conscientes », et donc aussi intersubjectives, que possible.

Il ne saurait être question de développer ici une telle construction. Mais il faut indiquer au moins deux points sur lesquels repose le caractère transcendantal dont elle se réclame. Le premier concerne la responsabilité et son rapport avec la conscience du moi engagé. L'important, dans cette notion, n'est pas l'idée d'instance « devant laquelle » on est responsable, ni même la question de savoir s'il y en a une; le passage à l'intersubjectivité introduira nécessairement ce « point de vue d'autrui » qui, dans sa généralité vague, peut très bien jouer le rôle d'instance. L'important est l'idée de l'objet (chose ou être ou réalisation) pour lequel on est responsable. La responsabilité établit un lien entre moi et quelque chose dans le monde, lien qui s'étend au passé comme au futur imprévisible; autrement dit, l'objet de responsabilité est entré comme tel dans mon autodéfinition (proto-morale ou morale, selon le cas). La première condition de toute responsabilité et par là de toute moralité est alors une sorte de clairvoyance : je dois savoir exactement ce que je suis et à quel point je suis responsable pour cet objet dans mes choix entre mes tâches tout le long du futur impliqué. Cette lucidité et la corrélative fidélité à soi-même sont présentes dans toute responsabilité même égoïste; elles sont d'ailleurs inséparables d'un regard critique sur soi qui suppose, nous l'avons dit, le stade de l'intersubjectivité. Pratiquement, manquer à une responsabilité assumée revient à « se renier » (renier une autodéfinition comme personne responsable pour telle ou telle chose) et introduire dans sa conscience un moi indélébile que l'on n'a pas voulu être. (Ce moi incompatible avec l'ensemble de mes autodéfinitions est le remords [1].)

1. L'expérience montre que, dans les cas les plus complets et plus clairs du conflit des tâches, on trouve habituellement aux prises une responsabilité conforme à une autodéfinition profonde et permanente, avec une autre découlant d'une autodéfinition fugitive et superficielle. Il va de soi que le choix qui porte sur la première tâche, préservant mieux la cohérence du moi et évitant, en général, le remords, aura l'apparence d'un « devoir

En second lieu, si le passage au niveau proprement dit moral se fait par l'intersubjectivisation, on doit s'attendre à ce que le degré d'intersubjectivisation soit une mesure adéquate de la moralité ou du moins, *sit venia verbo*, de la moralité transcendantale. Formellement parlant, il s'agira d'une certaine habileté à adopter un point de vue extérieur (pour se juger soi-même et pour comprendre autrui). L'étroitesse d'esprit est ici l'obstacle principal; M. Ott vient de rappeler que pour Bonhoeffer la bêtise n'était pas moralement indifférente. L'exigence équivaut, quant au contenu des prises de conscience et des tâches corrélatives, à un élargissement progressif : la conscience aiguë que le plus possible de ce qui touche autrui « me regarde », entre dans ma situation comme personne. La direction de la morale transcendantale peut alors se définir par l'intersubjectivisation du moi appropriant, c'est-à-dire par une lucidité toujours accrue et par la fidélité au moi autodéfini comme condition de base, et par l'autodéfinition progressivement élargie quant aux tâches.

Ces caractères ne sont pas fortuits ni « spécifiquement moraux »; ils appartiennent essentiellement au moi conscient et vivant dans un mouvement continuel d'appropriations. Ni la lucidité, c'est-à-dire le fait même d'être conscient et éveillé, ni la fidélité au moi et à sa structure d'appropriation, c'est-à-dire la condition de sa permanence et de son identité, ni l'élargissement de la conscience, c'est-à-dire le mouvement d'intersubjectivisation, ne sont séparables d'une conscience vivante quelle qu'elle soit. En d'autres termes (et c'est ce qu'il fallait démontrer) « l'indice de moralité » d'une action apparaît, à ce stade de notre examen, comme ni plus ni moins que l'indice de conscience du moi qui l'effectue.

II. LIMITES DE LA MORALE TRANSCENDANTALE

Supposons maintenant cette construction de la morale transcendantale menée à bout. Elle ne comporterait naturellement « ni obligations ni sanctions », ni même (du moins

pénible » et se présentera, au premier abord et avant examen, comme moralement supérieur. En fait, l'apparence peut être trompeuse. Quelqu'un qui s'est choisi et défini profondément et « avant tout » comme membre d'une caste, par exemple militaire, peut être confronté à des « devoirs pénibles » qui le heurtent dans ses autodéfinitions moins profondes, tout en étant moins moraux, aux yeux mêmes de l'agent, que les aspects de lui-même qu'il sacrifie. C'est que la cohérence avec soi-même n'est qu'un critère formel et imparfait, qui exige d'être complété, comme nous allons l'indiquer dans la suite.

comme données primaires) des valeurs autonomes. Une conscience peut être liée seulement par ce pour quoi elle s'est constituée responsable; l'intervention n'est loisible que sous la forme d'une sorte d'appui moral (reçu ou apporté) pour prendre conscience des engagements pris et pour en situer les niveaux, évitant ainsi les reniements et les remords; tout au plus peut-on provoquer des prises de conscience plus larges, mais non étrangères à leur contexte (puisque violer la conscience d'autrui équivaut à un refus de compréhension).

Une morale ainsi définie manque naturellement du moindre coefficient politique. L'intervention du droit, des mœurs et de tant de formes de pression sociale comme compléments de la moralité, est sans aucun doute motivée par la nature des choses; et s'il n'est pas nécessaire que la morale théorique accorde à ces compléments plus que leur dû, et qu'elle se mythise en imitant par exemple le droit avec ses idées de loi, sanction et valeur, il est pourtant inévitable que le droit emprunte une partie de son arrière-plan idéologique à la morale — même si l'usage qu'il en fait, notamment avec la notion de responsabilité juridique, peut répugner à la raison comme au sentiment. Nous avons seulement voulu rappeler, comme premier point de l'enquête sur les limites de la morale transcendantale, que cette morale ne pourrait devenir « régnante » que dans des conditions extérieures entièrement utopiques.

Mais la vraie épreuve d'une morale fondée sur la démythisation des morales concrètes (c'est-à-dire sur une analyse critique et sur la mise en évidence d'une structure) consiste naturellement d'abord dans la confrontation avec l'expérience commune.

On constatera en premier lieu que notre définition de l'indice de moralité comme indice de conscience est de toute évidence trop large; elle risque de s'appliquer à des actes aussi divers et éloignés du domaine considéré comme moral que la conduite d'une voiture dans une ville à circulation intense. Autrement dit, il nous manque une pièce : si la moralité est bien caractérisée par cette réduction transcendantale, elle n'est pas encore bien définie, et il n'est pas exclu que l'on doive faire intervenir une délimitation extérieure et empirique de l'objet de la conduite morale (autrui comme personne), ou encore un principe adventice, un a priori matériel, comme la reconnaissance de la collégialité des consciences. Plus fondamentalement, la faute est au fait que dans la construction de la morale transcendantale on rencontre autrui d'abord sous l'aspect formel, comme une sorte d'expérience mentale, un « point de vue extérieur sur moi et sur les objets de mon monde », alors qu'il entre dans la morale vécue comme une personne dont les affaires sont devenues les miennes, et qui est devenue elle-même un élément de ma propre situation. La morale transcendantale comme système suppose que l'intersubjectivisation formelle puisse être liée de manière continue et nécessaire à l'intersubjectivisation de contenu, ou que la reconnaissance d'« autrui » sous la première forme est inséparable de sa reconnaissance sous la seconde et plus complète. Qu'on nous accorde ce point, il n'en resterait pas moins vrai que pour l'expérience quotidienne l'inclusion d'autrui comme personne dans ma situation personnelle et dans mes responsabilités est d'emblée une exigence morale, alors que pour la construction de la morale transcendantale le fait moral primaire est la prise de conscience « comment autrui voit ce que je vois », et l'expérience d'autrui comme personne n'a de valeur morale que par dérivation.

On voit sans peine que ce renversement des priorités crée une différence non seulement entre les images d'autrui dans les deux perspectives, mais aussi, par voie de conséquence, entre les images des contextes où autrui est donné (ses liens sociaux, son historicité) et des sentiments dits moraux que je lui porte.

Rappelons encore que, pour la morale transcendantale, l'universalité est toujours *in fieri ;* elle ne peut être conçue que comme une perspective à partir de prises de conscience déterminées *hic et nunc.* Strictement parlant, on ne peut même pas qualifier de moral ou immoral ce qui n'est pas une tâche pour moi, reconnue par moi comme telle ; l'universalité d'une valeur morale ou d'un devoir serait donc contradictoire. Elle ne peut se concevoir que comme une idée de limite, présidant à l'élargissement de la conscience. (Encore faut-il se demander si cette limite n'a pas besoin d'être précisée, par exemple par l'idée de collégialité des consciences — de même qu'autrui comme « point de vue extérieur » a dû être concrétisé en autrui-personne.) Quoi qu'il en soit, la morale transcendantale doit ici encore payer sa cohérence systématique en renonçant de coller au sens moral commun, selon lequel tout ce qui est d'ordre moral est universel de droit et s'impose comme tel à la conscience, alors que pour la philosophie transcendantale la norme vit d'être créée par la conscience individuelle, et que l'universalité n'y est qu'un résultat lointain.

Sur tous ces points, la construction de la morale transcendantale semble révéler son insuffisance. Elle est sans doute bien faite pour accorder son dû à l'invention, à la spontanéité de l'acte par lequel nous créons ce qui sera pour nous, et peut-être pour d'autres après nous, conduite ou loi ou valeur morale. Mais l'invention et la liberté ne sont justement qu'un des aspects de l'expérience morale courante ; elle a toujours comme revers le fait que des lois, des valeurs, des sentiments sont « déjà là » pour l'expérience morale, comme objectifs qui déterminent la conduite par le seul fait de leur existence réelle ou idéale.

*

Nous retrouverons, sur le plan des motivations de la conduite morale, une difficulté assez semblable à celles que nous avons rencontrées sur le plan de l'expérience. En tant que construction, la morale transcendantale ne regarde ni les raisons pour lesquelles une personne est ce qu'elle est, ni les raisons de ses prises de conscience successives et de ses engagements. Il est entendu que la conscience crée ou modifie les situations par l'acte même qui les reconnaît comme données et qui les approfondit. Mais la morale transcendantale fait comme si cette création ou modification était entièrement libre, ou comme si la conscience était entièrement transparente à elle-même. En ignorant toute réduction naturaliste, psychologique ou sociologique des prises de conscience, la morale transcendantale célèbre de mauvaise foi une lucidité incomplète et impossible. Elle se trouve tout entière suspendue à un *comme si* qu'elle ne peut défendre [1].

L'attitude contraire serait cependant, on le sait, non moins absurde. Si elle prenait en considération les motivations *a tergo* qui déterminent les actes de conscience sans y entrer, la morale transcendantale perdrait de vue le sens même qui est son objet. Puisque ce sens est lié à l'illusion de la transpa-

1. Il va de soi que l'exigence de lucidité dans l'autodéfinition implique, de la part du sujet, un effort pour « tirer au clair » les motivations de ses décisions ; de même, la persuasion morale n'est possible que si l'on essaie de donner à autrui la conscience des motivations qui le régissent. Mais cela — qui est d'ordre pratique — ne concerne jamais, pour ainsi dire, que l'avant-dernière prise de conscience ; on fait comme si la dernière, celle qui perce les motivations obscures, était elle-même parfaitement spontanée. Il est vrai que le sujet, instruit par l'expérience, finit bien par recevoir ces éclaircissements successifs avec une certaine réserve, sachant qu'ils seront à leur tour relativisés ; mais la morale transcendantale, en tant que philosophie, ne peut pas l'aider par une théorie générale des motivations et doit l'envoyer à Marx, Nietzsche, Freud ou d'autres démystificateurs.

rence de la conscience à elle-même, une philosophie phénoménologique doit accepter cette illusion comme une donnée,
bien que, par là, elle s'empêche de devenir philosophie morale,
c'est-à-dire de traiter des motivations comme motivations.

La même question peut se poser sur un niveau plus général,
à propos des deux caractères fondamentaux des actes de
conscience en tant qu'ils relèvent de la morale transcendantale : la fidélité ou l'unité de la conscience (soit l'identité
et la permanence du moi) et l'élargissement de la conscience
(soit l'intersubjectivisation). Une analyse des motivations,
pour être fondamentale, devrait d'abord se demander :
pourquoi ces caractères et pas d'autres? et pourquoi l'acte
moral, où ils sont le plus pleinement marqués, est-il «préférable »?

Toute réponse, quelle qu'elle soit, ne pourrait aboutir qu'à
un cercle vicieux. Admettons, sans savoir si c'est possible,
qu'un psychologue nous explique le premier caractère par
une tendance encore plus fondamentale, par exemple nar-
cissique; il devrait ajouter aussitôt que cette tendance suppose
le moi identique et permanent qu'elle explique d'autre part.
Il en va de même avec l'élargissement de la conscience, ce
mouvement par lequel elle se détache d'elle-même et de son
objet pour créer une nouvelle situation en survolant celle où
elle se trouve. Dans la mesure où la conscience est réflexion,
elle *est* ce mouvement dont la forme complète est l'intersubjectivisation. Si on le réduisait donc à une tendance plus
fondamentale (antagoniste de la précédente) on ne saurait
oublier, comme dans le cas précédent, que cette tendance
suppose nécessairement ce que pourtant elle explique.

Autrement dit : le mouvement qui porte la conscience vers
ses formes plus proprement conscientes n'est sans doute pas
causa sui, mais il ne saurait avoir de cause distincte de lui-
même; sa motivation ne peut être que son revers. Or la
morale transcendantale concerne nécessairement l'avers,
la conscience transparente à elle-même; d'où son apparente
mauvaise foi.

*

Le débat reprend, selon le même schéma et avec la même
issue, sur un troisième plan, lorsque nous examinons la
cohérence logique du système de la morale transcendantale.
Cet examen porte sur deux points : l'*habitus* et l'intentionnalité.

Le paradoxe de l'*habitus* consiste en ceci qu'il est inobservable. L'acquis peut être révélé comme tel dans l'acte où il intervient, mais ni son acquisition, ni son existence « dormante » ne sont l'objet d'aucune intention et d'aucune connaissance possibles. Cela signifie que la stratification des engagements et appropriations du moi ne peut jamais être connue directement, ou, en d'autres termes, que mon auto-définition n'est telle que lorsqu'elle est en jeu. « Être fidèle à moi-même » ou « me renier » sont donc, rigoureusement parlant, des qualifications impropres, qui n'ont de sens qu'après coup, lorsque je constate qu'en choisissant suivant tel ou tel engagement j'ai, ou je n'ai pas, introduit dans mon passé un moi en contradiction douloureuse avec ce que je prétendais être, et que je ne peux m'empêcher de prétendre être encore.

Dans la réalité, la question ne se pose guère aussi nettement, car un engagement suffisamment profond pour être souvent actualisé est connu indirectement par le souvenir de ses actualisations — « on apprend à se connaître ». Le cas des engagements formels, où le moi qu'il s'agit de préserver et de continuer est comme déposé dans une formule verbale et offert à tous les yeux, est plus clair encore, mais accessoire et souvent discutable. Au fond, le fait d'être « fidèle à soi » signifie plutôt un consentement actuel et toujours continué à une prise de conscience, elle-même toujours actuelle et continue; le mythe de la fidélité « à soi » comme à une norme extérieure (et donc « instituée ») est précisément un de ceux que la morale transcendantale doit démythiser.

La difficulté logique reste néanmoins entière. La conformité ou non-conformité d'une suite de décisions à un moi non thématisé et, en plus, continuellement enrichi ou modifié par ces décisions mêmes, ne peut être connue (thématiquement ou non) que par le résultat éprouvé; or la définition de la « fidélité » implique que cette conformité ou non-conformité figure parmi les éléments (thématisés ou non) de la décision à prendre. La contradiction ne devient flagrante que dans quelques cas exceptionnels; cela ne l'empêche pas de vicier la morale transcendantale sur le plan logique.

En second lieu, l'objectivité et l'universalité du comportement moral sont, nous l'avons dit, progressivement renforcés à mesure que s'élargit la conscience. Cet énoncé, qui semble une simple constatation de fait, est en réalité logiquement intenable. Qu'est-ce qui permet, en effet, de mesurer l'intersubjectivisation, sinon l'objectivité et l'universalité atteintes? La largeur de l'horizon n'est pas nécessairement en rapport avec le nombre des personnes avec lesquelles on forme groupe ou pour lesquelles on se sent responsable. Une morale de caste n'est pas supérieure à une morale de mère de famille, pour la seule raison que la caste est plus nombreuse que la famille. L'universalité et l'objectivité morales sont qualitatives, fonction d'une certaine élasticité et ouverture d'esprit; ce qui revient à dire qu'elles sont mesurées par l'intersubjectivisation, alors même que l'intersubjectivisation ne peut être définie que par elles. Ce nouveau cercle est celui, bien connu, de toute intentionnalité transcendante : ce qui doit être atteint est supposé par l'acte qui l'atteint, mais ne peut être conçu que comme corrélatif à cet acte.

III. CONCLUSION

Cette longue critique d'une morale dont nous avons à peine esquissé les traits positifs nous laisse devant la situation suivante :

— Il n'y a pas à revenir sur la décision de démythiser la morale.

— Mais la solution alternative, la morale transcendantale, ne peut pas se suffire comme système. Sur le plan empirique de l'existence sociale et de l'expérience morale, sur le plan psychologique des motivations et sur le plan logique de la cohérence des définitions, elle suppose toujours un revers qui reste hors d'atteinte.

Il faut donc la comprendre comme une pratique : celle de la réflexion sur la morale vécue de tel ou tel sujet individuel ou collectif. Cette réflexion se propose de la ramener à son fondement, de l'expliciter et de lui offrir l'appui d'un point de vue critique. On voit tout de suite que les objections qui résultaient de la confrontation entre la morale transcendantale et l'expérience morale commune tombent dès que l'on considère la première simplement comme un examen des données de l'expérience morale vécue, qu'elle n'a pas besoin de fonder. De même, le problème général de la motivation et des *vires a tergo* de la décision consciente disparaît alors pour faire place à des questions de même nature, mais plus précises, pratiquement intéressantes et, en principe, solubles : quelles sont les motivations obscures que je peux et dois connaître chez moi-même, ou celles qu'autrui devrait apprendre à connaître par moi? Les objections logiques s'effacent encore plus aisément, puisqu'elles ne visaient que le système et non l'exercice critique.

Une perplexité légère demeure en fin de compte, et elle concerne la nature d'une méthode de réflexion qui ne peut pas se réclamer d'une base systématique autonome et irréprochable. La démythisation de la morale est possible et utile, mais elle n'a pas le droit d'invoquer une morale démythisée; ou si l'on veut, l'édifice d'une morale démythisée n'existe que comme une ombre un peu inconsistante derrière une démythisation nécessaire. La démythisation n'offre pas le projet d'une pensée totale, mais la direction d'un exercice. Même en le supposant achevé, le système de la morale transcendantale ne peut servir que comme l'échelle de Wittgenstein, qu'il faut gravir et tirer derrière soi.

(1965)

NOTICE BIOGRAPHIQUE

La note qui suit a été rédigée par Robert Klein en vue d'obtenir son visa pour le Canada pendant l'été 1965.

Né le 9 septembre 1918 à Timisoara, Roumanie.

Études de médecine 1936-1937 à Cluj (Roumanie); de philosophie 1937-1938 à l'Université allemande de Prague; de sciences 1938-1939 à Bucarest (Roumanie).

Entre 1939-1945 j'ai fait d'abord mon service militaire régulier, puis le travail obligatoire pour les Juifs, puis, après la libération de la Roumanie, la guerre en Hongrie et Tchécoslovaquie comme volontaire.

En 1947, j'ai obtenu la licence de philosophie à l'Université de Bucarest, puis, par concours, une bourse du Gouvernement français avec laquelle je suis venu à Paris. Je me déclare réfugié au printemps 1948, à la suite de quoi la bourse m'est retirée sur demande du gouvernement roumain. Je suis resté sans nationalité jusqu'à ce jour.

De 1948 à 1962, j'ai vécu de leçons et exercé différents métiers, obtenant en 1953 un diplôme d'études supérieures d'esthétique à la Sorbonne (pour un travail sur technè *et* ars *dans la tradition de Platon à Giordano Bruno), et en 1959 un diplôme de l'École des hautes études, IVe section, avec une édition critique de l'*Idea *de Lomazzo (non publiée), élaborée pour le professeur André Chastel. De 1954 à 1958, j'ai été secrétaire de l'historien Augustin Renaudet, professeur honoraire du Collège de France, et de 1958 à 1962 collaborateur technique du professeur Marcel Bataillon, hispaniste, administrateur du Collège de France.*

Depuis 1962 je suis attaché de recherche au Centre national de la recherche scientifique, ayant eu à travailler successivement à un index des manuscrits de Léonard et à une édition critique du De sculptura *de Gauricus (1504), avec un groupe de l'École pratique des hautes études (IVe section).*

Je suis invité comme professeur d'histoire de l'art à l'Université de Montréal pour l'année 1965-1966.

Revenu en Europe pour l'été 1966, il était à partir d'octobre boursier de l'Université Harvard à la villa *I Tatti* à Florence; il assista à la catastrophe de l'*alluvione* en novembre. Il donna en mars une conférence à l'Université de Fribourg-en-Brisgau sur le *Concert champêtre* de Giorgione et fit à la mi-avril un exposé aux «fellows» de la villa «I Tatti» sur les jeux de cartes ou «Tarocchi» dits « de Mantegna », qui faisaient l'objet de ses recherches. On le trouva mort le samedi 22 avril suivant, dans le vallon de Settignano, avec ce simple billet dans sa poche : « Robert Klein, di 49 anni, via dei Neri 18. Si tratta di un suicidio. »

NOTICE BIBLIOGRAPHIQUE

LIVRES

Le Procès de Savonarole, Paris, 1956 (trad. ital. 1960).
L'Age de l'humanisme (avec André Chastel), Bruxelles, 1963 (trad. angl., allem., ital.).
Italian art, 1500-1600 : Sources and documents (avec Henri Zerner), Englewood Cliffs, 1966.
Pomponius Gauricus, *De sculptura (1504)*. Édition annotée et traduction (avec André Chastel), Paris, 1969.

ARTICLES

1952

« Sur la signification de la synthèse des arts », *Revue d'esthétique*, V, 1952, p. 298-311.

1956

« L'imagination comme vêtement de l'âme chez Marsile Ficin et Giordano Bruno », *Revue de métaphysique et de morale*, 1956, p. 18-39.

1957

« La théorie de l'expression figurée dans les traités italiens sur les *imprese*, 1555-1612 », *Bibliothèque d'Humanisme et Renaissance*, XIX, 1957, p. 320-341.

1958

« La forme et l'intelligible », dans *Umanesimo e Simbolismo*, Atti del IV Congresso Internazionale di Studi Umanistici (Venise, 19-21 septembre 1958), Padoue, 1958, p. 103-121.
« *La Civilisation de la Renaissance* » *aujourd'hui*, postface à la réédition de J. Burckhardt, Paris, 1958, p. 295-313.

1959

Augustin Renaudet, « In memoriam », *Revue des études italiennes*, 1959, p. 54-61.
« Les " sept gouverneurs de l'art " selon Lomazzo », *Arte lombarda*, IV, 1959, p. 277-287.
« Pensée, confession, fiction : à propos de la " Saison en enfer " », *La diaristica filosofica, Archivio di Filosofia*, 1959, n° 2, p. 105-111.
« C'était déjà dans Tacite », *Club Panorama*, n° 1, avril 1959, p. 35-38.

1960

« L'enfer de Ficin », *Umanesimo e esoterismo, Atti del V Convegno internazionale di studi umanistici* (Oberhofen, septembre 1960), *Archivio di filosofia*, 1960, n⁰ 2-3, p. 47-84.

« La crise de la Renaissance italienne », *Critique*, XVI, 1960, p. 322-340.

« La pensée figurée de la Renaissance », *Diogène*, n⁰ 32, 1960, p. 123-138.

« Francisco de Hollanda et les " secrets de l'art " », *Coloquio* (Lisbonne), n⁰ 11, 1960, p. 6-9.

1961

« Les humanistes et la science », *Bibliothèque d'Humanisme et Renaissance*, XXIII, 1961, p. 7-16.

« Art et illusion, le problème psychologique », *Art de France*, I, 1961, p. 433-436.

« Pomponius Gauricus on perspective », *The Art Bulletin*, XLIII, 1961, p. 211-230.

« Appropriation et aliénation », *Filosofia della alienazione e analisi esistenziale, Archivio di Filosofia*, 1961, n⁰ 3, p. 53-64.

« La dernière méditation de Savonarole », *Bibliothèque d'Humanisme et Renaissance*, XXIII, 1961, p. 441-448 (suivi d'une réponse à Goukovskij, XXV, 1963, p. 226-227.

« *Giudizio* et *gusto* dans la théorie de l'art au Cinquecento », *Rinascimento*, XII, 1961, p. 105-116.

1962

« Notes sur la fin de l'image », *Atti del Colloquio internazionale su Demitizzazione e immagine* (Rome, janvier 1962), *Archivio di filosofia*, 1962, n⁰ 1-2, p. 123-128.

1963

« Peinture moderne et phénoménologie », *Critique*, XIX, 1963, p. 336-353.

« Le thème du fou et l'ironie humaniste », dans *Umanesimo e ermenentica, Archivio di Filosofia*, 1963, n⁰ 3, p. 11-25.

« Études sur la perspective à la Renaissance, 1956-1963 », *Bibliothèque d'Humanisme et Renaissance*, XXV, 1963, p. 577-587.

« L'esthétique mathématique » (avec Jacques Guillerme), *Sciences*, n⁰ 26, 1963, p. 45-56.

« Pierre Soulages » (notice), *Art de France*, 1963, p. 384-385.

« Considérations sur les fondements de l'iconographie », dans *Ermenentica e tradizione, Atti del III Colloquio internazionale sulla Tematica della demitizzazione* (10-16 janvier 1963), *Archivio di Filosofia*, 1963, n⁰ 1-2, p. 419-436.

« Humanisme, conscience historique et sentiment national » (avec André Chastel), *Diogène*, 44, 1963, p. 3-20.

« L'urbanisme utopique de Filarete à Valentin Andreae », *Actes du Colloque international sur les utopies à la Renaissance* (Bruxelles, avril 1961), 1963, p. 209-230.

1964

« Vitruve et le théâtre de la Renaissance » (avec Henri Zerner), dans le recueil *Le Lieu théâtral à la Renaissance*, Paris, 1964, p. 49-60.

« L'art et l'attention au technique », dans *Tecnica e casistica, Atti del IV Colloquio internazionale sulla tematica della demitizzazione* (Rome, 7-12 janvier 1964), *Archivio di Filosofia*, 1964, n⁰ 1-2, p. 363-372.

« Mort de l'art ou mort de l'œuvre? », *Preuves*, nº 196, 1964, p. 29-30.
« Humanisme et Renaissance » (bibliographie avec André Chastel),
L'Information d'histoire de l'art, 9, 1964, p. 222-225.
« Bemerkungen zum Untergang des Bildes », *Kerygma und Mythos*,
VI, 1964, p. 61-66.

1965

« Spirito peregrino », *Revue d'études italiennes*, numéro spécial :
Dante et les mythes, XI, 1965, p. 197-236.

1965

« Les limites de la morale transcendantale » (avec Ngô tieng Hiên),
dans *Demitizzazione e morale, Atti del V Colloquio internazionale
sul problema della demitizzazione* (Rome, 7-12 janvier 1965), *Archivio di Filosofia*, 1965, nº 1-2, p. 269-279.
« La méthode iconographique et la sculpture des tombeaux», *Mercure
de France*, 1965, p. 362-367.
« L'humanisme et les sciences de la Nature », *Bulletin de l'Institut de
philosophie*, XIV, 1965, p. 19-27.

1967

« Les tarots enluminés du xvᵉ siècle », *L'Œil*, nº 145, janvier 1967,
p. 11-17 et 51-52.
« Die Bibliotek von Mirandola und das Giorgione zugeschriebene
Concert champêtre », *Zeitschrift für Kunstgeschichte*, XXX, 1967,
p. 199-206.
« L'éclipse de l'" œuvre d'art "», *Vie des arts*, 1967, nº 47, p. 40-44
et 48.
« Le canon pseudo-varronien des proportions », dans *Les problèmes
du gothique et de la Renaissance*, Actes des Journées internationales
de l'histoire de l'art (Budapest, 4-8 mai 1965), *Acta Historiae Artium*
XIII, 1967, nº 1-3, p. 177-185.

COMPTES RENDUS

Dans *Revue de Littérature comparée :*

XXXV, 1961, p. 655-656 : Domingo RICART, « Juan de Valdés y el
pensamiento religioso europeo en los siglos XVI y XVII », Lawrence,
1958.
XXXVI, 1962, p. 602-605 : Manierismo, Barocco, Rococo. Concetti
e termini (Convegno Internaz. Roma, 21-24 avril 1960, Relations
et discussions), Roma, 1962.
XXXVII, 1963, p. 312-313 : H. A. Enno van GELDER, « The two
Reformations in the 16th. century. A study of the religious aspects
and consequences of Renaissance and Humanism », La Haye, 1961.
XXXVII, 1963, p. 488-490 : Renato POGGIOLI, « Teoria dell'arte
d'avanguardia », Bologne, 1962.
XXXVIII, 1964, p. 148-150 : Maurice POLLET, « John Skelton (c. 1460-
1529). Contribution à l'histoire de la Prérenaissance anglaise »,
Paris, 1962.
XXXIX, 1965, p. 641-642 : Don Cameron ALLEN, « Doubt's bound
less sea. Skepticism and faith in the Renaissance », Baltimore, 1964.
XXXIX, 1965, p. 642-645 : Corrado VIVANTI, « Lotta politica e pace
religiosa in Francia fra Cinque e Seicento », Turin, 1964.
XL, 1966, p. 141-142 : Edmondo CIONE, « Fede e ragione nella
storia », Bologne, 1963.

Dans *Renaissance News:*

XIII, 1960, p. 237-240 : Edgar WIND, « Pagan Mysteries in the Renaissance », Yale, 1958.

Dans *Mercure de France:*

1964, p. 588-594 : Raymond KLIBANSKY, Erwin PANOFSKY, Fritz SAXL, « Saturn and Melancholy. Studies in the History of Natural Philosophy, Religion and Art », 1964.

Dans *Zeitschrift für Kunstgeschichte:*

XXIII, 1960, p. 284-286 : Edgar WIND, « Pagan Mysteries in the Renaissance », Yale, 1958.
XXV, 1962, p. 85-87 : Erwin PANOFSKY, « The Iconography of Correggio's Camera di San Paolo », Londres, 1961.
XXVI, 1963, p. 190-192 : André CHASTEL, « Art et Humanisme à Florence au temps de Laurent le Magnifique », Paris, 1959.

Dans *Bibliothèque d'Humanisme et Renaissance:*

XX, 1958, p. 240-242 : Tommaso CAMPANELLA, « Magia e grazia. (Theologicorum liber XIV) a cura di Romano Amerio», Rome, 1957.
XX, 1958, p. 603-606 : Tommaso CAMPANELLA, « De Sancta Monotriade (Theologicorum liber II) a cura di Romano Amerio», Rome, 1957.
XXI, 1959, p. 513-514 : Klaus HEITMANN, « Fortuna und Virtus. Eine Studie zu Petrarcas Lebensweisheit », Cologne-Graz, 1958.
XXI, 1959, p. 514-516 : Federico CHABOD, « Machiavelli and the Renaissance », Londres, 1958.
XXI, 1959, p. 516-519 : « Il mondo antico nel Rinascimento », Atti del V Convegno internazionale di studi sul Rinascimento, Florence, 1958.
XXI, 1959, p. 543 : Roland H. BAINTON, « La Riforma Protestante », Turin, 1958.
XXI, 1959, p. 237-239 : « Umanesimo e Simbolismo. Atti del IV Congresso Internazionale di Studi Umanistici », Padoue, 1958.
XXI, 1959, p. 643-644 : P. Suitbert GAMMERSBACH : « Gilbert von Poitiers... », Cologne-Graz, 1959.
XXI, 1959, p. 653-655 : Enrico CASTELLI, « Le démoniaque dans l'art », Paris, 1959.
XXI, 1959, p. 645-646 : G. RABUSE, « Der kosmische Aufbau der Jenseitsreiche Dantes », Cologne-Graz, 1958.
XXII, 1960, p. 423-425 : Eugenio ANAGNINE, « Il concetto di Rinascimento attraverso il Medio Evo (V-X sec.) », Milan-Naples, 1958.
XXII, 1960, p. 425-427 : « Egidio da Viterbo, Scechina e Libellus de litteris hebraicis, inediti, a cura di François Secret », Rome, 1959, 2 vol.
XXIII, 1961, p. 178-180 : « Giovanni Rucellai ed il suo Zibaldone, I : " Il Zibaldone Quaresimale ", a cura di Alessandro Perosa », Londres, 1960.
XXIII, 1961, p. 180-182 :« Umanesimo e esoterismo. Atti del V Convegno internazionale di Studi Umanistici », Padoue, 1960.
XXIII, 1961, p. 202-205 : Eugenio Battisti, « Rinascimento e Barocco », Turin, 1960.
XXIII, 1961, p. 205-206 : Tommaso CAMPANELLA, « Il peccato originale » (*Theologicorum*, liber XVI), Rome, 1960.

XXIII, 1961, p. 425-427 : P. Rossi, « Clavis universalis. Arti mnemoniche e logica combinatoria da Lullo a Leibniz », Milan-Naples, 1960.

XXIII, 1961, p. 646-649 : Franco Simone, « Il Rinascimento francese. Studi e ricerche », Turin, 1961.

XXIV, 1962, p. 268-271 : « Trattati d'arte del Cinquecento. Fra Manierismo e Controriforma. A cura di Paola Barocchi », vol. I-II, Bari, 1960-1961.

XXIV, 1962, p. 513-516 : Eugenio Garin, « La cultura filosofica del Rinascimento italiano. Richerche e documenti », Florence, 1961.

XXIV, 1962, p. 502-504 : Georg Weise, « L'ideale eroico del Rinascimento e le sue premesse umanistiche », Naples, 1961.

XXV, 1963, p. 258-260 : Neal Ward Gilbert, « Renaissance Concepts of Method », New York, 1960.

XXV, 1963, p. 260-261 : « Trattati d'arte del Cinquecento, Fra Manierismo e Controriforma. A cura di Paola Barocchi », vol. III, Bari, 1962.

XXV, 1963, p. 630-631 : T. Klaniczay, « Probleme der ungarischen Spätrenaissance. Stoizismus und Manierismus » dans « Renaissance und Humanismus, in Mittel-und Osteuropa », Berlin, 1962.

XXV, 1963, p. 631-633 : « Rudolf and Margot Wittkower : Born under Saturn », Londres, 1963.

XXV, 1963, p. 629-630 : Giovanni Santinello, « Leon Battista Alberti. Una visione estetica del mondo », Florence, 1962.

XXVI, 1964, p. 487-488 : François Secret, « Les kabbalistes chrétiens de la Renaissance », Paris, 1964.

XXIX, 1967, p. 717-718 : Franco Simone, « Per una storia della storiografia letteraria francese. I. La più lontana origine dei primi schemi della storiografia letteraria moderna », Turin, 1966.

Dans *Critique :*

XVII, 1961, p. 570-571 : Victor-L. Tapié, « Le Baroque », Paris, 1961.

XVIII, 1962, p. 382-383 : Maurice Serullaz, « L'impressionnisme », Paris, 1961.

XIX, 1963, p. 283-284 : « Pascal e Nietzsche », recueil publié par E. Castelli, Archivio di Filosofia, 1962, nº 3.

XXI, 1965, p. 787-789 : « Demitizzazione e morale »; un colloque sur la démythisation de la morale, Archivio di Filosofia, 1965, nº 2.

PRÉSENTATION D'ANDRÉ CHASTEL.

I. PENSÉE ET SYMBOLE A LA RENAISSANCE

   I. *Spirito peregrino* (1965).   29

  II. *L'imagination comme vêtement de l'âme chez Marsile Ficin et Giordano Bruno* (1956).   65

 III. *L'enfer de Ficin* (1961).   89

 IV. *La théorie de l'expression figurée dans les traités italiens sur les « imprese »*, 1555-1612 (1957).   125

  V. *La forme et l'intelligible* (1958).   151

 VI. *« Les sept gouverneurs de l'art » selon Lomazzo* (1959).   174

VII. *La Bibliothèque de la Mirandole et le « Concert champêtre » de Giorgione* (1967).   193

VIII. *La « Civilisation de la Renaissance » de J. Burckhardt à aujourd'hui* (1958).   204
(Notes iconographiques)

 IX.   I. *Saturne: croyances et symboles* (1964).   224

     II. *La méthode iconographique et la sculpture des tombeaux* (1965).   229

II. PERSPECTIVE ET SPÉCULATIONS SCIENTIFIQUES A LA RENAISSANCE

  X. *Pomponius Gauricus et son chapitre « De la perspective »* (1961).   237

 XI. *Études sur la perspective à la Renaissance* (1956-1963). (1963).   278

XII. *Vitruve et le théâtre de la Renaissance italienne* (en collaboration avec H. Zerner) (1964).   294

XIII. *L'urbanisme utopique de Filarete à Valentin Andreae* (1964).   310

XIV. *Les humanistes et la science* (1961).   327

496

III. ESTHÉTIQUE ET MÉTHODE

xv. Giudizio *et* Gusto *dans la théorie de l'art au Cinquecento* (1961).   341

xvi. *Considérations sur les fondements de l'iconographie* (1963).   353

xvii. *Notes sur la fin de l'image* (1962).   375

xviii. *L'art et l'attention au technique* (1964).   382

xix. *Art et illusion, le problème psychologique* (1961).   394

xx. *L'éclipse de l'« œuvre d'art »* (1967).   403

xxi. *Peinture moderne et phénoménologie* (1963).   411

IV. ÉTHIQUE

xxii. *Le thème du fou et l'ironie humaniste* (1963).   433

xxiii. *Pensée, confession, fiction. A propos de la « Saison en Enfer »* (1959).   451

xxiv. *Appropriation et aliénation* (1961).   459

xxv. *Les limites de la morale transcendantale* (en collaboration avec Ngô tieng Hiên (1965).   473

NOTES SUR LA VIE ET LES PUBLICATIONS DE R. KLEIN.   489

TEL

Volumes parus

1. Jean-Paul Sartre : *L'être et le néant.*
2. François Jacob : *La logique du vivant.*
3. Georg Groddeck : *Le livre du Ça.*
4. Maurice Merleau-Ponty : *Phénoménologie de la perception.*
5. Georges Mounin : *Les problèmes théoriques de la traduction.*
6. Jean Starobinski : *J.-J. Rousseau, la transparence et l'obstacle.*
7. Émile Benveniste : *Problèmes de linguistique générale, I.*
8. Raymond Aron : *Les étapes de la pensée sociologique.*
9. Michel Foucault : *Histoire de la folie à l'âge classique.*
10. H.-F. Peters : *Ma sœur, mon épouse.*
11. Lucien Goldmann : *Le Dieu caché.*
12. Jean Baudrillard : *Pour une critique de l'économie politique du signe.*
13. Marthe Robert : *Roman des origines et origines du roman.*
14. Erich Auerbach : *Mimésis.*
15. Georges Friedmann : *La puissance et la sagesse.*
16. Bruno Bettelheim : *Les blessures symboliques.*
17. Robert van Gulik : *La vie sexuelle dans la Chine ancienne.*
18. E. M. Cioran : *Précis de décomposition.*
19. Emmanuel Le Roy Ladurie : *Le territoire de l'historien.*
20. Alfred Métraux : *Le vaudou haïtien.*
21. Bernard Groethuysen : *Origines de l'esprit bourgeois en France.*
22. Marc Soriano : *Les contes de Perrault.*
23. Georges Bataille : *L'expérience intérieure.*
24. Georges Duby : *Guerriers et paysans.*
25. Melanie Klein : *Envie et gratitude.*
26. Robert Antelme : *L'espèce humaine.*
27. Thorstein Veblen : *Théorie de la classe de loisir.*
28. Yvon Belaval : *Leibniz, critique de Descartes.*
29. Karl Jaspers : *Nietzsche.*
30. Géza Róheim : *Psychanalyse et anthropologie.*

31. Oscar Lewis : *Les enfants de Sanchez.*

32. Ronald Syme : *La révolution romaine.*

33. Jean Baudrillard : *Le système des objets.*

34. Gilberto Freyre : *Maîtres et esclaves.*

35. Verrier Elwin : *Maisons des jeunes chez les Muria.*

36. Maurice Merleau-Ponty : *Le visible et l'invisible.*

37. Guy Rosolato : *Essais sur le symbolique.*

38. Jürgen Habermas : *Connaissance et intérêt.*

39. Louis Dumont : *Homo hierarchicus.*

40. D. W. Winnicott : *La consultation thérapeutique et l'enfant.*

41. Soeren Kierkegaard : *Étapes sur le chemin de la vie.*

42. Theodor W. Adorno : *Philosophie de la nouvelle musique.*

43. Claude Lefort : *Éléments d'une critique de la bureaucratie.*

44. Mircea Eliade : *Images et symboles.*

45. Alexandre Kojève : *Introduction à la lecture de Hegel.*

46. Alfred Métraux : *L'île de Pâques.*

47. Émile Benveniste : *Problèmes de linguistique générale, II.*

48. Bernard Groethuysen : *Anthropologie philosophique.*

49. Martin Heidegger : *Introduction à la métaphysique.*

50. Ernest Jones : *Hamlet et Œdipe.*

51. R. D. Laing : *Soi et les autres.*

52. Martin Heidegger : *Essais et conférences.*

53. Paul Schilder : *L'image du corps.*

54. Leo Spitzer : *Études de style.*

55. Martin Heidegger : *Acheminement vers la parole.*

56. Ludwig Binswanger : *Analyse existentielle et psychanalyse freudienne (Discours, parcours et Freud).*

57. Alexandre Koyré : *Études d'histoire de la pensée philoso-phique.*

58. Raymond Aron : *Introduction à la philosophie de l'histoire.*

59. Alexander Mitscherlich : *Vers la société sans pères.*

60. Karl Löwith : *De Hegel à Nietzsche.*

61. Martin Heidegger : *Kant et le problème de la métaphysique.*

62. Anton Ehrenzweig : *L'ordre caché de l'art.*

63. Sami-Ali : *L'espace imaginaire.*

64. Serge Doubrovsky : *Corneille et la dialectique du héros.*

65. Max Schur : *La mort dans la vie de Freud.*

66. Émile Dermenghem : *Le culte des saints dans l'Islam maghrébin.*

67. Bernard Groethuysen : *Philosophie de la Révolution française, précédé de Montesquieu.*

68. Georges Poulet : *L'espace proustien*.
69. Serge Viderman : *La construction de l'espace analytique*.
70. Mikhaïl Bakhtine : *L'œuvre de François Rabelais et la culture populaire au Moyen Âge et sous la Renaissance*.
71. Maurice Merleau-Ponty : *Résumés de cours (Collège de France, 1952-1960)*.
72. Albert Thibaudet : *Gustave Flaubert*.
73. Leo Strauss : *De la tyrannie*.
74. Alain : *Système des beaux-arts*.
75. Jean-Paul Sartre : *L'Idiot de la famille, I*.
76. Jean-Paul Sartre : *L'Idiot de la famille, II*.
77. Jean-Paul Sartre : *L'Idiot de la famille, III*.
78. Kurt Goldstein : *La structure de l'organisme*.
79. Martin Heidegger : *Le principe de raison*.
80. Georges Devereux : *Essais d'ethnopsychiatrie générale*.
81. J.-B. Pontalis : *Entre le rêve et la douleur*.
82. Max Horkheimer/Theodor W. Adorno : *La dialectique de la Raison*.
83. Robert Klein : *La forme et l'intelligible*.

Ouvrage reproduit
par procédé photomécanique
Impression S.E.P.C.
à Saint-Amand (Cher), 7 novembre 1983.
Dépôt légal : novembre 1983.
Numéro d'imprimeur : 1726.

ISBN 2-07-70012-7. Imprimé en France.